D1261582

dumont taschenbücher

Karl-Peter Röhl,
erstes Signet für das
Staatliche Bauhaus Weimar,
Wettbewerbsentwurf 1919

Eckhard Neumann, geboren 1933 in Königsberg/Preußen, studierte Werbung und Grafik-Design in Berlin und Ulm. Zunächst in der Werbung tätig, wandte er sich mehr und mehr dem Design und der Kunst zu, insbesondere der Geschichte und Theorie des Grafik-Design im 20. Jahrhundert sowie der Bauhaus-Forschung. Seit 1975 ist er Designer im Rat für Formgebung in Darmstadt und lebt in Frankfurt/M.
Der Herausgeber publizierte bereits 1970 eine Sammlung von Erinnerungen ehemaliger Bauhaus-Meister und Schüler sowie von deren Zeitgenossen (New York 1970, Bern 1971), eine Geschichte der Neuen Typographie ›Functional Graphic Design in the 20's‹ (New York 1971) und zahlreiche Texte zu seinen Schwerpunktthemen in internationalen Medien. 1964 gründete er das Jahrbuch: ›Werbung in Deutschland‹ und ist seitdem dessen Mitherausgeber.

Bauhaus und Bauhäusler

Erinnerungen und Bekenntnisse
herausgegeben von Eckhard Neumann

DuMont Buchverlag Köln

Oskar Schlemmer, Signet für das Bauhaus,
entworfen 1923

Frontispiz Seite 2:
›Kathedrale der Zukunft‹, Titelholzschnitt des Bauhaus-Manifestes
von Lyonel Feininger, Weimar, April 1919

CIP-Kurztitelaufnahme der Deutschen Bibliothek

Bauhaus und Bauhäusler : Erinnerungen u. Bekenntnisse
hrsg. von Eckhard Neumann. – Erw. Neuausg. – Köln :
DuMont, 1985.
   (DuMont-Taschenbücher ; 167)
   ISBN 3-7701-1673-9
NE: Neumann, Eckhard [Hrsg.]; GT

© 1985 DuMont Buchverlag, Köln
erweiterte Neuausgabe der 1971 bei Hallwag AG Bern
erschienenen Veröffentlichung: ›Bauhaus und Bauhäusler.
Bekenntnisse und Erinnerungen‹
Alle Rechte vorbehalten
Satz und Druck: Rasch, Bramsche
Buchbinderische Verarbeitung: Boss-Druck, Kleve

Printed in Germany   ISBN 3-7701-1673-9

nhalt

Alfred Arndt

Ansprache zur Bauhaus-Einweihung in Dessau 1926

aus sympathie für die idee des bauhauses ist hier eine große menge menschen, die den einzug in unsere neue arbeitsstätte festlich begehen wollen, zusammen gekommen.

außer denen, die uns mit stumpf und stiel ausrotten wollen, gibt es gott sei dank noch VIELE, bei denen das gegenteil der fall ist.

darüber freuen wir uns!

nicht allein häuser bauen, sondern mit vor allem »gemeinschaft« bauen ist die aufgabe! – denn große dinge trägt immer nur die GEMEINSCHAFT!!

wir stehen am anfang – trotz aller schon geleisteten arbeit!

die notwendige materielle voraussetzung schuf die großzügigkeit der stadt DESSAU! für dieses opfer danken wir der stadt und ihrem ersten bürger!

das haus steht. . . . es sei der grundstock für die bewußte arbeit am BAU einer neuen welt.

sie alle, die hier mit PATE stehen, mögen in sich die verpflichtung zur mitverantwortung fühlen!

wir bauhäusler begrüßen sie und heißen sie in *diesem* sinne herzlich willkommen.

Vorwort: Jeder hatte sein eigenes Bauhaus . . .

Die hier vorliegende Sammlung von persönlichen Bekenntnissen und Erinnerungen zeigt das Bauhaus in einer bisher kaum bekannten menschlichen Perspektive. Die Menschen waren das Bauhaus, so könnte man viele Stimmen zusammenfassen. Der Mensch mit dem Glauben an die neue Gesellschaft, mit dem Wunsch nach Gemeinschaft, nach neuen Idealen, der Strapazen des Weltkrieges müde, den viele als Soldaten mitgemacht hatten und dessen Folgen und Nöte die Geschichte des Bauhauses immer begleiteten. Meister, Studierende und Freunde, auch Zweifler gestatten durch ihre individuellen Berichte hier einen Blick in die interne Struktur des Bauhauses, zeigen die enge Abhängigkeit von der Zeit, in der und aus der die Idee entstanden ist.

Der Anfang zu diesem Buch war eine Ausstellung, die heute fast selbst schon wieder ein Stück Geschichte ist. Unter dem Titel: ›Bauhaus – Idee/Form/Zweck/Zeit‹ zeigte die jetzt nicht mehr existierende ›göppinger galerie‹ im Frühjahr 1964 in Frankfurt am Main eine kleine Bauhaus-Ausstellung nach einem Plan von Teo Otto. Das Bauhaus sollte hier bewußt in den Rahmen seiner Epoche eingebaut werden und den Betrachter zum Vergleich mit den politischen und soziologischen Problemen wie auch mit den parallelen kulturellen Tendenzen und Aktionen in Europa der sogenannten ›goldenen‹ zwanziger Jahre anregen. Ganz selbstverständlich kam dabei der Gedanke auf, auch, ja ganz sicher, die beteiligten Bauhäusler und ihre Zeitgenossen sprechen zu lassen.

Aber Erinnerungen an das ›gute, alte Bauhaus‹ aufschreiben? War das im Sinne des stets an die Zukunft gerichteten Bauhauses? Wer lernt davon, fragten die Skeptiker. Oder: Das Bauhaus hatte viele Feinde, auch unter den Künstlern! Und vor allem: Werden die Bauhäusler auch wirklich schreiben? Durch Beharrlichkeit und treibende Neugier, wie wohl die Aktiven des Bauhauses und ihre Zeitgenossen heute über ›ihr‹ Bauhaus und dessen Wirkung in die Gegenwart denken, kam eine unerwartet interessante Sammlung von Berichten zusammen, die als Ergänzung der Kultur- und Kunstgeschichte die Lebendigkeit und Kraft zeigt, mit der die Menschen an der Bauhaus-Idee gearbeitet, sie entwickelt und sie gewandelt haben. Es ist ein Buch über das Leben am Bauhaus.

Die Anregung, den ursprünglichen Katalog zu einem Buch zu erweitern, kam aus den USA. Texte wurden überarbeitet, neue Autoren kamen dazu, als sie das Ganze sahen, und neue Themen wurden bearbeitet, um möglichst viele Aspekte des Bauhaus-Gedankens darzustellen. Der Abbildungsteil wurde ganz auf Fotos vom Bauhaus-Leben konzentriert, um möglichst viele unveröffentlichte oder wenig bekannte Fotos zeigen zu können. Und um das Individuelle in jedem Beitrag noch deutlicher zu machen und dem Leser ein Bild von der Persönlichkeit des Autors zu vermitteln, ist jedem Beitrag eine ausführliche Biografie vorangestellt worden. Damit wird nicht nur die Beteiligung des jeweiligen Autors an der Bauhaus-Arbeit oder seine Beziehung dazu sichtbar, sondern auch sein weiteres Leben, das durch die Impulse des Bauhauses mehr oder weniger entscheidend beeinflußt wurde. Hier wird zu einem Teil jene immer aktuelle Frage mitbeantwortet: Was ist aus den Bauhäuslern geworden, was machen und wie denken sie heute?

Die amerikanische Ausgabe dieses Buches erschien im Frühjahr 1970, ergänzt durch neue Beiträge und neue Abbildungen, die das Bild des Bauhauses und seines Wirkens und seines Einflusses bis heute noch anschaulicher machten. Die wenig später erschienene deutsche Ausgabe wurde wiederum erweitert, wie auch die hier vorliegende Ausgabe durch neue Textbeiträge und zum Teil unveröffentlichte Fotos aus dem ›Leben am Bauhaus‹ bereichert werden konnte.

Die Bauhäusler liebten ihr Bauhaus, jeder hatte sein ›eigenes‹ Bauhaus, wie es Lou Scheper ausdrückte, jeder Bauhäusler ist durch sein Erlebnis am Bauhaus in seinem Leben geprägt worden. Das Bauhaus, getragen vom Geist einer Zeit im Aufbruch sowohl in der Gründungsphase in Weimar wie in seiner Blüte, als Laboratorium einer menschlichen, sachlichen und progressiven Alltagskultur in Dessau, in seinem unbeugsamen Lebenswillen in den letzten Monaten in Berlin, war stets getragen von einer der Gemeinschaft verpflichteten Energie – eine Motivation, um die man die Generation der Lehrer und Studenten heute beneiden muß.

Zu dem Zustandekommen dieses Buches haben in erster Linie die Bauhäusler beigetragen; ihnen dankt der Herausgeber zu allererst für die Manuskripte, für die freundschaftliche Beratung und ihr Interesse an der Realisierung dieses Buches. Stellvertretend für alle soll der spezielle Dank dem Gründer des Bauhauses, Walter Gropius, gelten, der den Plan von Anfang an persönlich unterstützt hatte. Nachdem er den Katalog der ›göppinger galerie‹ erhalten hatte, schrieb er mir, daß ihn die Lektüre der persönlichen Erinnerungen an das Bauhaus so fasziniert hätte, daß er sie in einem Zuge gelesen habe. Walter Gropius hat das Erscheinen des amerikanischen Buches, auf das er so sehr gewartet hatte, nicht mehr erlebt, und viele, sehr viele Bauhäusler und Freunde, die seinerzeit mit Enthusiasmus an dieser Buchidee mitwirkten, sind ebenfalls nicht mehr am Leben. Ihr Beitrag zum Bauhaus, gestern und heute, ist in diesem Buch festgehalten und dokumentiert die Lebendigkeit der Idee.

Der Herausgeber denkt dankbar an das Team der ›göppinger galerie‹ bei der Planung und Verwirklichung der damaligen Ausstellung, besonders der Ermunterung von Teo Otto, der seinerzeit zu dem Vorschlag, die Bauhäusler in der Ausstellung selbst zu Wort kommen zu lassen, lapidar sagte: »Versuchen Sie's!« und Emil Rasch, der spontan den Katalog finanzierte. Besonderen Dank möchte ich als Herausgeber Elisabeth Daume und Ilsemarie van de Bergh für die Grundlagen der umfangreichen Korrespondenz, Hannelore Wuttke für die Übersetzungen aussprechen, ebenso Karin Leibbrand-Büttner, die für diese Ausgabe mit unermüdlicher Energie und Hilfe einen großen Teil des Briefwechsels bewältigt hat. Für beratende Mitarbeit und für die Bereitstellung von zum Teil unveröffentlichten Archivfotos danke ich Peter Hahn und Magdalena Droste vom Bauhaus-Archiv/Museum für Gestaltung, Berlin sowie Henning Ritter, Eva Körner (Budapest), Rainer Wick und nicht zuletzt den Menschen in meiner persönlichen Umgebung, die meiner Bauhaus-Leidenschaft seit langem mit Geduld und Verständnis entgegengekommen sind. Das Buch ist allen Bauhäuslern gewidmet.

Frankfurt, Mai 1985   Eckhard Neumann

Walter Gropius

Geboren 1883 in Berlin. Studiert von 1903 bis 1907 Architektur an den Technischen Hochschulen in Berlin und München. Anschließend Chefassistent im Atelier von Peter Behrens in Berlin. Trifft hier mit Ludwig Mies van der Rohe und Le Corbusier zusammen, die ebenfalls bei Behrens arbeiten. 1910 macht er sich in Berlin als Architekt selbständig und baut zusammen mit Adolf Meyer das berühmte Fagus-Werk, eine Schuhleistenfabrik in Alfeld an der Leine, und 1914 die Musterfabrik auf der Werkbund-Ausstellung in Köln. Noch während des Krieges, in dem er als Husarenleutnant dient, wird er von Henry van de Velde als Nachfolger für den Posten des Direktors der Großherzoglich-Sächsischen Kunstgewerbeschule vorgeschlagen.

Gehört in den Tagen der Revolution, zusammen mit Feininger und Marcks, dem ›Arbeitsrat für Kunst‹ in Berlin an. 1918 wird Gropius zum Direktor der Großherzoglichen Kunstgewerbeschule und der Großherzoglichen Hochschule für bildende Kunst in Weimar ernannt, die er 1919 unter dem Namen »Staatliches Bauhaus Weimar« vereinigt. 1923 wird Gropius von den Weimarer Behörden zu einer Ausstellung gezwungen, die über den bisherigen Entwicklungsstand des Institutes Rechenschaft geben soll. Das Ergebnis der fünfjährigen Arbeit dokumentieren die Bauhaus-Wochen im Sommer 1923, die auch zu einer Erneuerung der Bauhaus-Idee führen und sich in dem Satz von Gropius manifestieren: »Kunst und Technik – eine neue Einheit.«

Unter dem Druck der bekannten politischen Schwierigkeiten wird das Bauhaus in Weimar aufgelöst. Walter Gropius und mit ihm die Mehrzahl der Bauhaus-Lehrer und -Studenten gehen nach Dessau, wo auf Initiative des Oberbürgermeisters Fritz Hesse, beraten von Ludwig Grote, das Bauhaus als Städtisches Institut mit dem Titel »Bauhaus Dessau – Hochschule für Gestaltung« 1925 wiedereröffnet wird. Die feierliche Eröffnung der Lehrgebäude im Dezember 1926 wird zu einem Ereignis von europäischem Rang. 1928 übergibt Gropius die Leitung des Bauhauses dem Dozenten für Architektur Hannes Meyer und eröffnet in Berlin wieder ein eigenes Architekturbüro. In seiner Dessauer Zeit hat er mit der Bauabteilung des Bauhauses neben dem Bauhaus-Gebäude die Meisterhäuser, die Siedlung Törten und das Arbeitsamt entworfen und ausgeführt. Sie sind unter dem zusammenfassenden Begriff »Bauhaus-Bauten« zu einer der wichtigsten Architekturleistungen des frühen 20. Jahrhunderts geworden.

1929 wird Gropius von der Technischen Hochschule Hannover der Titel des Ehrendoktors verliehen. Von 1929 bis 1957 ist er Vizepräsident des CIAM, des Internationalen Kongresses für Architektur, Zürich. Nach seiner Baupraxis in Berlin emigriert er 1934 nach London und arbeitet mit Maxwell Fry zusammen. 1937 wird er als Professor für Architektur an die Graduate School of Design der Harvard University in Cambridge/Massachusetts berufen. Ein Jahr darauf wird er zum Vorsitzenden des Departement of Architecture ernannt. Mit 70 Jahren wird Gropius 1952 Professor Emeritus der Harvard University. Viele internationale Ehrungen folgen, u. a. die Ernennung zum Mitglied des American Institute of Architects (1938), der American Academy of Arts and Sciences (1944) und des Royal Institute of British Architects (1956). Zusammen mit dem von ihm ins Leben gerufenen Architektenteam »The Architects' Collaborativ« entfalt Walter Gropius nach seiner Emigration eine sehr umfangreiche Bautätigkeit in den USA, in Deutschland und an verschiedenen internationalen Projekten. Neben seiner pädagogischen Tätigkeit an der Harvard University und vielen internationalen Hochschulen setzt sich Gropius publizistisch für die Idee des Neuen Bauens und der Erziehung von Gestaltern ein, die er unter den Begriff »Neue optische Kultur« stellt. Auch die Arbeit des Bauhauses selbst hat Gropius nach seiner Übersiedlung in die Vereinigten Staaten von Amerika immer wieder gewürdigt.

1938 veranstaltet er zusammen mit Herbert Bayer und seiner Frau Ise Gropius die New Yorker Ausstellung ›Bauhaus 1919 bis 1928‹ im Museum of Modern Art, zu der als Katalog das gleichnamige Buch erscheint, das als deutsche Ausgabe 1955 für die nachfolgende Generation die erste umfassende Information über seine Arbeit und die Idee des Bauhauses darstellt.

Kurz nach dem Krieg unterstützt er durch brieflichen Kontakt den Versuch der Wiedereröffnung des Bauhauses in Dessau unter dem wiedereingesetzten Oberbürgermeister Fritz Hesse und der Leitung von Hubert Hoffmann, ebenso eine geplante Bauhaus-Ausstellung, die 1948 in Dessau veranstaltet werden soll und die 1949 als Variation des ursprünglichen Plans unter dem Titel ›22 Berliner Bauhäusler‹ in Berlin stattfindet. Auch die Ausstellung der ›göppinger galerie‹, Frankfurt, die 1964 unter dem Titel ›Bauhaus – Idee, Form, Zweck, Zeit‹ arrangiert wird und deren Katalog die Grundlage dieses Buches bildet, ist vom Gründer des Bauhauses durch wertvolle Anregungen unterstützt worden.

1960 fördert er die Gründung des Bauhaus-Archivs, initiiert von Hans Maria Wingler, dessen Eröffnung er 1961 in Darmstadt persönlich beiwohnt. Er überträgt dem Direktor des Bauhaus-Archivs die Rechte zur Neuausgabe und Erweiterung der Bauhaus-Bücher und entwirft 1964 für das Archiv ein kleines Museum, geplant zum Bau auf der Rosenhöhe in Darmstadt. Durch die Verlagerung des Bauhaus-Archivs nach Berlin kann das Gebäude 1979 am Landwehr-Kanal im Berliner Tiergarten eingeweiht werden und ist seitdem das vielbesuchte Domizil des Bauhaus-Archivs, hier mit dem Untertitel ›Museum für Gestaltung‹ versehen.

Zum 100. Geburtstag veranstaltet das Bauhaus-Archiv in Berlin ein Symposium für Walter Gropius und plant für 1986 eine Ausstellung des Lebenswerks. Die umfangreiche Literatur zu Persönlichkeit und Werk von Walter Gropius ist 1983/84 durch eine umfassende, zweibändige Biografie ›Walter Gropius – Der Mensch und sein Werk‹ von Reginald R. Isaacs (Gebr. Mann Verlag, Berlin) ergänzt worden.

Walter Gropius ist am 5. Juli 1969 in Boston gestorben.

Die Bauhaus-Idee – Kampf um neue Erziehungsgrundlagen

Nach dem Auf und Nieder, den Siegen und Niederlagen, die die Bauhaus-Idee im Laufe ihres Wachstums erfahren hat, kann ich heute im Abstand objektiver darauf zurückblicken.

Vor einiger Zeit fand ich unter verschiedenen Papieren aus der Bauhaus-Zeit ein Tagebuch, das meine Frau in den Jahren 1923 bis 1928 geführt hatte und das wir seither nie mehr durchgesehen hatten. Ich begann es zu lesen, und je weiter ich kam, desto deprimierter wurde ich, weil sich aus dem Text ganz klar ergab, daß 90 Prozent der unerhörten Anstrengungen, die alle Beteiligten in dieses Unternehmen hineinsteckten, auf die Abwehr von Feindseligkeiten auf lokaler und nationaler Ebene verwandt werden mußten und nur 10 Prozent für die eigentliche schöpferische Arbeit übrigblieben. Verstehen Sie mich recht, die Depression, die dieses Mißverhältnis jetzt in mir auslöst, wurde nicht etwa damals empfunden, oder wenn, so doch nur momentweise; erst im Rückblick erscheinen die Widerstände gegen ein Institut, das eine so unorthodoxe, revolutionäre Lehrweise vertrat, in ihrem vollen Ausmaß. Während des Kampfes selbst waren wir uns zwar bewußt, daß wir jeden Tag unserer Existenz dem Rachen des Löwen entreißen mußten, aber wir zweifelten keinen Moment an unserer Fähigkeit, Widerstände zu besiegen. Wir waren empört, daß man uns an unserer Arbeit hinderte, aber wir waren nicht deprimiert. Wir waren uns klar, daß wir an einem neuen Beginn standen und daß wir nur die ersten Schritte getan hatten in einer neuentdeckten Welt voll faszinierender Aufgaben.

Hätte ich damals gewußt, was ich jetzt weiß, so hätte ich mir sagen müssen, daß es ein vergebliches Unterfangen sei; daß das Intermezzo zwischen dem Ersten Weltkrieg und dem Beginn des Tausendjährigen Reiches viel zu kurz war, um etwas von bleibendem Wert zu schaffen; daß der lange Winterschlaf, der allen schöpferischen Geistern während der Nazizeit aufgezwungen wurde, die sorgfältig gesäte Saat vergehen lassen würde. Aber glauben Sie nie einem alten Mann, wenn er behauptet, daß irgend etwas unmöglich sei. Er kann sich nämlich beim besten Willen nicht mehr in die Verfassung eines jungen Mannes zurückversetzen, der, ohne die Bürde der Erfahrung, sich einfach an die Arbeit macht und vertrauensvoll alles so plant, als ob er ewig leben würde. Nur durch diesen Schwung seiner Phantasie kann er seine Ideen so weit vorausschleudern, daß sie seine Lebenszeit überdauern. Nach meiner Beobachtung braucht es mindestens die Zeitspanne einer Generation, ehe sich eine neue Idee mit Sicherheit verbreitet. Außerdem hängt es noch von den jeweiligen gesellschaftlichen Zuständen ab, wie schnell sich dieser Prozeß vollzieht. Man könnte sich fragen, welche Chance die Bauhaus-Idee hat, sich weiterhin durchsetzen zu können, die, weit davon entfernt, vom Künstler dominiert zu sein, nicht einmal die Wünsche des Herstellers oder Verbrauchers richtig reflektiert, sondern allein von der Macht des Verkaufspropagandisten oder – wie Toynbee ihn nennt – des »großen Versuchers« beherrscht ist. Unter dieser Herrschaft scheint es sinnlos, Gebäude und Gegenstände guter Qualität zu kreieren, da sie doch nur einen kurzen Unterhaltungswert darstellen und bald anderen Produkten von ebenso ephemerem Wert Platz machen.

Wie können wir diesem regellosen Wirbel entrinnen und der jungen Generation die notwendige Elastizität, das unabhängige

Urteil und die moralische Widerstandskraft geben, die sie in den Stand setzen würden, sich aus der Lawine von Pseudoprodukten zu befreien, die uns zu ersticken droht?

Man mag mir mit Recht den Vorwurf machen, daß ich mich wiederhole, wenn ich als einziges Gegenmittel immer wieder intensivierte Erziehung vorschlage. Wir können nicht hoffen, zu diesem Zeitpunkt noch verlorenen Boden wiederzugewinnen durch allmähliche Verbesserungen, die sich aus der langsamen, natürlichen Anpassung der menschlichen Natur an die Zeitereignisse ergeben. Diese Ereignisse stürmen heute in so rascher Folge auf uns ein, daß wir kaum in der Lage sind, richtig auf sie zu reagieren, es sei denn, wir würden lernen, unsere Erziehung derart zu erweitern, daß sie nicht nur den Verstand schärft, sondern auch unser Empfindungsvermögen formt und Auge und Hand trainiert. Ein solches Training ist bisher dem Künstler vorbehalten gewesen; wollen wir aber den Abgrund überbrücken, der heute zwischen dem Künstler und dem breiten Publikum klafft, so müssen wir uns entschließen, einem jeden Erziehungsgrundlagen zu geben, die ihn befähigen, mit geschultem Auge seine Umgebung zu beobachten. Wenn wir heute stolz sind auf die Fortschritte, die wir darin gemacht haben, den jungen Künstler aus seiner imitativen Abhängigkeit von den Methoden seiner Lehrer zu befreien, so müssen wir uns vor Augen halten, daß der größere Teil unserer Aufgabe noch vor uns liegt, nämlich allen jungen Menschen vom Beginn ihrer Schulzeit an ein visuelles Training zu geben, das auf objektiven Prinzipien aufgebaut ist. Von einer solchen Grundlage aus wird der begabte Mensch immer seine persönliche, schöpferische Interpretation finden, aber Künstler und Publikum müssen von denselben Voraussetzungen allgemeingültiger Art ausgehen, wenn wir erreichen wollen, daß der Gestalter auf die willige Aufnahmebereitschaft seines Auftraggebers rechnen kann.

In diesem Zusammenhang möchte ich noch eine prinzipielle Feststellung machen: Ich fühle mich heute weit genug vom Drama des Bauhauses entfernt, um sine ira et studio meine eigene Bilanz zu ziehen und zu präzisieren, was denn das eigentlich Neue in der Bauhaus-Erziehungsmethode war. Ich kann dies am besten an den Erziehungsmethoden zweier so verehrungswürdiger Meister wie Henry van de Velde und Frank Lloyd Wright erläutern. Beide hatten schon vor mir die Idee der Vereinheitlichung der Künste im Sinne. Auf welche Weise suchten sie dieses Ziel zu erreichen? Van de Velde, genialer, erfindungsreicher Künstler von Weltruf und voll begeisterndem Elan, hatte die Vorstellung, daß die Einheit der Künste durch Verbreitung des von ihm gefundenen Formvokabulars, seiner »Linie«, wie er es nannte, möglich wäre. Das Werk seiner Schüler zeigt fast ausnahmslos van de Veldes eigenen Formcharakter.

Vor einigen Jahren besuchte ich Frank Lloyd Wrights Taliesin-Schule, die von seiner Witwe weitergeführt wird. Ich betrachtete die Arbeiten von ungefähr 60 Studenten, die durchweg blasse Frank-Lloyd-Wright-Entwürfe waren. Kein einziger unabhängiger Versuch war erkennbar.

Diese Ergebnisse zeigen, daß ein großer Künstler nicht ohne weiteres ein fruchtbares Erziehungssystem entwickeln kann. In ähnlicher Weise wie in van de Veldes kunstgewerblichem Seminar in Weimar wurden in Taliesin Assistenten, aber keine selbständigen Künstler erzogen. Sicher ist der Kontakt des Schülers mit einer großen ausstrahlenden Persönlichkeit vom menschlichen Standpunkt aus höchst bedeutungsvoll; aber ich beziehe mich hier auf die erzieherische Methode und ihr Ziel.

Bei der Gründung des Bauhauses war ich zu der Einsicht gekommen, daß ein autokratisch-subjektiver Lehrprozeß die angeborenen persönlichen Ansätze verschieden begabter Schüler verschüttet, wenn der Lehrer ihnen seine eigenen Denk- und Produktionsresultate, sei es auch in bester Absicht, aufprägt. In klarem Gegensatz zu van de Veldes Methode kam ich zu der Überzeugung, daß der Lehrer davon Abstand nehmen muß, sein eigenes Formvokabular an den Studenten weiterzugeben, daß er diesen vielmehr seinen eigenen Weg, wenn auch auf Umwegen, selber finden lassen muß. Wenn er auf Ansätze zu eigenem Denken und Fühlen im Schüler stößt, soll er ihn ermutigen, imitative Schritte dagegen rücksichtslos bekämpfen oder ihn zum mindesten wissen lassen, daß er auf fremdem Acker erntet. Er muß sich objektiv verhalten und als Grundlage des schöpferischen Prozesses ein Studium der natürlichen Phänomene aufbauen, die durch wohldirigierte Beobachtung der biologischen und psychologischen Fakten dann langsam verstanden werden. Wir versuchten im Bauhaus, in der Zusammenarbeit vieler Künstler, einen objektiven Generalnenner der Gestaltung zu finden, sozusagen eine Design-Wissenschaft zu entwickeln, die seitdem in zahlreichen Schulen verschiedener Länder erweitert worden ist. Eine solche Grundlage der allgemeinen, überpersönlichen Gestaltungsgesetze gibt verschiedenen Begabungen den organischen und einenden Hintergrund. Der persönliche Ausdruck bezieht sich dann in jedem individuellen Schöpfungsvorgang auf die gleichen, von allen anerkannten Grundbegriffe. Ich bin der Ansicht, daß diese Lehre schon im Kindergarten und in der Grundschule beginnen muß. Auf diesem Boden könnte sich dann – wenn wir den Propagandisten im Zaume halten könnten – allmählich ein neuer Zeitausdruck entwickeln, wie wir ihn von kulturell starken Perioden der Vergangenheit her kennen.

Weil die Lehrmethode ebenso wichtig ist wie die Potenz des Lehrers – was heute noch so oft mißverstanden wird –, wollte ich noch einmal dieses erzieherische Problem präzisieren; denn ich bin überzeugt, daß die objektive Lehrmethode, auch wenn der Weg zu ihr viel länger und dornenreicher ist als zur autokratischen, uns nicht nur vor Imitation und Gleichmacherei schützt; sie bewahrt gleichzeitig das Einmalige in jeder schöpferischen Persönlichkeit und den gemeinsamen geistigen Zusammenhang in der Zeit.

Johannes Itten

Geboren 1888 im Berner Oberland. Nach dem Besuch des Lehrerseminars Bern-Hofwil kurzer Aufenthalt an der Ecole des Beaux Arts, Genf, und Studium an der Universität Bern mit Abschluß als Sekundarlehrer. Anschließend Wendung zur Malerei. Von 1913 bis 1916 wird Itten in Stuttgart Schüler von Adolf Hölzel. Im Hölzel-Kreis Kontakt mit Oskar Schlemmer, Willi Baumeister und Ida Kerkovius. Malt zu dieser Zeit seine ersten abstrakten Bilder, die Herwarth Walden schon

1916 in seiner Berliner Galerie ›Der Sturm‹ ausstellt. Adolf Loos zeigt 1919 die erste ungegenständliche Kunst mit abstrakten Bildern Ittens in Wien.

Johannes Itten übersiedelt 1916 nach Wien und eröffnet eine eigene Kunstschule. Durch Alma Mahler lernt er hier um 1919 Walter Gropius kennen und wird von diesem an das eben gegründete Bauhaus nach Weimar berufen. Eine Gruppe seiner Wiener Schüler geht mit. Bis zu seinem Weggang vom Bauhaus 1923 entwickelt er eine allgemeine Gestaltungslehre, die unter dem Namen »Vorkurs« bekannt und später weltweit verbreitet wird. Pädagogisch hat Itten in der ersten Zeit als Bauhaus-Meister das Studienprogramm zu entwickeln, bis Klee und Kandinsky eintreffen. Seine persönliche Lehrmethode und die Mazdaznan-Lehre geben seiner Tätigkeit am Bauhaus einen gewichtigen Einfluß, der die Geschichte des Bauhauses in Weimar vor der Ausstellung im Sommer 1923 stark geprägt hat. 1921 Analysen alter Meister im Utopia-Almanach, den Bruno Adler herausgibt. Nach seinem Weggang vom Bauhaus ist Johannes Itten in Herrliberg bei Zürich in der Mazdaznan-Gemeinschaft. 1926 gründet er in Berlin die ›Itten-Schule für Malerei, Graphik, Fotografie und Architektur‹. Im Selbstverlag publiziert er 1930 sein ›Tagebuch‹, Beiträge zum Kontrapunkt in der Bildenden Kunst. 1932 übernimmt er zusätzlich die Leitung der Staatlichen Flächenkunstschule in Krefeld. 1934 Schließung der privaten Itten-Schule in Berlin. 1938 Emigration nach Amsterdam, dort Auftragsarbeit durch Willem Sandberg für das Stedelijk Museum.

Im gleichen Jahr wird Johannes Itten zum Direktor der Kunstgewerbeschule und des Kunstgewerbemuseums in Zürich gewählt. 1943 wird er auch Leiter der Textilfachschule Zürich. Von 1952 bis 1955 ist Itten außerdem Direktor des Rietberg-Museums für außereuropäische Kunst, dessen Aufbau er schon Jahre vorher begonnen hat.

Von allen verpflichtenden Funktionen frei, kann sich Johannes Itten in den letzten Jahren auf seine Malerei besinnen und zwei pädagogische Werke publizieren. 1961 erscheint sein Buch ›Die Kunst der Farbe‹ und 1963 ›Mein Vorkurs am Bauhaus‹. In einer großen retrospektiven Ausstellung wird sein künstlerisches Werk 1964 im Kunsthaus Zürich gezeigt. Auf der Biennale von Venedig 1966 wird sein Werk als Einzelausstellung im Schweizer Pavillon gewürdigt. Viele Ausstellungen von Werk und Lehre folgen. 1972 erscheint im Orell Füssli Verlag Zürich die Dokumentation: ›Johannes Itten – Werke und Schriften‹, herausgegeben von Willy Rotzler mit einem Werkverzeichnis von Anneliese Itten (Neuauflage 1978).

Johannes Itten stirbt am 25. März 1967 in Zürich.

JOHANNES ITTEN

Wie konnte die große Wirkung des Bauhauses entstehen?

Die allgemeine Unruhe, Unordnung, Richtungslosigkeit und Unsicherheit der Zeit nach dem Ersten Weltkrieg begünstigte die Gründung von Instituten mit neuartigen Programmen.

Das Bauhaus in Weimar war als Schule neuartig und einzigartig, weil sein künstlerisches Lehrerkollegium aus Persönlichkeiten bestand, die zu den führenden modernen Malern jener Zeit zählten. Gropius ließ einem jeden von ihnen freie Hand in der Gestaltung des Unterrichts.

Das Bauhaus wurde als Zentrum neuzeitlichen Schaffens bekannt, und aus der ganzen Welt kamen fortschrittlich gesinnte, begabte Schüler, die maßgeblich an der Programmgestaltung und Arbeit beteiligt waren. Viele dieser Schüler haben sich in ihrem späteren Berufsleben bewährt und durch ihre Leistung das allgemeine Ansehen des Bauhauses gefördert.

Das Bauhaus war ein Zentrum der Aktivität für die Probleme der künstlerischen, architektonischen, entwerferischen, technischen und soziologischen Gestaltung. Diese waren aber Zeitprobleme vieler avantgardistischer Künstler und Techniker in aller Welt.

Am Bauhaus wurden zum erstenmal die künstlerischen Darstellungs- und Gestaltungsmittel vielseitig und systematisch gelehrt. Ziel meines Unterrichts im Vorkurs war die Erziehung zum schöpferischen Menschen. Diese neuartige Methode ist in der ganzen Welt als Vorkurs bekanntgeworden.

Oft wird in tendenziöser und völlig falscher Weise die Weimarer Zeit des Bauhauses (1919 bis 1924) als nebensächlich und bedeutungslos dargestellt. Dem stehen folgende wichtige Tatsachen gegenüber: Dem künstlerischen Lehrerkollegium in Weimar gehörten Feininger, Marcks, Itten, Klee, Muche, Schlemmer, Schreyer, Kandinsky und Moholy an. Später kamen hinzu: Breuer, Scheper, Schmidt, Stölzl, Bayer und Albers, Schüler des Bauhauses in Weimar des zweiten und dritten Vorkurses.

Das erste Bauhaus-Gebäude wurde 1923 von Muche in Weimar gebaut und von den Werkstätten des Bauhauses eingerichtet.

Bruno Adler

Geboren 1888 in Karlsbad, studiert Kunst- und Literaturgeschichte in Wien, Erlangen und München, Promotion zum Dr. phil. 1919 geht er nach Weimar, wo ihn enge Beziehungen zu den Künstlern des Bauhauses verbinden. Er gründet dort den Utopia-Verlag und gibt 1921 den berühmten ›Utopia-Almanach, Dokumente der Wirklichkeit‹ mit Analysen mittelalterlicher Gemälde von Johannes Itten heraus. Danach ist Bruno Adler in Berlin und Österreich schriftstellerisch tätig und emigriert 1936 nach England, wo er sich seit jener Zeit um die Vermittlung deutscher Kunst und Literatur bemüht. Seit 1940 ist er ständiger Mitarbeiter des Londoner Rundfunks. Vorträge über die Geschichte des Bauhauses in England, USA, Kanada und Deutschland. Zuletzt arbeitet Bruno Adler an einem Buch über Hans von Marées, das diesen Maler in der anglo-amerikanischen Kunstwelt bekannt machen soll. Unter dem Pseudonym Urban Roedl hat er Bücher über Matthias Claudius und Adalbert Stifter veröffentlicht, die weite Verbreitung gefunden haben.

Bruno Adler lebt zuletzt als Schriftsteller in London und stirbt am 26. Dezember 1968.

Damals in Weimar ...

Das Bauhaus – so ähnlich liest man's heute in Büchern und Zeitschriften – war eine Idee, eine Gesinnung, ein lebendiger Organismus. Eine genauere Bestimmung dieser Begriffe wird uns freilich vorenthalten. Wie könnte man auch dem Phänomen konkret beikommen, wenn man es aus zeitlicher und räumlicher Entfernung betrachtet? Selbst wer als Mitwirkender dabei war, unterlag zuweilen der optischen Täuschung des allzunah Beteiligten. Für die erste, die Weimarer Bauhaus-Phase, war eine Mischung von Tendenzen bezeichnend, der die Literatur, namentlich die ausländische, befremdet gegenüberstand und die oft Historiker und Kritiker zu gewagten Urteilen und Deutungen führte.

Die Verwirrung ist verständlich, denn es war eine reichlich verworrene Zeit, in welche die Anfänge des Bauhauses fielen. Nur wer sie als Beobachter und nicht unmittelbar Zugehöriger erlebt hat, erkennt in der scheinbar widersprüchlichen Entwicklung vom »kristallenen Sinnbild eines neuen Glaubens« zur Wohnmaschine, vom emotionalen Expressionismus zur Integration von Kunst und Technik einen folgerichtigen Fortschritt.

Die Bewegung, die nach dem Ersten Weltkrieg zwar nicht ausgebrochen, doch ins Kraut geschossen ist und die man mit dem Schwammwort ›Expressionismus‹ benennt, verlief in zwei entgegengesetzten Richtungen. Janusköpfig war sie rückwärts wie vorwärts gewandt, träumend von einer romantischen Vergangenheit und einer utopischen Zukunft. Die junge deutsche Avantgarde neigte zur Mythologisierung des Einst, liebte mittelalterliche Mystiker und fernöstliche Religionslehren, und ihr Kunstwollen berief sich auf die Unschuld des Primitiven und die soeben entdeckte Welt der Exoten. Gegeben war damit die Ablehnung alles Nur-Vernünftigen, der Verdacht gegen Industrialisierung und Massengesellschaft, die Abwehr eines entseelenden Rationalismus. Anders gesagt: Es war die Flucht vor der brutalen Realität einer Gegenwart, die in jene gefürchtete Richtung zu treiben drohte.

Zugleich aber verband sich diese schwärmerische Haltung mit dem optimistischen Glauben an eine Erneuerung der Menschheit, wobei die Menschheit eine pure Abstraktion blieb. Individualisten glühten für die allgemeine Verbrüderung, Pazifisten dramatisierten Klassenhaß und Vatermord. Der Geist, den andere gegen den Intellekt als seinen Widersacher ausspielten, wurde in Manifesten und Proklamationen strapaziert; und den in diesen Postulaten verborgenen Wahrheitskern überwucherte eine hemmungslose Begeisterung.

Kein Wunder, daß die beschwingte Sprache des ersten Gropiusschen Bauhaus-Aufrufs die suchenden und hoffenden jungen Menschen ansprach. Hier sahen sie ein Ziel: eine neue Kunstgesinnung und – mehr! – eine neue Lebensform, gegründet auf die echte Gemeinschaft der Schaffenden; eine neue Lehre anstelle verbrauchter Konventionen; Rückkehr zum Handwerk und zugleich die Vision einer kommenden schöpferischen Einheit.

Wer nun im Herbst 1919 nach Weimar kam, um bei der Grundsteinlegung der Kirche der Zukunft dabeizusein, hatte indessen nicht den Eindruck, daß es den jungen Leuten wesentlich um das Thema der neuen Gemeinschaft ging, die das Gesamtkunstwerk errichten sollte. Was ihnen näher am Herzen lag, waren Dinge der Praxis und der Methode. Wichtiger als Theorien der Lebensgestaltung war es in der Tat, die primitivsten Vorbedingungen einer Schule zu schaffen und die Fragen der Kunsterziehung zu klären. Es fehlte ja an allem. Vorhanden war nicht viel mehr als das schöne Gebäude van de Veldes mit den dürftigen Nebenbauten, die alte Kunstakademie hing organisatorisch noch mit der neuen Gründung zusammen, und an neuen Lehrkräften hatte Gropius zuerst nur Lyonel Feininger und Gerhard Marcks mitgebracht. Von regelmäßigem, systematischem Unterricht war vorläufig keine Rede.

Das wurde erst anders, als Johannes Itten hinzukam. Diese stärkste und einflußreichste Persönlichkeit des Kreises, ein Lehrer im wahrsten Wortsinn, legte in seinem »Vorkurs« das pädagogische Fundament der ersten Bauhaus-Jahre, das – wenn auch in vielfach veränderter Form – von zahlreichen Kunstschulen in aller Welt übernommen worden ist. Itten stellte ungewöhnliche Ansprüche an die Studierenden. Über die grundlegende Gestaltungs- und Formenlehre hinaus wollte seine theoretische und praktische Unterweisung die sinnlichen, seelischen und intellektuellen Fähigkeiten, also den ganzen Menschen erfassen, und das ging bis zur Atemtechnik, Diät und Kleidung. Seine engere Gemeinde bestand größtenteils aus den Schülern, die mit ihm aus Wien gekommen waren, und bildete eigentlich die einzige kohärente Gruppe am Bauhaus. Georg Muche, kurz nach Itten in den Lehrkörper berufen – Oskar Schlemmer und Paul Klee waren die nächsten, und nach ihnen kam Kandinsky –, nannte diese Gruppe »den Sauerteig, der den Prozeß der organischen Entwicklung am Bauhaus einleitete. Sie ersetzten den anfangs etwas groben Geist durch auflockernde Gelassenheit und durch die Anmut ihrer frei waltenden Phantasie. Sie waren nicht das, was ganz allgemein Bauhäusler genannt wurde, denn sie ließen sich nicht zu Vereinfachungen verleiten. Sie waren und blieben kunstbegeistert.«

Hier deutet sich bereits der Konflikt an, der zu einer Entscheidung drängte. Es gab Reibungen unter der Schülerschaft und

Spannungen innerhalb des Lehrkörpers, nicht zu reden von den unaufhörlichen Angriffen von außen. Oskar Schlemmers Tagebücher und Briefe spiegeln die Situation ergreifend wider. Im Grunde war es die ideologische und strukturelle Wandlung der Gesellschaft, die, den Beteiligten schwerlich bewußt, zu Unstimmigkeiten führen mußte. Eine Rückorientierung erwies sich als ebenso unzeitgemäß wie der Fluchtversuch in eine irreale Vorstellung von der Zukunft. Gropius erkannte die Zeichen der Zeit zuerst und glaubte, sich für die von ihr gebotene Reform entscheiden zu müssen, fürs Exoterische gegen das Esoterische. Moderne Technik löste die Handwerksgesinnung ab, der Anschluß an die Industrie wurde wichtiger als der an östliche Lebenspraxis. Ausländische Einflüsse förderten die Wendung, namentlich die funktionalistische Propaganda des Holländers Theo van Doesburg, des Leiters der Stijl-Gruppe. Itten zog sich zurück und schied bald aus; an seine Stelle trat Laszlo Moholy-Nagy, der mehr als die anderen Meister eine echte Beziehung zum Technisch-Wissenschaftlichen hatte. Lehrbegabung und Temperament sicherten ihm rasch eine führende Rolle.

Daß das Pendel nun nicht ins andere Extrem ausschlug, verhinderten die Verhältnisse und die Besonnenheit des Leiters. Gropius unterwarf sich und seine Gründung weder einem Stil noch dem ›Stijl‹. Aber so wenig wie er sich einem neuen Dogma beugte, so wenig hielt er an einem alten fest. Er war vorurteilslos genug, sich von seinen Mitarbeitern beraten und am Gegner gelten zu lassen, was der Geltung wert war. Schließlich war das Bauhaus von jeher auf Zusammenarbeit mit der Wissenschaft eingestellt, und es bedurfte nur der ideologischen Wandlung, um den Kontakt mit der industriellen Produktionsweise zu bejahen. Und hatte er nicht selbst in seinen frühen Bauten manches vorweggenommen, was die neue Heilslehre so vehement verkündigte? Der Funktionalismus lag in der Luft, und das Bauhaus hätte früher oder später dem Zug der Zeit in jedem Fall folgen müssen. Das neue Leitwort hieß jetzt: »Kunst und Technik – eine neue Einheit« – die Problematik von gestern wurde durch eine andere abgelöst.

Das Bauhaus wollte von Anfang an keine Kunstschule sein. Es war keine Freistatt für zweckfreie Kunst. Aber auch Architektur

1 Walter Gropius, Gründer und Direktor des Bauhauses von 1919 bis 1928, Dessau, um 1928 (Foto: unbekannt)

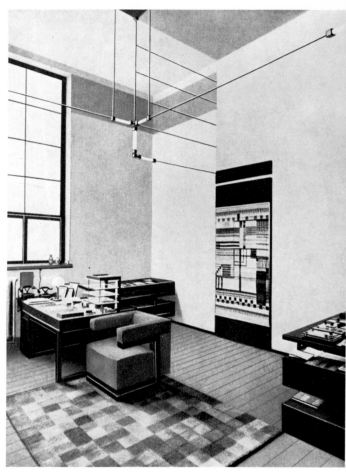

2 Das Büro des Bauhaus-Direktors im van de Velde-Bau der ehemaligen
   Großherzoglichen Hochschule für bildende Kunst, Weimar 1923
   (Foto: unbekannt)

3 Der van de Velde-Bau, heute Sitz der Hochschule für Architektur und Bauwesen Weimar (HAB), Blick von Nordwesten, heutiger Zustand (Foto: Eckhard Neumann)

4 Die ehemalige Kunstgewerbeschule von van de Velde, heute ebenfalls genutzt von der Hochschule für Architektur und Bauwesen Weimar (HAB), Blick von Südosten, heutiger Zustand (Foto: Eckhard Neumann)

5   Lyonel Feininger mit seinen Söhnen: Andreas, T. Lux und Laurence,
    Dessau, um 1928 (Foto: T. Lux Feininger)
6   Bauhäusler, Konstruktivisten und Dadaisten in bunter Reihe auf dem
    ›Kongreß der Konstruktivisten und Dadaisten‹ im Herbst 1922 in
    Weimar
    v. l.: Kurt Schwitters, Hans Arp, Max Burchartz, Lotte Burchartz, Hans
    Richter, Nelly van Doesburg, Cornelius van Eesteren, Theo van Does-
    burg. Karl-Peter Röhl, Alexa Röhl und Werner Graeff
    (Foto: Cornelius van Eesteren)

7   Johannes Itten in seinem Bauhaus-Anzug, Weimar 1921
    (Foto: unbekannt)

8   Die Metallwerkstatt des Bauhauses, Weimar, um 1920/22
    (Foto: unbekannt)
9   Laszlo Moholy-Nagy, als Formmeister der Metallwerkstatt mit Lehrlin-
    gen und Mitarbeitern, Weimar, um 1923 (Foto: unbekannt)

0/11   Drachenfest der Bauhäusler, Weimar 1921

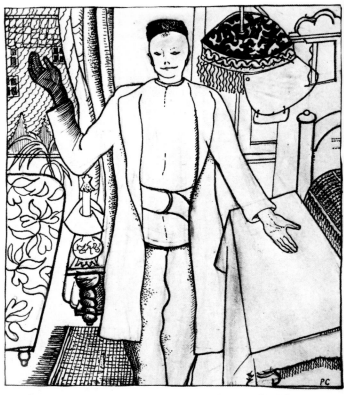

12 Georg Muche im Bauhaus-Anzug, gezeichnet von Paul Citroen,
Weimar 1921

13 Plakat für die Bauhaus-Ausstellung, Weimar 1923
    Wettbewerbsentwurf von Joost Schmidt, 1922

14 Fotomontage von Marianne Brandt aus dem Unterricht bei Laszlo
    Moholy-Nagy, Weimar, um 1924
    Privatsammlung, Frankfurt

15   Laszlo Moholy-Nagy in Budapest, 1919 (Foto: Erzsi Landau)

16 Theo van Doesburg mit Freunden in seinem Weimarer Atelier, in dem
sich auch die ›Stijl‹-Gruppe der Bauhäusler traf (Foto: unbekannt)

17   Theo van Doesburg, Weimar 1921 (Foto: Herrmann Eckner)

18   Der Bauhaus-Neubau in Dessau aus der Luft, 1926/27
      (Foto: Junkers Luftbild)

19   Der Haupteingang des Bauhauses bei der Einweihung des Gebäudes
      am 5. und 6. Dezember 1926 (Foto: Lucia Moholy)

20 Festakt zur Einweihung des Bauhauses in der Aula am 5. und 6.
   Dezember 1926 (Foto: unbekannt)
21 Die Meister des Bauhauses auf dem Dach des Atelier-Gebäudes, v. l.:
   Josef Albers, Marcel Breuer, Gunta Stölzl, Oskar Schlemmer, Wassily Kandinsky, Walter Gropius, Herbert Bayer, Laszlo Moholy-Nagy
   und Hinnerk Scheper, Dessau, um 1927 (Foto: unbekannt)

22   Walter Gropius, Dessau, um 1926
     (Foto: Hugo Erfurt [?])

23 Das Werkstattgebäude des Bauhauses in einer Nahaufnahme mit beabsichtigter Steigerung der Linienführung (Foto: Lucia Moholy)

26 Wassily und Nina Kandinsky im Eßzimmer ihres Meisterhauses an der von Marcel Breuer speziell für Kandinsky entworfenen Sitzgruppe, Dessau 1927 (Foto: Lucia Moholy)

24 Paul Klee im Atelier seines Meisterhauses in der Burgkühnauer Allee, Dessau 1927 (Foto: Lucia Moholy)
25 Wohnzimmereinrichtung im Meisterhaus der Moholys, Dessau 1927 (Foto: Lucia Moholy)

27   Oberbürgermeister Fritz Hesse, Dessau um 1925 (Foto: unbekannt)

8 Bauhäusler bei einer Fete mit Joost Schmidt (= Schmidtchen) in der Mitte mit Hut, umgeben von Heinz Allner, Werner Feist, Fritz Heinze, Erich Mende, Naftaly Rubinstein, Karl Schwoon, Kurt Stolp sowie dem Druckmeister Hauswald und dessen Helfer Mieke, Dessau, um 1930 (Foto: unbekannt)

29 Bauhäusler auf dem Dach des Ateliergebäudes, Dessau, um 1930
(Foto: unbekannt)

0   Bauhäusler, Blick aus dem Wohnturm, Dessau um 1928
    (Foto: unbekannt)

31 Die Weberinnen auf der Bauhaus-Treppe, Dessau, um 1928
    (Foto: T. Lux Feininger)

2   Hannes Meyer mit Bauhäuslerinnen auf der Bauhaus-Terrasse,
Dessau, um 1929 (Foto: unbekannt)

33 Herbert Bayer, Dessau 1927 (Foto: unbekannt)

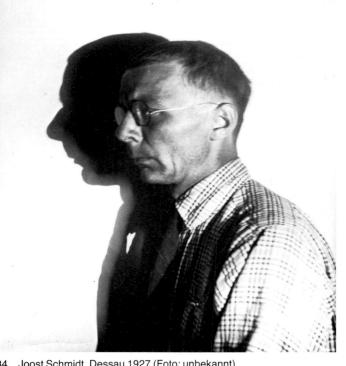

34 Joost Schmidt, Dessau 1927 (Foto: unbekannt)

35 Hinnerk und Lou Scheper mit Marcel Breuer und Martha Breuer-Erbs
    auf einem Balkon des Bauhaus-Wohnturmes, dem sogenannten
    ›Preller-Haus‹, Dessau, um 1928 (Foto: unbekannt)

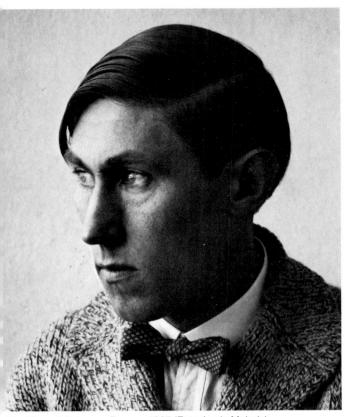

36   Hinnerk Scheper, Dessau 1927 (Foto: Lucia Moholy)

37   Schattenspiele in einer Bauhaus-Werkstatt, Dessau, um 1928
      (Foto: unbekannt)
38   Die mechanische Weberei im Bauhaus, Dessau 1926/27
      (Foto: Gunta Stölzl)

39 Die Reklame-Werkstatt im Bauhaus, Dessau, um 1928
    (Foto: unbekannt)

40 Vorkurs-Ausstellung im Bauhaus, im Zentrum Arbeiten aus dem Kurs
    von Joost Schmidt, Dessau, um 1928/29 (Foto: unbekannt)

41 Die Bauhaus-Kapelle, sie agierte nicht nur im Bauhaus, sondern
   wirkte auch außerhalb, Dessau 1930 (Foto: unbekannt)
42 ›Bauhaus-Sportler‹, Dessau, um 1926/27 (Foto: unbekannt)

43 Die Bauhaus-Kapelle bei einem festlichen Auftritt, Dessau, um 1928
    (Foto: unbekannt)
44 Die Bauhäusler als lustiges Völkchen, hier bei einer Fete mit Herbert
    Bayer (oben rechts) und anderen, Dessau, um 1928
    (Foto: unbekannt)

45 Der größte und der kleinste Bauhäusler, links Fritz Kuhr, rechts Iwao
Yamawaki, Dessau, um 1930 (Foto: unbekannt)

46 ›jonny-schawinsky spielt auf‹, Dessau, um 1930
    (Foto: T. Lux Feininger)

47 Josef Albers mit Studierenden aus dem ersten Semester, Dessau
    1926
48 Die Bauhaus-Bühne, ein Ausschnitt von vielen, oft improvisierten Auf-
    führungen, Dessau, um 1929 (Foto: unbekannt)

49 ›Bauatelier Gropius‹, Dessau 1927 (Foto: unbekannt)
50 Die Bauhaus-Kantine oder Mensa, Umschlagplatz von Ideen, Infor-
    mationen und Hoffnungen, Dessau, um 1928 (Foto: unbekannt)

51 Der Künstler und seine Auftraggeberin, Kandinsky und Frau Körting
    bei der Besichtigung des Musikraumes auf der Bauausstellung, Berlin
    1931 (Foto: unbekannt)
52 Georg Muche mit Frau sowie Wassily und Nina Kandinsky auf einem
    Ausflug, Weimar, um 1925 (Foto: unbekannt)

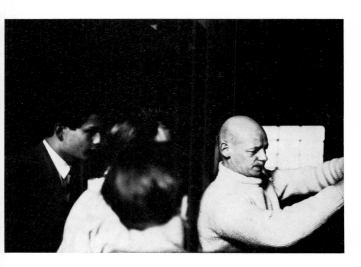

53 Oskar Schlemmer bei einer Demonstration für Studenten, Dessau
   1927/28 (Foto: T. Lux Feininger)
54 Oskar Schlemmer in einer Aufführung der Bauhaus-Bühne in der
   Rolle des musikalischen Clowns, Dessau 1928 (Foto: unbekannt)

55 Ludwig Mies van der Rohe mit Studenten seines Architektur-Seminars, Dessau 1931 (Foto: Pius Pahl)
56 Ludwig Hilberseimer, Lilli Reich und Studenten bei einer gemeinsamen Besprechung über ihre Zukunft nach der endgültigen Schließung
    des Bauhauses, Berlin, am 11. April 1933 (Foto: Pius Pahl)

57 Ludwig Mies van der Rohe mit Studenten auf der letzten gemeinsamen Ausfahrt, Berlin, Mai 1933 (Foto: unbekannt)
58 Eine der letzten Feten der Bauhäusler in einer Wohngemeinschaft,
Berlin, Januar 1933 (Foto: Hans Kessler)

59 Bauhäusler beim Aufbau des privaten Bauhauses in Berlin-Steglitz, 1932 (Foto: Pius Pahl)

60   Lagebesprechung der Bauhäusler, Berlin, am 11. April 1933 (?)
     (Foto: Pius Pahl)

61 Der Wohnturm des Bauhauses, das sogenannte ›Preller-Haus‹, kurz
nach dem beendeten Krieg, von dem es schwer getroffen wurde,
Dessau 1945 (Foto: Hubert Hoffmann)

62 Das Bauhaus, nach dem Krieg provisorisch repariert, diente vielen
Schulen und Institutionen als Behelfsunterkunft, Dessau 1956
(Foto: Eckhard Neumann)
63 Die Meisterhäuser, von ihnen blieben durch Kriegsschäden und pro-
visorische Umbauten nur Fragmente, Dessau 1956
(Foto: Eckhard Neumann)

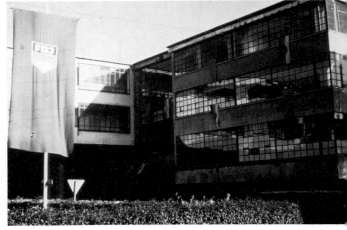

64 Das Werkstattgebäude des Bauhauses ohne die berühmte Glasfront
    Dessau 1956 (Foto: Eckhard Neumann)
65 Das Bauhaus in seinem Bauzustand Mitte der sechziger Jahre
    benutzbar, aber noch nicht restauriert, Dessau 1964
    (Foto: Klaus F. Schmitt)

66 Das wiedererstandene ›neue‹ Bauhaus, zum 50. Jahrestag seiner
Einweihung in seinem alten Zustand detailgetreu wiederhergestellt,
Dessau, 5. Dezember 1976 (Foto: Eckhard Neumann)

67 Die Straßenlaterne vor dem Bauhaus wurde auch wieder aufgestellt,
ein kleines Beispiel für die Exaktheit der Bauhaus-Restaurierung,
Dessau 1979 (Foto: Eckhard Neumann)

68 Blick vom ›neuen‹ Bauhaus auf den Bauhaus-Platz, in den dreißiger
   Jahren mit völkischer Architektur bebaut, Dessau 1979
   (Foto: Eckhard Neumann)
69 Blick von einem zum anderen Eingang des Bauhauses, Dessau 1979
   (Foto: Eckhard Neumann)

wurde noch auf Jahre hinaus nicht gelehrt. Und doch ergab sich der paradoxe Zustand, daß im Vordergrund Hausbau und Gestaltung von Gebrauchsdingen und technischen Verfahren standen, während es doch vor allem die bedeutenden Maler waren, die dem Ganzen in jenen Jahren seinen Glanz verliehen. Sie fungierten wohl als künstlerische Leiter der Werkstätten; aber was Feininger, Klee, Kandinsky und die anderen in ihren Ateliers schufen, wäre vermutlich in keinem Rahmen viel anders entstanden. Mit den rationellen Prinzipien der Organisation hatte es kaum etwas gemeinsam. Feininger wollte von der Einheit der Kunst und Technik nichts wissen; Schlemmer, dieser integre Charakter, schlug sich ehrlich mit dem Problem herum und hätte am liebsten eine Synthese der beiden entgegengesetzten Prinzipien gefunden, wenn das möglich gewesen wäre; Klee konnte ganz natürlich nicht anders, als sich zur freien künstlerischen Tätigkeit bekennen; und Muche setzte klar die Wesensverschiedenheit von Kunst und Technik auseinander. Auf der anderen Seite standen die Praktiker und ihre Ingenieursästhetik. Der Konflikt war unlösbar; allein der Klugheit des Leiters gelang es, die wiederstrebenden Teile zusammenzuhalten.

Innere Differenzen konnte er ausgleichen, den von außen hervorgerufenen Krisen war auch er nicht gewachsen. Das reaktionäre Weimar hetzte und kämpfte gegen das Institut mit bedenkenlosen Mitteln. Tagaus, tagein mußte Gropius sich gegen öffentliche Fälschungen und Verleumdungen zur Wehr setzen. Und als in Thüringen eine völkische Regierung ans Ruder kam, schlug dem Bauhaus die Stunde. Das Weimarer Abenteuer scheiterte heroisch an der politischen Blindheit und Niedertracht, die von allem Anfang an sein Unsegen waren und es bleiben sollten.

Johannes Molzahn

Geboren 1892 in Duisburg. Verbringt die Jugend in Weimar. Vorausbildung an der Großherzoglichen Zeichenschule, danach Berufsausbildung als Fotograf. Als Künstler im wesentlichen Autodidakt. Bei einem Aufenthalt in der Schweiz von 1909 bis 1914 kommt er mit den Malern Hermann Huber und Otto Meyer-Amden in Kontakt, die seinen künstlerischen Interessen starken Auftrieb geben.

Noch während des Militärdienstes in der Etappe beginnt Molzahn seine entscheidenden Bilder zu malen, die Herwarth Walden 1917 in seiner Galerie ›Der Sturm‹ in Berlin ausstellt. 1918 nach Weimar zurückgekehrt, erlebt Molzahn dort die Gründung und erste Phase des Bauhauses. Mit Karl-Peter Röhl sowie Robert Michel und Ella Bergmann gehört er zu den ersten Künstlern, mit denen Walter Gropius nach seinem Eintreffen in Weimar in Verbindung tritt. Veröffentlicht 1919 in der Zeitschrift ›Der Sturm‹ das ›Manifest des absoluten Expressionismus‹ mit stark romantischen Zielen. Durch den Schock des Ersten Weltkrieges beginnt er seine Arbeiten vorübergehend mit dem Jahr 1 zu datieren. Übersiedelt 1920 nach Soest und wird neben seinen malerischen Arbeiten als Gebrauchsgrafiker für die Industrie tätig, u. a. für das Fagus-Werk in Alsfeld. 1923 wird er

von Bruno Taut als Leiter der Klassen für Werbegrafik, Typographie, Druck und Lithographie an die Kunstgewerbeschule Magdeburg berufen. Molzahn ist aktiv als Gebrauchsgrafiker tätig und gestaltet die gesamten visuellen Aufgaben der ›Mitteldeutschen Handwerks-Ausstellung‹, Magdeburg, 1928, und der Ausstellung ›Wohnung und Werkraum‹ des Deutschen Werkbundes, Breslau, 1929.

1928 wird Molzahn als Professor für Grafik an die unter Oskar Moll revolutionierte Kunstakademie in Breslau berufen. Dort 1933 entlassen, geht er wieder nach Berlin. Nach dem Mal- und Ausstellungsverbot ist er mit sechs Bildern an der Ausstellung ›Entartete Kunst‹ beteiligt.

1938 emigriert Johannes Molzahn nach die USA. Bis 1941 ist er als Professor am Art Department der University of Washington in Seattle tätig. Wegen des Eintritts der USA in den Zweiten Weltkrieg muß er diese Arbeit aufgeben und übersiedelt nach New York. Von Laszlo Moholy-Nagy wird er 1943 an die School of Design, Chicago, berufen. Wieder in New York, wird er erneut von 1947 bis 1952 als Lehrer an der New School of Social Research tätig.

1959 kommt Molzahn nach Deutschland zurück und lebt als freier Maler in München. Sein Werk st in vielen öffentlichen und privaten Sammlungen in den USA und Deutschland vertreten. Als Mitarbeiter des ›Sturm‹ ist er an der Retrospektivausstellung im Schloß Charlottenburg 1961 beteiligt und wird mit Einzelausstellungen in verschiedenen Städten Deutschlands vorgestellt. Seine wichtigste Einzelausstellung zeigt 1964 das Wilhelm-Lehmbruck-Museum Duisburg.

Johannes Molzahn ist am 31. Dezember 1965 in München gestorben.

Aus einem Brief

Meine Stellung dem Bauhaus gegenüber ist immer nur verstehend und niemals kritisch gewesen. Ich habe die Arbeit des Bauhauses über all die Jahre immer mit größtem Interesse und größter Sympathie verfolgt, und ich war immer gewiß, daß es eine einzigartige historische Funktion im Weltmaßstab erfüllt hat. Wenn es eine Kritik geben sollte, so dürfte sie sich nicht gegen das Bauhaus, sondern nur gegen unsere moderne Welt richten, die dem Bauhaus den Boden entzogen und es vernichtet hat und . . . sich dessen nicht einmal bewußt geworden ist.

Es sollte darum die selbstverständlichste und vornehmste Aufgabe unserer zeitgenössischen Gesellschaft, ihrer Institutionen für Form- und Kunsterziehung sein, die erzieherischen Funktionen des Bauhauses und verwandter Institutionen der zwanziger Jahre, wie zum Beispiel der Breslauer Akademie, die in ähnlicher Weise wie das Bauhaus ein Opfer des Ungeistes der dreißiger Jahre geworden ist, wieder in sich zu entwickeln und damit eine klaffende Lücke in der Entwicklungsstruktur unserer modernen Gesellschaft zu schließen. Es ist erstaunlich genug, daß damit noch nicht einmal ein Anfang gemacht worden ist.

Gerhard Marcks

Geboren 1889 in Berlin. Bildet 1907 eine Ateliergemeinschaft mit dem Bildhauer Richard Scheibe, ebenfalls in Berlin. 1914 werden er und Richard Scheibe von Walter Gropius mit Gestaltungsaufgaben für die Werkbund-Ausstellung beauftragt. Von 1914 bis 1917 dient Gerhard Marcks als Soldat. Nach seiner Rückkehr aus Flandern als Verwundeter wird er 1918 als Lehrer an die Staatliche Kunstgewerbeschule Berlin berufen.

1919 holt ihn Walter Gropius als einen der ersten Meister an das Bauhaus Weimar, wo Gerhard Marcks die Leitung der Töpferwerkstatt in Dornburg übernimmt. 1925, mit der Übersiedlung des Bauhauses nach Dessau, folgt Marcks einer Berufung als Lehrer für Bildhauerei an die Kunstgewerbeschule auf Burg Giebichenstein in Halle/Saale. 1930 wird Marcks zum Direktor der Schule ernannt. Die Nationalsozialisten entlassen ihn 1933 aus diesem Amt, beschlagnahmen dann 1937 seine Arbeiten im öffentlichen Besitz und zeigen seine Werke in der Ausstellung ›Entartete Kunst‹ in München. 1939 baut sich Marcks in Berlin ein eigenes Atelierhaus, das 1943 zusammen mit einem großen Teil seiner frühen Arbeiten durch Bomben zerstört wird. Ende des Krieges Übersiedlung nach Niehagen in Mecklenburg.

1946 wird Gerhard Marcks eine Professur an der Landeskunstschule in Hamburg übertragen. 1950 beendet er seine Lehrtätigkeit und läßt sich in Köln nieder. Zu den großen künstlerischen Leistungen von Gerhard Marcks gehören sechs große Figuren für die Fassade der Katharinenkirche in Lübeck, die die von Ernst Barlach begonnene Figurenfolge vollenden. Sein Werk als Bildhauer und Grafiker ist in vielen Ausstellungen international bekannt gemacht worden und in zahlreichen Museen und Sammlungen des In- und Auslandes vertreten.

1949 wird Gerhard Marcks Ehrenmitglied der Freien Akademie der Künste in Hamburg, 1950 ordentliches Mitglied der Bayerischen Akademie der Schönen Künste in München und 1955 ordentliches Mitglied der Akademie der Künste in Berlin. 1952 erhält er die Ernennung zum Ritter des Ordens ›Pour le mérite‹, Friedensklasse für Wissenschaft und Künste.

Seit den zwanziger Jahren sind für Marcks zahllose Reisen nach Italien und Griechenland, später auch in die USA, nach Mexiko und Südafrika für seine Entwicklung von Bedeutung.

1969 hat Gerhard Marcks der Stadt Bremen eine große Anzahl seiner Bildwerke, Handzeichnun

jen, Grafik sowie seine Hand-
bibliothek und Korrespondenz ge-
stiftet, die heute im Gerhard-
Marcks-Haus ausgestellt sind und

dort der Forschung zugänglich gemacht werden.

Gerhard Marcks ist 1981 in Burg-
brohl/Eifel, gestorben.

Mein kurzer Aufenthalt in Weimar

Ich soll etwas über meine Stellung zum Bauhaus schreiben – und bin diesen Fragen ganz entrückt.

Ich kam, als alter Freund von Walter Gropius dorthin berufen, selber noch ganz in der Gärung und nur mit dem Verlangen, Handwerk soweit als möglich mit der Kunst zu vereinen.

Das war die »romantische Epoche«, und »der Clou« (Gropius) war Johannes Itten, der zweifellos bedeutende pädagogische Fähigkeiten hatte.

Sehr bald zog ich mich, meinem Instinkt folgend, nach Dornburg auf die Töpferei (Krehan war der letzte Thüringer Töpfer) zurück, und rasch bildeten wir dort eine gewisse Eigenständigkeit, die gewiß reaktionär anmutete.

Als Freunde dieser Zeit und fürs Leben gewann ich Feininger, Schlemmer, Gilles und den vor der Zeit verstorbenen Johannes Driesch (außer anderen Schülern, wie dem Ehepaar Wildenhain, welche die Dornburger Tradition in den USA fortsetzten, wo Frau Wildenhain gewaltigen Zulauf hat).

Das Jahr 1923 bedeutete die Wende: Das Plakat am Bahnhof ›Kunst und Technik – eine neue Einheit‹, gab die Parole. »Genau das, was wir nicht wollten«, sagte Feininger zu mir. Statt Itten wurde nun Moholy »der Clou« – natürlich neben den verehrten großen Meistern Klee und Kandinsky, von denen letzterer das Kollektiv predigte.

1925 gab die Gelegenheit zur Neugründung des Bauhauses in Dessau für Itten, Schlemmer und mich den Abgang. Seither habe ich nichts mehr mit dem Bauhaus zu tun gehabt.

Felix Klee

Geboren 1907 in München. Kommt durch seinen Vater schon als Kind in Kontakt mit den Malern des ›Blauen Reiter‹, besonders mit Kandinsky, den er im Nachbarhaus in der Ainmillerstraße in München oft besucht. Ab 1917 geht Felix Klee auf das Realgymnasium in München und wird im Herbst 1921, nachdem sein Vater durch Walter Gropius als Meister an das Bauhaus Weimar berufen worden ist, als jüngster Bauhäusler in den Vorkurs von Johannes Itten aufgenommen. Anschließend arbeitet er in der Tischlerwerkstatt des Bauhauses und macht 1925 seine Gesellenprüfung. Als seine Eltern mit dem Bauhaus nach Dessau umziehen, bleibt er in Weimar, um sich auf seine Theaterlaufbahn vorzubereiten.

1926 wird er durch den Intendanten Georg Hartmann Regieassistent und Schauspieler am Friedrichtheater in Dessau (bis 1928). In Breslau macht er zwischen 1929 und 1931 am Stadttheater, wieder unter Georg Hartmann, seine ersten selbständigen Regieversuche und vertieft sein freundschaftliches Verhältnis zu Oskar Schlemmer, der seinerzeit Professor an der Breslauer Akademie ist. 1931 geht er als Opernregisseur und Schauspieler an das Stadttheater Basel unter der Leitung von Oskar Wälterlin. Im gleichen Jahr Heirat mit der bulgarischen Sängerin Efrossina Gréschowa. Felix Klee setzt seine Theaterengagements mit Stationen in Düsseldorf, Ulm, Berlin, Wilhelmshaven, Göttingen und Würzburg fort. Ende 1944 wird er noch Soldat und gerät in russische Gefangenschaft (bis 1946). Danach, von Würzburg aus, Gastspiele als Regisseur.

Um 1948 bemüht sich Felix Klee um die Ordnung der unter schlechter Verwaltung stehenden Klee-Gesellschaft in Bern, aber erst 1953 kommt der Nachlaß Paul Klees durch Rückkauf in seinen Besitz. Neben seiner Tätigkeit als Regisseur und Schauspieler für Hörspiele am Schweizer Radio Studio Bern, die er von 1949 bis 1972 ausübt, macht sich Felix Klee die Pflege des väterlichen Nachlasses zur eigentlichen Aufgabe. Katalogisierung, Ordnung und Publikation des Materials sowie die Redaktion der Tagebücher, Gedichte und Briefe von Paul Klee und eines eigenen Buches gehören zu den vielfältigen Arbeiten, die Felix Klee seit 1962 als Präsident der Paul Klee-Stiftung in Bern übernommen hat. 1955 organisiert er die erste Gesamtausstellung des Nachlasses, der viele andere Ausstellungen folgen.

Nach seiner Pensionierung 1972 widmet er sich völlig dem Werk seines Vaters in Zusammenarbeit mit seinem Sohn Aljoscha (geboren 1940). Seine Frau Efrossina stirbt 1977. Wiederverheiratung 1982 mit Livia Meyer, der jüngeren Tochter des zweiten Bauhaus-Direktors Hannes Meyer.

Meine Erinnerungen an das Bauhaus Weimar

Anfang Oktober 1921 begleitete meine Tante Mathilde, die Schwester meines Vaters Paul Klee, mich, den noch nicht Vierzehnjährigen, in ihrer stets umsorgenden Weise von Bern nach Basel und setzte mich pflichtgetreu am Badischen Bahnhof in den Frankfurter Zug. Es ging also nach Norden und für mich völligem Neuland entgegen. Vergeblich suchte ich nach den Schwarzwaldhöhen; dichter Nebel ließ mich nur die auf und ab tanzenden Telegrafendrähte erblicken. In dem mächtigen Frankfurter Bahnhof holte mich mein Vater ab. Es gab einige Stunden Aufenthalt, die wir zu einem Besuch bei Zingler, der Kaiserstraße, der Hauptwache und des Goethehauses benutzten. In der Nacht reisten wir weiter nach Nordosten, die gleiche Richtung, die einmal der junge Goethe genommen haben muß. So gegen sieben Uhr kamen wir in der Morgendämmerung am ersehnten Ziel an. Ländliche Stille umfing den Hauptbahnhof Weimar. Eine kleine Trambahn mit offener Plattform und einem riesig-gebogenen Strombügel wartete auf die verschlafenen Gäste. Beim Gleißstoß bewegte sich das Vehikel in schiffartiger Schaukelbewegung. Bei den Kreuzungen warteten wir geduldig auf die Gegentram und rollten dann eingleisig in unserer Richtung weiter.

In unserer Vierzimmerwohnung am Horn 53 kam es mir zunächst paradiesisch vor. Zum erstenmal hatte ich ein eigenes Zimmer – noch dazu mit einem kleinen Balkon! Unser Hausgeist hieß Helene und stammte aus »Affrt« – das sollte ›Erfurt‹ heißen. Wir konnten uns an der thüringischen Sprache einfach nicht satt hören. Unsere Wirtsleute waren eine Familie Graf Keyserling. Er stammte aus dem Baltikum und war früher russischer Gouverneur über riesige Ländereien. Er hatte die sprachliche Gewohnheit, nach jedem zweiten Satz »sososososo« zu sagen, was ich noch und noch herausforderte, zum Gaudium vor allem meines Vaters. Dann war da noch die »Jräfin«, eine liebenswerte, immer gastfreundliche und duldsame Dame, sowie der zartbesaitete elfjährige, einzige Sohn Hujo, mit höchster Sopranstimme. In diesem Hause waren also die Bewohner aus allen Himmelsrichtungen zusammengekommen. Mein Vater mit seinem breiten Berndeutsch oder Alemannisch gefärbten Hochdeutsch, meine Mutter und ich mit unserer urmünchnerischen Sprache, die wir beide auch eisern pflegten. Eine weitere Sensation: Wir hatten in Weimar zum erstenmal elektrisches Licht! Keine Gas-, Petroleum-, Karbid- und Kerzenbeleuchtung mehr! Stundenlang konnte ich in meinem Zimmer mit dem Lichtschalter spielen. Nicht vergessen darf ich unseren Hausgenossen Gritzi, einen halbwilden, großen Tigerkater, den wir fünf Jahre vorher von Suzanne Schülein geerbt hatten.

Der neugierige Leser wird sich vielleicht schon ein wenig ungnädig fragen, wann denn nun endlich das Thema ›Bauhaus‹, in Erscheinung treten wird! Dazu möchte ich sagen, daß dieser Ingreß nötig war, einfach um die Situation zu schildern, wie das Bauhaus im Oktober 1921 auf mich, den Knaben Felix, zukam. Mein Vater hatte schon vorher mit einigen Aquarellen von mir meine sofortige Aufnahme am Bauhaus erwirkt. Meister Johannes Itten leitete den Vorkurs. Er kam mir wie ein Priester vor mit seiner rotvioletten, hochgeschlossenen Uniform, seinem kahlgeschorenen Schädel und seiner Goldrandbrille. Vom ersten Augenblick an faszinierten mich seine Persönlichkeit, sein pädagogisches Können und seine überreiche Phantasie. Daß er dabei ein fanatischer Mazdaznananhänger war und auch viele seiner Schüler zu seinen Jüngern zählten, tangierte mich in keiner Weise. Hatten wir doch am Bauhaus unsere »Hymne« mit dem Text »Itten, Muche, Mazdaznan« nach der bayerischen Melodie »Und dann kommt der Prinzregent mit den Kerzen in die Händ . . .«. In meinen Entwicklungsjahren war die normale Ernährung ein Problem von besonderer Bedeutung. Was waren das aber auch für Notzeiten! Die Inflation schwelte bereits, und die Sorge um das tägliche Brot erfüllte uns alle. Dazu kam im allgemeinen die schwierige Finanzlage aller Meister und Schüler. Aber gerade dieser Umstand schmiedete die Gemeinschaft des Bauhauses immer fester zusammen.

Doch zurück zu Meister Itten: Dreimal die Woche hielt er sein Kolleg. Einmal die herrlichen Lockerungsversuche, wo besonders die verkrampften zugedeckten Schüler langsam blumenhaft aufgingen. Hier führten wir auch vor, was wir über die Woche auftragsgemäß und frei gearbeitet hatten. Da waren Materialstudien, die wir in einer eigenen Werkstatt machen konnten. Sie waren notwendig, um zum Material einer der Bauhaus-Werkstätten Kontakt zu bekommen; denn nach dem Vorkurs galt es ja, pflichtgemäß ein Handwerk zu erlernen. Welch herrliche Gebilde können wir heute noch im Bauhaus-Buch 1923 betrachten! Die ganze heutige Kunstentwicklung, das Bemühen, um jeden Preis Neues zu schaffen, exerzierten wir vor 45 Jahren, ohne Anspruch auf etwas Besonderes zu erheben, mit leichter Hand durch. Ein Kollege zum Beispiel – er hieß Pascha – hatte eine lange Mähne bis über beide Schultern, wie heute die Beatles. Eines Tages wurde im coram publico dieser Schmuck abgeschnitten. Was lag also näher, als daß Pascha diese Haare kunstvoll in seiner Materialstudie verwendete.

Dann hielt Meister Itten sein zweites Kolleg, das er der Analyse alter Meister widmete. Wie bedeutungsvoll für uns alle, für mich bis heute, daß er uns die Augen für diese Wunderwelt alter Meister öffnete! Die Struktur von Meister Frankes ›Geburt Christi‹ oder den ›Hauptmann zu Pferd‹ von Simone Martini aus dem Stadthaus zu Siena. Itten ließ die Bilder an die Wand projizieren, nahm das Bild weg und ließ uns den Eindruck auf ein großes Blatt Papier mit Kohle nachgestalten. Dann schritt er zur Korrektur, griff da und dort ein, zeigte uns erneut das Bild und zeichnete die Formenwelt des Meisterwerks selbst an die Tafel. Als ich später beide Werke im Original sah, war ich in Erinnerung an das damalige Kolleg von der Urkraft dieser Bilder ganz besonders ergriffen. Einmal durfte sich jeder eine Reproduktion alter Meister aussuchen, sie mit heimnehmen und zu Hause zu kopieren versuchen. Ich wählte einen badischen Herrscher des Baldung Grien. Es war eine Aufgabe, die mir zuerst unlösbar erschien. Aber langsam drang ich in diese Welt und ihre Zeit ein. Und wie lockerte man sich bei diesen Übungen! Meister Itten war in seinem Urteil oft schonungslos und unerbittlich, wenn auch nie ungerecht.

Meister Itten hielt noch ein drittes Kolleg: das Aktzeichnen. Was war das für eine Offenbarung, die Begegnung und Auseinandersetzung mit dem nackten Körper! Bis heute bin ich fasziniert von der Schönheit des nackten menschlichen Körpers. Das Ideal des Altertums ist mir dadurch überhaupt erst nahegekommen. Meine Studien gestaltete ich niemals im Sinne akademischer Naturtreue, sondern stets analog den Analysen alter Meister.

Im zweiten Stock des Bauhauses, dem großen Bau van de Veldes, den wir mit der Kunstakademie teilen mußten, hatte mein Vater zwei Räume als Atelier zugeteilt bekommen. Jeden Morgen gingen Vater und Sohn zweimal den Weg hin und zurück durch den Weimarer Park, von unserer Wohnung am Horn über die Ilmbrücke, am Dessauer Stein, am Liszt-Denkmal vorbei zum Bauhaus. Die Gespräche auf diesem täglichen gemeinsamen Weg waren für die Formung meiner Persönlichkeit sehr wichtig. Keine Kreatur und keine Pflanze blieben dem Sperberauge meines Vaters verborgen. Im Sommer beobachteten wir die Nachtigallen, im Winter die Schneehühner, wie sie auf dem Eis der zugefrorenen Ilm ausrutschten. Mußten wir den Weg einmal getrennt machen, so schrieb mein Vater mit seinem Spazierstock hieroglyphische Zeichen auf den Weg, damit ich wüßte, er sei schon vorangegangen. Im ersten Jahr war mein Vater sehr darauf bedacht, daß ich nicht dem Vergnügungstaumel der Schule erlag. Ich durfte nur zu den großen Festen erscheinen; das war hart, aber richtig. Am Bauhaus fand jedes Wochenende ein kleines Fest statt. Und alle Monate wurde ein großes Kostümfest unter irgendeiner lustigen Devise veranstaltet. Wie richtig war für uns doch diese Form des Sich-Austobens! Nie kam es zu irgendwelchen Exzessen. Wie sauber und ›normal‹ war die Beziehung der Mädchen zu uns Jungen und umgekehrt! Aus geldlichen Gründen wurden alle diese Feste in den kleinen Dorfwirtschaften des benachbarten Oberweimar veranstaltet. Ich erinnere mich da ans ›Ilmschlößchen‹ oder an den ›Goldenen Schwan‹. Hirschfeld spielte auf seiner »Quetschkommode«, Andor am Klavier, und Schmidtchen spielte das einzige Stück auf seiner Geige. Und unser Bauhaus-Tanz wurde dazu improvisiert, das heißt, eigentlich gab es genaue Regeln dazu; es war ein temperamentvolles Stampfen, wozu man viel Platz brauchte. Unser Tanz wurde paarweise, nicht körpernah, sondern getrennt getanzt und erinnert an die heutigen Tänze.

Vier Feste, in jeder Jahreszeit eines, bildeten die Höhepunkte. Dafür wurde wie besessen gearbeitet. Oskar Schlemmer bereitete seine Theaterstücke speziell dafür vor. Am 18. Mai feierten wir den Geburtstag von Walter Gropius. Da fand alle Jahre das traditionelle Laternenfest statt. Schlemmer hatte auf der Bühne des Ilmschlößchens zwei durchgehende Versatzstücke mit Personen ohne Köpfe dargestellt. Auf den Damenköpfen fungierten die Jungens und umgekehrt. Eine improviserte Kapelle mit Phantasieinstrumenten wurde von Oskar Schlemmer, im Frack, mit langer schwarzer Perücke, dirigiert, dazu sang der Chor – auch improvisiert: »Hängt ihn auf!« im ersten Teil, »den Lorbeerkranz!« im zweiten Teil. Vor dem Fest versammelten wir uns am Bauhaus, wo wir unsere selbstgebauten Laternen beim Einnachten anzündeten. Dann ging's, im Wettbewerb mit den Glühwürmchen, durch den Park zum Horn, zu Klee und Börner, der Webmeisterin, dann zu Gropius und am Schluß zum Dichterfürsten Johannes Schlaf.

Einen Monat später feierten wir das heidnische Sonnwendfest. Einmal auf halbem Weg nach Belvédère, im ›Kaffetälchen‹. Hirschfeld und Schwerdtfeger führten ihre reflektorischen Lichtspiele auf, nämlich die ›Schöpfungsgeschichte‹. Ich selbst trug mit einer Kasperlitheatergeschichte zum Feste bei. Wie Emmy Galka Scheyer meinem Vater unbedingt einen Jawlensky aufschwätzen wollte – mein Vater wollte aber nicht, und Emmy schlug Klee den Jawlensky rechts und links um die Ohren. So die Story des Puppentheaters. In diesem Augenblick kamen Emmy und Klee zu dem Fest, gerade wie die Pointe zu Ende, und die Originale wurden ahnungslos mit Beifall überschüttet. Später wurde dann das Sonnwendfeuer angezündet, und wir sprangen kühn und mutig darüber.

Im Oktober, nach den Ferien, wurde das Drachenfest gefeiert. Auch hier wieder große Vorarbeit mit den kühnsten Gebilden. Wir stiegen auf eine der benachbarten Anhöhen, wie etwa den Gehäderich, wo wir die abstrakten Konstruktionen sehr zum Erstaunen der Ureinwohner in den herbstlichen Winden segeln ließen.

Das vierte Fest fand im Bauhaus statt, das Weihnachtsfest, im Oberlichtsaal, im zweiten Stock, neben Klees und Ittens Atelier. Wir nannten dieses Fest natürlich mit seinem heidnischen Namen: »Julklapp«. So wie wir uns auch nur ›römisch‹, mit erhobener Hand, begrüßten. Eine Stehleiter aus der Wandmalerei diente mit Kerzen auf Querlatten als Pseudo-Weihnachtsbaum. Mit Gepolter und Geschrei schleppte ein als Engel verkleideter Schüler einen geschlossenen Waschkorb herbei, riß die Tür auf und warf die ›Geschenke‹ mitten unter die Versammelten. Es waren kleine und große Pakete mit Adressen. Man packte sie voller Erwartung aus, da war wieder ein kleineres Paket mit einem anderen Namen darauf. Man reichte es weiter, bis man als letzter dann endlich zu seinem Geschenk kam. Gertrud Grunow, die Seelenhüterin des Bauhauses, bekam eine Kanne mit dem Spruch: »Denkst du gelb, so kocht sie Tee, denkst du braun, so kocht sie Kaffee.« Bei Schlemmers kamen gerade zwei Töchter namens Karin und Jaina im Kavalierhaus des Schlosses Belvédère zur Welt; das war der Anlaß, Oskar an jenem Abend weitere 13 Töchter mit herrlichen Phantasienamen zum Geschenk zu machen. Mein Vater erhielt eine »Bannbulle« der thüringischen Staatsregierung, des Inhalts, er habe in seiner Wohnung monarchistische Bilder aufgehängt, wie etwa ›Der große Kaiser reitet in den Krieg‹, das doch mit seiner republikanischen Beamtenstelle unvereinbar sei. Unterschrieben mit Graupe, Kantinsky, Leinöl, Einfinger usw.

Nun sehe ich den geneigten Leser schon wieder ungeduldig warten: Ob denn das Festen alles sei, was er über das Bauhaus auszusagen wisse. Meine Antwort: Mein lieber Freund, haben Sie eine Ahnung, wie wichtig am Bauhaus das Festen war, oft viel wichtiger als der Unterricht selbst. Der Kontakt zwischen Meister, Geselle und Lehrling wurde dadurch viel enger gestaltet. Über das Bauhaus selbst sind von gewichtigen Persönlichkeiten schon gewichtige Bücher geschrieben worden. Hier kann man alles nachlesen, was an wichtigen Manifesten veröffentlicht wurde. Doch zurück zum persönlichen Kontakt: Die starke Ausstrahlung der Meister wirkte sich positivst auf die Schüler aus. Sie konnten sich um so freier entwickeln, weil sie genügend Zeit hatten und nicht durch einen Überstundenplan an der eigenen persönlichen Entfaltung gehindert wurden. So gab es auch wiederum eine Rückwirkung der Schülerarbeiten auf die Lehrer. Das alles konnte man als ein lebendiges Geben und Nehmen bezeichnen, wie ich es in diesem Ausmaße nie mehr anderswo antraf. Das ist wohl das einmalige Verdienst des Gründers des Bauhauses, Walter Gropius. Mein Vater nannte ihn übrigens nach seiner ersten Begegnung im Jahre 1920 den »silbernen Prinzen«.

In den Jahrend 1922 bis 1925 erlernte ich am Bauhaus das Tischlerhandwerk. Da ich körperlich nicht sehr entwickelt war, tat mir diese Betätigung in jungen Jahren sehr gut. Die Kameradschaft mit den anderen Handwerkern, das Aufeinander-Angewiesensein, war für mein späteres Leben nur wertvoll. Aber auch hier ließ ich mir Zeit mit meiner neuen Tätigkeit: Beginn acht Uhr morgens, Ende um zwei Uhr mittags. Eine furnierte Truhe und mein Gesellenstück, ein Bücherschrank, die ich beide für meinen Vater baute, sind heute für mich eine kostbare Erinnerung. Am Nachmittag sorgte Toni Ziegler für die Vertiefung meiner französischen und englischen Kenntnisse. Dr. Bruno Adler führte mich mit heißem Bemühen in die Schönheiten der deutschen Literatur ein. Meine Mutter unterrichete mich weiter im Klavier. Dazu kam das eifrige Malen und der Ausbau des Kasperlitheaters. Die 50 Figuren schuf alle mein Vater – seit meinem neunten Lebensjahr. Dazu kamen die wichtigen Stätten der klassischen Vergangenheit Weimars: das Goethehaus am Frauenplan, das Schloßmuseum und weitere Sehenswürdigkeiten in der Umgebung. Ernst Hardt, der Intendant des Nationaltheaters, war mit den Meistern des Bauhauses sehr verbunden. Er lud uns sehr oft in seine Loge ein, wo wir vielen guten Aufführungen beiwohnen konnten. Mein Interesse für das Theater, insbesondere für die Oper, wuchs dadurch enorm, so daß ich nach der Schließung des Bauhauses im Jahre 1925 den Beruf eines Regisseurs erwählte.

In Weimar führten wir sonst ein sehr isoliertes Leben. Wir wurden von der Bevölkerung oft regelrecht bekämpft und boykottiert. Eine große Rolle spielte dabei der dort sehr früh aufkommende Nationalsozialismus. Der Rummel um den Reichsparteitag 1925 in Weimar und die damit verbundene vorherige Schließung des Bauhauses ist uns allen in düsterer Erinnerung. So galt es nach vier Jahren, Abschied von einer Stadt zu nehmen, die uns die lebendigste Zeit vermittelt hatte und zu der wir innerlich nie oder nur selten Kontakt gewinnen konten.

Vielleicht ist der Leser enttäuscht, hier schon das Ende meines Beitrags zu finden. Gewiß ist viel Wichtiges und auch Nebensächliches weggelassen worden. Ein detaillierter Bericht über eine große Zeit würde ja Bände füllen. Was könnte ich noch alles über die kapriziöse Nina Kandinsky berichten, über den prachtvollen Schlemmer, den Spökenkieker Schreyer, den vornehmen Muche, den skurrillen Moholy oder den »lieben Gott«, wie man meinen Vater am Bauhaus scherzhaft nannte. Der lebendige Kontakt der heute noch lebenden Bauhäusler, überwacht von der Bauhaus-Mutter Tut, ist ein Beweis, wie stark für jeden einzelnen die Ausstrahlung dieser Schule war. Dabei ging jeder von uns andere Wege und meisterte doch aufgrund dieser hervorragenden handwerklichen und menschlichen Ausbildung sein Leben.

Wir sind inzwischen eine ältere Generation geworden. Die Jungen staunen uns wie ein Wunder an: »Was! Sie waren am Bauhaus? Sie Glücklicher!«

Was ich in unsere Zeit rettete, war nicht tierischer Ernst, kein Krampf um nicht zu lösende Probleme, sondern eine Lockerung aller inneren Zweifel und eine damit verbundene, befreiende und doch nicht aufdringliche Heiterkeit.

Paul Citroen

Geboren 1896 als Sohn holländischer Eltern in Berlin, verbringt seine Jugend in Deutschland. Verläßt bereits mit 14 Jahren das Gymnasium, um Maler zu werden. Studiert als Schüler von Martin Branden-burg einige Jahre in den privaten ›Studienateliers für Malerei und Plastik‹ in Berlin-Charlottenburg. Dort lernt er Georg Muche kennen und wird durch ihn in den Kreis von Herwarth Waldens Galerie ›Der

Sturm‹ eingeführt. Als gelernter Buchhändler richtet Citroen 1915 die ›Sturm-Buchhandlung‹ in der Potsdamer Straße ein.

Nach dem Ersten Weltkrieg kommt er 1922 auf Anregung von Muche als Schüler an das Bauhaus in Weimar. Besonderen Einfluß hat für ihn als Maler der Vorkurs von Johannes Itten und dessen Lehre über »Das Entstehen der Arbeit aus dem Material«. Paul Citroen ist durch seine Fotomontagen ›Metropolis‹ international bekannt geworden, die erstmals auf der Bauhaus-Ausstellung in Weimar 1923 gezeigt worden sind. Als erster hat er die neue Technik der Fotomontage zu vollständigen Kompositionen angewandt.

Nach der Übersiedlung des Bauhauses nach Dessau im Jahr 1925 geht Citroen als freier Maler nach Berlin. 1927 läßt Paul Citroen sich endgültig in den Niederlanden nieder. In Amsterdam gründet er 1933 ›De Nieuwe Kunstschool‹, an der nach den Prinzipien des Bauhauses unterrichtet wird. Von 1935 bis 1960, unterbrochen durch den Krieg, ist er als Dozent an der Königlichen Kunstakademie in Den Haag tätig. Seitdem wieder intensives Malen und Zeichnen, überwiegend Porträt- und Landschaftsstudien. Sein malerisches Werk ist in vielen Gruppen- und Einzelausstellungen im In- und Ausland gezeigt worden.

Paul Citroen hat ferner als Publizist Aufsätze und Bücher zu Themen der Kunst und Literatur veröffentlicht. Am 13. März 1983 ist er in Wassenaar/Holland verstorben.

Mazdaznan am Bauhaus

Ich gehörte nun, wie alle Neueingetretenen, zum Vorkurs, den Itten unterrichtete. Itten war aber zu jener Zeit so erfüllt von Mazdaznan, versprach sich so unendlich viel von einem tieferen Eindringen in die Lehre, daß er bald nach Beginn des Kursus für einige Monate Urlaub nahm, um in Herrliberg am Zürichsee, wo die europäische Zentrale und Siedlung von Mazdaznan war, sich völlig einweihen zu lassen. Und Muche vertrat ihn. So daß ich tatsächlich als Schüler vor meinem Freund saß und Gelegenheit hatte, sein überlegenes Verhalten als Lehrer und die Sicherheit seines Vortrags zu bewundern. Muche hielt eine gewisse kühle Distanz, während Itten uns zu entflammen wußte, uns durchschüttelte, sozusagen alle Schleusen sprengte und uns in einen tollen

Produktionswirbel versetzte, wobei er sich doch keineswegs mit uns gemein machte. Wir hatten den allergrößten Respekt vor ihm.

Von Itten strahlte etwas Dämonisches aus. Er war als Meister innigst verehrt oder aber, von seinen Gegnern, deren es eine ganze Menge gab, ebenso gehaßt. Ignorieren konnte man ihn jedenfalls nicht. Für uns, die wir dem Mazdaznanzirkel angehörten – eine Sondergemeinde innerhalb der Schülerschaft –, umgab Itten ein ganz besonderer Nimbus. Man konnte beinah von Heiligkeit sprechen, man konnte sich ihm beinah nur flüsternd nahen, unsere Ehrfurcht war gewaltig, und wir waren stets ganz entzückt und erheitert, wenn er sich im Umgang mit uns gemütlich und unbefangen gab.

Als er nun wieder von Herrliberg zurückkam, begann für uns Mazdaznanjünger eine wahre Hoch-Zeit des Erlebens und Erfüllens. Zusammenkünfte aller Art, Vorträge, Übungen, Gottesdienste, Beratungen, Mahlzeiten – ein unglaublich reges Arbeiten an dem gemeinsamen Ziel der Vollkommenheit, des Herrschergedankens: eine eifrigere Gemeinde war nicht denkbar. Und Itten, durch die Herrliberger Wochen vertraut mit den Mysterien der Wiedergeburt und anderer Geheimnisse der Lehre, war unser unbestrittener Meister und Führer. Auch Muche und seine Frau, unserem Kreise eng angeschlossen, nahmen an allem teil, und auch hier war es, mehr noch als beim Unterricht, selbstverständlich, daß Muche Itten zu vertreten hatte, wenn dieser verhindert war, unseren Versammlungen beizuwohnen.

Nun hatte Itten aus der Schweiz ein junges Mädchen mitgebracht, das ihm von ihren Eltern anvertraut war, um am Bauhaus seinem Kursus zu folgen. Auch sie war Mazdaznananhängerin, und zwar als solche ein so glückliches Exemplar, wie wir es unter unseren Anhängern nicht kannten.

Die Gesundheit und was damit zusammenhängt, wie Atmung, Bewegung, Ernährung, spielte bei Mazdaznan eine wichtige Rolle, ja war einer der Eckpfeiler der Lehre. Und so wandten sich ihr sehr natürlich vor allem Leute zu, die irgendein körperliches Gebrechen oder Leiden hatten, das auf gewöhnliche ärztliche Weise nicht behoben werden konnte. Der Weimarer Zirkel indes war mehr durch geistige Gesichtspunkte geleitet, erfreute sich auch im ganzen einer ziemlichen Gesundheit. Und doch sahen die meisten von uns keineswegs blühend aus, was dem Umstand zugeschrieben werden mußte, daß damals in Deutschland, das sich wirtschaftlich in die Inflation auflöste, ordentliches und genügendes Essen nur für große Summen zu bekommen war. Die Bauhaus-Leute aber waren arm und ganz auf das Kantinenessen angewiesen. Die Bauhaus-Küche wurde zwar nach Mazdaznan-prinzipien geführt, so daß wir wohl unverdorbenes Essen, aber infolge Geldmangels nicht so nahrhaftes bekamen, wie wir brauchten. Eine allgemeine Unterernährung war die Folge, Magen- und Darmkatarrhe an der Tagesordnung und unser Aussehen dementsprechend. Ich zum Beispiel, von Natur schon von gelblicher Gesichtsfarbe, konnte grün und grau erscheinen, sobald mein Inneres in Unordnung geriet, was häufig genug der Fall war. Muche allerdings, der einen hellen, rosig schimmernden Teint hatte, wie auch Itten hielten sich gut, sie führten auch jeder ihren eigenen Haushalt und wußten von allerhand vegetarischen Kochkünsten, so daß es für uns Junggesellen jedesmal ein Fest war, wenn man bei ihnen zum Essen geladen wurde. Wundervolle und raffinierte Speisen, aus den reinsten Ingredienzen zusammengestellt, wurden einem da vorgesetzt. Für die ärmeren und weniger kochkundigen Mazdaznanleute jedoch war es wirklich eine schwierige Zeit. Denn während die gewöhnlichen Sterblichen alles verzehrten, dessen sie habhaft werden konnten, mußten wir, auf eine reinere Lebensführung Bedachten, unter dem wenigen, was zu kriegen war, noch eine Auswahl treffen, und diese ausgewählte Kost mußte noch auf eigene Weise zubereitet und in rechter Folge und mit Konzentration genossen werden. An unsere Selbstzucht wurden da große Forderungen gestellt, und wenn wir auch gelegentlich sündigten, wenn die Umstände zu schwierig und Hunger und Durst zu mächtig waren, im ganzen fühlten wir uns doch glücklich und bevorzugt, in unserer Lehre einen Halt zu haben, den rechten Weg zu wissen, so daß wir nicht wie die anderen im allgemeinen Chaos dahintrieben. Trotz aller Schwierigkeiten ließen wir uns nicht völlig von den Umständen beherrschen, sondern folgten so getreu wie möglich unseren eigenen Einsichten oder richtiger: den Vorschriften unserer Lehre. Und dies verlieh uns ein gehobenes Selbstbewußtsein.

Ja so stark war die Kraft dieser Wirkung, daß die anderen Schüler in unserer Gegenwart von allzu robusten Späßen absahen und sich überhaupt nicht so unverfroren und formlos hielten, wie es bei manchen von ihnen sonst wohl üblich war. Obwohl sie uns sonst wohl belächelten, flößten wir ihnen doch Achtung ein.

Wir hatten also, wie gesagt, alle ein mehr oder minder vegetarisches, das heißt kümmerlich-gesundes Aussehen. Und da erschien Lotti Weiß, jenes Schweizer Mädchen, wahrhaft strahlend und leuchtend – nicht etwa von fleischlicher Kost –, als glänzendes Beispiel einer reinen, natürlichen Lebensform. Sie war ein lebendiger Beweis für die Richtigkeit der Lehre, die sie schon viel länger und besser kannte und genauer befolgte als einer von uns und zu der ihre ganze Familie sich bereits seit zwölf Jahren bekannte. Sie kam sozusagen vom Mittelpunkt her, hatte den Meister und Schöpfer des Mazdaznan, den sagenhaften Dr. Zaraduscht Hanish, bei seinem ersten Besuch in Europa begrüßt, er hatte sie eingeweiht, und von da her datierte ihre Gefolgschaft. Wir alle waren ja blutige Anfänger, verglichen mit diesem Mädchen, das den größten Teil seines Lebens in jener von uns so erstrebten Weise und Haltung hingebracht hatte und nun wie das blühende Leben selbst vor uns hintrat. Ja, Mazdaznan war die Wahrheit – man brauchte nur das Mädchen anzusehen, um überzeugt zu sein.

Wenn wir nun die eine oder andere Frage hatten, diesen oder jenen Zweifel bezüglich einer Angelegenheit unseres Glaubens oder einen praktischen Wink benötigten, so wendeten wir uns, da wir Itten mit Kleinigkeiten nicht behelligen konnten, an Lotti Weiß, die dann auch stets Auskunft zu geben wußte. Sie war eine Künstlerin der Küche und überhaupt allem und jedem – wie man sich nach den Gesetzen verhalten, was man in allen dubiosen Fällen zu tun habe – vertraut. Sie wußte so bedacht zu antworten, daß es ein Vergnügen war, sie zu fragen. Mit großer Sachlichkeit belehrte sie uns, und es hatte etwas Ergreifendes, dies liebliche junge Kind so ernst und überzeugt reden zu hören. Doch vergaß sie auch nicht das Lachen, wie es denn bei uns Vorschrift war, daß wir stets

ein freundlich-gelassenes, »entspanntes« Lächeln zur Schau trü-
gen. Während es aber die meisten von uns nicht weiterbrachten
als zu einem verzerrten, sauer-süßen Grinsen, einem krampfhaf-
ten In-die-Höhe-Ziehen der Mundwinkel, strahlte Lotti wahre Heiterkeit aus; ihre Augen leuchteten froh und ruhig in die Welt, es war
mir wonniglich, sie nur zu betrachten, und ich hätte mich gewiß in
sie verliebt, wenn nicht die Hochachtung, die sie mir einflößte,
jeden Gedanken an ein mehr persönliches Verhältnis verscheucht
hätte. Zudem war sie bei aller freundlichen Offenheit doch eigentlich verschlossen, man fühlte, daß sie, ganz gesondert von ihrer
bestimmten, heiteren Art, mit den Freunden der Gemeinde umzugehen, noch ein besonderes inneres Leben pflegte, in das sie
niemand Einblick gewährte. Dieses eigenste, persönlichste,
geheime Leben respektierten wir, so wie es überhaupt bei uns
üblich war, nicht mit völliger Offenheit miteinander umzugehen,
sondern jedem, da das Letzte doch nicht zu sagen war, ein äußers-
tes Geheimnis zuzugestehen und zu gönnen. Wir übten uns im
Abstandhalten.

So erinnere ich mich einer Begegnung mit einem mir unange-
nehmen Menschen. Muche stellte ihn mir vor, und ich machte
sofort die entsprechende Atemübung, um jeden Kontakt mit ihm
unmöglich zu machen, jede Einwirkung, die er vielleicht auf mich
haben könnte, sofort zu unterbinden. Der Betreffende merkte hier-
von nichts, aber Muche, der meine Nasenflügel sich blähen sah,
amüsierte sich.

Gaben wir jemandem die Hand, so erfuhren wir aus dem Hand-
druck, aus der Feuchte oder Trockenheit der Haut und anderen
Anzeichen mehr über ihn, als ihm lieb sein konnte. Seine Stimm-
lage, sein Teint, sein Gang, jede seiner unwillkürlichen Äußerungen verrieten uns sein Wesen. Wir meinten, jedermann mit unserer Methode zu durchschauen, was uns ein vermeintliches Übergewicht über den Ahnungslosen gab.

Diese Spiele oder Mätzchen – denn viel mehr war es nicht, da
wir all dies dilettantisch, fast könnte man sagen abergläubisch
taten, da wir alles, was unsere Bücher verkündeten, auf Treu und
Glauben hinnahmen –, diese Scherze also, die wir trieben, übten
eine gefährliche Rückwirkung, indem sie uns hochmütig machten,

uns die Nicht-Eingeweihten verachten ließen. Unser Kreis wurde immer sektiererischer. – Welchen offensichtlichen Blödsinn wir zugleich mit dem gewiß Vorzüglichen und Berherzigenswerten aus den Schriften schöpften und uns aneigneten, ist unglaublich, und jener Besucher, den ich einmal als Gast zu einer Übungsstunde mitnahm, wo wir uns singend verrenkten, muß uns wirklich für wahnsinnig gehalten haben. Gemeinsam geübter Gesang ist ja eine schöne Sache, und wenn hierbei zugleich rthythmische Bewegungen gefordert wurden, so konnte uns das nur guttun, mochte solche Vorstellung auf den Außenstehenden auch grotesk wirken. Aber die grenzenlos tiefe Bedeutung, die wir all dem beimaßen – viel zu tief für das natürliche Fassungsvermögen der meisten von uns –, war verderblich. Es machte uns den unbefangenen Umgang mit unseren Mitmenschen unmöglich, ja verhinderte schließlich jede Unbefangenheit, auch uns selbst gegenüber.

Einst hatte sich ein weibliches Mitglied unseres Vereins spaßiggräßlich vermummt. »Die Ida sieht aus wie ein T...«, rief Lotti Weiß, unterbrach sich aber und fügte hinzu: »Engel«, eingedenk, daß man nichts Häßliches von seinem Mitmenschen sagen solle. Wir brachen alle in Lachen aus. – Ein unschuldiges Beispiel der Selbstkontrolle, die wir fortwährend ausübten.

An Ittens Geburtstag zog die ganze Anhängerschaft sehr früh zu des Meisters Haus und brachte ihm vor seiner Tür ein Ständchen. Itten, noch im Schlafrock, erschien alsbald und dankte uns gerührt. Daß er noch nicht angekleidet und bereits tätig war, enttäuschte mich ein wenig, da das frühe Aufstehen mit zu den gepriesenen Vorschriften gehörte, doch wußte er auch bei solcher Gelegenheit stets ein gewichtiges, lehrhaftes Wort zu sagen, das sich einprägte.

Ostern wurde auf besondere Weise gefeiert. Zunächst hatte man bei Sonnenaufgang in Quellwasser unterzutauchen, danach sich kräftig abzureiben, anzukleiden, ein Glas Wein zu genießen und einen weiten Spaziergang zu machen. Bei Rückkehr waren dann die ersten Eier zu genehmigen, deren Genuß man sich während der vorangegangenen Fastenzeit versagt hatte.

Den allzu beschwerlichen Teil der Prozedur, wie Sonnenaufgang und Quellwasser, schenkte ich mir, stand aber doch früh auf, trank ein Glas süßen roten Weins, der mir das Inwendige erwärmte, und marschierte ab. Es war regnerisch, windiges Wetter, nicht eben solches, wie man es sich für die Auferstehung des Herrn wünscht. Die Sonne blieb unsichtbar. Als ich aber außerhalb Weimars die Landstraße erreichte, zeigte sich mir ein Phänomen, das wahrhaftig schlecht zu der Bedeutung des Tages passen wollte. Der Weg war nämlich übersät mit länglichen Würmern, die, angelockt durch die Feuchte, aus allen Poren der Erde zu kriechen schienen, und ich konnte mir diese aus der Unterwelt hervorwimmelnden Scheußlichkeiten nicht mit den erhabenen, frommen Gedanken, denen ich mich gerne hingegeben hätte, zusammenreimen. Die Natur schien ihre eigene Auffassung von der Bedeutung der Zeiten zu haben . . . – ich kehrte bald wieder heim.

Den Höhepunkt unserer Übungen bildete das Fasten. Frühjahr und Herbst waren hierfür die geeigneten Jahreszeiten. Eine durchgreifende innere Körperreinigung wurde angestrebt und auch tatsächlich erzielt, wenn man nämlich die Anweisungen pünktlich befolgte und vor allem das Fastenbrechen vernünftig betrieb, das heißt ganz allmählich und stufenweise wieder zu den gewöhnlichen Tagesrationen zurückkehrte. Diese Rückkehr ins Normale war das Allerschwierigste, da einen nach der überstandenen Fastenperiode oft ein Heißhunger überfiel. – Man begann damit, ein fürchterliches Abführmittel einzunehmen, worauf man dann sieben, vierzehn oder gar einundzwanzig Tage, je nach Vorsatz, weder Trank noch Speise zu sich nahm, ausgenommen vielleicht heiße Fruchtsäfte, sich viel in der Natur erging, auch nach Möglichkeit körperlich arbeitete, heiße Bäder nahm, geistige Lektüre genoß, sang und Umgang nur mit verständnisvollen Freunden pflegte. Da wir auf einer Anhöhe bei Weimar einen Garten mit einigen hundert Himbeersträuchern, Obstbäumen und dergleichen besaßen, konnten wir unsere Fasten nirgends besser als dort verbringen. Unkraut jäten – eine unserer Lieblingsbeschäftigungen, da wir ja gewillt waren, das Unkraut, die Gegenschöpfung auf der ganzen Erde, auszurotten – und sonst nützliche Tätigkeit üben. Auch störte und hörte uns dort niemand bei unseren frommen Gesängen.

Nach einem heißen Bad in einer Zelle der öffentlichen Anstalt wollte ich mich, der Vorschrift gemäß, mit Asche oder Kohlepuder einreiben – auch dies gehörte zur Prozedur der Reinigung, und zwar im besonderen der Haut. Als ich mich aber zu diesem Zweck erhob, verließen mich die Lebensgeister, ich stürzte bewußtlos neben die Wanne – was bei alledem noch ein Glück war – und verschüttete den schwarzen Puder, während ein feiner Regen aus der Brause über mich sprühte, so daß ich bei meinem Erwachen in einem gräulichen Tümpel lag.

Solche unerfreulichen Begleiterscheinungen gab es für den Anfänger im Fasten mehrere. Da war unter anderem jene kleine Nadelmaschine, mit der man sich die Haut zu punktieren hatte. Sodann wurde der Körper mit ebendem scharfen Öl eingerieben, wovon zuvor einige Tropfen uns als Abführmittel gedient hatten. Nach einigen Tagen entstanden dann an allen Stichstellen kleine Schwären und Pusteln, das Öl hatte die Abfall- und Faulstoffe aus den tieferen Schichten an die Oberfläche gezogen. Jetzt war man völlig zu bandagieren, man mußte tüchtig arbeiten, schwitzen, dadurch trockneten im weiteren Verlauf des Fastens die Schwären aus. So jedenfalls stand es im Buche. In Wirklichkeit gelang das Punktieren nicht nach Rezept und Wunsch, und noch monatelang juckte und plagte es einen hier und dort.

Doch muß ich gestehen, daß diese Unannehmlichkeiten wirklich nichts bedeuteten neben den einzigartigen, unvergeßlichen Erfahrungen, die uns während und durch das Fasten zuteil wurden. Die veränderte und schließlich gewandelte Körperverfassung erzeugte ungeahnte Stimmungen, öffnete unbekannte Gefühlsregionen. Nie hätte ich geglaubt, eine solche »Durchsichtigkeit« zu erreichen, so empfänglich für sonst kaum bemerkte geistige Schwingungen zu werden. Am Ende bedauerte man es fast, von diesem gehobenen, beinah unirdischen Zustand scheiden zu müssen.

Und dann begann mit einer Handvoll Puffmais als erster Tagesration die mähliche Anpassung ans Gewöhnliche. Doch machten sich die Folgen der Kur durchs ganze Jahr bemerkbar, indem ich von jeder Erkältung verschont blieb, was mir in meinem ganzen Leben durch einen solchen Zeitraum noch nie passiert war.

Nach seiner Rückkehr aus Herrliberg hatte Itten sich nie mehr recht heimisch am Bauhaus gefühlt. Er fand, was hier getan wurde, nicht der Mühe wert, verglichen mit dem, was dort geschah. Eigentliches Wachstum, innere Bereicherung, auch für sich selbst, sah er nur dort. Und so nahm er seinen Abschied und zog in die Schweiz. – Der Verlust für uns war groß, wurde aber noch entschiedener, als auch Lotti Weiß ihm dorthin folgte.

In den letzten Tagen ihres Weimarer Aufenthaltes zeichnete ich ihr Porträt, auch half ich beim Versenden ihres Gepäcks, war überhaupt mehr als sonst in ihrer Nähe. Und so kam es wohl, daß wir, ungezwungener gegeneinander, im Bewußtsein des nahen Scheidens, unserem Gefühl freien Raum ließen und uns einer gegenseitigen Sympathie bewußt wurden. Durch nichts Konkretes geäußert, ward doch meine Liebe zu Lotti ein offenbares Geheimnis. – Unsere kleine Gemeinschaft war nun ihrer vorzüglichsten Kräfte beraubt. Wenn auch Muche die Leitung zunächst übernahm – so sehr er sich auch bemühte, es war das alte, erfüllte Leben nicht. Wir alle spürten das. Die Versammlungen wurden spärlicher besucht, man vereinzelte sich. Und schließlich ging unsere Gruppe im großen Ganzen der Schülergemeinschaft auf. Mazdaznan war für das Bauhaus kein Problem mehr.

Karl-Peter Röhl

Geboren 1890 in Kiel; erhält seine erste Ausbildung an der Städtischen Handwerkerschule Kiel. Studiert von 1909 bis 1911 am Königlichen Kunstgewerbemuseum Berlin. In Berlin erste Begegnungen mit chinesischer und japanischer Kunst, der Kunst der Zen-Priester und mit den Holzschnittmeistern.

Anschließend Studien an der Großherzoglichen Hochschule für bildende Kunst Weimar bei den Professoren Egger-Lienz und Klemm. 1913 Ernennung zum Meisterschüler.

Bei einem kürzeren Aufenthalt in Berlin wird Karl-Peter Röhl als Soldat während des Ersten Weltkrieges mit Herwarth Walden und dessen Galerie ›Der Sturm‹ sowie mit führenden Persönlichkeiten der Zeit bekannt, u. a. mit Leo Kestenberg, Emil Maetzel und Emil Rudolf Weiß, die auf seine Entwicklung großen Einfluß nehmen.

1919 kehrt Röhl nach Weimar zurück. Mit Johannes Molzahn sowie Robert Michel und Ella Bergmann gehört er zu jener Gruppe junger Maler, mit denen Walter Gropius bei seinen ersten Besuchen in Weimar Kontakt aufnimmt, um sich über die künstlerische Situation zu informieren. Er erlebt die Umwandlung der Hochschule und der Kunstgewerbeschule in das »Staatliche Bauhaus« mit und wird begeisterter Bauhäusler. Als 1921 Theo van Doesburg nach Weimar kommt, wird Röhl Mitglied der ›Stijl‹-Gruppe. Er realisiert seine konstruktivistischen Bildvorstellungen auch bei der farbigen Raumgestaltung des Theaterumbaus in Weimar und beim Bau eines Kinder- und Altenheimes in Stelzen/Voigtland. In dieser Zeit werden Arbeiten von ihm in den Zeitschriften ›De Stijl‹ und ›Mecano‹ veröffentlicht.

1926 wird er an die Städelschule in Frankfurt berufen, wo er einen Lehrauftrag für Grundlehre erhält. Während seiner siebzehnjährigen Lehrtätigkeit in Frankfurt entwickelt er eine besondere Methode zur »Vorschule der Kunst«. Im Kontakt mit der Stadtbauberatung unter der Leitung von Ernst May und Adolf Meyer ist er an Projekten für Farbgestaltung beteiligt. 1926 wird seine ›Abstrakte Folge‹ auf der Musik-Ausstellung gezeigt. 1927 gestaltet er seine ersten rein abstrakten Glasfenster. Unabhängig entwirft er ein Zeichensystem zur Signalisierung aller medizinischen Einrichtungen in Frankfurt, das in der Zeitschrift ›das neue frankfurt‹ veröffentlicht wird.

1946 läßt er sich wieder als freier Maler in seiner Geburtsstadt Kiel nieder. Ausstellungen seiner abstrakten Bilder machen ab 1947 in Kiel das Neue in der Malerei zum Gegenstand einer Diskussion, deren Anregungen lange nachwirken. 1949 gründet er mit seiner Tochter Murinaua einen Kinder-Kunst-Kreis, in dem Vorschüler zur schöpferischen Gestaltung hingeführt werden. Anfang der fünfziger Jahre übernimmt er auch den künstlerischen Unterricht in der Goetheschule Kiel.

Seit den sechziger Jahren wird sein Werk in vielen wichtigen Ausstellungen in den Zusammenhang von Bauhaus und Konstruktivismus gestellt, und sein künstlerischer Beitrag wird auch international neu bewertet. Arbeiten seiner Bauhaus-Zeit sind 1975 in Köln von der Galerie Gmurzynska gezeigt worden, wozu ein umfassender Katalog mit Bibliografie erschienen ist. Der künstlerische Nachlaß von Karl-Peter Röhl wird vom Schleswig-Holsteinischen Landesmuseum in Kiel betreut. Als Zeichen der wachsenden Anerkennung seines Werkes ist Karl-Peter Röhl 1968 mit dem Kunstpreis des Landes Schleswig-Holstein ausgezeichnet worden. Am 25. November 1975 ist er in Kiel gestorben.

Idee, Form und Zeit
des Staatlichen Bauhauses in Weimar

Das Bauhaus ist längst Vergangenheit geworden. Viele Bauhäusler sind gestorben, jedoch ihre Kräfte sind heute noch lebendig. Der Frühling des Bauhauses hat sich in einen farbenfreudigen Herbst verwandelt. Bunte Blätter der Bauhäusler wirbeln überall in der Welt – zur Freude und zum Nachdenken. Die Idee des Bauhauses ersann der Architekt Walter Gropius, und er gab seiner neuen Schule den Namen »Das Bauhaus«. Gropius ist bis zum heutigen Tage die Bauhaus-Säule. Ihm, der tapfer, selbstlos und mit Mut das Bauhaus geschaffen hat, schenkte das Schicksal den 80. Geburtstag. Er war ein Medium in der Zeit, ein Unsichtbares führte seine Großzügigkeit und seine spontane Erkenntnis. Die Freiheit und Lebendigkeit am Bauhaus hat er immer gefördert, im Glücksmond wie im Trauermond. Es gab nirgends eine vergleichbare freie und schöpferische Kunsterziehung wie am Bauhaus in Weimar. Diese Freiheit hatte die »Großherzogliche Hochschule« für bildende Kunst dem Bauhaus vererbt! Die Begeisterung und die Leidenschaft für das Bauhaus bewegten die Studierenden, die aufgeschlossen waren für die Neugründung und sich mit Einsicht einsetzten.

Ich selbst gehörte damals zuerst der Großherzoglichen Hochschule für bildende Kunst als Meisterschüler an, war Anreger und Mitbegründer des Weimarer Bauhauses und dort bis 1922 tätig.

Walter Gropius und Adolf Meyer hatten bereits 1914 die modernen Bauten in Alfeld und Köln geschaffen. Nach dem Ersten Weltkrieg mußte diese Einheit neu errungen werden, was aber durch die Übernahme der vorhandenen Hochschule für bildende Kunst einen Umweg bedeutete, ja vielleicht sogar die andere Entwicklung bedingte, die das Bauhaus nahm: Die von Gropius erstrebte Vereinigung der Architektur- und Ingenieurschule mit ihren Lehrwerkstätten und den Meister-Versuchsstätten mit Wissenschaftlern und Forschern konnte nicht erreicht werden. Aus der vorhandenen Situation heraus mußte Walter Gropius nun neue Lehrkräfte berufen, solche, die sich ebenfalls für neue Wege in der Kunst einsetzten und auch schon eingesetzt hatten. Sie wurden die Bauhaus-Meister: Feininger, Klee, Kandinsky, Schlemmer, Muche, Itten und später Moholy-Nagy, und wirkten durch ihre Persönlichkeit und ihre Gestaltungskraft. Schon sehr bald strahlte das Bauhaus eine große Anziehungskraft in aller Welt aus, was wiederum bewirkte, daß Künstler und Menschen zum Bauhaus kamen, um es zu erleben, ja um es auch mit ihrem Schaffen zu beleben, neu zu beleben, immer wieder neu. So kam auch Theo van Doesburg, Herausgeber von ›De Stijl‹, im Jahre 1921 aus Paris nach Weimar. Er war begeistert, daß es ein solches Bauhaus gab, und sagte damals: »Auf der ganzen Welt gibt es keine Regierung, die ein solches Institut finanziert und eine so schöpferische Erziehung fördert.« Theo van Doesburg war Holländer. Er war mit der Moderne in Holland so vertraut, daß nun seine Anregungen wirksam werden konnten in Weimar. Sie fanden ihren Niederschlag später in seinem Bauhaus-Buch. Meine Begeisterung für Doesburg und den ›Stijl‹ fand ihren Niederschlag in meinem Anschluß an seine Stijl-Bewegung in Deutschland, die ich bis auf den heutigen Tag fortführe, bereichere und pädagogisch anwende.

Die große Wirkungskraft des Bauhauses war möglich, weil die Studierenden, Jungmeister und Lehrlinge genannt, mit Lebendigkeit, Fähigkeit und großer Begeisterung dazu beitrugen, daß sich die Idee des Bauhauses erfüllen konnte, ja erfüllt wurde. Die Bauhaus-Feste wurden in lebendiger Zusammenarbeit mit den Bauhaus-Meistern gestaltet und zum Erfolg geführt. Das Drachenfest und auch das Laternenfest sind in ihrer Grundidee auf meine Anregung hin entstanden und wurzelten in der Erlebniswelt meiner Heimat Schleswig-Holstein. Das Laternenfest wurde erstmalig zu Ehren des Dichters Johannes Schlaf in Weimar durchgeführt, und zwar aus Anlaß seines 60. Geburtstages am 21. Juni 1920.

Das Bauhaus ist einmalig und seine Auswirkung großartig und heute unbestritten. Der große Kampf, der geführt werden mußte, ist vergessen.

Alfred Arndt

Geboren 1898 in Elbing, beginnt Alfred Arndt seine Ausbildung als Maschinen- und Bauzeichner. 1919 geht er in die Kunstgewerbeklasse der Gewerbeschule Elbing und studiert 1920/21 an der Akademie der Bildenden Künste in Königsberg/Preußen. Als engagierter Anhänger der Wandervogelbewegung kommt er im Sommer 1921 auf der Durchreise nach Weimar, wird mit dem Bauhaus bekannt und im gleichen Jahre dort Lehrling. Nach der Gesellenprüfung (Wandmalerei) eröffnet er 1925 in Probstzella sein Architekturbüro, von dem auch das ›Haus des Volkes‹ erstellt wird. Daneben werbegrafische Arbeiten. 1927 Heirat mit der Bauhäuslerin Gertrud Hantschke.

1929 wird Arndt durch Hannes Meyer an das Bauhaus Dessau berufen. Hier ist er verantwortlich für die Abteilung Ausbau und unterrichtet in den Fächern Konstruktion, Entwurfzeichnen und Perspektive. Um 1930 leitet er den architektonischen Aufbau der Wanderausstellung des Bauhauses und der Sonderausstellung in der Kunsthalle Mannheim.

Nach der Schließung des Bauhauses in Dessau wird Arndt wieder in Probstzella als Architekt tätig; nach dem Bauverbot durch die Nazis wendet er sich gebrauchsgrafischen Arbeiten zu. Als freier Mitarbeiter für die AEG in Berlin entwickelt er die erste »Normküche« und veröffentlicht in den dreißiger Jahren eine Reihe von technischen Publikationen für die AEG. Ab 1936 vermehrte Bautätigkeit, vor allem für Industrieprojekte.

Noch vor Kriegsende, im Frühjahr 1945, als über den Ausgang des Krieges kein Zweifel mehr besteht, versuchen er und die ehemaligen Bauhäusler Joost Schmidt, seinerzeit noch Soldat im nahen Saalfeld, und Georg Neidenberger sowie der Architekt Wassily Luckhardt von Jena aus die Bauhaus-Idee in Weimar wieder zu beleben.

1945 wird Alfred Arndt Leiter des Hochbau- und Planungsamtes in Jena. Unter dem neuen politischen Regime bemüht er sich, durch eine Denkschrift an das Landesamt für Volksbildung in Weimar die Wiederbelebungspläne für das Bauhaus zu forcieren. Als gleichzeitig in Dessau von Oberbürgermeister Fritz Hesse und Hubert Hoffmann die Initiative zur Wiedergründung des Bauhauses ergriffen wird, werden beide Bestrebungen koordiniert. Infolge der politischen Verhältnisse kommt es in Ostdeutschland nicht zu einer Realisierung. Später entsteht aus diesen Plänen die Idee der Hochschule für Gestaltung in Ulm.

Bis 1948 ist Alfred Arndt Leiter des Hochbau- und Planungsamtes der Stadt Jena. 1948 Flucht nach Westdeutschland und Niederlassung als Architekt und Maler in Darmstadt. Seit der Gründung ist Arndt dem Bauhaus-Archiv als Berater und Vorstandsmitglied verbunden. Mit seinen Arbeiten als Architekt, Maler und Gestalter ist er in allen Ausstellungen über das Bauhaus vertreten. 1968 ist sein Lebenswerk zu seinem 70. Geburtstag durch eine Einzelausstellung im Bauhaus-Archiv gewürdigt worden.

In der Darmstädter kulturellen Szene ist Arndt bis zu seinem Tode eine im Bauhaus-Sinne bewegende Kraft. Sein Freund Roman Clemens hat ihn lapidar den »echtesten Bauhäusler, der mir je untergekommen ist«, genannt. Alfred Arndt ist am 7. Oktober 1976 in Darmstadt gestorben.

wie ich an das bauhaus in weimar kam...

damals, 1921, kurz vor mittag war es, in weimar an einem warmen maientag. mein schwerer rucksack hatte meinen rücken zum schwitzen gebracht. außerdem belastete mich eine große umgehängte, selbstgeschusterte zeichentasche. gott sei dank waren arme und beine reichlich bloß; das kühlte angenehm. von hamburg her war ich durch die heide, den thüringer wald hierher getippelt. durch den schönen park von goethes gartenhaus, vorbei am liszt-denkmal mit einigen neu angeklebten marmorfingern, landete ich auf der belvedereallee direkt vor einem haus, das so ganz anders aussah als die übrigen weimaraner häuser. ich drehte mich um, ob da nicht einer käme, den ich fragen könnte. da kam auch einer! eine merkwürdige tracht mit niedrigem kragen und gürtel aus gleichem stoff; die hosen waren oben sehr weit und unten sehr eng. ›trichterhosen‹, dachte ich bei mir. ich fragte ihn höflich, was das für ein gebäude sei, er antwortete mir: »aber mannche, mannche, du best ja aus albing«, das hatte ich natürlich nicht erwartet, daß man mich an meinem dialekt, den ich überwunden zu haben glaubte, als elbinger erkennen würde. es war kube. er erzählte, daß hier die kunstschule sei, von dem berühmten architekten van de velde erbaut. jetzt sei es das bauhaus, unter der leitung des architekten walter gropius. damit wußte ich nicht viel anzufangen. wer war van de velde? wer war gropius? was heißt bauhaus? kube lud mich dann in die bauhaus-kantine zum essen ein, was mich sehr freute.

als ich mit kube die kantine betrat, gab es ein mordshallo von wegen wandervogel und langen haaren. plötzlich umarmte mich jemand von hinten: »mensch emir (mein wandervogel-spitzname), wie kommst du hierher?« es war kurt schwerdtfeger, der pommer, den ich im krieg bei einem wandervogeltreffen als soldat kennengelernt hatte. schwerdtfeger sagte: »mensch, du bleibst hier, hier passen wir hin, hier ist es in ordnung, du wirst staunen!« nachmittags, im sekretariat des bauhauses, empfing mich eine lange sekretärin – schwester von hirschfeld – und fragte mich nach meinem wunsch. »ich möchte den herrn direktor sprechen.« das muß wohl etwas schüchtern geklungen haben, denn fräulein hirschfeld sagte, daß der herr direktor ein freundlicher, zugänglicher mann sei. ich wurde angemeldet und gleich eingelassen. mit einer verbeugung nannte ich meinen namen und erklärte, daß ich in der kantine gegessen und mich ein bekannter aufgefordert hätte, hier zu bleiben. »na ja«, meinte er und drückte mich in einen mordspolstersessel – eckig und gelb, »so ohne weiteres können sie nicht hier bleiben. da müssen sie erst mal zeigen, was sie bis jetzt gelernt haben: also zeichnungen einschicken oder fotos mit lebenslauf. das wird der meisterrat prüfen und dann entscheiden, ob ihr talent ausreicht.« was ist ›meisterrat‹?, dachte ich im stillen, erzählte dann, daß ich auf wanderfahrt sei und keine arbeiten – außer den skizzen, die ich unterwegs machte – bei mir hätte. ich würde aber meiner mutter schreiben und sie bitten, eine mappe mit kopf- und aktzeichnungen, linolschnitten, urkunden usw. an das bauhaus zu schicken. ich selber gedächte nach dem bayrischen bzw. böhmerwald zu wandern (angeregt durch schriften von adalbert stifter) und würde in etwa zwei monaten postlagernd passau den entscheid des meisterrats erwarten, ob ich kommen dürfe oder nicht. gropius war einverstanden, drückte mir die hand und wünschte mir gute fahrt.

ganz aufgeregt vom bauhaus-erlebnis machte ich mich auf den weg zur jugendherberge, legte mich auf den strohsack und ließ mir das gehörte und gesehene noch einmal durch den kopf gehen, am nächsten tag ging ich nach jena und dann weiter über kahla zur leuchtenburg, um mucklamberty zu besuchen, der die welt durch das handwerk verbessern wollte. dann ging es weiter über das fichtelgebirge in den bayrischen wald, wo ich nach zwei monaten in passau einen brief vom bauhaus vorfand. in dem stand, daß ich in den vorkurs (probesemester) aufgenommen sei. also auf nach weimar!

aber erst nach vielen umwegen kam ich am 30. 9. 1921 im bummelzug an. im wartesaal auf harter bank geschlafen. so fing mein studium an. am 1. oktober habe ich in der jugendherberge lange gebettelt, daß man mich dort ein paar tage schlafen lasse, weil ich am bauhaus »studieren« wolle. da wurde ich nicht sehr freundlich angeschaut, aber ich erklärte in meiner not, daß ich beim reinemachen helfen wolle. so waren die ersten tage meines bauhaus-abenteuers gesichert. nach acht tagen hatte ich dann ein zimmer aufgetrieben, ohne bett, ohne möbel. die tür hatte keinen türdrücker, da war aber ein degen – das ist nicht gelogen –, wirklich ein degen, mit dem man die tür aufmachen konnte. bei tage mußte sie natürlich offenbleiben, sonst hätte ich ja selbst nicht hineingekonnt. ich borgte mir in der jugendherberge ein bett mit strohsack usw. – nun wurde es schon gemütlicher, es ging aufwärts! so weit meine bleibe, und nun das studium am bauhaus.

den vorkurs leitete ein gewisser herr itten, der hatte die gleiche kluft wie der gute kube. der erste bauhäusler, den ich kennenlernte.

ich weiß noch ganz genau, wie der erste tag verlief, und habe das meister itten gelegentlich einer veranstaltung in der neuen ulmer hochschule erzählt. dadurch ist es mir verhältnismäßig frisch in erinnerung geblieben.

wir waren etwa 20 leute, vorwiegend männer, sehr wenig
rauen. die tür ging auf, itten trat ein und sagte: »guten morgen.«
wir standen auf und sagten im chor: »guten morgen!«, darauf itten:
das ist doch kein ›guter morgen‹.« ging wieder raus, kam wieder
ein und sagte wieder: »guten morgen.« desgleichen wir alle, nur
etwas lauter als vorher. aber itten war nicht zufrieden, er meinte,
wir hätten noch nicht ausgeschlafen, wir wären verkrampft. »bitte
aufstehen, sie müssen locker werden, ganz locker, sonst können
sie ja nicht arbeiten! drehen sie mal ihren kopf! so! noch mehr! sie
haben ja noch den schlaf im nacken!«

ich war mehr als neugierig, wie wohl die arbeit aussehen würde
nach dieser kopfdrehung. es wurde ein alter mann hereingeholt,
den wir zeichnen mußten. itten ging fort, kam nach zwei stunden
wieder und sagte: »machen sie nur so weiter.« so ging das eine
weile mit naturzeichnen – der alte mann, eine alte frau – und dann
mal etwas ganz anderes. itten hatte angeordnet, daß alle einen
großen block billiges zeitungspapier haben müßten, dazu kohle,
kreide und weichen bleistift. eines tages sagte er: »wir wollen
heute mal den krieg zeichnen.« ein jeder sollte eine zeichnung
machen, wie er den krieg erlebt hatte oder sich den krieg vorstellte.
wir zeichneten. neben mir saß dieckmann, der im krieg gewesen
war und eine zerschossene hand hatte. er lehnte sich auf seinen
zerschossenen arm und zeichnete mit andacht – muß ich sagen –
schützengräben mit drahtverhauen, kanonen und soldaten. hinter
mir saß menzel, der jüngste vorkursler, der nicht im krieg gewesen
war, und arbeitete mit großem getöse – kreide zerbrach dauernd.
er sagte nach knapp fünf minuten: »ich bin fertig« und ging hinaus.
als itten nach stunden wiederkam, mußten alle blätter auf den
fußboden gelegt werden, und wir hatten selbst auszuwählen, welche blätter der gestellten aufgabe am meisten entsprächen. die
wahl fiel auf menzel, der mit kreide in der faust hin und her gesaust
war, mit spitzen und zacken und draufknallen mehrmals die kreide
zerbrochen hatte. dazu itten: »hier sehen sie ganz deutlich, das
hat ein mann gemacht, der den krieg in seiner unerbittlichkeit und
härte wirklich erlebt hat. alles sind spitzen und harte widerstände,
als gegenbeispiel sehen sie dieses blatt (es war von dieckmann).
dieser zeichner hat den krieg nicht erlebt, das ist ein romantisches

blatt, wo sogar die landschaft und alle kleinigkeiten sozusagen soldat spielen.«

da dachte ich mir: na so etwas, menzel, der zu jung war, um eingezogen zu werden, hat den krieg erlebt, und dieckmann, der im krieg war, verwundet wurde, hat den krieg nicht erlebt? ich wurde stutzig. itten brachte reproduktionen alter meister mit, deren bilder sich auf krieg bezogen, und die besten davon zeigten vorwiegend spitzige, harte formen, mir ging ein licht auf, daß das urteil der gesamtheit – menzels blatt mit nur spitzigen formen und spuren zerbrochener kreide – das richtige war.

bei itten mußten wir auch nach reproduktionen alter meister kopieren, das heißt genau in schwarz-weiß nachzeichnen, entsprechend der vorlage. itten brachte einen stoß bilder (fotos) und sagte: »heute wollen wir mal nachempfinden.« ein jeder sollte einen teil der tafel, die er erhielt, genau kopieren. itten schaute erst den studierenden an, blätterte dann in dem stoß seiner tafeln und reichte schließlich dem betreffenden ein blatt. ich bekam johannes auf patmos, das ich sehr gern hatte. mein freund gebhardt ein blatt, das er auch mochte, das nenne ich ›erkennen der individuellen anlagen‹. und ein jeder kopierte mit liebe und ausdauer, weil er ein blatt bekam, zu dem er beziehung hatte. das war ittens stärke.

um die mitte des semesters beschäftigten wir uns mit materialstudien: rauh–glatt, spitzig–stumpf, weich–hart usw. die letzte etappe war sozusagen der höhepunkt. itten legte uns nahe, auf spaziergängen bei abfallhaufen, schutthalden, mülltonnen und schrottplätzen umschau nach material zu halten, mit hilfe dessen wir gebilde (plastiken) gestalten sollten, die das wesentliche und gegensätzliche der einzelnen materialien eindeutig zur schau stellten.

»sie haben acht tage zeit, in aller ruhe zu üben, sie bringen dann die materialstudie mit, die sie gemäß der gestellten aufgabe für die beste halten.«

am tage x kamen alle mit ihren plastiken an. die arbeiten waren sehr unterschiedlich. die mädchen brachten kleine, zierliche, etwa handgroße gebilde. einige kerle hatten brocken von einem meter höhe. oft waren es richtige schrotthaufen, verrußt und verrostet. einige schleppten einzelteile, wie holzscheite, ofenrohre, draht, glas usw., herein und bauten sie in der klasse zusammen. itten ieß, wie immer, die studierenden selbst entscheiden, welches die besten arbeiten waren. ganz eindeutig waren alle studierenden dafür, daß mirkin, ein pole, der sieger sei. ich sehe das »pferd« noch heute vor mir. es war eine holzbohle, teils glatt, teils faserig, darauf ein alter petroleumlampenzylinder, wodurch eine rostige säge gesteckt war, die in einer spirale endete. anschließend wurden die plastischen materialstudien gezeichnet, wobei wert auf gesteigerte materialkontraste und bewegung gelegt werden sollte. es war jedem freigestellt, zeichnerisch solche plastischen gebilde zu erfinden.

vom aktzeichnen bei schlemmer und analytischen zeichnen bei kandinsky will ich nichts erzählen – es würde zu weit führen –, aber auch hier war alles ganz anders als an akademien usw. mein gesamteindruck vom unterricht, den ich erlebte, war: »die hämmern uns alles, was wir wissen und was wir für richtig und gut befinden, aus dem schädel, nach dem motto: ein topf, der voll ist, kann nichts neues aufnehmen!«

das erste semester war zu ende. die studierenden mußten jeder für sich einen eigenen ausstellungsstand ihrer arbeiten machen. schade, daß so eine sammelausstellung (über 20 stände) des vorkurses nicht im gesamtbild festgehalten worden ist. ein tolles bild der vielfältigkeit und der kuriositäten!

in den tagen des wartens auf die entscheidung des meisterrats ging ich eines abends mit meinem freund pascha den ettersberg hinunter – das erleuchtete weimar lag vor uns. wir sprachen von unserer zukunft, ließen das aufregend-aufwühlende vergangene halbe jahr an uns vorüberziehen und meinten: »eigentlich spinnen doch alle am bauhaus.« mit hingabe und fleiß hatten wir mitgemacht – ob diese art aber für uns das richtige war, wurde uns nicht ganz klar, wir gingen weiter und – unvermittelt blieb ich stehen, klopfte meinem freund auf die schulter und sagte: »mensch, pascha, wenn das da unten nun rom wäre?« ... er antwortete: »auf, nach rom!«

der meisterrat hatte uns beide für würdig befunden: wir konnten bleiben – blieben aber nicht, nahmen ein semester urlaub und wanderten nach italien. es war 1922 und frühling.

und nun komme ich zum schluß. in rom, in der sixtinischer kapelle stundenlang auf der bank liegend (damals war so eir ungestörtes künstlerleben noch möglich), fiel die entscheidung auf das ›jüngste gericht‹ von michelangelo zeigend, fragte ich meinen freund: »meinst du, daß jemand heute noch so etwas fertigbringt – und ist es eigentlich die heutige aufgabe, so zu schaffen? ist der ausdruck für unsere zeit nicht ein völlig anderer?« die antwort lautete: »bejahen wir das heutige!« auf, nach weimar! auf zum bauhaus.

Robert Michel

Geboren 1897 in Vockenhausen in der Nähe von Frankfurt, studiert bereits im Ersten Weltkrieg u. a. als ›Urlauber‹ an der Großherzoglich-Sächsischen Hochschule für Bildende Kunst und Kunstgewerbe in Weimar. ›Opponiert‹ zusammen mit seiner späteren Frau, Ella Bergmann, in der Klasse von Professor Walter Klemm bald gegen »verstaubte» Zeichenmethoden der Hochschule und wird 1918 vom Direktor Fritz Mackensen fristlos entlassen. Bleibt aber freischaffend weiter in Weimar ansässig.

Im Kreis gleichgesinnter Freunde, zu denen neben den ehemaligen Schülern der ›Werkstätten‹ von van de Velde auch Johannes Molzahn und Karl-Peter Röhl zählen, erlebt Michel »aus dem Nachbarhaus« 1919 die Gründung des Bauhauses in Weimar mit. Walter Gropius, der seit seinen vorausgegangenen Atelierbesuchen dort Verbindung mit diesen Malern hält, bedient sich ihrer Arbeiten intern bei Bauhaus-Empfängen.

Zwischen 1917 und 1921 arbeitet Michel vorwiegend in Techniken, die man inzwischen ›Collage‹ nennt und in denen sich der Geist der Revolution von Dada bis hin zum Konstruktiven dokumentiert. Seit Oktober 1920 lebt er auf der Schmelz-Mühle im Taunus. Wirkt in den zwanziger Jahren u. a. in Frankfurt als Architekt, Typograph und Maler und mit Ella Bergmann – Arbeitsgemeinschaft Film – in den Gruppen ›das neue frankfurt‹ bzw. für ›die neue stadt‹. Dazwischen liegt seit dem ›Art Council 1928‹ in New York die Beteiligung an den Wanderausstellungen der ›Société Anonyme‹ durch die Vereinigten

Staaten. Es besteht reger Erfahrungsaustausch mit den meisten gleichgesinnten Künstlern und Architekten sowie sehr früh schon enge Freundschaft mit Kurt Schwitters und Adolf Meyer. Michel ist als Grafiker Mitglied im fortschrittlichen ›ring neuer werbegestalter‹. An dessen Wanderausstellungen nimmt er ebenso teil wie an der Ausstellung ›internationale kunst der werbung‹, die Max Burchartz 1931 in Essen organisiert.

Als Architekt hält Michel seine Mitwirkung im ›Deutschen Werkbund‹ und im ›Bund Deutscher Architekten‹ bis 1933 aufrecht. Von 1933 bis zum Ende des Zweiten Weltkrieges bleibt er »unter Wasser« und arbeitet vorwiegend in seiner Teichwirtschaft und Fischzucht. Das künstlerische Œuvre ist erstmals nach dem Zweiten Weltkrieg gemeinsam mit Arbeiten von Ella Bergmann 1963 als Ausstellung ›pioniere der bildcollage‹ in Leverkusen zu sehen gewesen.

Danach ist das Werk von Robert Michel samt seiner angewandten Arbeiten stets in den wesentlichen Ausstellungen zur Entwicklung der modernen Kunst seit den zwanziger Jahren weltweit vertreten gewesen. Einzelausstellungen, zum Teil gemeinsam mit Arbeiten seiner Frau Ella Bergmann-Michel, die 1971 verstorben ist, sind in Frankfurt, London, Basel und Mailand veranstaltet worden. 1977 richtet die Stadt Paderborn, die Geburtsstadt von Ella Bergmann, eine ständige Sammlung von Collagen und Grafik der beiden Michels ein.

Kurz vor seinem Tode muß Robert Michel seine geliebte ›Schmelz-Mühle‹ im Taunus verlassen und geht aus gesundheitlichen Gründen nach Neustadt-Titisee in den Schwarzwald, wo er am 11. Juni 1983 stirbt.

Im Nachbarhaus in Weimar

Wie andere haben Bauhaus-Ideen anfangs starke menschliche Züge oder direkt diese menschliche Seite. Auch die Gespräche 1915/16 im Hofmarschallamt sind freundlich und nett. Am Weimarer Hof kennt man nichts anderes; eine Denkschrift folgt. Sie bleibt über die Kriegssorgen hinweg dort aktuell, aber schwere Besorgnisse lassen sie in Vergessenheit geraten.

Plötzlich – der Revolutionswinter 1918/19 ist noch voll im Gange – witzelt man in der Stadt: »Fiaker«, eine Weimaraner Pferdedroschke. Gäste, darunter eine Dame aus Wien, hätten das neue

Wort in Umlauf gesetzt. Und in der Tat – viel Besuch machend, fährt die Droschke mit einem Ehepaar nebst Töchterlein mehrfach in Weimar umher. Von Atelier zu Atelier. Fortan sind Neuigkeiten über Neuigkeiten Stadtgespräch: »Im Sinne der großen deutschen Kunstreform«, »Deutscher Werkbund«, »Arbeitsrat für Kunst« aus Berlin, dies alles sei in dem Fiaker unterwegs. Unvergessene menschliche Begebenheiten, niemals fällt das Wort Bauhaus in den Stadtgesprächen zu dieser Zeit auf. Jedermann hat vorweg noch mit der Revolution alle Hände voll zu tun, im Gestern.

Die pädagogische sowie die künstlerische Seite im Gestern, in Hochschulen wie in Ateliers, liegt jeweils anders, ebenfalls menschlich tiefer als die eine oder andere ›publizistisch‹, à la Augenblick erfaßte Dokumentation darüber. Weil Henry van de Velde damals als Belgier ab August 1914 nur noch als zivilinternierter Architekt, ohne Lehrtätigkeit, in Weimar lebt und andere Lehrkräfte der übrigen Hochschulen eingezogen sind, kann nur Personalunion jetzt weiterhelfen. So liest Dr. Klopfer, Leiter der Baugewerkschule, an der Kunstschule und an der sich auflösenden van de Velde-Werkstätten, analog als die ›Kunstgewerbeschule‹ bezeichnet. Umgekehrt sitzen ›Kunstschüler‹ im Architektenseminar bei Klopfer im Polytechnikum. Selbst zwischen Erfurt (Edvin Redslob, Kunstgeschichte) und Jena (Anatomie) besteht Lehrkontakt. Großherzoglich-sächsische Kriegs-Lehrverordnungen sind einzuhalten. Verschmelzungen, für ernsthaft Studierende nie geahnter Art, teils mitten im Krieg. Der Direktor der Kunstschule, F. Mackensen, wurde Stadtkommandant von Weimar. So war die pädagogische Kriegssituation. Und später – 23. April 1919 – ist es wieder Dr. Klopfer, der sich erstmalig öffentlich für Walter Gropius und Bauhaus einsetzt und in einer längeren Einführung dazu die erste Lehrordnung in der Tagespresse verkündet. Begleitworte zu dem neuen Lehrplan an der Hochschule für bildende Kunst in Weimar, genannt »Das Staatliche Bauhaus«. Auf der künstlerischen Seite im Gestern wird Expressionismus heftig diskutiert.

Der Krieg kennt Auslandsverbindungen nicht, Auslandspublikationen nur in sehr bescheidenem Maße. Nach der Revolution kommt manche Veröffentlichung des Auslandes dann auch nach

Weimar. Man freut sich, endlich seine zahlreichen Kontra-Ismen zu studieren. Erstaunlich und beruhigend, daß international – gleichzeitig – so parallele Wege sichtbar sind, die sowohl unabhängig voneinander als auch aus völlig anderen Beweggründen laufen und weiterlaufen.

Im Zuge des unbarmherzigen Revolutionswinters kommt es anschließend zur Nationalversammlung, und via Weimar wird Deutschland Republik. Vergessen wir darüber eines nie: Geburtsstunde und Anlaufen des Bauhauses im April 1919 liegen noch mitten in diesem Umbruchprozeß, wohlgemerkt, vor sowie während der Weimarer Verfassungsgebung für eine Republik Deutschland. Plötzlich ist Weimar Mittelpunkt werdender Dinge, voll ausgelastet, vom Ausland und Inland; auch halb Berlin verkehrt am Ort. Politisch sowie staatsrechtlich gesehen bleibt mehr oder weniger offen, wessen Staatliches Bauhaus in der Wiege liegt. Ein Interregnum steht Pate dafür sowie fürs Bauhaus. Zugleich beachtenswert: »ohne rechtmäßigen Fürsten« – um den es ja auch beim örtlichen Novum nie mehr ging – ist kein Kriterium für diese Patenschaft: Revolution!

Und weil bis in die neuere Literatur hinein zusammen mit Bauhaus in Weimar vom dortigen Landesfürsten, oft gedankenlos, geredet wird, sei auch dies (. . . »im Sinne der großen deutschen Kunstreform« . . .) hier mal abgeklärt. Soweit die Gründungsgeschichte des Bauhauses bzw. ihr erstes Stück. Mit den Menschen dieser Zeit verwoben geht es dann weiter.

Der Fiaker ist längst schon anderswo. Das Staatliche Bauhaus, inzwischen endgültig der Thüringischen Landesregierung unterstellt, heißt dortselbst »Kunstschule« oder »Van de Velde-Schule«. Denn nach und nach kehren immer mehr ältere Weimaraner aus Krieg und Gefangenschaft zurück. Natürlich auch auf die alten Lehrstellen sowie auf freie Plätze in der neuen Landesverwaltung. Als Parlament und Regierung der Deutschen Republik bereits in Berlin ihren Sitz haben und in Weimar das zweite Semester weiterläuft, begegnen wir auch van de Velde wieder, am Ort und – erstmalig – in Pressenachrichten. Noch nicht objektiv genug forscht hier auch diejenige Bauhaus-Geschichte, welche gleichzeitig danebenstehende Dinge bagatellisiert – als »Spießbürgerei«. (Geisteskämpfe von 1913/14 flammen wieder auf, Werkbund-Ausstellung, ja sogar die Denkschrift 1915/16 gehören dazu.)

Schon nach 1920 steckt Weimar voller Konflikte innerhalb der Künstlerschaft, am Ort sowie in Berlin, was ›seinem‹ Bauhaus, ohne darüber zu scherzen, Hilfeleistung leistet. Gleichzeitig gibt's den Streit in der Bürgerschaft, wiederum kein örtlich begrenzter. Am Staatlichen Bauhaus bleiben interne pädagogische Meinungsverschiedenheiten von 1918/19 noch bis 1920 und länger in Gang. Was zur Geschichte folgt, steht dann in Oskar Schlemmers ›Briefen und Tagebüchern‹.

Die 14 Bauhausjahre kennen weder publizistisch noch biologisch den hohen Prozentsatz Kunstbeflissener, der im Heute in Permanenz mit ihnen verbunden ist oder wird. Überschlägt man den Kunstbeflissenen-Zuwachs (nicht Schaffende allein) zwischen 1919 und 1933 im Vergleich zu unserem, so wird vieles im Heute menschlich verständlicher. Insbesondere nämlich, daß sowohl ästhetische Leistung als auch Fehlleistung ständig zugleich mitwachsen müssen. »Natürlich« nennt einer das, obgleich dem anderen ästhetische Fehlleistungen sehr wehtun können.

Lebensraum, Ebbe und Flut, Wassermenge sind dieselben Konstanten wie eh geblieben. Und Fehlleistungsfolgen – aus Verstößen dagegen – elementarer Art sind schwer, weil nicht in sich möglich zu balancieren. In den »modernsten«Fällen wohl nie mehr; Unglück im Heute. Gleiches Pech hat »Kulturbetrachterei«, die es unterläßt, beide Fehlleistungsfolgen zugleich zu deuten bzw. auf die Totenbahre hinzuweisen. Ebenso aktuelles Thema wie hier, Ideen und Antlitz ausfindig zu machen. Und wer nun – was ja bei Aufforderung zur Mitarbeit voraussetzt – »die Entwicklung miterlebte«, der denkt an den »Griff« vor 1919 und aktiviert in der täglichen Arbeit weiter »kunstfremde Bereiche«, letzte Chance: Kultur, dann vielleicht im Übermorgen.

Herta Wescher

Geboren als Herta Kauert in Krefeld, studiert sie Kunstgeschichte an den Universitäten München und Freiburg i. Br. Promotion über ein Thema der deutschen Malerei des 16. Jahrhunderts. 1923 Heirat mit dem Kunsthistoriker Paul Wescher. Ab 1924 Aufenthalt in Berlin. Dort zunächst Volontariat an den Staatlichen Museen (bei Max I. Friedländer am Kupferstichkabinett), später Privatassistentin des Rubensforschers Ludwig Burchard. Verbindungen zur modernen Kunst entstehen aus persönlichen Kontakten im Kreis von Prof. Curt Glaser und von Hans Curjel, seit 1927 Dramaturg an der Kroll-Oper; ab 1928 Freundschaft mit Laszlo und Lucia Moholy-Nagy.

1933 emigriert Herta Wescher nach Frankreich und wendet sich dort mehr und mehr der Gegenwartskunst zu. In den Jahren 1936/37 schreibt sie Pariser Kunstberichte für die englische Kunstzeitschrift ›Axis‹. Die Kriegsjahre 1942 bis 1945 verbringt sie in Basel.

Zu Beginn der fünfziger Jahre wird Herta Wescher regelmäßige Mitarbeiterin der Zeitschrift ›Art d'Aujourd'hui‹, 1953 Gründungs- und Redaktionsmitglied der Zeitschrift ›Cimaise‹, die sich besonders die Aufgabe stellt, junge, aufsteigende Künstler bekannt zu machen. Ihr besonderes Interesse gilt der Collage, über deren Entwicklung sie in einer Doppelnummer von ›Art d'Aujourd'hui‹, März/April 1954, eine erste historische Übersicht gibt. Weitere Aufsätze in französischen und ausländischen Zeitschriften. Sie organisiert Collage-Ausstellungen in Paris und Brüssel und wirkt maßgebend an der Organisation der historischen Ausstellungen in der Galerie Rose Fried in New York und im Musée d'Art et d'Industrie in Saint-Etienne mit. Ihre langjährigen Studien über Technik und Wirkung der Collage hat Herta Wescher in dem umfangreichen Buch ›Die Collage, Geschichte eines künstlerischen Ausdruckmittels‹ 1968, Neuauflage ›Die Geschichte der Collage. Vom Kubismus bis zur Gegenwart‹, Köln 1974 zusammengefaßt. Herta Wescher ist am 3. März 1971 in Paris verstorben.

Weimarer Maler in der Vor- und Frühzeit des Bauhauses

Die Fama, die sich im Laufe der Jahre um das Bauhaus gebildet hat, sollte nicht in Vergessenheit geraten lassen, daß Weimar durchaus keine tote oder verschlafene Stadt war, bevor das Bauhaus im Frühjahr 1919 gegründet wurde. Neue künstlerische Impulse setzten ein, als Henry van de Velde Ende 1901 vom Großherzog von Sachsen-Weimar als »künstlerischer Beirat für Industrie und Kunstgewerbe« dorthin berufen wurde, um zu ihrer Modernisierung Modelle in neuen, zeitgemäßen Materialien und Techniken zu entwerfen. Der von ihm 1906 eröffneten Neuen Kunstgewerbeschule waren Ateliers angegliedert, in denen van de Velde Methoden sachdienlicher, handwerklicher Schulung einführte, die im pädagogischen Programm des Bauhauses ihre konsequente Fortsetzung gefunden haben.

Auch an der Großherzoglichen Hochschule für Bildende Kunst regt sich gegen Kriegsende ein neuer Geist. Schüler wie Robert Michel und Ella Bergmann, die sich 1917 in der Zeichenklasse von Walter Klemm kennenlernen, und Karl-Peter Röhl, der hernach ans Bauhaus geht, schlagen in Opposition gegen den allzu akademischen Schulbetrieb eigene, unabhängige Wege ein, und zu ihnen gesellt sich Johannes Molzahn, der schon vor dem Krieg Schüler der Hochschule gewesen war und nach der Entlassung aus dem Militärdienst 1918 nach Weimar zurückkommt, wo er sich mit Robert Michel und Ella Bergmann anfreundet. Auf der Suche nach neuen, unakademischen Lösungen finden die jungen Maler Gesinnungsgenossen im Kreis der Schüler und Architekten um van de Velde, der 1914 als Belgier seine Lehrtätigkeit an der Kunstgewerbeschule einstellt, als »Zivilinternierter« jedoch seine künstlerische und schriftstellerische Tätigkeit bis zu seiner Übersiedlung in die Schweiz Ende 1917 fortsetzt und seine Umgebung mit praktischen und theoretischen Anregungen befruchtet.

Als Walter Gropius 1919 als Direktor des Bauhauses nach Weimar kommt, nimmt er die Verbindung mit den ansässigen Malern Michel, Bergmann, Röhl und Molzahn auf und leiht, wie Michel berichtet, Bilder von ihnen aus, um sie bei den ersten Besichtigungen des Bauhauses an die noch leeren Wände zu hängen. Diese Bilder nehmen in der damaligen Kunstentwicklung eine Sonderstellung ein, auf die etwas näher einzugehen lohnt.

Robert Michels Zeichnungen der Jahre 1917/19 sind deutlich von den Erlebnissen während des Krieges bestimmt, in dem er als Flugzeugführer an der Front war und 1916 bei einem Absturz schwer verletzt wurde. Sie tragen Titel wie ›Zwischen Himmel und Erde‹ oder ›Zwischen Erde und Himmel‹ und zeigen Linienprojektionen, die den Raum durchqueren und in denen auch Propeller, Räder und Schrauben zum Vorschein kommen. An sie schließen sich reguläre Collagebilder an, zu denen Michel ausgeschnittene technische Illustrationen, Prospekte von Flugwerken usw. verwendet, die, solange vor und nach Kriegsende brauchbares Farbmaterial noch nicht auffindbar ist, herhalten müssen, um Farbwerte in die Tuschzeichnungen einzusetzen. In die Kompositionen aus großen rotierenden Zahnrädern, die in komplizierter Mechanik ineinandergreifen, klebt er auch Streifen von Linienpapier und Noten, streut Namen und Wortfragmente ein, aus denen sich Bildtitel wie ›Mannes-Mann-Bild‹ und ›Neuste Schule der Geläufigkeit‹ ergeben. In die ›Große Uhr‹ vom Februar 1919 montiert er einen echten Flugzeugtachometer, Erinnerungsstück einer seiner Flugkatastrophen, und er dekoriert die Darstellung auch mit Metallrädchen, Messingdrähten, Holzringen, Knöpfen und bunten Kokarden der vergangenen Wilhelminischen Ära. Früher pflegte er auch noch seine Taschenuhr darin aufzuhängen, deren hörbares Ticken für ihn den Bildsinn verstärkte. Zahlen, Uhren und Zifferblätter zeigen auf anschließenden Holzschnitten, wie ›MEZ‹, von 1919/20, eine ›Mitteleuropäische Zeit‹ eigener Art an.

Schon seit den futuristischen Manifesten ist das künstlerische Interesse für die Maschine und ihre Funktion im modernen Leben erwacht. Marcel Duchamp beginnt bereits 1913 in Paris mit mechanischen Zeichnungen und Bildern, wie dem ›Scho-koladereiber‹, und in New York inspiriert er damit die sich um ihn scharende ›prodadaistische‹ Malergruppe der Man Ray, Picabia, Crotti und anderer. Aber während vor allem Picabia sich in der Erfindung völlig phantastischer Maschinen gefällt, rufen die persönlichen

Erfahrungen, die den künstlerischen Gestaltungen Robert Michels zugrunde liegen, Werke anderen Geistes hervor. Er ist von der erlebten Dynamik laufender Maschinen und Motoren besessen und sucht sie in abstrakte Rhythmen zu übersetzen. Die konkreten Materialien und Wortfetzen, die er darin einfügt, bringen in diese Darstellungen jedoch eine ironische Note, mit der Michel sich auf seine Art zu Dada bekennt und die auch später noch häufig in seinen Bildern und Zeichnungen zum Vorschein kommt.

Die gleiche Mischung strenger, formaler und heiterer anekdotischer Elemente findet sich auch in den Werken von Ella Bergmann, die sich 1919 mit Michel verheiratet. Schon vor der Weimarer Zeit macht sie 1917 in Paderborn ein Materialbild ›Sonntag für jedermann‹, zu dem sie Altmaterial vom dortigen Liborimarkt verwendet. Eingeklebte farbige Papiere geben der Komposition eine fröhliche Buntheit, und über die wirbelnden Kreise, aus denen überall Augen hervorlugen, sind alte Holzlatten genagelt. Ehemals war auch noch ein Stück Kaninchenfell darin untergebracht, das inzwischen die Motten zerfressen haben und das seither in entsprechenden Farben wiedergegeben ist. Im Winter 1918/19 entsteht dann in Weimar eine Collage ›Menschen mit Kopf sind selten‹, in die mannigfache Ausschnitte mit ironischen Anspielungen auf die Zeitereignisse eingeklebt sind. Zwischen alten Landkarten und Kalenderblättern finden sich Textstreifen, die die pathetische Phraseologie damaliger Kunstkritiker wie Adolf Behne glossieren, und daß sich darunter der Ausspruch findet: »Das ist die Aufgabe des Kubismus. Also gilt es, den Europäer zu ändern«, gibt vielleicht einen Hinweis darauf, wo die Wurzeln des ausgeprägten Formensinns zu suchen sind, der die disparaten Elemente der Komposition zusammenhält.

Dieser Formensinn verbindet sich bei Ella Bergmann mit einer eigenartigen Poesie, die in einer Collagezeichnung ›Fische‹ von 1919 besonders zum Ausdruck kommt. Streifen von Silberpapier und die aus bunten Abbildungen ausgeschnittenen tanzenden Fischchen bringen subtile Farbakzente in die fein schraffierte Zeichnung. Nach einer Periode des Übergangs, aus der allerlei Zeichnungen mit phantastischen, surrealistisch anmutenden Darstellungen stammen, in denen die erfinderisch-spielerische Seite hrer künstlerischen Begabung zu Wort kommt, wird das Interesse an neuen sachlichen Ausdrucksmitteln wieder wach und führt 1923 zu den ›Prismenbildern‹, abstrakten Collagen, zu denen sie die Farbtabellen eines alten Physikbuches zu Hilfe nimmt.

Molzahn, der einige Jahre älter als die Michels ist, besitzt, als er 1918 in Weimar zu ihnen stößt, in seiner Malerei bereits einen ausgeprägten, persönlichen Stil, dessen Besonderheit darin besteht, daß er expressionistische Bildgegenstände in Raumkonstruktionen aus Graden und Flächen einordnet. Aus den Flächen werden bald Kuben und Körper, die in dynamischer Spannung aufeinanderstoßen. Die menschlichen Figuren verschwinden, und es entstehen abstrakte Kompositionen, die kosmische Erscheinungen und Vorgänge wiedergeben. Molzahn nimmt 1918, 1919 und 1920 an Ausstellungen im ›Sturm‹ in Berlin teil, und er veröffentlicht 1919 in der ›Sturm‹-Zeitschrift »Das Manifest des absoluten Expressionismus«, ein ekstatisches Bekenntnis, dessen Verkündigungen, wie »Kämpfend wollen wir unsern Weg in die Sterne reiben«, sich in seinen Bildern spiegeln.

In der Weimarer Zeit führt Molzahn neue Fakturwerte in seine Malerei ein. Er kratzt in die Farbschicht Linien, Spiralen und Zeichen, drückt Spitzenstoffe darin ab, und er klebt in Ölbilder und Aquarelle auch Papierelemente ein. Es sind Landkarten und Seiten eines alten Bauernkalenders mit den Zeichen des Tierkreises, Sternbildern und Mondphasen, aus denen Wettervorhersagen abgeleitet werden, und er stellt ihnen im ›Zeittaster‹ Kalenderblätter der modernen Zeitrechnung gegenüber, während rings über die Bildfläche verteilte Rädchen den Zeitablauf demonstrieren. Unter den abstrakten Formen tauchen nun auch Maschinenbestandteile, Radachsen, Gestänge und über Spulen laufende Bänder auf. Molzahn montiert im Ölbild ›Neue Länder‹ (1920) ein plastisches Zahnrad auf eine Weltkarte und bringt die fernen Länder durch eine amerikanische Streichholzschachtel und das Deckblatt einer Zigarrenkiste mit der Illustration zweier rauchender Brasilianer zur Anschauung. Während diese pittoresken Elemente hier von der warmen Farbigkeit der Malerei überspielt werden, sind in andere Bilder Drucksachen eingeklebt, wie die Reklame für Dali-Glühbirnen im Ölbild ›Mit wertvollem Glühstoff‹, oder eine Anwei-

sung für die Verwendung von Kristallsüßstoff im Aquarell ›Vor
schlag politischer Trauerfeste‹, in denen dadaistische Absichten
deutlich werden, die auf den Umgang mit den Michels zurückge
hen könnten.

Bemerkenswert ist, daß diese Gruppe Weimarer Maler eine
höchst eigene Produktion hervorgebracht hat, in der dadaistische
Bestandteile, Maschinenkult und abstrakt-konstruktivistische Bild
gestaltung zusammenwirken und in der jeder von ihnen seiner
persönlichen Stil zur Geltung bringt. 1920, als das Bauhaus in
Weimar die künstlerische Führung übernommen hat, löst sich
diese Gruppe auf. Die Michels ziehen sich auf ihre »Schmelz
mühle« im Taunus zurück. Robert Michel entfaltet ab 1922 in
Frankfurt am Main eine rege Tätigkeit als Reklamefachmann und
macht sich mit seinen modernen Tankstellen und »Ganz-Glas-
Läden« auch als Architekt einen Namen. Molzahn wird nach
einem Aufenthalt in Soest 1923 als Lehrer an die Kunstgewerbe
schule in Magdeburg berufen, 1928 an die Akademie in Breslau,
wohin ihm von den Bauhäuslern 1929 Schlemmer und 1931
Muche folgen.

Hans Haffenrichter

Geboren 1897 in Würzburg. Studiert anfänglich an der Kunstschule
Nürnberg. Auf Burg Lauenburg
lernt er Wilhelm Uhde kennen, auf
dessen Anregung er 1921 an das
Bauhaus in Weimar geht. Bis 1924
studiert Haffenrichter am Bauhaus
Malerei und Bildhauerei, besonderen Anteil hat er an der Bühnenarbeit von Lothar Schreyer. Anschlie
ßend geht er zwei Jahre als Gast an
die Königliche Kunstakademie in
Kopenhagen und absolviert ein

Praktikum im Atelier von Professor
Uzon Frank.

1927 übernimmt er die Leitung
der Kunstschule ›Weg‹ in Berlin.
1931 wird Hans Haffenrichter als
Professor für Kunst und Werkerziehung an die Pädagogische Akademie Elbing/Ostpreußen berufen.
Aus dem Staatsdienst 1933 entlassen, arbeitet er bis Kriegsschluß als
freier Maler und Bildhauer und gestaltet Industrieausstellungen in
Berlin. Am Kaiser-Wilhelm-Institut

für physikalische Chemie entwickelt er in Zusammenarbeit mit den dortigen Forschern (u. a. Werner Heisenberg) die visuelle Darstellung von atomaren und molekularen Strukturen.

Nach 1945 läßt er sich in Heidelberg nieder und leitet von 1949 bis 1952 die Abteilung Wandmalerei an der Werkkunstschule Wiesbaden. Mit seinen künstlerischen Arbeiten ist Hans Haffenrichter vielfach an Ausstellungen in Europa und den USA beteiligt gewesen, u. a. in der Preußischen Akademie der Künste, Berlin, der Galerie ›Der Sturm‹, Berlin, und anderen Gruppenausstellungen. Neben Malerei und Plastik arbeitet er auch an Mosaiken und Glasbildern.

1961 siedelt Hans Haffenrichter nach Hittenkirchen im Chiemgau über. Hier bemüht er sich intensiv um die Anerkennung seines Beitrages zur Kunst unseres Jahrhunderts. Die Städtische Galerie Würzburg widmet ihm 1974 eine Retrospektive zum fünfzigjährigen Schaffen, der viele Einzelausstellungen in der Bundesrepublik, u. a. auch im Goethe-Institut London, folgen.

Hans Haffenrichter ist am 22. Februar 1981 in Bernau gestorben.

Lothar Schreyer und die Bauhaus-Bühne

Wer 1921 in das Weimarer Bauhaus kam, fühlte augenblicklich die eigenartige, ja verzauberte Welt der neuen Kunst. Ein Besuch in Lothar Schreyers Atelier verstärkte diesen Eindruck in extremer Weise. Hier standen die Masken, Plastiken und Bilder des Meisters, umgeben von vielen rätselhaften Südseeskulpturen, Masken und Geräten der Neger, ein Leopardenthron und dazwischen Schreyers Totenbild eines Mannes und auch ein schönes, großes Bild von Léger. Im Gespräch spürte man sofort, daß man einem Wegbereiter neuer Dichtung und Bühnenkunst gegenübersaß. Klare Einsichten eines wissenden und erfahrenen Meisters seiner Kunst. Dies Wissen umfaßte auch alle früheren und zeitgenössischen Formen des Theaters und der Dichtung. Unvergeßliche Gespräche voller persönlicher Wärme, Heiterkeit und gelegentlich scharf pointierter Kritik.

Lothar Schreyer kam, wie fast alle Meister des frühen Bauhauses, von Herwarth Waldens Berliner Galerie ›Der Sturm‹. Er brachte die starken Erlebnisse und Erfahrungen seiner eigener Versuche und Aufführungen mit nach Weimar. Die ›Sturmbühne‹ in Berlin und Hamburg 1918 bis 1921 hatte er aufgebaut und gelei tet mit Dichtungen von August Stramm, Hölderlin, Herwarth Wal den sowie den eigenen Bühnendichtungen.

Von Kindheit an selber heftig vom Kasperl- und Puppenspie eingenommen – mit acht Jahren hatte ich mir selber eine kleine Bühne gebaut – und überhaupt theaterbegeistert, war ich von al dem, was ich bei Lothar Schreyer im Herbst 1921 kennenlernte, sc fasziniert, daß ich begeistert zusagte, als er mich einlud, in seine Bühnenwerkstatt einzutreten. So ging es auch der Tänzerin Eva Weidemann, der ich bei ihrer Arbeit assistiert hatte, Lothar wurde uns Lehrer und Meister. Zunächst arbeiteten wir unter seiner Lei tung an Tanz- und Bewegungsspielen mit Masken und Instrumen ten. Es entstanden ein ›Marienlied‹ vor einem großen, vor Schreyer gemalten Wandteppich, ein ›Tanz der Windgeister‹ mi Rhythmen, die auf einem afrikanischen Kalabassen-Xylophon gespielt wurden, und ein ›Landsknechttanz‹ in voller Maske, die wir selber bauten. Dazwischen erschloß uns Schreyer in vielen Gesprächen den Kontakt zu seinen Bühnenspielen, deren Sinn und Bedeutung, wodurch wir ihm auch menschlich viel näher kamen. Dann war es soweit, daß Lothar Schreyer für unsere Arbeit sein ›Mondspiel‹ dichtete und durchkomponierte. Der »Spiel-gang«, wie er seine genauen Partituren nannte, machte seine Gestaltung in allen Einzelheiten klar. Das lange tägliche Training galt vor allem dem »Klangsprechen« der Dichtung. Der Spieler mußte zuerst seinen eigenen Grundton und daraus den »inneren Klang« finden. Die Worte der Dichtung wurden genau nach dem Spielgang in Rhythmus und Takt, in Höhe und Stärke des Klang-sprechens so lange geübt, bis die »geistige Dimension« Wirklich-keit wurde. Die Bewegungen der Spieler erwuchsen aus dem Wortton. So wurden auch jede Bewegung und die Wege im Büh-nenspielfeld genau nach dem Spielgang mit Maske und Tanz-schild eingeübt. Das Tanzschild war anfangs recht schwer zu mei-stern, vor allem in enger Bindung mit dem Sprechen, wenn man es bewegen mußte. Da half oft Gertrud Grunow mit ihren »Harmoni-sierungsübungen«.

Neben diesem intensiven Training bauten wir in der Werkstatt unter Schreyers Leitung mit Hilfe anderer Bauhäusler die von ihm entworfene über zwei Meter große Figur ›Maria‹ und das große Tanzschild; es verdeckte den Spieler ganz. Das Arbeiten am Spiel blieb aber immer das Wesentliche. Der Sinn dieser künstlerischen Gestaltung wurde uns immer tiefer bewußt. Wir erkannten mit Schreyer, daß der neue Weg fort von Stil- und Illusionsbühne und deren Pseudoexpressionismus führen müßte und daß wir uns dem »Ursprung des Theaters« und der »Geburt der Tragödie« wieder nähern würden. Oft zeigte uns Schreyer seine neuen Malereien, die vielen »Gleichgewichtsübungen« und seine Schriftbilder. Er half uns in der eigenen Arbeit, in Malerei und Plastitk, durch Kritik und Anregung. Es entstanden auch neue Ideen, Entwürfe und Versuche für Bühne und Masken.

Außerhalb unserer eigenen Arbeit erlebten wir viele Aufführungen von neuen Bühnen- und Tanzwerken, vor allem das erregende »Entfesselnde Theater« von Alexander Tairoff.

Natürlich nahmen wir auch an Oskar Schlemmers Arbeiten im Raum neben uns großen Anteil. Schreyer und Schlemmer hatten gemeinsam die Leitung der Bühnenwerkstatt des Bauhauses. Wir erlebten die Aufführung des ›Triadischen Balletts‹ von Schlemmer 1922 in Stuttgart gemeinsam mit großer Begeisterung.

Kurt Schwerdtfeger, der Bildhauer, erfand damals seine reflektorischen Lichtspiele; unvergeßlich seine Aufführung der ›Schöpfungsgeschichte‹. Wir waren begeistert von diesen neuartigen Licht-Spielen und beteiligt an manchen neuen Versuchen, auch mit farbigem Licht. Einmal konnten wir unsere Tanzstücke vorführen und später, als es uns reif schien, in kleinem Kreise auch das ›Mondspiel‹. Über die Bühnenarbeit hinaus war jeder von uns in einer Werkstatt tätig; ich in der Bildhauerei. Wir hörten bedeutsame Vorträge und Diskussionen, unvergeßliche Seminare bei Paul Klee und Wassily Kandinsky und genossen die überschäumenden Bauhaus-Feste.

Das spannungsreiche Feld des Bauhauses zog viele Freunde von weither, verwandte Dichter, Musiker und Künstler, an: Begegnungen mit dem ›Stijl‹, mit Arnold Schönbergs Musik; Kurt Schwitters las seine Dichtungen. Es war ein volles Leben für Werk und

Gemeinschaft mit Ernst und Tiefsinn, mit Heiterkeit und Spaß. Die Diskussion um das Bauhaus und die Angriffe der nicht verstehenden Weimarer Öffentlichkeit, die Not der Inflationszeit bedrängten uns Bauhäusler langsam immer stärker. Damit die Bühnenarbeit weitergehen konnte, verkaufte Schreyer sein großes Bild von Léger. Im Bauhaus selbst wurde die Richtungswende von Expressionismus und Kubismus hin zu Konstruktivismus und Funktionalismus immer deutlicher spürbar, die Umstellung vom Handwerk auf Maschine und Industrie. Es gab heftige Diskussionen und geistige Kämpfe der verschiedenen Richtungen, die allerdings noch von Walter Gropius und einigen Meistern zusammengehalten wurden.

Als das Bauhaus von Weimar nach Dessau zog, Gropius in Dessau unter sehr günstigen Bedingungen neu aufbauen konnte, dominierte dann diese sachliche, konstruktivistische Richtung. Als ›Hochschule für Gestaltung‹ nahm man die Zusammenarbeit mit der Industrie auf. Ab 1923/24 zogen sich in freundschaftlichem Einvernehmen Johannes Itten, Gerhard Marcks und auch Lothar Schreyer mit einer Reihe ihrer Schüler und Mitarbeiter zurück zu eigener Arbeit. Nach einigen Jahren gründeten Johannes Itten und Georg Muche in Berlin die ›Itten-Schule‹. Lothar Schreyer und ich führten unsere Arbeit in der Lehrstätte der WEG in Berlin weiter. In Verbindung mit dem ›Sturm‹ veranstalteten wir Ausstellungen und einige Kunstabende. An einem ›Sturm‹-Abend zeigte ich unter anderem ein farbiges Lichtspiel, zu dem Lothar Schreyer uns den Text gab: ›Die Geburt der Blume‹, ein Nachklang der Weimarer Arbeit und der reflektorischen Lichtspiele von Kurt Schwerdtfeger.

Schreyer schrieb später »rückblickend auf die vielen Bauhaus-Versuche: Wir suchten eine neue Bindung an das Metaphysische zu gewinnen.« Und: »Wir wissen, daß wir der Mitwelt und Nachwelt einen neuen Abglanz der Wirklichkeit gegeben haben.« »Es geht um das innere Menschenbild, das unverlierbare, verborgene – das Unverlierbare, das uns die Kunst schenkt, die Gewißheit der geistigen Wirklichkeit.«

Zum Schluß noch ein Wort von Lothar Schreyer, das mich mein ganzes Leben und Schaffen begleitet hat: »Im Wort Kunst, das

om althochdeutschen ›kunnan‹ kommt, steckt nicht nur das Können, sondern auch das Künden, geistiges Innehaben.« – Ich habe
das so verstanden und in meinen Arbeiten zu realisieren versucht:
Der Künstler ist nicht nur Gestalter und Interpret seiner Zeit, sondern er muß sich seiner Verantwortung bewußt werden, neue
Wege zu suchen, die den Menschen weiterbringen, zu einer höheren geistigen Stufe, zu neuen Horizonten.

Lothar Schreyer

Geboren 1886 in Blasewitz bei
Dresden. Studiert Kunstgeschichte
und Jura an den Universitäten Heidelberg, Berlin und Leipzig. 1910
promoviert Lothar Schreyer in Leipzig zum Doktor der Rechte. Er beginnt sich jedoch sehr früh mit Fragen der Kunst und des Theaters
auseinanderzusetzen und selbst
zu malen. Von 1911 bis 1918 wirkt
er als Dramaturg und Regieassistent am Deutschen Schauspielhaus in Hamburg. Um 1914 besucht Schreyer in Berlin Herwarth
Walden. Aus der Begegnung entwickelt sich schnell eine intensive
Zusammenarbeit. Walden veröffentlicht als erster Gedichte von Lothar Schreyer und macht ihn von
1916 bis 1928 zum Schriftleiter der
Zeitschrift ›Der Sturm‹. 1918 gründet Schreyer in Berlin die ›Sturmbühne‹, seine erste Inszenierung
ist ein Drama von August Stramm.
In den Nachkriegswirren verlegt
Lothar Schreyer die ›Sturmbühne‹

1919 nach Hamburg, wo er sie unter dem Namen ›Kampfbühne‹ als
expressionistische Versuchsbühne weiterführt.

1921 wird Lothar Schreyer als
Meister an das Bauhaus Weimar
berufen, um die Bühnenwerkstatt
zu übernehmen. Hier wendet er
sich christlicher Mystik und Kunst
zu, die seinerzeit von einer kleinen
Gruppe am Bauhaus gepflegt wird.
Nach einer Aufführung des ›Mond-
spiels‹ im März 1923 unter seiner
Regie, die ohne Echo bleibt, verläßt
Schreyer das Bauhaus.

Von 1924 bis 1927 wird Schreyer
Lehrer und zeitweilig Leiter der
Kunstschule ›Der Weg‹ in Berlin,
danach ist er bis 1933 Cheflektor in
einem Hamburger Verlag. 1933
konvertiert Lothar Schreyer zum
Katholizismus und beschäftigt sich
als freier Schriftsteller in Hamburg
überwiegend mit Themen christlicher Kunst. Seine Beziehungen zu
den avantgardistischen Strömun-

gen der Kunst in den zwanziger Jahren hat Lothar Schreyer in dem Buch ›Erinnerungen an Sturm und Bauhaus‹, München 1956, zusammengefaßt. Lothar Schreyer ist am 18. Juni 1966 in Hamburg verstorben.

Hoffnung auf eine neue Welt

Wir stürzten uns in die geistigen Abenteuer der schweren Zeit. Das Bauhaus wurde die ›Hochburg‹ des Expressionismus, den die Mitwelt für ein Abzeichen des Weltuntergangs hielt. Uns bedrückten in der künstlerischen Arbeit kaum die verschiedenen Weltanschauungen, die durch das Bauhaus wirbelten: der Wanderapostel Häuser mit seinem Vagabundenleben, die Mazdaznanlehre, die Johannes Itten mitbrachte – die Bauhausküche kochte nach dieser Lehre –, Anthroposophie, Theosophie, Katholizismus, Spiritismus, alles getragen von der Hoffnung auf eine neue Welt. Wir ironisierten alles, vor allem uns selbst, und wurden dadurch frei für die Ehrfurcht, die wir von Natur dem Leben und dem Menschen entgegenbrachten. Die Bauhaus-Jahre in Weimar waren eine feurige Reinigungszeit und banden unseren kleinen verlorenen Haufen zu einer Einheit. »Bauhäusler« – das klang wie Zuchthäusler – nannten uns viele Weimaraner mit Schaudern und nicht ohne Angst; viele aber hatten auch Nachsicht mit uns und taten uns Gutes, das niemand von uns vergessen hat. Wir bedurften der Nachsicht. Wir hatten uns eine Männertracht erfunden, die wir – auch die Meister, soweit sie mochten – öffentlich trugen. Ich habe und benutze meinen alten Bauhaus-Anzug noch. Als Itten eines Tages erklärte, Haare seien ein Zeichen der Sünde, rasierten sich die Begeistertsten den Schädel völlig. So bevölkerten wir Weimar und die nähere Umgebung.

Wir liebten Weimar, besonders den Park, Tiefurt, Belvédère, das Goethehaus im Park und das Tempelherrenhaus, in dem Itten sein Atelier hatte.

Es waren in aller äußeren Armut festliche Jahre. Wir feierten das Drachenfest. Wochenlang wurden in den Werkstätten Drachen gebaut, abenteuerliche Vögel und fliegende Fische. Wir ließen sie steigen über den herbstlichen Höhen von Weimar.

Was haben wir in Weimar erfahren? Die Liebe zum Schöpfertum der Kunst. Die Liebe zu der Wirklichkeit des Geistes. Die Liebe zu der unablässigen Verwandlung der künstlerischen Gestalt. Die Liebe zur Natur in ihrer Gesetzlichkeit, unser aller Lehrmeisterin. Die Liebe zum Menschen in seiner Gebrechlichkeit. Die Liebe zur Gemeinschaft trotz aller Unterschiede der Menschen. Und auch die Liebe zum Verzicht aus dem Wissen: Alles, was wir zu tun vermögen, ist vorläufig; mehr nicht.

Diese Liebe verbindet alle Bauhäusler, ob sie in Weimar oder Dessau schufen oder heute an irgendeiner Stelle diesseits oder jenseits des Ozeans ihr Werk versuchen. Sobald wir uns begegnen unter dem Zeichen ›Bauhaus‹, und wir uns auch zum erstenmal sehen, sind wir eins. Dann wird Wirklichkeit Wahrheit. Und die Legende, die in Weimar begann, ist gegenwärtiges Leben.

Kurt Schmidt

Geboren 1901 in Limbach/Sachsen. Wird durch den Dichter und Philosophen Paul Bommersheim aus dem großen Einflußkreis von Herwarth Walden mit Arbeiten neuerer Künstler bekannt gemacht, darunter mit den Malern des ›Blauen Reiter‹. Besonderes Interesse erweckt das Werk von Lyonel Feininger.

1919 studiert Kurt Schmidt für kurze Zeit an der Kunstgewerbeschule in Hamburg. Auf Anregungen der dortigen Studenten geht er 1920 an das Bauhaus Weimar.

Am Bauhaus interessieren Kurt Schmidt besonders die Idee der Gemeinschaft und die Meisterpersönlichkeiten Feininger, Itten und Kandinsky. In diesen Jahren wendet er sich ganz der abstrakten Malerei zu. 1923 entwickelt Kurt Schmidt aus eigenen Vorstellungen das ›Mechanische Ballett‹, in dem die abstrakten Formen auf der Bühne tänzerisch-pantomimisch ein eigenes Leben erhalten. Später, in der von Oskar Schlemmer gegründeten Bühnenwerkstatt und auf dessen Anregung, entstehen Entwürfe für das Marionettenspiel ›Tausendundeinenacht‹. Eine entscheidende Begegnung ist für Schmidt ein Besuch im Atelier von Theo van Doesburg in Weimar.

Vom Ausscheiden Johannes Ittens aus dem Bauhaus, dem er großen Einfluß auf sein künstlerisches Denken und Wirken zuschreibt, ist Kurt Schmidt sehr betroffen. Er bleibt nicht in Weimar, als das Bauhaus 1925 nach Dessau übersiedeln muß, sondern geht bis 1929 nach Stuttgart und von dort später nach Gera. Neben sei-

ner künstlerischen Tätigkeit versucht er sich in verschiedenen Notberufen, um die Wirtschaftskrise zu überstehen.

Während des Krieges von 1941 bis 1945 ist er Soldat und Gefangener in verschiedenen Lagern und kehrt krank wieder in seine Heimat zurück.

In seinem heutigen malerischen Werk greift Kurt Schmidt Gedanken aus der Theorie Kandinskys auf und untersucht psychologische und symbolische Fragen von Form und Farbe. Sein Beitrag zur Bauhaus-Bühne ist in Literatur und Ausstellungen vielfach gewürdigt worden. Kurt Schmidt lebt in Gera.

Das Mechanische Ballett – eine Bauhaus-Arbeit

Das Mechanische Ballett war eine freie künstlerische Arbeit, die für die Bauhaus-Ausstellung gestaltet wurde (1923). Hier sollten die dynamischen Kräfte, die in den Formen der abstrakten Bilder verfestigt sind, losgelöst von der Bildkomposition, in Bewegung dargestellt werden. Das war die Grundidee, von der ausgegangen wurde.

Alle rhythmischen Intervalle, die in den Bildern vorhanden sind, die Spannungen von Groß und Klein, von Rund und Eckig, von harmonischen und disharmonischen Formen, sollten im Mechanischen Ballett lebendig werden.

Die ersten Jahre der Entwicklung des Bauhauses führten von den mehr flüssig-abstrakten, empfindungsmäßigen Formenbildungen zu verstandlich-konstruktiven Komponenten, sie formten sowohl das Handwerkliche wie auch die Malerei.

Im ›Mechanischen Ballett‹ wurden konstruktive Formen tänzerisch-bewegt dargestellt. Hier wurden auch nicht vom menschlichen Körper abgeleitete Formen verstärkt und formal betont, vielmehr sollte der menschliche Körper weitgehend zurücktreten, um einem bunten, reinen Formenspiel Platz zu machen.

An den Körper der Tänzer im schwarzen Trikot wurden die farbigen Formen befestigt und den Bewegungen angepaßt, und auch die Bühne war schwarz ausgeschlagen, so daß der menschliche Körper soweit als möglich verschwand. Schon der Zauberkünstler Bellachini ließ auf einer schwarz ausgeschlagenen Bühne durch Hilfskräfte Gegenstände verschwinden oder magisch wieder entstehen.

Oskar Schlemmer ließ in seinem ›Figuralen Kabinett‹ flächige Formen vor schwarzem Hintergrund vorbeiziehen.

Im ›Mechanischen Ballett‹ agierte der kostümierte Mensch nicht – er war nur Vermittler abstrakter Formenbilder.

Der Bewegungsrhythmus der von den Tänzern im Mechanischen Ballett getragenen Formen war ruckartig-mechanisch betont, wie die Bewegungen von Maschinen. Die tonale Gestaltung der Musik von H. H. Stuckenschmidt ging von einer starken Rhythmisierung aus, verzichtete aber nicht auf eine einfache Melodie, die das Malerische der Bewegungsbilder unterstützte. Würde auf einer Bühne ein beweglicher Ablauf von Formen durch Maschinen erfolgen, dann sind unendliche formale Möglichkeiten gegeben. Durch den Menschen als Träger der Kompositionselemente sind die Bewegungsmöglichkeiten beschränkter, lassen aber doch noch viel Spielraum für Formenbegegnungen und Formenbildungen zu.

Die Bauhaus-Arbeit stand im Zeichen unseres technischen Zeitalters und wirkte in diesem Sinne. Diesem technischen Gepräge unserer Zeit suchte auch das Mechanische Ballett neue tänzerische Ausdrucksmöglichkeiten zu geben. Hat die Maschine den Menschen zum Herrn über den Stoff gemacht, so wurde auch im Mechanischen Ballett das Prinzipielle des Maschinenwesens dargestellt und in das Formentänzerische übersetzt. Die maschinellen Kräfte wirken in Bewegungsarbeit und in Widerstandsarbeit; im Mechanischen Ballett wurde, mit Ausnahme eines Teiles der Darbietung, ein einheitlicher, gleichmäßiger Rhythmus ohne Veränderung der Geschwindigkeit gewählt, um die Monotonie des Maschinenmäßigen zu unterstreichen. Präzise, ruckartige, motorische Bewegungen waren bei vier tänzerischen Mechanismen als bewegende Kräfte tätig. Zwei Quadrate in unterschiedlichen Größen bewegten sich gleichfalls der rhythmischen Musik untergeordnet.

Außerdem war eine Figurine in ihren Flächenbewegungen ganz auf das Tänzerische eingestellt, Jazzklänge gaben ihr eine besondere Note. Diese Tanzfigur kontrastierte mit den anderen, schwer und monumental wirkenden Mechanismen.

Da das Mechanische Ballett ganz auf Fläche gestellt war, konnten sich die Tänzer nur seitlich bewegen, sie durften sich nicht drehen, da sonst die reine Flächenwirkung nicht zur vollen Entfaltung gekommen wäre.

Wie waren nun die abstrakten Formen am menschlichen Körper befestigt? Ein Mittelteil bildete die Grundfläche, sie war am Leib befestigt, weitere Formen an Armen und Beinen, und bei zwei Figurinen diente auch der Kopf als Formenhalter. Zu zwei gegeneinandergestellten Figuren kam die Mittelfigur als harmonischer Punkt und Gleichgewicht, sie wirkte am maschinenhaftesten, hatte den Charakter einer Lokomotive und wurde auch so genannt. War die rechte Figur ein hauptsächlich auf rote und weiße Formen gestelltes Maschinenwesen, so hatte die linke und gegenüberstehende Figur durch zwei weit ausladende Flügelformen Windmühlencharakter. Die Choreographie bestand darin, durch Begegnungen, durch Hintereinanderstehen, durch Verschiebungen immer neue Formen und Farbenkompositionen zu bilden. Die Bewegungen waren immer so abgestimmt, daß ein der abstrakten Malerei gemäßes Bildgeschehen ablief. Als besonderer Kontrast und zur Belebung kam dann eine Miniaturfigurine dazu, die von einem kleinen Knaben getanzt wurde und die Kopf- und Beinformen an einer rechteckigen Fläche trug.

Im letzten der fünf Tanzteile des Mechanischen Balletts bewegten sich ein großes rotes Quadrat und ein kleineres blaues Quadrat erst allein, dann zusammen mit den anderen Figuren über die Bühne. Die beiden Quadrate boten in ihren rhythmischen Bewegungen ein Formenspiel nach der Musik und überstürzten sich schließlich. Die rechte Hauptfigur trug auf rotem Grund eine weiße Armfläche zu einer gelben linken Armfläche mit blauen und orangen Beinformen – das heißt an den Beinen befestigten Formen. Die Gegenfigurine trug auf blauem Körper je ein rotes und gelbes Rechteck am Arm befestigt, dazu orange und grüne Formen an den Beinen. Die mittlere Figurine auf grünem Körper eine bis über den Kopf ragende und bis zum Boden gehende orange Form zu Querformen in Dunkelblau mit weißen und grünen Formenenden. Die Miniaturfigur auf weißem Rechteck eine schwarze Armbewegungsform und eine am Kopf und eine an den Beinen befestigte rosa Form.

Die Aufführung des Mechanischen Balletts war nur durch eine wundervolle kollektive Zusammenarbeit von Studierenden des Bauhauses ermöglicht worden. Die Idee des Mechanischen Balletts, die Entwürfe der einzelnen Figurinen und die Choreographie wurden von Kurt Schmidt gestaltet. Dazu kam eine abstrakte Tanzfigurine, die von Georges Teltscher-Adams entworfen und auch nach seinen eigenen Angaben getanzt wurde. Der damalige Studierende Friedrich Wilhelm Bogler, der leider im Zweiten Weltkrieg in einem Lazarett verstorben ist, fertigte die einzelnen Teile der Figurinen handwerklich und technisch so hervorragend, daß die komplizierten Bewegungen aller Flächen ermöglicht wurden. Die Figuren waren so gut gearbeitet, daß sie die vielen Proben und die Aufführungen ohne eine Reparatur überstanden und außerdem, auseinandergenommen, wenig Platz beanspruchten. Für den Tanz stellten sich fünf weitere Studierende des Bauhauses zur Verfügung, die aus den verschiedensten Werkstätten kamen. Die nicht leicht zu tragenden Figuren des Mechanischen Balletts wurden von ihnen ausgezeichnet im Rhythmischen bewegt.

Die Uraufführung des Mechanischen Balletts fand am 7. August 1923 in dem von Walter Gropius neu gebauten Jenaer Stadttheater statt, eine Wiederholung im gleichen Monat vor dem Deutschen Werkbund zu dessen damaliger Tagung in Weimar. In Berlin wurde das Mechanische Ballett anläßlich eines Festes der

Berliner Juryfreien Kunstausstellung 1924 in der Berliner Philharmonie aufgeführt. An anerkennenden Urteilen über das Mechanische Ballett sei das von Max Osborn in der ›Vossischen Zeitung‹
vom 20. September 1923 erwähnt; er schrieb, daß im Mechanischen Ballett farbige Flächen mit beweglichen Gliedern zu einer
urtümlichen Musik mit dumpfen Paukenschlägen rhythmische
Schritte, Tanzbewegungen, vollführten. Der Anblick der Verschiebungen, des Neigens, Grüßens, Haschens, Fliehens dieser
unpersönlichen und doch von einem Willen regierten Farbstücke
war seltsam real-visionär, nicht nur verblüffend, sondern ein
Augenspiel von nie gesehener Phantastik.

Das Mechanische Ballett, in dem sich Studierende des Bauhauses in Theaterbegeisterung kollektiv zu einer Aufgabe zusammen-
gefunden hatten, war auch eine der Voraussetzungen zur Gründung der Bühnenwerkstatt am Bauhaus; diese neue Werkstatt
wurde nach Schließung der Bauhaus-Ausstellung eröffnet und
unter die Leitung von Oskar Schlemmer gestellt.

15 Jahre nach der Uraufführung wurde das Mechanische Ballett
in der Ausstellung ›Entartete Kunst‹ vom Nationalsozialismus
1938 als entartetstes Kunstwerk diffamierend herausgestellt. Die
›Leipziger Neuesten Nachrichten‹ brachten anläßlich der Ausstellung ›Entartete Kunst‹ als einziges Beispiel eine Abbildung des
Mechanischen Balletts.

Werner Graeff

Geboren 1901 in Wuppertal. Beginnt schon in der Schulzeit mit
Malstudien und kommt 1921 an
das Bauhaus in Weimar. Als sich
Theo van Doesburg in Weimar
niedergelassen hat und in seinem
Atelier Unterricht erteilt, wechselt
Graeff zum Studium bei van Doesburg über. Von 1922 bis 1930 ist er
Mitglied der ›Stijl‹-Gruppe. 1922
nimmt er am sogenannten ›Kon-
struktivistenkongreß‹ in Weimar
teil, zu dem sich auch einige Dadaisten einfinden (Tzara, Arp,
Schwitters). Neben seinen konstruktivistischen Arbeiten entwik-

kelt Graeff Partituren für abstrakte Filme und eine internationale Verkehrszeichensprache.

1922/23 als Gast Teilnahme an Ausstellungen der ›Novembergruppe‹ in Berlin. Gründet mit Hans Richter in Berlin 1923 die Zeitschrift ›G‹ (= Gestaltung), deren Redaktionsteam später auch Lissitzky und Mies van der Rohe angehören. Gleichzeitig Entwürfe für Autokarosserien und Motorräder, die jedoch nicht ausgeführt werden. Ab 1925 wird Graeff Mitglied des Deutschen Werkbundes, der ihn für 1926/27 zum Propaganda- und Pressechef der Werkbund-Ausstellung ›Die Wohnung‹ (Weißenhof-Siedlung) in Stuttgart beruft. Über die Ausstellung veröffentlicht er im Auftrag des Werkbundes die Bücher ›Bau und Wohnung‹ und ›Innenräume‹. Anschließend wendet sich Werner Graeff wieder dem Film zu und schreibt Manuskripte für avantgardistische Filme. Von 1931 bis 1933 wird er Lehrer an der Reimann-Schule Berlin.

1934 Emigration nach Spanien. Ende der dreißiger Jahre in der Schweiz wieder Filmarbeiten. Graeff leitet dort von 1942 bis 1945 im staatlichen Auftrag Umschulungskurse für Flüchtlinge. Nach dem Kriege lebt er kurze Zeit in Paris und kommt dann nach Essen. Hier beruft ihn die Folkwang-Schule für Gestaltung 1951 als Dozent

nach Essen. 1959 aus der Lehrtätigkeit ausgeschieden, widmet er sich ganz der Malerei, später auch der Skulptur. 1970 verlegt er sein Atelier auf einen Bauernhof nach Mülheim an der Ruhr.

Aufträge und Ausstellungen machen sein Werk in Deutschland und Europa bekannt. Es folgen Einladungen zu Vorträgen, Seminaren und Ausstellungen in die USA. 1979 wird ihm der ›Ruhrpreis für Kunst und Wissenschaft‹ der Stadt Mülheim verliehen. Das 1929 so erfolgreiche Buch ›Es kommt der neue Fotograf‹ wird 1978 mit einem neuen Vorwort von Werner Graeff wieder aufgelegt.

Im Sommer 1978 stirbt Werner Graeff bei einem Besuch in Blacksburg, Virginia, wo sein Sohn Robert Graeff am Virginia Polytechnic Institute and State University unterrichtet. Spontan richtet die School of Architecture der Hochschule eine Werner-Graeff-Stiftung ein.

Eine noch von Werner Graeff geplante umfassende Retrospektive seines Werkes wird 1979 von der Stadt Marl veranstaltet. An der Rheinisch-Westfälischen Technischen Hochschule Aachen entsteht 1981 die Dissertation ›Werner Graeff und der Konstruktivismus in Deutschland 1918–1934‹. Nachlaß und Werner-Graeff-Archiv werden von der Witwe Ursula Graeff-Hirsch in Mülheim betreut.

WERNER GRAEFF

Das Bauhaus, die ›Stijl‹-Gruppe in Weimar und der Konstruktivistenkongreß von 1922

Anfang der zwanziger Jahre war das kleine Weimar eines der wichtigsten Zentren künstlerischen Lebens in Europa. Das Bauhaus nämlich zog ungewöhnliche Persönlichkeiten an. Nie zuvor und nie nach dem Bauhaus ist es ja einem Akademiedirektor gelungen, in einem einzigen Lehrkörper so außerordentliche Künstlerpersönlichkeiten zu vereinen, wie es Walter Gropius vermochte. In jenen Jahren traten Kandinsky, Klee und Feininger, Schlemmer, Marcks und schließlich Moholy zu Gropius! Diese sieben Namen allein schon bedeuten ein unvergleichliches Niveau. Unter den weiteren Lehrern sei nur Itten genannt, der als Begründer der »Vorlehre« (Vorkurs, Gestaltungsunterricht) den Kunstunterricht am damaligen Bauhaus höchst originell bestimmte. (Heute noch wirkt sein Anstoß auf die fortschrittliche Kunstschule in aller Welt.)

Es ist allgemein bekannt, daß das ursprüngliche Programm des Bauhauses neben realistisch-handfesten auch reichlich romantisch-phantastische Züge aufwies. Sie entsprangen einer Höchstschätzung mittelalterlicher und vielleicht auch fernöstlicher Handwerkerqualitäten und -gepflogenheiten. Man mag darin John Ruskins Erbe wiedererkennen, man mag andererseits Bruno Tauts expressionistisch-phantastisches »Frühlicht« nachglimmen sehen, man mag Ittens religiös-mystischen Neigungen die Schuld geben – jedenfalls schlugen 1921/22 Romantik und Mystik am Bauhaus hohe Wogen. Doch bereitete sich unter Lehrern und Schülern allmählich eine Spaltung vor, die 1923 zum offenen Bruch zwischen Itten und Gropius und zur Neufassung der Bauhaus-Idee führte.

Zu dieser Entwicklung der Dinge trug zweifellos ein Mann bei, der ursprünglich selbst Lehrer am Bauhaus werden wollte (und wahrscheinlich auch sollte): Theo van Doesburg, der holländische Maler, Herausgeber der Zeitschrift ›De Stijl‹ (Der Stil). Er lebte von 1921 bis 1923 in Weimar. Vielleicht hat Gropius selbst einst Doesburg Hoffnungen gemacht, in das Lehrerkollegium berufen zu werden; bestimmt hätte das den Wünschen von Gropius' engstem Mitarbeiter (Adolf Meyer) entsprochen, der Doesburg und die Ziele des ›Stijl‹ außerordentlich schätzte. Aber gewiß mußte Gropius erkennen, daß Doesburg bei aller hervorragenden pädagogischen und propagandistischen Begabung, bei allem Können und bei aller Klarsicht ein ziemlich schwieriger Mann war: empfindsam und überaus aggressiv! Doesburg hätte bestimmt zumindest die Hälfte der damals am Bauhaus tätigen Lehrerkollegen bis aufs Blut bekämpft. Der alleinige Zweck seines Bleibens in Weimar war nun: von außen zu kämpfen. Er konnte nicht verstehen, wieso Gropius, der bereits 1911 (Alfeld) und 1914 (Köln) so kühne Proben seines konstruktiven Geistes und Gestaltungsvermögens gegeben hatte, als Leiter des Bauhauses (anfangs) einen Rückfall in den Expressionismus und in romantische Schwärmerei bewirkte oder auch nur zuließ. Im Gegensatz zum mittelalterlichen Handwerkerideal des ursprünglichen Bauhaus-Programms setzte Doesburg sich für die Maschine und für eine moderne Massenproduktion gut gestalteter Güter ein. Er nahm einen Teil des späteren Bauhaus-Programms schon 1921/22 vorweg. Er hielt viele Lichtbildervorträge und richtete (kostenlos) für Studierende des Bauhauses und andere Interessenten einen eigenen Gestaltungsunterricht in Weimar ein, der allerdings zuerst nur sehr schwach besucht war. Immerhin entstand so der Kern der Weimarer ›Stijl‹-Gruppe, zu der damals außer Theo und Nelly van Doesburg unter anderem Karl-Peter Röhl, Harry Scheibe, Max Burchartz, Walter Dexel und der Verfasser dieser Zeilen gehörten.

Nun war im Frühjahr 1922 in Düsseldorf von einer rheinischen Künstlergruppe ein Monsterkongreß mit etwa 600 Teilnehmern organisiert worden, der sich ›Erster Internationaler Kongreß Fortschrittlicher Künstler‹ betitelte. Er bot nach unserer Meinung wenig Erfreuliches, und als am zweiten Tage eine Unmenge langweiliger Satzungsparagraphen vorgelesen wurde (nach meiner Erinnerung waren es weit über hundert), schlugen wir Lärm. Mit den anwesenden ›Stijl‹-Leuten verließen die übrigen Konstruktivisten und die Dadaisten den Saal. Dabei entstand in Doesburg der Plan, für 1922 einen (kleinen) Kongreß der Konstruktivisten und Dadaisten einzuberufen, das heißt also einen Kongreß der ausgesprochenen Gegner des ekstatischen Expressionismus, der uns herzlich zuwider war, übrigens auch historisch überholt schien, da er seine beste Zeit ja bereits vor 1911 gehabt hatte.

Es paßte in Doesburgs Kampfpläne, daß der Kongreß gerade nach Weimar einberufen werden konnte. Hier und in Jena organisierten er und Walter Dexel Propagandavorträge über Konstruktivismus und dadaistische Vorführungen; ein ›Manifest‹ wurde verfaßt, und ›Stijl‹, ›Suprematismus‹ und dessen Abarten in aller Welt, wie besonders auch sein ungarischer Abkömmling, wurden – ganz richtig – unter dem Sammelbegriff »Konstruktivismus« zusammengefaßt.

Aus Doesburgs Sicht betrachtet, war der Kongreß ein neuer Schlag gegen Expressionismus und Romantik am Bauhaus. Insgeheim aber war Gropius wohl schon damals entschlossen, den Kurs seiner Schule zu ändern und sich auf seine eigene, ursprüngliche Linie (die konstruktive) zu besinnen. 1923 holte er den Konstruktivisten Moholy-Nagy. Hatte bis dahin Itten den alten Kurs mit großer Intensität verfochten, so setzte sich nun Moholy mit Feuereifer für Gropius' neue Devise ein: »Kunst und Technik – eine neue Einheit!«

Sigfried Giedion

Geboren 1888 als Schweizer in Prag. Studiert zunächst Maschinenbau an der Technischen Hochschule in Wien, wo er sein Studium als Diplom-Ingenieur abschließt. Von 1917 bis 1922 studiert er an den Universitäten Zürich, Berlin und München Kunstgeschichte und promoviert unter Heinrich Wölfflin zum Dr. phil.

1923 trifft er in Weimar Walter Gropius und wird danach Mitstreiter der Bauhaus-Idee. Persönliche Freundschaften verbinden ihn mit Walter Gropius, Laszlo Moholy-Nagy, Herbert Bayer und Marcel Breuer. 1928 gehört Sigfried Giedion zu den Mitbegründern des CIAM, des Internationalen Kongresses für Neues Bauen, auf Schloß La Sarraz bei Lausanne, deren Generalsekretär er bis 1956 ist. In zahlreichen Aufsätzen und Publikationen hat sich Giedion intensiv mit den

Fragen der modernen Architektur auseinandergesetzt. Besondere Aufmerksamkeit weckt sein Buch: ›Bauen in Frankreich: Eisen, Eisenbeton‹. Berlin 1928.

1938 folgt Sigfried Giedion einer Berufung als Professor für Kunst und Kunstgeschichte an die Harvard University in Cambridge/Mass. Das Ergebnis seiner Untersuchungen über die Entwicklung der Architektur faßt er in seinem berühmten Buch ›Space, Time and Architecture‹, Cambridge/Mass. 1941, zusammen; als das Standardwerk der Architektur-Geschichte hat es allein in den USA bisher 16 Auflagen erreicht, und Übersetzungen sind in vielen europäischen Ländern und in Japan erschienen. Weitere wichtige Buchveröffentlichungen von Sigfried Giedion sind: ›Mecanisation Takes Command‹, Oxford 1948, und ›The Eternal Present: The Beginnings of Art‹, Vol. I, New York 1961 ›The Beginnings of Architecture‹, Vol. II, London 1964.

Ab 1946 übernimmt Giedion außerdem einen Lehrauftrag an der Eidgenössischen Technischen Hochschule in Zürich. Bereits 1937 wird Sigfried Giedion zum Ehrenmitglied des Royal Institute of British Architects ernannt, seit 1952 ist er Mitglied der Belgian and American Academy of Science. 1960 wird er ›Officer of the Order of the White Rose of Finland‹, und 1963 verleiht man ihm die Goldene Medaille des Mexican Institute of Architects.

Zu den Veröffentlichungen von Giedion, die dem Bauhaus und seinen Persönlichkeiten gewidmet sind, zählt u. a. ›Walter Gropius – Mensch und Werk‹, das 1954 in den USA und einigen Ländern Europas erscheint. Vor seinem Tod beendet er sein letztes Buch: ›Architecture and the Phenomen of Transition‹, das 1969 in den USA herauskommt.

Sigfried Giedion ist am 9. April 1968 in Zürich gestorben.

Die Bauhaus-Woche in Weimar, August 1923

Ich weiß nicht mehr, wie ich davon erfuhr, aber es trieb mich hin. So nahm ich den Nachtzug von München nach Weimar. Ich sah in eine neu entstehende Welt. Wer an jener Manifestation teilnahm, trägt den Eindruck davon ein Leben lang mit sich, wenigstens erging es mir so.

Zum erstenmal öffnete sich ein universeller Einblick in den Kosmos heutiger Kunst. Im Weimarer Theater dirigierte Hermann Scherchen eine der ersten Aufführungen von Strawinskys ›Geschichte vom Soldaten‹. – Im Theater von Jena, das Gropius eben durch eine Renovation verwandelt hatte, sahen wir das Triadische Ballett von Schlemmer. Außerdem einen Versuch, ganz abstrakte Gestaltung zu geben: Ein rotes und ein blaues Quadrat, vor schwarzem Hintergrund, glitten aneinander vorbei und stellten sich im Schlußakt auf die Spitze. Dies war ein Ballett Kandinskys.

Ferdinand Kramer

Geboren 1898 in Frankfurt/M. Studiert an der Technischen Hochschule München Architektur. Kommt dann durch Anregung von Theodor Fischer im Protest gegen die akademischen Lehrmethoden an der Technischen Hochschule München 1919 an das Bauhaus Weimar. Da der Unterricht am Bauhaus, besonders was das Fach Architektur betrifft, 1919 in Weimar noch nicht entwickelt ist und auch noch kein zukünftiges Programm vorliegt, geht Ferdinand Kramer im gleichen Jahr an die TH München zurück, wo er seine Ausbildung als Diplom-Ingenieur 1922 abschließt.

Kramer läßt sich anschließend in Frankfurt nieder und beschäftigt sich in dieser Zeit neben architektonischen Aufgaben auch mit industrieller Formgebung, u. a. Entwicklung des bekannten ›Kramer-Ofens‹. 1925 wird er durch Ernst May als Architekt an das städtische Hochbauamt Frankfurt geholt. Beteiligt sich aktiv in der Gruppe ›das neue frankfurt‹ und hält 1926 bis 1928 Vorlesungen über funktionelle Architektur an der Kunstgewerbeschule Frankfurt. Außerdem organisiert er eine Reihe von wichtigen Ausstellungen wie: ›Form ohne Ornament‹ 1924, ›Deutsche Fotografie‹ 1926 und ›Der Stuhl‹ 1929.

1929 beteiligt er sich an der Organisation des zweiten Internationalen Kongresses für Neues Bauen (CIAM) in Frankfurt mit dem Thema ›Die Wohnung für das Existenzminimum‹. Nach verschiedenen Bauten für das Hochbauamt läßt sich Kramer 1930 selbständig als Architekt nieder.

1937 bekommt Ferdinand Kramer Arbeitsverbot durch die Reichskammer der Bildenden Künste sowie eine diffamierende Ausstellung seiner Arbeiten als entartete Architektur und emigriert 1938 in die USA. Neben verschiedenen anderen Aufgaben entwirft er 1939 für die Weltausstellung in New York im Auftrage einflußreicher Deutsch-Amerikaner und Emigranten den ›Freedom Pavillon‹, um das »bessere Deutschland« zu zeigen, der jedoch auf Einspruch Mussolinis nicht aufgebaut werden kann.

Als Consulting Architect arbeitet er für eine Privatbank und mehrere Warenhaus-Konzerne in New York und Chicago, entwickelt ein neues Verkaufssystem ›Vizual‹ und produziert zusammenlegbare Kombinationsmöbel und einen Papierschirm aus ›Plastic Coated Paper‹.

1952 wird Ferdinand Kramer auf Wunsch seines Freundes Max Horkheimer, damaliger Rektor der Frankfurter Johann-Wolfgang-Goethe-Universität, und des Kurators Frieder Rau zum Universitäts-Baudirektor ernannt; bis 1964 baut er im Auftrag der Universität verschiedene Institutsbauten, darunter das Institut für Kernphysik und den Kernreaktor, die Mensa sowie die Studentenhäuser.

Seit 1964 führt Kramer wieder ein eigenes Büro und baut im Auftrag der Stadt Frankfurt die Stadt- und Universitätsbibliothek. Zu seinen Projekten gehören der Umbau und Anbau des klassizistischen Scheunentheaters Wilhelmsbad bei Hanau für den Hessischen

Rundfunk als Fernsehstudio und einige Privathäuser.

Die Arbeiten von Ferdinand Kramer sind in vielen Publikationen in den USA und in Europa veröffentlicht worden. Beiträge von Ferdinand Kramer zum Thema ›Neues Bauen‹ sind ebenfalls in zahlreichen internationalen Zeitschriften und in der ›Bauwelt‹ erschienen.

Nach seiner Rückkehr erhält Ferdinand Kramer in seiner alten Heimat vielfache Ehrungen. 1958 wird ihm die Goethe-Plakette des Landes Hessen, 1963 die Ehrenplakette der Stadt Frankfurt am Main verliehen, 1965 ernennt ihn die Johann-Wolfgang-Goethe-Universität in Frankfurt zu ihrem Ehrenbürger.

Als Ehrenpreis der Architektenkammer Hessen wird 1975 der Werkkatalog 1923–1974 von Ferdinand Kramer veröffentlicht (Schriftenreihe der Architektenkammer Hessen, Band 3), im gleichen Jahr erhält er die Ehrenmitgliedschaft des Verbandes Deutscher Industrie-Designer (VDID).

Anläßlich des II. Internationalen Bauhaus-Kolloquiums der Hochschule für Architektur und Bauwesen Weimar zum 60. Gründungsjubiläum des Bauhauses verleiht ihm die Bauakademie der Deutschen Demokratischen Republik die Medaille ›Bauhaus Weimar-Dessau 1926 bis 1976‹.

1981 Dr.-Ing. h.c. der Universität Stuttgart, der Technischen Universität München und Verleihung der

Wilhelm-Leuschner-Medaille durch das Land Hessen.

Das Bauhaus-Archiv/Museum für Gestaltung, Berlin, zeigt 1982 eine umfassende Ausstellung seines Lebenswerkes mit dem Titel ›Ferdinand Kramer, Architektur & Design‹, die vom Amerika-Haus Frankfurt, dem ›design center stuttgart‹ (in Zusammenarbeit mit der Universität Stuttgart) und dem Stedelijk-Museum Amsterdam (1983) übernommen wird. Zur Ausstellung erscheint ein reichhaltiger Katalog mit dokumentarischem Material. Ferdinand Kramer lebt in Frankfurt.

Bauhaus und Neues Bauen

Frühjahr 1919 – Revolution, Hochinflation, Volksküchen und Wohnungsnot. In München, an der Technischen Hochschule, gab es für die Studierenden der Architektur Vorlesungen über Renaissancepaläste, Konstruktionslehre gotischer Gewölbe, Zeichenübungen griechischer Gesimse.

Was war mit diesen Kenntnissen anzufangen? Die Studenten diskutierten die mangelhaften Lehrpläne. Wir wollten bauen, die Wohnungsnot überwinden, unsere durch den Krieg verlorene Zeit einholen. Theodor Fischer war damals wahrscheinlich der einzige unter den Professoren, der uns verstand: er wies nach Weimar, der ehemaligen großherzoglichen Kunstgewerbeschule von Henry van de Velde, die, wie er sagte, ein jüngerer, fortschrittlicher Architekt, Walter Gropius, wieder eröffnen würde. Vom ›Staatlichen Bauhaus Weimar‹ kam, auf rotem Papier gedruckt, das Manifest mit dem expressionistischen Bild der Sternenkirche von Lyonel Feininger. Da hieß es in begeisterter Sprache: »Das Endziel aller bildnerischen Tätigkeit ist der Bau. Architekten, Bildhauer, Maler, wir müssen zum Handwerk zurück.«

Künstler wie Handwerker sollten die gleiche Ausbildung bekommen. Eine romantische Vorstellung. Sie teilte die Schüler in Lehrlinge, Gesellen und Jungmeister ein, »zunftgemäße Meister- und Gesellenproben« waren vor dem Meisterrat des Bauhauses oder vor fremden Meistern abzulegen. Das heute so legendär gewordene Institut benutzte damals nur Werkstätten und Ateliers und nicht auch Labors für wissenschaftliche Versuche. Das Industrieprodukt blieb noch mehr oder weniger ein kunstgewerblicher Gegenstand. Theo van Doesburg hatte seine Vorträge in Weimar noch nicht gehalten. Erst Hannes Meyer erkannte später in Dessau die Notwendigkeit wissenschaftlicher Grundlagen und bemühte sich, diese im Lehrplan einzubauen.

Gropius im eleganten Tweed und Adolf Meyer im schlichten Bürokittel empfingen uns, die ersten Architekturschüler, die wir als eine kleine Gruppe von der TH München an das Bauhaus nach Weimar gekommen waren. Sie führten uns durch die Ateliers der noch im Jugendstil geschmückten ›Handwerkerschule‹. Der Architekturkursus für uns bestand aus Vorlesungen am Weimarer Polytechnikum über die Anfangsgründe der Bautechnik, die der sympathische Direktor Klopfer hielt. Die von uns erhoffte Architektur-Abteilung allerdings war nicht gesichert und kam erst Jahre später zustande. Für uns, die wir keine Zeit zu verlieren hatten, war das Lehrangebot nicht ausreichend, und wir mußten deshalb Weimar verlassen.

Wir suchten weiter und orientierten uns an den Arbeiten und Schriften von Adolf Loos, Oud, Rietveld, der Stijl-Gruppe und Le Corbusier.

In einem handgeschriebenen Brief bedauerte Walter Gropius am 15. Oktober 1919 unseren Weggang:

»Sehr geehrter Herr Kramer,

es tut mir außerordentlich leid, zu hören, daß Sie mit Ihrem Freunde Weimar im Groll gegen das Bauhaus verlassen haben. Ein ganzer Schwall von Mißverständnissen und unzutreffenden Voraussetzungen hat jene Mentalität in Ihrem Kreise verursacht, die ich nun leider zu spät erkenne.

Ich schreibe Ihnen das, weil es mir leid tut, daß Sie uns verlassen und weil ich mir selber böse bin, die Ursachen zu der Verstimmung nicht eher vorausgesehen zu haben und ihnen zu begegnen. Sie waren in der ungünstigsten Zeit hier, mitten in einem

Interregnum, in den Ferien und vor der Eröffnung aller Neuerungen, die ich nun herausgebe. Schon heute nach Semesterbeginn ist eine ganz andere Luft im Hause, eine Spannung der Gesamtheit, die meiner Ansicht nach die beste Voraussetzung für künstlerische Arbeit ist. Jetzt zum Schluß Ihres Kursus wollte ich nun meine eigene Arbeit als Lehrender beginnen und die ersten Steine aufsetzen. Von Ihrem Kursus, dessen Vorgeschichte recht anders aussieht, als Sie alle es offenbar ansahen, hielt ich mich absichtlich zurück, und aus dieser meiner Zurückhaltung, die Sie mir augenblicklich als Interesselosigkeit an Ihnen auslegten, ist das Unheil entstanden, während ich darauf brenne, das lang Ersonnene nun von mir zu geben. Für diejenigen, die jetzt mit mir beginnen, das neue Haus zu bauen, kommen sicher manche enttäuschende Stunden, denn sie steigen noch nicht in ein gemachtes Bett, aber sie finden mit mir das Glück der Intensität an einer neuen Sache.

Es ist mein ganzes Streben, alles in der Schwebe zu lassen, in einer bewegten Ordnung, um so zu vermeiden, daß unsere Gemeinsamkeit sogleich wieder zur Akademie erstarrt. Die Aktiva sind vorerst sehr gering, aber die Gemüter sind aufgelockert, empfindungsbereit und in erregter Spannung, und das will mir zunächst das Wichtigste erscheinen.

Besuchen Sie mich einmal im Winter, ich habe nun das Gefühl, Ihnen allen etwas schuldig geblieben zu sein, und werde das zurückgeben.

Grüßen Sie Ihren Freund und bleiben Sie mit uns in Fühlung
Ihr ergebener
Walter Gropius«

Trotzdem, die kurze Zeit war voller Erlebnisse: abendliche Diskussionen, Aufführungen, Lesungen moderner Theaterstücke, politische Gespräche mit Abgeordneten der jungen Weimarer Nationalversammlung am Mittagstisch einer Pension im Haus der Frau von Stein, und bei den späteren Besuchen das Drachenfest, die Bekanntschaft mit den Malern Kandinsky, Klee, Schlemmer.

Uns Architekten interessierten nicht nur die verwahrlosten und verrotteten Häuser der damals noch nicht zerstörten Städte, sondern wir erkannten die Notwendigkeit eines neuen Denkens. Die alten Begriffe der Goldmarkwelt waren überholt. Die »gutbürgerliche« 8-Zimmer-Wohnung mit Parkett, Wintergarten, Riesenküche, ungeheiztem Bad, mit Nebentreppen für Lieferanten war aufgeteilt und als Einzimmerwohnungen vermietet. In Frankfurt übernahm 1925 Ernst May als Stadtrat alle Ämter, die Bauen, Liegenschaften, Beratung, Bauaufsicht, Gärten und Grünflächen betrafen, um seine Idee der neuen Stadt, des »Neuen Wohnens«, zu realisieren. Es war eine einmalige Chance, eine Konstellation, die durch den Begriff ›das neue frankfurt‹ und durch die Zeitschrift gleichen Namens bekannt wurde.

May hatte mit seinen begeisterten Mitarbeitern eine ganze Stadt in kongenialer Bereitschaft gefunden. Es war wohl kein Zufall, daß die Büros von Adolf Meyer (Bauberatung), Hans Leistkow (Typographie) und Kramer (Typisierung) sich im Frankfurter Rathaus nebeneinander befanden. Es ging um Stadtplanung, Häuser und Straßen, aber auch um Details, die in ihrer Funktion und Form neu durchdacht wurden:

Küchen, angeregt durch das Buch der Amerikanerin Frederick, »Die rationelle Haushaltführung‹ – Kombinationsmöbel passend für die Dimensionen der Siedlungshäuser, hergestellt von der städtischen Arbeitslosenzentrale, verkauft von der Hausrat GmbH., Schrankwände und Bugholzstühle der Gebrüder Thonet.

Neue Möbel drangen bis in das Sortiment der Warenhäuser vor, der rationelle Allesbrenner, der Kramerofen von den Burger Eisenwerken und Buderus, elektrische Beleuchtungskörper, Zweckleuchte statt Lüster. Ebenso entstanden Konstruktionsteile, montierbare Platten für den Hausbau, das Flachdach, die Sperrholztür, Baubeschläge usw.

Damals setzte Frankfurt neue Maßstäbe für neues Leben. Der Mensch stand im Mittelpunkt aller unserer Bestrebungen. Zahlreiche Ausstellungen informierten, wie:

1924 Die Werkbund-Ausstellung ›Die Form ohne Ornament‹
1926 ›Deutsche Fotografie‹
1928 ›Musik im Leben der Völker‹
1929 ›Der Stuhl‹

1929 auf Initiative des Kongresses für internationales Bauen (CIAM) ›Die Wohnung für das Existenzminimum‹ usw.

Es kamen Prof. Moser sen., Giedion und viele ausländische Gäste. Zum Brückenfest wurde Schlemmers Triadisches Ballett aufgeführt, auf den Bühnen spielten Meierhold, Tairoff, das jiddische Theater, Unruh und Brecht. Corbusier hielt einen Vortrag, Eisenstein, El Lissitzky und Adolf Loos besuchten uns.

An der Kunstgewerbeschule Frankfurt lehrten Beckmann, Baumeister und der Typograph Renner. In der Architekturklasse lasen Adolf Meyer und Schuster, und ich las über »Funktion«. In dieser Zeit gewannen Mart Stam, Werner Moser und ich den Wettbewerb für das Henry Budge Altersheim, eines der ersten Solarhäuser. Michel und Dexel arbeiteten mit Adolf Meyer.

In fünf Jahren war es möglich geworden, menschlichere Wohnungen zu verwirklichen: Römerstadt und Praunheim, Bruchfeldstraße, Westhausen und Hellerhof sind noch heute begehrte Wohnbezirke. Die Bürger waren nicht lethargisch und Bauen eine wichtige Sache für jedermann. Es war nur eine kurze Zeit einer Entwicklung, die fast gleichzeitig in verschiedenen Ländern begann, in Deutschland vom Nationalismus als Kulturbolschewismus bekämpft und durch den Krieg abgebrochen wurde.

1938 zeigte das Museum of Modern Art in New York in der Fifth Avenue die vertrauten Bauhaus-Gegenstände, leicht verstaubt und verdellt, und sonderbarerweise war auch das dazugehörige, ebenfalls gealterte Ausstellungspublikum 5000 km über den Atlantik mittransportiert worden. Frank Lloyd Wright kam mit seinem großen Sombrero, einer weißen Nelke im Knopfloch und mit einem bildschönen Mädchen am Arm. Gropius hielt eine Rede, die ich schon mehrfach in Deutschland gehört hatte.

Gegenüber vom Museum hatte Dali Schaufenster für das Modegeschäft Bonvit-Teller entworfen: Engel mit schwarzen Flügeln aus Rabenfedern in durchsichtigen Nachthemden. Dali – nicht einverstanden mit dem Arrangement – zertrümmerte die Schaufensterscheiben, und zum Abschluß in diesem Durcheinander erschienen mit viel Radau Polizei und Feuerwehr. Das war die Eröffnung der ersten repräsentativen Bauhaus-Ausstellung in USA. Ich wußte nicht, ob ich wache oder träume.

Gyula Pap

Geboren 1899 in Orosháza (Ungarn). Studiert an der Graphischen Lehr- und Versuchsanstalt Wien und an der Kunstgewerbeschule Budapest. Von 1920 bis 1924 setzt er sein Studium am Bauhaus Weimar fort. Hier steht er Johannes Itten und dessen kunstpädagogischer Methode nahe, die er später selber in seiner Lehrtätigkeit anwendet. Neben dem Studium der Malerei arbeitet Pap auch in der Metallwerkstatt des Bauhauses Weimar.

Von 1926 bis 1933 wird er von Johannes Itten als Lehrer für bildnerische Gestaltung an die Itten-Schule Berlin berufen. Nach seiner Rückkehr nach Ungarn eröffnet Pap 1934 eine private Kunstschule in Budapest, an der unter anderem auch der Kunsthistoriker Ernst Kállai wirkt.

Nach Kriegsende, 1947, begründet Gyula Pap eine Malschule für begabte mittellose Arbeiter- und Bauernkinder in einem landschaftlich attraktiven Teil Ungarns, in dem am Donauknie gelegenen Künstlerdorf Nagymaros. Es ist der Versuch, die kunstpädagogischen Erkenntnisse der zwanziger Jahre auf die neuen sozialen Verhältnisse in Ungarn anzuwenden. Nach zweijähriger Tätigkeit wird ein großer Teil der Schüler an die Hochschule für Bildende Künste in Budapest übernommen, und Pap wird eine Professur für Malerei an der gleichen Hochschule übertragen.

Die künstlerischen Arbeiten von Pap sowie seine Metallentwürfe werden in verschiedenen internationalen Ausstellungen gezeigt und veröffentlicht. Gyula Pap ist am 24. 9. 1983 in Budapest gestorben.

Liberales Weimar

Als ich in Dessau wieder einmal das Bauhaus besuchte, wurde ich als einer aus der diluvialen Epoche des Bauhauses begrüßt. Weimar war in der Geschichte des Bauhauses das Zeitalter, da die klaren Ideen von Gropius, nach vielen Umwandlungen, aus Staub und Nebel allmählich sichtbare Formen annahmen. Ja, es war eine aufregende Zeit des Tastens und Suchens, der Irrtümer und Erkenntnisse, der qualvollen Zweifel und der flammenden

Erleuchtung. Tollheit und Spaßmacherei wechselten mit Einkehr und Ergebenheit, mit fieberhaftem Suchen und Schaffensdrang. Wir wußten, daß erst die ersten Schritte getan waren, doch das Fundament zum großen gemeinschaftlichen Ziel wurde geschaffen.

Eben hatte ich meine erste kollektive Ausstellung in Wien im Haus der jungen Künstlerschaft, als ich das Manifest von Gropius zu lesen bekam. »Das Endziel aller bildnerischen Tätigkeit ist der Bau... Architekten, Bildhauer, Maler, wir alle müssen zum Handwerk zurück...«

Da konnte man nicht gleichgültig oder tatenlos bleiben. Nicht zuletzt im Wissen, daß auch Johannes Itten am Bauhaus war, von dessen vielversprechenden Kunsterziehungsmethoden ich Antwort auf viele offene Fragen erhoffte, faßte ich den Entschluß, unter allen Umständen nach Weimar ans Bauhaus zu gehen.

Das Bauhaus war zu dieser Zeit nicht Hochschule, auch nicht nur Kollektivgemeinschaft, sondern beides, vor allem aber eine Arbeitsgemeinschaft ausgeprägter, ungebundener Individualitäten.

In den ersten Jahren überließ Gropius die pädagogisch-künstlerische Leitung ganz Johannes Itten. Der Vorkurs, der von den akademischen Dogmen und Lehrmethoden völlig abwich, wurde nach Ittens Ausscheiden aus dem Bauhaus im Grundprinzip weiter beibehalten, dabei aber den neueren technischen Bedürfnissen und der individuellen Überzeugung des Lehrenden angepaßt. Itten hatte die Fähigkeit, die Neigungen und Veranlagungen im einzelnen zu erkennen und dementsprechend den schöpferischen Kräften frei von aller Konvention zu echtem, selbständigem Wirken zu verhelfen. Er legte die Grundgesetze bildnerischen Gestaltens, die Gesetze der Form und Farbe und so auch die Grammatik der visuellen Ausdruckswelt dar.

Er war eine faszinierende, suggestive Erscheinung, seine Bemerkungen persönlicher Art waren treffend, in seinen Analysen überraschte er uns immer wieder mit neuen Erkenntnissen. Die Gedanken und Ideen, die er in uns wachgerufen hat, sind allseitig, unerschöpflich und wirken in uns wie eine Kettenreaktion fort. Es war für uns alle ein besonders glückliches Zusammentreffen mit

Gropius und dem Bauhaus. Große Aufgaben beflügeln und vervielfachen die Schaffenskraft, besonders in einer harmonischen Arbeitsgemeinschaft.

So war es auch im Jahre 1922, als man beschloß, auf einer schönen Anhöhe am Horn ein Versuchsfamilienhaus zu bauen. Jeder konnte sich selbständig mit einem Entwurf bewerben. Die Entwürfe wurden in der Arbeitsgemeinschaft besprochen und zum Schluß gemeinsam beurteilt. Auch Gropius hatte seinen Entwurf dabei, und die Entscheidung überließ er völlig dem Bauhaus-Kollektiv. Es war der Entwurf des Meisters Georg Muche, der zur Ausführung angenommen wurde. Die völlige Einrichtung des Hauses oblag den einzelnen Werkstätten. Hätte die ersehnte Einheit jemals in verhältnismäßig so kurzer Zeit geschaffen werden können, wenn Gropius nicht so selbstlos und freimütig an die Kollektivarbeit der Jugend geglaubt und den Meistern freie Hand gelassen hätte?

Es gab aber auch Zeiten, da meiner Meinung nach viel zu viel theoretisiert wurde. Mir widerstrebten vor allem die Ideen Doesburgs, der alles, auch die Intuition, durch Zahlen zu ersetzen suchte.

Ich hörte davon, daß eine Arbeitsgemeinschaft bemüht sei zu klären, welche Farben gesetzmäßig dem Kreis, dem Quadrat und dem Dreieck entsprächen. Ich wurde neugierig und machte einmal mit.

Außer Klee und Kandinsky waren auch Schlemmer und zumeist ältere Bauhäusler da. Man diskutierte eben über Gelb. Jemand sagte, es erinnere an das hohe Zwitschern der Amsel und also wäre die gelbe Farbe dem Dreieck nahe. Klee erwiderte, das Innere des Eis sei auch gelb und dennoch kreisförmig. Nach einer Weile meldete ich mich und sprach mit einer Überheblichkeit, derer nur Jugendliche fähig sind. Ich fragte, wie man über Dinge diskutieren könne, die selbstverständlich seien. Untersuchen wir einmal – so sagte ich – die inneren Eigenschaften der Metalle (ich arbeitete damals in der Metallwerkstatt): Wenn ich Silber bearbeite, scheint es mir das schmiegsamste Metall zu sein, es entspricht also dem Kreis und als Farbe dem Blau; demgegenüber ist Messing hart und die Gräten am meisten verletzend spitz, also dem Dreieck und der gelben Farbe entsprechend. Kupfer, plump und schwer, nicht allzu weich und nicht allzu hart, also dem Viereck und als Farbe dem Rot entsprechend. Mein Einwurf kam zu unerwartet, niemand widersprach, und wenn ich mich nicht irre, wurde diese Diskussionsreihe damit abgeschlossen.

Alexander (Sándor) Bortnyik

Geboren 1883 in Marosvásárhely in Siebenbürgen (heute: Tirgu Mures, Rumänien). Studiert an der privaten Freischule in Budapest bei Károly Kernstock, Josef Rippl-Rónai und János Vaszary, der einzigen modernen Kunstschule im damaligen Ungarn. 1918 kommt er in Kontakt mit dem Gründer der Zeitschrift ›MA‹ (= Heute) Lajos Kassák, der führenden Persönlichkeit der ungarischen Avantgarde. Bis 1922 ist Bortnyik einer der wichtigsten Mitarbeiter der Gruppe ›MA‹ und hat 1919 eine Einzelausstellung in den Budapester Räumen der ›MA‹.

Nach dem Scheitern der Räterepublik 1919 emigriert er nach Wien und wendet sich dort dem Konstruktivismus zu. Auf Grund Bortnyiks frühen abstrakten Grafik-Serien entwickelt Kassák hier 1921 seine Theorie der ›Bildarchitektur‹. Infolge theoretischer und persönlicher Gegensätze scheidet Bortnyik aus der Gruppe ›MA‹ aus und geht

1923 nach Weimar. Im gleichen Jahr stellt er bereits in Herwarth Waldens Galerie ›Der Sturm‹ in Berlin abstrakte und konstruktive Bilder aus. Obwohl er in Weimar kein Bauhäusler wird, ist er den Vertretern dieser eigenartig mitteleuropäischen, im Grunde genommen internationalen Schule, die das kühne Ziel verkündet, ein »Kristallsymbol des neuen Glaubens«, »das Bauwerk der Zukunft«, aufzubauen (Eva Körner, Budapest), geistesverwandt und eng verbunden. Am Bauhaus Weimar hat Bortnyik besonderen Kontakt zu seinen Landsleuten Farkas Molnár und Andor Weininger. 1925 kehrt er wieder nach Budapest zurück.

Dort malt er bis etwa 1930 mannequinartige Figurinen in strengen Raumkonstruktionen, um gegen die dehumanisierenden Tendenzen des ›Maschinenzeitalters‹ Stellung zu beziehen. 1928 gründet Bortnyik in Budapest eine private Schule unter dem Namen ›Mühely‹ (= Werkstatt), in der er Methoden der Bauhaus-Pädagogik anzuwenden versucht. Das ›Bauhaus von Budapest‹ existiert bis 1938 und beschäftigt sich ausschließlich mit typographischer Gestaltung und angewandter Grafik; prominentester Schüler ist Victor Vasarely (= Gyözö Vásarhely).

Neben seinen pädagogischen und künstlerischen Zielen hat Bortnyik vor dem Zweiten Weltkrieg als Gebrauchsgrafiker gearbeitet. Mit Róbert Berény gilt er als Erneuerer der ungarischen Plakatkunst; am bekanntesten werden seine Plakate für das Zigarettenpapier ›Modiano‹.

1948 wird Bortnyik als Professor an die Kunstgewerbeschule in Budapest berufen, von 1949 bis 1956 ist er Direktor der Hochschule für Bildende Künste in Budapest und in dieser Zeit ein wichtiger Vertreter des Sozialistischen Realismus. In den fünfziger und sechziger Jahren malt er realistische Bilder und wendet sich auch einer satirischen Form moderner künstlerischer Tendenzen zu, die unter dem Begriff ›Satirischer Realismus‹ bekannt werden. Persönlichkeit und Werk Bortnyiks werden in diesen Jahren mit vielen nationalen Preisen und Orden ausgezeichnet. Auch sein künstlerisches Frühwerk ist inzwischen neu entdeckt und in zahlreichen internationalen Ausstellungen präsentiert worden, die sich mit der Avantgarde der zwanziger Jahre auseinandersetzen; so ist er 1961 in Berlin in der Ausstellung ›Herwarth Walden und die europäische Avantgarde‹ sowie 1966 in Frankfurt in der Ausstellung ›Konstruktive Malerei 1915–1930‹ vertreten. 1969 widmet die Ungarische Nationalgalerie in Budapest Bortnyik eine umfangreiche Retrospektive, der viele weitere Ausstellungen und Veröffentlichungen folgen.

Alexander Bortnyik ist 1976 in Budapest gestorben.

Etwas über das Bauhaus

Im Frühling 1922 traf ich in Wien einen jungen ungarischen Landsmann, Farkas Molnár, der am Bauhaus Architektur studierte. Er erzählte mir über die Intentionen und das Leben am Bauhaus und schilderte zugleich die Atmosphäre in Weimar, das er als ein Zentrum moderner künstlerischer Bewegungen in Europa beschrieb. Anfang September 1922 reiste auch ich nach Weimar. Ich wollte nicht am Bauhaus studieren, sondern mich nur informieren. Alles, was ich dort fand, war für mich wirklich neu, interessant und lehrreich, und ich blieb längere Zeit. Neben den vielen anderen Meistern des Bauhauses und den vielen Gästen, die nach Weimar kamen, denke ich vor allem an meine ungarischen Kameraden zurück, die zum Bauhaus gehörten: Laszlo Moholy-Nagy, Farkas Molnár, Marcel Breuer, Andreas Weininger, Gyula Pap.

Hauptsächlich interessierte mich die Frage, welche ideologischen und ästhetischen Verhältnisse, Zusammenhänge und Wechselwirkungen am Bauhaus zwischen Architektur einerseits und Malerei und Plastik andererseits bestünden. Mein Interesse galt nicht nur der Tafelmalerei, sondern im Gegenteil, ich meinte ausdrücklich jene Arbeiten, die sozusagen in die Architektur hineinwachsen: Wandmalerei mit allen einzelnen Techniken, Fresko, Sgraffito, Mosaik, Relief und Vollplastik. Ich erwähnte diese Frage bei meiner ersten Begegnung mit Walter Gropius, aber die Antwort war negativ. Zwar gab es Malklassen und technische Werkstätten am Bauhaus, aber es bestand keine innere ideologische und ästhetische Zusammenarbeit mit der Architekur – und trotzdem hieß es in einem Flugblatt über das Bauhaus: »Das Endziel aller bildnerischen Tätigkeiten ist der Bau… Architekten, Maler und Bildhauer müssen die vielgliedrige Gestalt des Baues in seiner Gesamtheit und in seinen Teilen wiedererkennen und begreifen lernen, dann werden sich von selbst ihre Werke wieder mit architektonischem Geiste füllen, den sie in der Salonkunst verloren« (Walter Gropius im Bauhaus-Manifest 1919).

Ein Institut zu gründen, welches die »Einheit der Künste« erstreben und für diese Arbeit systematisch und großzügig junge Künstler erziehen sollte, war ein genialer Gedanke. Diese Idee war absolut zeitgemäß und vollkommen neu. Gropius konnte das eben zitierte Programm nicht in vollem Maße verwirklichen, und wenn es nicht gelungen ist – nicht gelingen konnte –, so ist es nicht Gropius' Schuld. Für eine wirkliche innerliche Einheit von Architektur, Malerei und Plastik, ja überhaupt aller Künste, fehlte die Einheit in der menschlichen Gesellschaft. Trotzdem: Das Bauhaus war und bleibt ein wesentlicher Faktor nicht nur im deutschen Kunstleben, sondern für die ganze Welt.

Zu den Verdiensten des Bauhauses muß man nicht zuletzt rechnen, daß es mitgeholfen hat, die neuen und wertvollen Anregungen von Oskar Schlemmer für die Bühne zu entwickeln. Trotz der Unterschiede zwischen Architektur und Bauhaus-Malerei glaube ich, daß die Kunst von Klee, Kandinsky und Feininger beigetragen hat, der Gefahr einer drohenden Normalisierung, Typisierung und Eintönigkeit des Bauens zu begegnen. Diese Fehler kommen auch heute häufig vor und, als eine Antwort darauf, die Suche, die gewaltsame Suche nach Originalität durch Subjektivität. Die lebendige, phantasiereiche und individuelle Kunst der Meister am Bauhaus hat diese Versteifung gelöst und die Variationsfähigkeit gefördert. Zu den Widersprüchen im Bauhaus gehörte damals die in Architektenkreisen weitverbreitete Hypothese: »Wir müssen uns von allem Dekorativen befreien, das Gebäude braucht keine Ausschmückung mit Malerei oder Bildhauerei, keine Bilder im Innenraum. Der konstruktiv organisierte Raum, die farbigen Wände und Möbel ersetzen die Bilder. Ein Gegenstand, wenn er gut funktioniert und seine Form den Funktionen entspricht, übt auch ästhetische Wirkungen aus.« Die Entwicklung seitdem hat gezeigt, daß dies eine übereilte, nicht realisierbare Idee war, die den menschlichen, geistigen und ästhetischen Bedürfnissen nicht entsprach. Und – an den Wänden der Meister hingen doch Bilder, und die Studenten malten auch.

Vielleicht ist es überflüssig, darüber nachzudenken, wer der Initiator der neuen Architektur war. Frank Lloyd Wright? Oder Le Corbusier? Oder Walter Gropius? Oder die Holländer? Mir scheint, daß der Lokomotivführer, der den Zug auf neue Geleise geführt hat, Frank Lloyd Wright war. Doch die anderen haben neue Wagen, neue Räder und neue Wege geschaffen, und vielleicht haben sie statt dem alten Dampf elektrischen Strom als Triebkraft genommen. Man könnte sagen: Ein Künstler müßte in einer unruhigen, stets änderungsbedürftigen Umgebung aus wirtschaftlichem Zwang, aus Konkurrenz usw. zu neuen Materialien und zu einer zum Expreßtempo der Zeit passenden rationellen Methode, zu neuen Formen kommen, die das Wohnhaus von Grund auf reformieren und von seinen in Ausdehnung und Form verhältnismäßig monumentalen Massen zu einem funktionalen und proportionalen Bau führen. Aus diesem Anfang haben dann die Europäer ein kultiviertes und alle Künste umfassendes Werk geschaffen.

Ein paar Worte über Theo van Doesburg. Er hat damals in Weimar eine nicht unbedeutende Rolle gespielt. Durch seine Vorträge hat er auch das Bauhaus und viele Bauhäusler beeinflußt. Merkwürdig ist jedoch, daß seine Theorien und ihre Realisierung in seinen Bildern der Gropiusschen Idee »Kunst und Technik – eine neue Einheit« näherstanden als die der Meister am Bauhaus selbst. Er hätte Meister sein sollen – ich glaube, darum ist er auch nach Weimar gekommen. Was Gropius und auch die Jugend vielleicht befremdete, war die betonte Nüchternheit und die enge, zu dogmatisch gebundene Ideologie in den Kompositionen seiner Bilder, in denen sehr wenig Spielraum für die Phantasie blieb.

Und zuletzt? Was hat mir das Bauhaus, überhaupt die damalige Atmosphäre in Weimar gegeben; was habe ich dort erfahren und gelernt? Vor allem das Erlebnis eines neuen, alle Gebiete bewußt zusammenfassenden Kunst- und Stilwillens, ausgenommen die Verbindung von Architektur und Malerei, die fruchtbaren Diskussionen über die unterschiedlichsten Themen zwischen Gleichgesinnten, die Keime der Entfaltung eines kollektiven, schöpferischen Geistes. Es war das Miterleben jener Anfänge einer Zusammenarbeit aller Künste, das Bewußtsein und die Energie der Studenten und die großzügige Führung durch die Meister. Aber ich wurde mir auch bewußt, daß man weiterblicken muß, über das Dekorative und Subjektive. Imponierend war die Suche nach einer neuen Ordnung in dem Chaos des schon damals existierenden Wirrwarrs der Kunstrichtungen. In ganz Europa herrschte Verwirrung, und am Bauhaus konnte man die noch nicht festen Umrisse eines Ordnungsbeginns in der Kunst erahnen. Aber zur Verwirklichung der Bauhaus-Idee war eine gesunde gesellschaftliche Basis notwendig. Die Erfahrung hat mich gelehrt, daß in der Idee des Bauhauses und auch in dem von Mondrian/van Doesburg geschaffenen Prinzip der »neuen Gestaltung« viele lebendige und viele konstruktive Elemente enthalten waren. Nun, die Kunst lebt von den Menschen; sie existiert mit den Menschen und für die Menschen. Ihre Grenzen müssen erweitert und ausgedehnt werden.

Als ich nach meinem Aufenthalt in Deutschland 1925 in meine Heimatstadt Budapest zurückkehrte, versuchte ich (selbstverständlich in kleinerem Umfang), eine Künstlerwerkstatt einzurichten, die im Grunde genommen nach den Prinzipien des Bauhauses aufgebaut werden sollte. Doch ich wollte die Betonung auf die Malerei legen, inbegriffen die freie Malerei, Wandmalerei, Grafik und Gebrauchsgrafik. Aber die Realisierung war unmöglich, da die damaligen offiziellen Stellen sich nicht dafür interessierten. Sie waren gegen den Fortschritt in der Kunst. Auch interessierte Privatleute fanden sich nicht, weil sie von einem solchen Unternehmen keinen materiellen Erfolg zu erwarten hatten. So mußte sich mein Plan auf ein einziges Gebiet beschränken: auf die freie und angewandte Grafik unter Betonung der konstruktiven Tendenzen. Wir nannten diese Schule ›Mühely‹ (Werkstatt). Nach zwölf Jahren mußte ich diese Arbeit wegen einer schweren Erkrankung aufgeben. In diesem Zeitraum hatte das ›Mühely‹ ungefähr 120 Studenten. Viele von ihnen arbeiten in Budapest und mehrere im Ausland. Auch durch sie werden die Impulse des Bauhauses weitergetragen.

Georg Muche

Geboren 1895 in Querfurt, verlebt Muche Kindheit und Jugend in der Rhön. 1913 kommt er nach München, um an der Kunstschule von Azbe Malerei zu studieren. In der Galerie Goltz begegnet er im gleichen Jahr dem Werk Kandinskys, in dem er bestätigt findet, was er sich in seiner künstlerischen Phantasie vorgestellt hat. Daraufhin übersiedelt Muche ein Jahr später nach Berlin und beginnt seine Zusammenarbeit mit Herwarth Walden in der Galerie ›Der Sturm‹. Erste Ausstellung gemeinsam mit Max Ernst, Paul Klee und Alexander Archipenko. 1916/17 ist er Lehrer an der Kunstschule ›Der Sturm‹, dann bis Ende des Ersten Weltkrieges Militärdienst.

1920 Berufung durch Walter Gropius als Meister an das Bauhaus Weimar, Leitung der Weberei und Beteiligung am pädagogischen Aufbau des Bauhaus-Programms. 1923 wird Muche Leiter der Vorbereitungen für die Bauhaus-Ausstellung in Weimar und entwirft das erste Versuchshaus des Bauhauses, das ›Einfamilienhaus am Horn‹ sowie in Zusammenarbeit mit allen Bauhaus-Werkstätten auch dessen Inneneinrichtung. 1924 Studienreise nach den USA im Zusammenhang mit Hochhausprojekten. 1925 Übersiedlung mit dem Bauhaus nach Dessau. Errichtung eines vorfabrizierten Wohnhauses aus Stahl.

Mitte 1927 verläßt Georg Muche das Bauhaus und geht als Lehrer an die Itten-Schule in Berlin. 1931 Berufung als Professor an die progressive Kunstakademie in Breslau. 1933 Entlassung aus dem Staatsdienst. Wieder in Berlin, beschäftigt sich Muche mit der Technik der Freskomalerei, gleichzeitig unterrichtet er an der von Hugo Häring geleiteten Schule ›Kunst und Werk‹.

In der Ausstellung ›Entartete Kunst‹ im Haus der Kunst in München 1937 ist Muche mit zwei Bildern vertreten, andere Arbeiten aus Museumsbesitz werden beschlagnahmt. 1939 gründet er eine Meisterklasse für Textilkunst an der Textilingenieurschule in Krefeld, in der er die Erfahrungen aus der Bauhaus-Weberei weiterführt und vertieft. 1942 ist Georg Muche mit Oskar Schlemmer und Willi Baumeister am Institut für Malstoffkunde in Wuppertal tätig, das der

Industrielle Kurt Herberts zur Unterstützung der Künstler eingerichtet hat.

Nach dem Krieg beginnt Georg Muche wieder intensiv zu malen, u. a. größere Wandgemälde in Freskotechnik, und stellt aus. So ist er in allen Bauhaus-Ausstellungen ebenso vertreten wie in den Publikationen. Seine eigenen Aufsätze hat Georg Muche in dem Buch ›Blickpunkt, Sturm – Dada – Bauhaus – Gegenwart‹ (München 1961, Tübingen 1965) zusammengefaßt.

1960 läßt er sich in Lindau am Bodensee nieder. 1963 ist er Ehrengast der Villa Massimo in Rom. Im gleichen Jahr zeigt das Bauhaus-Archiv in Darmstadt eine Übersicht seines gesamten künstlerischen Werkes, der in Berlin 1980 eine umfangreiche Schau seines Frühwerkes von 1912–1927 und 1983 ›Das malerische Werk 1928–1982‹ folgen.

Anläßlich des Zweiten Internationalen Bauhaus-Kolloquiums zeichnet ihn die Hochschule für Architektur und Bauwesen Weimar mit dem Dr.-Ing. h.c. aus, in Regensburg wird er mit dem ›Lovis-Corinth-Preis 1979‹ geehrt. Durch die Unterstützung des Volkswagenwerkes kann das Bauhaus-Archiv in Berlin seinen Nachlaß katalogisieren, den Muche teilweise bereits jetzt dem Archiv übereignet hat. Georg Muche lebt in Lindau am Bodensee.

Rede zum 75. Geburtstag von Johannes Itten

Mein lieber Freund,

wenn ich in dieser heiteren Stunde Deines Lebens Deine Gestalt mit Anekdoten umranke, dann muß ich meinen Mantel der Verschwiegenheit aufknöpfen, doch ich glaube, das wird Dir lieber sein, als wenn ich Deine Stirne mit Lorbeer bekränzen und Dir ein Loblieb singen würde.

Im Jahre 1920 langweilte man sich in der Düsseldorfer Kunstakademie. Die Ateliers summten von leerem Gerede. Da sagte ein Kölnisch Mädchen: »Ihr erzählt Wunder was von Weimar! Immerzu höre ich Bauhaus ... Bauhaus, aber keiner von Euch weiß, was das wirklich ist. Ich werde meinen Koffer packen und nach Weimar fahren.« Als das Mädchen mit Gropius sprach, hörte sie ihn sagen: »Nein – mitten im Semester können wir Sie nicht aufnehmen!« – »So ist es also am Bauhaus nicht anders als an der Düsseldorfer Akademie!« – »Nun – versuchen Sie's! Gehen Sie zu Professor – zu Meister Itten ins Tempelherrenhaus, und fragen Sie ihn, ob er Sie jetzt noch in seinen Vorkurs einläßt.«

Itten meinte: »Ja – laufen Sie ins Atelier Nummer 21. Schauen Sie gut zu, und beginnen Sie mit der Arbeit. – Aber sofort!«

Im Atelier ließ sich das Mädchen auf einen Schemel nieder. Sie beobachtete ... und alles, was sie nun sah, ließ sie am Verstande zweifeln. Sie begriff nicht, warum ihre Nachbarin ein Stück Baumrinde zerfaserte und warum fast ein jeder einen kleinen Müllhaufen neben sich hatte – lauter unbrauchbares Zeug: Glasscherben, zerknülltes Papier, verrostete Eisenstückchen, Federn groß und klein, Steinchen, Holz, Knöpfe und irgend etwas Besonderes. Am meisten war sie erstaunt über die Aufmerksamkeit, mit der man mit diesen Sachen umging, sie zusammenfügte, auseinandernahm, träumerisch oder prüfend beäugte und betastete und nach unerfindlichen Regeln schließlich irgendwie befestigte.

Ein Mädchen, das aussah wie die wieder jung und schön gewordene Hexe von Westerwald – gelbe Haare, zinnoberrote Backen, grüne Augen und auf den bleichen Lippen jener Hungerjahre ein immerwährendes Lächeln –, ging von einem Platz zum anderen und brachte hilfreich dies und das und dem Mädchen aus Köln das herausgezupfte Blatt einer roten Rose. Als sie es ratlos in die Hände nahm und ihr durch den Kopf ging, daß dieses unbegreifliche Wesen in einer zwar sinnlosen, aber schönen Art selbstlos und hilfsbereit sei, fragte sie ihre Nachbarin: »Was soll ich damit tun?« Sie bekam zur Antwort: »Gar nichts kannst du damit tun. Das ist keine Materie, mit der sich etwas anfangen läßt. Sie ist viel zu unbeständig. Sie verändert ihre Struktur von heute auf morgen, und übermorgen hast du etwas in Händen, das aussieht, als hätte es nie zu einer Rose gehört. Das Hell-Dunkel wird sich verwandeln, und dieses Rot wird schließlich schwarz werden. Als Kontrast, als Gegenform der Beständigkeit könnte man so etwas brauchen. Doch das ist zu schwierig für dich, du mußt Materie haben, die ihre Form behält und die Oberflächenstruktur bewahrt. Statt einer Rose sollte sie dir etwas Dauerhaftes bringen. Am besten eine Eisenbahnschiene.« Nun zweifelte das Kölnische Mädchen nicht mehr. Hier war man verrückt oder stellte sich dumm – oder klug! Je nachdem. Da bemerkte sie, wie ein junger Mann mit Konservendosen hantierte. Er versuchte, von einer großen Blechbüchse, in der einmal Bismarckheringe eingelegt waren, den verrosteten und verbogenen Deckel mit einer Zange loszulösen. Als es ihm gelungen war, feilte er die scharfen Ränder stumpf und rieb die Rostflecken ab. Das konnte sie verstehen. Hier war Vernunft am Werke. Als sie sah, wie er die Dosen der Größe nach aufeinandertürmte und mit Löchern und Draht befestigte, kam ihr der Gedanke, sich neben ihm niederzulassen und ihm beim Entrosten zu helfen. Doch da stand der Junge auf, ging zu einem Rock, der an der Wand hing, griff in eine Tasche, zog Papier heraus, in das irgend etwas eingewickelt war, ging an seinen Platz zurück und öffnete das kleine Paket. Er holte eine Fischgräte mit Kopf und Schwanz heraus. Er hielt sie über die Spitze des Konservendosenturms, der etwa 120 Zentimeter hoch war, vergrößerte oder verringerte umständlich und prüfend die Abstände zwischen Gräte und Turmhöhe, riß dem Fischskelett den Kopf ab, befestigte den Rest am Ende einer Stricknadel, schlug mit einem Nagel ein Loch in den Deckel der kleinsten Dose und klemmte die Nadel hinein. »Ein Gespenst überhöht das Ganze, würde Meister Klee sagen«, rief ein heiterer Phantast. Das war dem Mädchen nun wieder völlig unverständlich. Da holte der Junge von einem kleinen Müllhaufen zwei bunte Vogelfedern – Flaumfederchen – und klebte sie der Gräte an die Stelle, wo einst der Kopf gewesen war. Also auch der war verrückt! – Glücklicherweise gingen alle nach Hause, weil die Uhr zwölf geschlagen hatte.

Am nächsten Tag war Korrektur. Itten kam, ging auf den Blechturm zu, schaute ihn von allen Seiten an und sagte schließlich: »Was soll das farbige Gefieder da oben? Nehmen Sie es fort! Das hat keine Beziehung zu allem anderen, und als Kontrast ist es viel zu winzig.« Itten ist also meiner Meinung, dachte das Mädchen und schenkte ihm sogleich ihr ganzes Vertrauen. Da sagte der Junge: »Ich wollte auf Farben nicht verzichten.« – »Dann müssen Sie die plastischen Körper farbig behandeln – anstreichen.« – »Das möchte ich nicht, das soll metallisch bleiben. Lieber will ich auf die bunten Federn verzichten.« – »Und dann«, sagte Itten, »steht das Relief da oben – die Grätenform – viel zu unvermittelt über dem Ganzen. Sie müssen eine Verbindungsform suchen.« Damit ließ er den Jungen allein. Der rannte zur Tür hinaus, und die Kölnerin dachte: »Er wird nicht wiederkommen. Schade!« Aber da kam er schon zurück mit einem Stück Stacheldraht in der Hand. Den legte er spiralig um die Konservendosen, und sie begriff sofort, daß er die Aufgabe, die Itten ihm gestellt hatte, lösen wollte. Die Gräten wurden durch den stacheligen Draht in eine bessere Beziehung zu den plastischen Metallformen gebracht.

Am nächsten Tag hörte das Mädchen zum erstenmal, wie Itten Bilder analysierte – das Gemälde von Cézanne mit dem Titel ›Der Mord‹. Itten sprach heftig und ungestüm von der Wucht der entscheidenden Ausdrucksform dieses Bildes. Alle wiederholten die Raschheit des Pinselschlages Cézannes mit einer aggressiven Geste, zunächst in der Luft und dann mit dem Kohlestift in der Faust auf dem Papier. Das Mädchen mußte dabei an die Spitzen des Stacheldrahtes und der Gräten denken. Als sie dem Knaben an einem der nächsten Tage im Atelier begegnete, bat sie ihn, seiner Plastik die Federchen wieder aufzusetzen, denn sie sei aggressiv wie ein Kriegsminister, und der brauche Ordensschmuck. »Nun gut«, sagte der Junge, »Meister Itten wird sich freuen. Doch wir müssen auch noch die farbige Entsprechung am unteren Teil anbringen. Schreib auf ein Stück Papier: Der Kriegsminister! Schreibe nicht steil und steif, wie du es in Düsseldorf gelernt hast, sondern spitzig und schräg und schwarz auf gelb. Das wird des Kriegsministers Standarte.«

Dies alles habe ich im Sinn behalten, weil mir die Kölnerin die Geschichte später einmal erzählt hat und weil ich diesen ›Kriegsminister‹ verteidigen und schließlich doch opfern mußte. Denn diese Vorkursarbeit war am Ende des Semesters mit anderen Arbeiten im Oberlichtsaal des Bauhauses ausgestellt worden, um den thüringischen Ministern und Landtagsabgeordneten Gelegenheit zu geben, sich ein Urteil über das Bauhaus zu bilden und schließlich die Etatmittel für ein weiteres Jahr zu bewilligen. Ich mußte die Herren durch die Räume führen und stand zum Schluß neben dem ›Kriegsminister‹, weil sie mich gefragt hatten, was das denn zu bedeuten habe. Ich deckte die Hintergründe der Ittenschen Pädagogik mit beredten Worten auf, in der Hoffnung, zu überzeugen. Als ich aber die mürrischen Gesichter sah, begriff ich plötzlich, daß mir das auf diese Weise nicht glücken würde. Ich mußte befürchten, daß sie die Etatmittel nicht freigeben würden und daß ich scheitern und das Bauhaus in Gefahr bringen würde, wenn es mir nicht gelänge, ihre Abscheu in Zustimmung zu verwandeln.

Da änderte ich – noch konnte es niemand merken – meinen Standpunkt und sagte: »Dieses Gebilde zeigt, daß nicht jeder, der glaubt, für ein bestimmtes Handwerk begabt zu sein, wirklich auch die Fähigkeiten hat, die man dafür braucht. Dieses Beispiel zeigt, daß es herausgeworfenes Geld wäre, wenn dieser Bewerber in die Metallwerkstatt aufgenommen werden würde. Seine Begabung liegt nicht im Handwerklichen. Vielleicht wird er einmal ein phantasievoller Bildhauer oder Maler, aber ein tüchtiger Handwerker wird er niemals. Das läßt sich in diesen Arbeiten des Vorkurses rasch erkennen, und das ist ihr Sinn.« Die Minister und die Abgeordneten nickten mit den Köpfen, und dem Bauhaus wurden die Mittel für ein weiteres Jahr bewilligt.

Nun werde ich von zornigen Männern der zwanziger Jahre reden. Drei Bauhäusler, auf die Itten sich verlassen konnte, wenn die anderen versagten, wollten sich seinem Einfluß entziehen. Sie meinten sich zu verlieren, wenn sie ihm weiter folgen würden. Einer war sehr robust. Ich nenne ihn X, weil er stämmig wie der große Buchstabe X gewachsen und zudem ein rätselhafter Mensch war. Den anderen nenne ich Z, weil er sich im Rhythmus eines Z zu bewegen schien und angriffslustig war. Der dritte glich einem Y, das mit weichem Bleistift hingeschrieben wird. Er war verträumt. Er schien entrückt, als er sich eines Tages bei Regen unter den Dachvorsprung des Tempelherrenhauses – Ittens Atelier – genau dort unterstellte, wo die Dachrinne nicht dicht war. Dicke Tropfen fielen ihm ins Genick. In den Anblick der Wolken vertieft, blieb er stehen, wo er stand.

Dieser Y kam am letzten Tage des Jahres 1921 abends kurz nach zehn Uhr in Ittens Wohnung und sagte: »Eine Sylvesterfeier haben X und Z in ihrem Atelier vorbereitet. Wir möchten gerne, daß Sie, Meister Itten, kommen und am Beginn des neuen Jahres bei uns sind.« – »Das kann ich nicht«, antwortete Itten, »ich habe Besuch! Darf ich ihn mitbringen?« – »Das weiß ich nicht. Davon haben X und Z nichts gesagt«, antwortete Y. »Wenn Muche mitgeht, werde ich kommen. Ich denke, es wird euch recht sein!«

Kurz vor zwölf Uhr nachts erschienen wir im Atelier. Es war leer und öde, doch in einer Ecke war ein kleiner Raum eingebaut, der in dunkelviolettem Licht und rot und grün eingesprenkelten leuchtenden Flecken schimmerte. Es war eine beklemmende Stimmung. Wir ahnten bald, daß wir Zeugen eines Ereignisses werden würden, das Ittens Farblehre in ihr düsteres Gegenbild verwandeln sollte. Die Akteure schwiegen. X hatte seinen Oberkörper entblößt und mit einem wüsten Durcheinander von Farben beschmiert. Sein Schädel war so geschminkt, daß er wie gespalten aussah. Ich sagte zu Itten: »Sie werden den Perlhuhntanz zelebrieren.« – »Was sagst du? ... Was ist das?« – »Ich weiß es auch nicht. Draußen steht Y. Er hat sich Bauch und Brust mit kleinen, bunten Kringeln bemalt. Wie ein Perlhuhn sieht er aus!«

Zuerst schob sich X über die Szene und bewegte sich schwerfällig und gemein an uns vorbei. Itten: »Das ist ja hübsch!« – Dann kroch Z wie der Qualm einer rußenden Kerze herein und fegte wie ein Wirbelwind wieder hinaus. Itten: »Hübsch ist das!« – Dann kam

Y durch die Tür. Aufrecht, lasziv und tanzend. Itten: »Nun ... ja hübsch!«

Für kurze Zeit waren wir allein, dann kamen sie zu dritt zurück, gestikulierten stumm mit aufgerissenen Mäulern und spuckten lästernde Wortfetzen heraus, mit denen sie Unsinn und Spott auf Ittens Lehre andeuteten. Von den Kirchtürmen läuteten die Glocken. Auf den Straßen platzten Knallfrösche. Schreie und Glückwünsche fremder Menschen flatterten durchs Fenster herein. Itten: »Das war hübsch – ja – ja! Aber nun brauche ich frische Luft. Euch wünsche ich viel Glück im neuen Jahr!«

Was war geschehen! Sie hatten erwartet, daß Itten sich empören würde. Sie waren auf irgendwelche Zerschmetterungen gefaßt. Dann würde alles vorüber sein, und wenn das ganze Bauhaus zugrunde ginge. Nun aber war es, als ob nichts geschehen wäre. Wie einst des Orpheus besänftigende Melodie wilde Tiere bändigte, so zähmte hier Ironie gespielter Heiterkeit den Zorn junger Männer. Bei der nächsten Begegnung sagte Itten im Unterricht zu X, Y, Z: »Zeichnen Sie einen Apfel«, und als sie seltsam um sich blickten: »Es muß ja nicht ein wurmstichiger sein.«

Marianne Brandt

Geboren 1893 in Chemnitz. Ab 1911 Studium an der dortigen Großherzoglichen Hochschule für Bildende Kunst, zunächst Malerei, später auch Bildhauerei. 1919 Heirat in Norwegen und später einjähriger Studienaufenthalt in Paris. Kommt im Januar 1924 an das Bauhaus Weimar, absolviert den Vorkurs, danach Mitarbeit in der Metallwerkstatt unter der Leitung von Moholy-Nagy. In Weimar und Dessau entwickelt Marianne Brandt in der Metallwerkstatt die berühmten ›Kandem‹-Lampen und andere Tischgeräte, die von der Industrie nach Lizenzen des Bauhauses industriell hergestellt werden. Trotz der revolutionären Verwendung von Metall und Glas und ihrer funktionellen Gestaltung können sich die Modelle, speziell die Lamen, rasch im Publikum Anerkennung verschaffen, und dem Bauhaus erwächst dadurch eine führende Rolle auf dem Gebiet der industriellen Formgebung.

Nach dem Ausscheiden von Laszlo Moholy-Nagy aus dem Lehrkörper des Bauhauses übernimmt Marianne Brandt für ein Jahr kommissarisch die Leitung der Metallwerkstatt in Dessau. 1929 verläßt sie das Bauhaus und arbeitet vorübergehend im Bau-Atelier von Walter Gropius in Berlin. Von 1929 bis 1932 geht Marianne Brandt als Entwerferin an die Metallwarenfabrik Ruppelwerk in Gotha/Thüringen. 1932 arbeitslos, zieht sie sich in einen familiären Aufgabenkreis in Chemnitz zurück, wo sie neben-

bei ihren künstlerischen und kunstgewerblichen Projekten nachgeht.

1949 wird Marianne Brandt als Dozentin für Holz, Metall und Keramik an die Hochschule für Bildende Künste in Dresden berufen. Von 1951 bis 1954 Mitarbeit am Institut für Angewandte Kunst Berlin, für das sie 1953/54 mit einer Ausstellung nach China reist. Danach in Berlin als selbständige Entwerferin für die Industrie tätig.

1955 läßt sich Marianne Brandt aus gesundheitlichen Gründen wieder in ihrer Geburtsstadt nieder und widmet sich der Malerei und Kleinplastik. Dort, im heutigen Karl-Marx-Stadt, stirbt Marianne Brandt im Alter von 89 Jahren im Sommer 1983.

Brief an die junge Generation

Lieber Bauhaus-Freund,

hier sende ich Ihnen nun, was ich aufgeschrieben habe. Es hat mir Mühe gemacht, und das meiste habe ich wieder gestrichen, denn ich bin nun eben leider kein Theoretiker, und was zu sagen ist in Sachen Bauhaus, wurde von Berufeneren schon längst gesagt. Keinesfalls wäre ich verstimmt, falls Sie lieber auf meine Ausführungen verzichten möchten.

Als ich 1924 auf den Rat Moholy-Nagys vom Vorkurs in die Metallwerkstatt hinüberwechselte, hatte man dort eben begonnen, zur Serie geeignete Gegenstände, wenn auch völlig handwerklich, zu produzieren. Die Aufgabe bestand darin, diese Dinge so zu gestalten, daß sie auch bei einer serienmäßigen Herstellung in arbeitssparender Weise allen praktischen und ästhetischer Anforderungen gerecht wurden und dabei doch weit billiger seir konnten als jede Einzelanfertigung.

Zuerst wurde ich nicht eben freudig aufgenommen: Eine Frau gehört nicht in die Metallwerkstatt, war die Meinung. Man gestand mir das später ein und hat dieser Meinung Ausdruck zu verleihen gewußt, indem man mir vorwiegend langweilig-mühsame Arbeit auftrug. Wie viele kleine Halbkugeln in sprödem Neusilber habe ich mit größter Ausdauer in der Anke geschlagen und gedacht, das müsse so sein und »aller Anfang ist schwer«! Später haben wir uns dann prächtig arrangiert und uns gut aufeinander eingestellt.

Allmählich, durch Besuche bei Industrieunternehmungen, Besichtigungen und Aussprachen an Ort und Stelle, kamen wir unserem Hauptanliegen, der Industriegestaltung, näher, und das trieb Moholy-Nagy mit zäher Energie voran. Zwei Firmen der Beleuchtungsbranche zeigten sich unseren Zielen besonders aufgeschlossen; die Firma Körting und Mathiessen (Kandem), Leipzig-Leutzsch, förderte uns sehr durch eine praktische Einführung in die Gesetze der Lichttechnik und die Produktionsmethoden des Betriebes, was uns bei unseren Entwürfen, aber schließlich auch der Firma zugute kam. Wir erstrebten auch eine sinnvolle, die äußere Form nicht beeinträchtigende Gestaltung der Montage, geringe Möglichkeit für Staubablagerung usw. usf., Rücksichten, die nach meiner Erfahrung heute nicht mehr als Voraussetzung für eine erstklassige Leuchte gelten. Wir fuhren zur Messe nach Leipzig, etwas »Studentenfutter« als einzige Verpflegung, und kamen todmüde, aber erfüllt von neuen Eindrücken und tausend Plänen zurück, die Taschen vollgestopft mit Prospekten. Hätten wir damals schon etwas von Plexiglas und anderen Plastikmaterialien geahnt, ich weiß nicht, zu welchen Utopien wir uns verstiegen haben würden. Aber gut so: Die nach uns wollen ja auch etwas zu tun haben!

Weit schwieriger als die elektrischen Leuchten waren unsere Tischgeräte und sonstigen Gebrauchsgegenstände bei der Industrie anzubringen, nicht sehr viele gelangten in Produktion. So bekamen wir gewissermaßen den Stempel einer Abteilung für Beleuchtungskörper. Wir haben ganze Gebäude mit unseren industriell hergestellten Leuchten ausgestattet und nur selten für ausgefallenere oder repräsentative Räume Sonderanfertigungen entworfen und in unserer Werkstatt ausgeführt. Damals war ich der Überzeugung, daß ein Ding zweckdienlichst in seiner Funktion und materialgerecht schön sein müsse! Später kam ich jedoch zu der Einsicht, daß die künstlerische Persönlichkeit den letzten Ausschlag gibt. Mein Irrtum resultierte wohl aus der Tatsache, daß wir in einer Gemeinschaft vorwiegend solcher Persönlichkeiten lebten und daß uns deren Arbeit und Werk in ihrer hohen Qualität für selbstverständlich galten.

In unserer Werkstatt haben wir immer einen Handwerksmeister zur Seite gehabt und sind mit dieser Einteilung – hier Gestaltung, hier Handwerk – nicht schlecht gefahren, obschon sich ein Wechsel mehrmals als notwendig erwies. Wir hatten als Werkzeuge: Drück- und Drehbank, Bohrmaschinen, große Blechscheren usw. Schon in Weimar wurde ein Geselle zur Ausführung serienmäßiger Produktion auf handwerklichem Wege eingestellt. Er wurde später einer der Unseren, nachdem er sich einer Bauhaus-Vorkursausbildung unterworfen hatte. Die Kameradschaft in unserer Metallwerkstatt war im allgemeinen gut, obgleich naturgemäß ein Zu- oder Abgang unvermeidlich neue Impulse und damit auch Schwierigkeiten in dieser Richtung mit sich brachte. Von den Lizenzen, die wir für unsere Modelle bekamen, erhielt, wenn ich mich recht erinnere, das Bauhaus die Hälfte, das andere wurde zwischen Meister, Entwerfer und Werkstatt aufgeteilt. Auch für unsere sonntäglichen Fremdenführungen durch das Haus bekamen wir einen Teil der Einnahmen. So war ich meist bei Kasse, aber zu meinem Kummer leider auch gelegentlich beneidet, was nicht ausschloß, daß man am Ende des Monats fleißig kleine Anleihen machte bei M. B.

Eine lange handwerkliche Ausbildungszeit war mir nicht vergönnt. Es hieß sehr bald: entwerfen, ausführen, helfen, sich umtun und zuletzt, auf dringendes Zureden von Gropius und Moholy, als sie gleichzeitig das Bauhaus verließen und auch ich aufgeben wollte, die Leitung der Werkstatt auf ein Jahr provisorisch übernehmen. Obgleich mir das verlockende Angebot gemacht wurde, die Arbeit bei Kandem fortzuführen und mich gleichzeitig bei

Peterhans gründlich im Fotografischen auszubilden, mußte ich doch schließlich endgültig Abschied nehmen, so schmerzlich es auch war. Doch hatte ich bald darauf die Freude, im Bauatelier von Gropius in Berlin mitzutun. Auch das war eine – wenn auch allzu kurze – glückliche Zeit! »Ich erinnere mich« und »Wißt ihr noch?«

Als Gropius sein Werk, das eben bezogene Bauhaus in Dessau zu betrachten gedachte (mit Wohlgefallen, wie man dort annahm) bekam er einen nicht geringen Schrecken, da er feststellen mußte daß seine Bauhäusler Flachdach und Atelierfront zu Balance-übungen und als Fassadenkletterer benutzten. Später hat man sich wohl daran gewöhnt, es gibt schöne einschlägige Aufnahmen davon. Auch ich brachte es wenigstens zum freien Sitzen auf dem Geländer meines kleinen Balkons, wiewohl ich doch erst einen Schwindelanfall bekam, wenn andere es taten! Wie schön wohnten wir in den Ateliers, und wie vergnüglich ging gelegentlich die Unterhaltung von einem Balkönchen zum anderen!

Im Kellergeschoß lag der Gymnastikraum, dort gab es einen großen weichen Teppich, und obgleich streng untersagt, nächtigten dort einige, die gar nichts ausgeben konnten. Duschen, Bäder Alles sehr bequem. Nicht schlecht. Von dort unten kam auch häufig »Päpchen« mit seiner schönen Schäferhündin. (Das ist aber alles streng geheim!)

Nicht sehr glücklich machten mich die Führungen der Besucher durch die Werkstätten. Zwei Jahre lang, jeden Sonntagvormittag viele Fragen, manchen Ärger, wenn auch gelegentlich eine Genugtuung. Besonderen Eindruck hinterließ bei mir eine Führung von 200 Buchdruckern. Sie wurden wütend, als ich von Klein-schreiben und Ersparnis an Arbeitskräften und Zeit sprach. Eine Revolte im Kleinen, sie bedrohten mich sogar mit Stöcken.

Die zum großen Teil recht mittellosen »Jungens« satt zu bekommen, war oft ein Problem. Zuerst, als wir noch in der Seilerschen Fabrik untergebracht waren und noch keine Kantine hatten, »durften« wir für zehn Pfennige in der Suppenanstalt essen. Fürchterlich! Dann kauften wir zwei Kannen und Steinguttöpfchen, und abwechselnd hieß es zu zweit Buttermilch und Brötchen holen. So hatte die Werkstatt doch ein Frühstück, billig und bescheiden. Im neuen Haus wurde alles viel besser. Es gab eine Kantine und ichtige Mahlzeiten.

Die Mazdaznan-Zeit in Weimar habe ich nicht mehr mitbekommen, aber nur, weil auch Gropius mittat, hielten die Bauhäusler durch. Großartig kann es auch nicht gewesen sein, es war eine karge Zeit. Aber es gab dafür reichlich Genüsse anderer Art! In Weimar hörte ich Klee auf seiner Violine spielen, leider nur einmal! Kurt Schwitters in Weimar und Dessau: ›Was trägst du dein Härchen wie einen Hut?‹ Die ›Sinfonie in Urlauten‹ oder ›Sie war schon immer ein gescheiteltes Mädchen gewesen‹ usw. Wer weiß es noch? Die Palucca begeisterte uns, wenn sie ihre neuesten Tänze brachte, und Béla Bartók! Es führte zu weit, alles aufzuzählen.

Und jetzt komme ich noch zu den Geburtstagen unseres verehrten Walter (Gropius). Einmal mußte er über ein Gebirge aus Tischen und Stühlen zu seinem rosenbekränzten Thronsessel, einem Mitropa-Schlaraffiasitz, der ziemlich hoch hing. Er überwand lächelnd alle Schwierigkeiten und Gefahren. Das andere Mal sollte er zur Feier rund um den Saal getragen werden, aber leider waren sich die vier Träger nicht einig, in welcher Richtung! Er rauchte ruhig weiter seine Zigarre, trotz der mißlichen Situation.

Herrlich war es bei Seiler. Gropius hatte zwar gar nichts dafür übrig, sich feiern zu lassen, auf inständiges Bitten kam er aber schließlich doch mit hinunter ins Kellergeschoß, wo die Bühne hauste. Ein geschmückter Thronsitz für ihn, wie immer – ein Platz für ›Pia‹ zu seinen Füßen. Er erhielt für seine Kakteensammlung viele kunstvoll-künstliche Exemplare, das schönste war eine grüne Gurke mit geschnitzten Radieschen als Blüten. Wolf durfte einige Schüsse abgeben, und natürlich wurde getanzt. Charleston kam damals auf, eine wahre Gymnastik! – Dabei aber möchte ich mich doch noch der Tänze in der Weimarer Aula erinnern: Ein bißchen schöngeistig, frei erfunden, gesprungen und geschwungen. Auch das hat uns gutgetan.

Zuletzt widme ich ein dankbares Gedenken den Unermüdlichen, die uns aufspielten: Hirschfeld, Andi, Xanti, Paris sowie denen, deren Namen mir inzwischen entfallen sind. Und dies als Gruß an alle, die sich noch erinnern.

Erich Lissner

Geboren 1902 in Chemnitz. Besucht in Dresden das Vitzthumsche Gymnasium bis zur Matura und 1922/23 die Kunstakademie in Dresden bei Richard Dreher. In seiner Jugend hat Lissner nachhaltige Begegnungen mit Otto Dix, Oskar Kokoschka, Walter Hasenclever, Carl Sternheim, Kurt Schwitters, ferner enge Verbindung zu Jakob Hegner in der Künstlersiedlung Dresden-Hellerau und zu der Tanzschule Mary Wigmans. 1923 Besuch der ersten Bauhaus-Ausstellung in Weimar, die ihn stark beeindruckt.

Während der Inflation ist Lissner im Buchhandel und Antiquariat tätig. Ab 1925 studiert er an den Universitäten Berlin, Köln und München Archäologie, Ethnologie, Philosophie und Kunstgeschichte. In den Semesterferien arbeitet er in einer Dresdener Kunsthandlung, vornehmlich im Bereich Ostasiatika. Daneben freie Mitarbeit an Tageszeitungen und Zeitschriften.

Da ab 1933 weder die Dozentenlaufbahn noch eine Museumsarbeit ohne Kompromisse mit dem NS Regime möglich sind, nimmt Erich Lissner eine Stellung auf dem neutralen Feld der Industriewerbung an, zunächst als Texter bei der Firma Werner & Mertz in Mainz, ab 1938 in der Werbeabteilung der Kalle AG in Wiesbaden als künstlerischer Berater, später im Büro des Generaldirektors als sein »Adjutant«. Publikation einer umfangreichen Monographie ›Wurstologia‹, einer ›Kulturgeschichte der Wurst‹. Von 1943 bis 1945 Kriegsdienst als Sanitätssoldat.

Im Frühjahr 1946 beruft ihn Golo Mann als Chefredakteur der Abteilung Literatur an den Hessischen Rundfunk in Frankfurt. Von 1948 bis 1969 leitet er das Feuilleton der ›Frankfurter Rundschau‹.

Erich Lissner ist am 8. November 1969 in Bad Homburg v. d. H. verstorben.

Rund ums Bauhaus 1923

Das liegt nun genau 48 Jahre zurück. Ich war damals gewiß ein Garnichts, hatte nach der Matura meinem Rektor auf die Frage, was ich denn werden wolle, lakonisch geantwortet: »Künstler.« Und auf sein Erstaunen, was ich mir denn darunter vorstelle, schlicht: »Zu leben.«

Hernach zog ich denn mit meinem Farbkasten nach Goppeln und an die Moritzburger Teiche, wie weiland die ›Brücke‹-Maler, warf verstohlene Blicke in Otto Dixens Atelier am Antonsplatz, teilte mit ihm fürs Aktzeichnen das Modell. Mit meinem jüngeren Mitschüler Hans Hartung versuchte ich mich in den ersten Abstraktionen. Es war die wirre, so überschäumend-glückliche wie zerschlagen-traurige Zeit, da die ›Menschheitsdämmerung‹ immer griffbereit lag.

Die Reise damals von Dresden zur ersten repräsentativen Rechenschaftsausstellung des Staatlichen Bauhauses in Weimar, vier Jahre nach seiner Gründung, schien abenteuerlich. Man schrieb Spätsommer 1923. »Goldmark mal Schlüsselzahl« lautete die Währungsrelation, mit deren buchstäblich stündlicher Veränderung wir Opfer der Inflation zu rechnen hatten. Die Reise war nur zu realisieren, weil ich mir durch Deutschstunden bei einem Schweden vorher einige Kronen verdient, die sich Stück für Stück jeden Tag in astronomische Papiermarkbeträge verwandeln ließen.

Aus diesem Lebensabschnitt sind mir einige der berühmten Propaganda-Festpostkarten des Bauhauses überkommen, die in dessen grafischer Werkstatt nach Entwürfen der »Meister« in Steindruckverfahren entstanden waren: Feiningers ›Stadt‹ und ›Kirche‹, Kandinskys ›Komposition‹, Klees ›Abstraktion‹ und ›Vier Figürchen‹, Moholy-Nagys ›Geometrische Formen‹, Schlemmers ›Abstrahierte Profile‹; auch ein zweiseitiges Flugblatt mit Feiningers Holzschnitt ›Kathedrale des Sozialismus‹ und programmatischen Sätzen von Walter Gropius. Solche Souvenirs von einst sind heute Rarissima ersten Ranges.

Weimar war in diesen Spätsommertagen nicht Goethe – sondern Bauhaus. Das Reiseziel von Tausenden. Ich fühlte mich weitweg, aber doch heimisch, zugehörig, denn viele Bauhäusler, »Lehrlinge« und »Gesellen«, trugen wie ich eine Art Russenkittel und Sandalen. Als Protest gegen die bürgerliche Konvention. In Weimar vertraute man darauf, wie Lothar Schreyer später schrieb, »mitwirken zu dürfen am Bau einer neuen Welt, im Bewußtsein einer tatsächlichen Weltwende, in der, als in einer Schicksalsstunde der Geschichte, die schöpferischen Kräfte unmittelbar aus der Tiefe des Lebens ans Licht drängen«. Heute mag man milde lächeln über derlei Sätze.

Wie es kam, daß ich beim Dichter Bernhard Bernson wohnte, weiß ich nicht mehr. Es war ein biedermeierliches Eckhaus am Herderplatz, über einer Bäckerei, von der herauf es nach frischen Brötchen duftete. Sein Drama ›Die Pest‹, sein ›Märchen vom König Sonntag‹ schenkte er mir mit Autogrammen. Aus Lemberg nach Weimar verschlagen, war er damals fünfunddreißigjährig, also noch jung, in meinen Augen freilich ein reifer, gesetzter Mann. Er und seine Frau, eine muntere Elsässerin, begleiteten mich in den Pseudorenaissancebau des Weimarer Landesmuseums, mit dem so heftig kontrastierte, was darin die Bauhäusler an freien bildnerischen Arbeiten zeigten.

Sie führten mich in Ateliers und Lehrwerkstätten, zum Muche-schen »Musterhaus«, das für eine geplante, nie zustande gekommene Bauhaussiedlung ›Am Horn‹ das erste Beispiel bilden sollte, zu Schlemmers Wandmalereien und Reliefs im Vestibül und Treppenhaus des Werkstattgebäudes, dieser Demonstration von »Kunst am Bau«, die später von der NS-Regierung demoliert wurde. Mag sein, daß ich manches nicht gleich verstand, aber angetan war ich doch sehr von Gropius' Zeitschriftentisch, Wagenfelds Bauhaus-Leuchte, dem Marcel-Breuer-Stuhl, Boglers Geschirr und Hartwigs Schachfiguren. Eigentlich von all den klaren, reinen Formen für Gebrauchsgegenstände des Alltags.

Geblieben sind in der Erinnerung Materialstudien aus der Klasse Josef Albers' im Reithaus an der Ilm, Ergebnisse des Farbseminars von Kandinsky, Moholy-Nagys kinetische Plastik und ein Flickerlteppich der Ida Kerkovius. Auch die »Teestube«, in der wir auf Peddigrohrstühlen vor Batikgehängen saßen, um mit gläubigen Bauhäuslern eifrig zu debattieren über die Lehren der »Meister«, über die Möglichkeiten, Unikate in die industrielle Serienproduktion zu bringen. Am Ende dann kamen eben doch Goethe und seine Ideen über den Zusammenhang von Kunst und Wissenschaft und die synästhetischen Gedankensplitter des Novalis.

Mit einer höchst merkwürdigen Begegnung endeten die Weimarer Bauhaus-Tage. Bernsons mußten verreisen, schickten mich in Richtung Tiefurt. Dort würde ich in einem weiten Mohnfeld ein

Gartenhäuschen sehen, dort sollte ich um Quartier fragen. Es dämmerte schon, eine Frau empfing mich, ein Bub war um sie, sechs Jahre alt, Michael wurde er gerufen; sie nahm mich ganz selbstverständlich auf, als habe sie mich längst erwartet.

Wir aßen zu dritt rote Grütze aus einer großen Tonschüssel. Die Frau schien müde von schwerer Spatenarbeit, ich wußte nicht, wer sie war, sie blieb wortkarg. Soviel erfuhr ich nur, daß sie von ihrer Mohnpflanzung lebte, die Kapseln an eine Ölmühle in Erfurt verkaufte. Alsbald richtete sie mir ein Lager an der Bücherwand; vorm Einschlafen zog ich das eine und andere Buch heraus, alles Rilke, in jedem Band eine sehr persönliche handschriftliche Widmung von ihm. Am anderen Morgen zu fragen, schien mir indiskret. Jahre später sollte ich durch ein Insel-Büchlein erfahren, bei wem ich genächtigt – bei jener »jungen Frau«, an die RMR seine Briefe aus Muzot gerichtet hatte.

Auch dies bleibt verknüpft mit meinen Bauhaus-Tagen 1923; vieles begann damals für mich und blieb bestimmend fürs Leben.

Walter Dexel

Geboren 1890 in München. Walter Dexel studiert Kunstgeschichte an den Universitäten in München und Jena, 1916 promoviert er in Jena bei Botho Gräf zum Dr. phil. und übernimmt auf dessen Empfehlung die Ausstellungsleitung des Kunstvereins Jena (bis 1928). In diesen Jahren veranstaltet er zahlreiche Ausstellungen von Künstlern der ›Brücke‹, des ›Blauen Reiter‹, des ›Sturm‹ und selbstverständlich auch des benachbarten Bauhauses, u. a. von Kandinsky, Schlemmer und Klee, der auf Einladung von Walter Dexel dort am 26. Januar 1924 seinen vielgerühmten Vortrag ›Über die moderne Kunst‹ hält. Ferner organisiert der von Dexel geleitete Kunstverein Jena die Ausstellungen ›Neue deutsche Architektur‹ (1924) und ›Neue Reklame‹ (1927), auf denen neben den anderen avantgardistischen Gruppen auch Bauhäusler vertreten sind.

Als Maler der konstruktivistischen Richtung stellt Walter Dexel 1918, 1920 und 1925 in Herwarth Waldens Galerie ›Der Sturm‹ in

Berlin und an vielen anderen Orten aus und ist auch an internationalen Ausstellungen in Paris und Moskau beteiligt.

1921 bis 1923 steht Dexel in Weimar besonders Theo van Doesburg nahe, als dieser neben dem Bauhaus eine ›De Stijl‹-Gruppe zu gründen versucht. Zu dieser Zeit beschäftigt er sich viel mit Typographie und Gebrauchsgrafik und wird 1925 von Adolf Meyer und Ernst May als ›Berater für Reklame im Stadtbild‹ nach Frankfurt am Main berufen.

1928 überträgt ihm Wilhelm Deffke die Leitung der Fachklasse für Gebrauchsgrafik an der Kunstgewerbeschule Magdeburg, wo er 1935 als ›entarteter Künstler‹ entlassen wird. 1937 sind seine Bilder in der Ausstellung ›Entartete Kunst‹ im Haus der Kunst in München ausgestellt. Von 1936 bis 1942 ist Dexel Professor für Formunterricht an der Staatlichen Hochschule für Kunsterziehung in Berlin und baut anschließend bis 1955 die weithin berühmte und einzigartige

›Formsammlung der Stadt Braun schweig‹ auf.

Im Anschluß an seine Teilnahme an der Erinnerungsausstellung ›Der Sturm‹ im Jahre 1961 in de Nationalgalerie in Berlin wird De xels malerisches Werk wiederent deckt. Er beginnt erneut zu maler und entwickelt zwischen 1965 und 1969 unter Beibehaltung des kon struktiven Prinzips neue Bildord nungen, die sich deutlich von der Werken der zwanziger Jahre unter scheiden.

Seit Beginn der sechziger Jahre ist Dexels Œuvre in vielen deut schen Museen als Retrospektive gezeigt worden; mit Werkgruppe seiner Bilder, aber auch als visuel ler Gestalter ist Dexel in vielen Aus stellungen international gewürdig worden.

Zum 90. Geburtstag des Künst lers hat Walter Vitt die ›Hommage Dexel‹ mit zahlreichen Würdigun gen zum Werk und einer ausführli chen Bibliografie veröffentlicht.

Walter Dexel ist am 8. Juni 1973 in Braunschweig gestorben.

Der ›Bauhaus Stil‹ – ein Mythos

Meiner Meinung nach ist es nicht so, daß das Bauhaus in seine Zeit die Ideen hervorgebracht hätte, die man heute bequemer weise »Bauhaus-Stil« nennt. Fälschlicherweise bezeichnet mar damit alles, was in den zwanziger Jahren geschah. In Wahrheit is

s vielmehr so, daß das Bauhaus, das unter ganz anderen Zei-
hen und mit ganz anderen Zielen in das Zeitgeschehen eintrat
man braucht dazu nur den Gründungsruf von 1919 aufmerksam
urchzulesen), vom breiten Strom der Zeit mit fortgerissen wurde.
:s hat die architektonische und formgebende Entwicklung, die in
ielen Ländern Europas fast gleichzeitig bereits eingesetzt hatte,
icht hervorgerufen, am wenigsten gelenkt. Es wurde vielmehr
on dieser Entwicklung erfaßt, bis es in den letzten Weimarer und
en ersten Dessauer Jahren endlich sein Gesicht gewann.

Dann allerdings wurde der Anteil des Bauhauses – ich betone,
er Anteil – bald sehr wesentlich, weil es, bedenkt man die Armut
er Zeit, über erhebliche Mittel, über Gebäude und Werkstätten
erfügen und durch die Zusammenballung guter Kräfte und eine
ie aussetzende Propaganda eine erhebliche Stoßkraft gewinnen
onnte. Weit mehr Stoßkraft als etwa die früher entstandene ›Stijl‹-
ewegung in Holland, die unter Theo van Doesburg jahrelang
inen zunächst vergeblichen Kampf gegen die am Bauhaus noch
errschenden handwerksromantischen Ideen seiner Gründer-
ahre und die auf anthroposophisch-mazdaznanesischen Vorstel-
ungen beruhenden Lehren von Johannes Itten führte – einen
ußerst wichtigen Kampf im Sinne dessen, was später industrielle
ormgebung genannt wurde.

Es ist eindeutig festzustellen, daß diese in den zwanziger Jah-
en entstandenen Ideen nicht am Bauhaus geboren wurden.
Venn ich das sage, dann sage ich es als Beobachter aus nächster
lähe und als naher Bekannter sehr vieler Beteiligter sowohl aus
em Bauhause als auch aus dem Kreise seiner selbst im Freun-
eslager sehr zahlreichen Kritiker.

Denkt man an die wesentlichen einschlägigen Ereignisse jenes
ahrzehnts zurück, so muß in erster Linie die Weißenhof-Siedlung
enannt werden, das Kernstück der Werkbund-Ausstellung ›Die
Vohnung‹ von 1927 in Stuttgart, und, als lautester Paukenschlag,
er deutsche Pavillon in Barcelona von Mies van der Rohe. Mit
iesem hatte das Bauhaus nichts, mit der Weißenhof-Siedlung
enig zu tun. Es erscheint dort keineswegs etwa als Primus inter
ares, sondern hatte lediglich einen achtbaren, doch keineswegs
berragenden Anteil daran, was Kritiken und Besprechungen ein-

deutig ausweisen. Wie ja auch sein Leiter dem ›Ring der Architek‹ ten‹ keineswegs übergeordnet, sondern in ihn eingeordnet war (Der ›Ring‹ war ein Zusammenschluß der etwa 20 bedeutendsten Architekten Deutschlands.)

Die moderne Baukunst, die sich in der Weißenhof-Siedlung so hervorragend manifestierte, war der damals gültige internationale Stil. Die Vorstellung, daß man in jenen Jahren etwa von einem »Bauhaus-Stil« gesprochen hätte, ist absurd und hätte lediglich Gelächter ausgelöst. Die Oberleitung der Weißenhof-Siedlung lag in den Händen von Mies van der Rohe, in dem man den hervorragendsten deutschen Architekten sah. Der größte und wichtigste Wohnblock war sein Werk, ebenso die städtebaulich vorzüglich gelöste Gesamtanordnung der Bauten und die Auswahl der Architekten aus dem In- und dem Ausland. Die interessantesten und neuartigsten Häuser stammten von Le Corbusier, daran ist kein Zweifel möglich. Viel diskutiert waren ferner Hans Scharoun wegen seiner damals ungewöhnlichen gerundeten Bauformen, der im Siedlungsbau schon lange erfahrene J. J. P. Oud, Rotterdam, und wegen ihrer besonders praktischen Grundrißlösungen der Deutsche Hilberseimer und der Holländer Mart Stam. Alle übrigen Bauten, so interessant und schön sie auch gewesen sein mögen, traten hinter den genannten zurück, darunter auch der Bauhaus-Beitrag.

Der Anteil des Bauhauses an der Werbegestaltung jener Jahre war gleichfalls angemessen, doch nicht führend, was die Ausstellung ›Werbegrafik 1920–1930‹ in der göppinger galerie in Frankfurt (1963) durchaus bewies. Die in den zwanziger Jahren so wichtige Formgebung des Porzellans geschah überhaupt ohne das Bauhaus. Sie ging aus der Industrie selbst hervor, die die richtigen Leute zu finden gewußt hatte (Trude Petri, Hermann Gretsch). Beim Glase war die Situation ähnlich (Bruno Mauder). Bei den Stahlmöbeln und Beleuchtungskörpern war dank der Versuchswerkstätten der Anteil des Bauhauses höher (Marcel Breuer, Wilhelm Wagenfeld). Doch verdankt diese Zeit die allerbesten Stahlmöbel wiederum nicht dem Bauhaus, sondern – wie den Barcelona-Pavillon – dem Genie Mies van der Rohes. Seine Stahlstühle existieren noch unverändert und wurden bis heute nicht übertroffen, was gewiß etwas heißen will.

Und die großen Meister des Bauhauses, die ihm seinen legendären Ruhm verschafft haben, Feininger, Kandinsky und Klee, standen dem, was man heute unter Bauhaus-Stil versteht, naturgemäß fern, während Oskar Schlemmer mit seinen Wandgestaltungen und vor allem mit seinem ›Triadischen Ballett‹ den Hauptbeitrag zur Bauhaus-Woche 1923 geleistet hat. Auch die späteren, so berühmt gewordenen Bauhaus-Feste in Weimar und Dessau waren von seinem Ingenium geprägt. Übrigens sind seine Briefe und Tagebücher eine höchst aufschlußreiche Lektüre zu unserem Thema.

Nach dem Jahre 1945 hat ein allzu bequemer Journalismus sich nicht die Mühe genommen, die Geschichte der zwanziger Jahre wirklich zu erforschen, weder auf dem Gebiete der Architektur noch auf dem der sogenannten industriellen Formgebung, die heute »industrial design« genannt wird. Es wäre hoch an der Zeit, daß man damit aufhörte, das bequeme Klischeewort »Bauhaus-Stil« zu verwenden, das nur die Unkenntnis elementarster Tatbestände der zwanziger Jahre überhaupt entstehen lassen konnte. Sehr viel wichtiger als die endlose Wiederholung dieser Phrase wäre es, endlich die aus fast ganz Europa zusammengewachsenen Gedanken und Gestaltungsprinzipien historisch zu sondern und zu spezifizieren. Man kann nicht länger mit dem Schlagwort »Bauhaus-Stil« ein weitgespanntes, aus vielen Wurzeln gewachsenes Geschehen einfach zudecken. Das Wort »Bauhaus-Stil« ist ein Mythos, ist eine unerlaubte Simplifizierung und ein ungerechtes Verschweigen der Kräfte, die am Stil jener Zeit gearbeitet haben.

Erich Buchholz

Geboren 1891 in Bromberg, ist Buchholz zunächst Volksschullehrer. 1915 erwacht seine Liebe zur Malerei, und Lovis Corinth gibt ihm in Berlin die erste und einzige Korrektur. Aus dem Krieg entlassen, wird Buchholz durch den Kontakt mit dem Schauspieler Karl Vogt Mitarbeiter der Städtischen Bühne in Bamberg. Er arbeitet dort als Bühnenbildner und Dramaturg. Als Vogt das Albert-Theater in Dresden als Intendant übernimmt, entwirft Erich Buchholz 1920 für ihn die Bühnenbilder zur Uraufführung von Strindbergs ›Schwanenweiß‹, wobei er nur mit Lichtprojektionen zur Raumaufteilung der leeren Bühne arbeitet. Gleichzeitig beginnt er mit abstrakten Zeichnungen und Bildern und stellt 1921 in der Galerie ›Der Sturm‹ bei Herwarth Walden aus. Er kommt in engen Kontakt mit den Dadaisten, den Konstruktivisten und vielen modernen Architekten. Besondere Freundschaft verbindet ihn mit Viking Eggeling.

Buchholz befaßt sich schon ab 1922, nach seiner Ausstellung bei Herwarth Walden, mit allen Fragen der Gestaltung: ›Der Raum an sich‹, Schalenbau, Ei-Konstruktion, Schiffskonstruktion, Möbelbau, Typographie und Malerei. Anläßlich der ›Ersten Russischen Kunstausstellung‹ im Herbst 1922 in der Galerie van Diemen kommt er in speziellen Gedankenaustausch mit El Lissitzky. Nachdem Lissitzky die Bilder von Buchholz gesehen hat, bemerkt er dazu:»Wir hatten gedacht, Euch etwas ganz Neues zu bringen und müssen feststellen, daß man hier genau dasselbe macht.«

1925 verläßt Buchholz Berlin, um auf dem Land, fern vom ›Kunstbetrieb‹, zu leben. 1933 Ausstellungsverbot und Verhaftung. Nach dem Krieg zieht Erich Buchholz wieder nach Berlin und beginnt erneut zu malen und zu bildhauern. Intensivierung der Arbeiten mit Glas. Sein Werk wird in verschiedenen Einzelausstellungen gezeigt, u. a. Rose Fried Gallery, New York (1956), Galerie Rosen, Berlin (1957), Haus Salve Hospez, Braunschweig, Galerie am Dom, Frankfurt (1961). Verschiedene Museen erwerben seine frühen Arbeiten, so die Galerie des 20. Jahrhunderts, Berlin, die Nationalgalerie, Berlin, das Museum of Modern Art, New York, und das Carnegie Institute, Pittsburgh, sowie eine Reihe von Privatgalerien: Rothschild, Williams u. a. Erich Buchholz arbeitet auch weiter an kinetischen Objekten und an plastischen Experimenten mit Glas. Sein Werk wird jetzt international anerkannt und in zahllosen Ausstellungen und Veröffentlichungen gewürdigt. Anläßlich einer großen Retrospektive im Landesmuseum Münster erscheint 1978 eine Monographie über Erich Buchholz von Friedrich W. Heck-manns. Erich Buchholz ist am 29. Dezember 1972 in Berlin ge-storben.

bauhaus – bauhaus – bauhaus

verständlich, daß die allerweltsvokabel ›bauhaus‹ im zuge ver-schiedener zeitbetrachtungen – und von solchen sind wir gezwun-genermaßen verpflichtet auch zu sprechen, je nach beziehung – keine unbeirrbare lexikonnotiz sein kann.

nicht nur wir – die wenigen noch vorhandenen –, die wir – zeitge-mäß – dem geburtsakt nicht nur als betrachter nahe waren, haben interesse an der klärung. die große mutation jener zeit, die große zäsur, die goldenen zwanziger jahre, sie beleuchten (in gesichts-punkten) die situation schon an sich von verschiedenen aspekten her. man könnte sie erweitern. die brodelnde revolte jener zeit, was erfaßte sie nicht? sie stieß über allen zeitwandel hinaus in die notwendigkeit der zweckmäßigkeit (nicht nur der sinnmäßigkeit) des seins überhaupt vor, kulminierend sogar in der blasphemi-schen formulierung von radikaler wucht: die idee ist der todfeind des lebens.

was uns im bildnerischen seinerzeit beschäftigte, war – gemäß dieser zugestandenen oder nur nebulos wehenden erkenntnis – die auseinandersetzung mit allem, präziser hier: auch den ele-menten – dem material in jeder form, material an sich und bezie-hungsmomenten entsprechend seiner anwendung und verwend-barkeit. die problematik der zeit dazu setzte notwendigkeiten. sachlich formuliert: was bedeuten neue materialien, wie sind sie entsprechend ihrer fundamental neuen beschaffenheit – neue far-ben, neue papiere – im rahmen der durch synthetische stoffe ent-wickelten möglichkeiten – siehe: plexiglas, preßhölzer – zu unter-suchen, zu prüfen, einzubauen?

daß trotz all dieser momente der mensch im mittelpunkt zu ste-hen habe, war die notwendige reflexion bei der anprallwucht der technik an sich. in dieser atmosphäre – noch dazu nach dem vollständigen zusammenbruch und den pleiten an weltanschauungen – waren diese auseinandersetzungen und rettungsversuche thema nummer eins. der radikalismus einer politischen zielsetzung, wie er dann auch durch das erscheinen der russen 1922 direkt noch drängender wurde, steigerte natürlich die gespannten, hochgetriebenen diskussionen teilweise zur aggressivsten spitze.

dies die situation, die auch dies kind aus der taufe heben sollte und hob: das bauhaus. seine gründung – im grunde auch hier in berlin zu eigentlicher verdichtung drängend (gropius selbst wohnte ja zeitweise hier), wobei die bedeutung des ›sturm‹ als vorbereitendes moment (die großen bauhaus-meister waren ja durch ihn ins blickfeld der zeitwende geweht) keinesfalls vergessen werden darf.

bei dem ernst der situation – ganz im gegensatz zur heutigen, die es groteskerweise so weit gebracht hat, daß sie sogar dem spießer wieder gelegenheit gibt, sich mit ›modern‹ (= modisch) zu staffieren (siehe hemdchen, blüschen ... mit op-müsterchen frisiert) – also: bei dem ernst der situation damals erkannten wir absolut auch die gefahrenmomente schon (die vokabel ›modern‹ wurde uns ja erst später angehängt).

bei der scheinbar selbstverständlichen fragestellung und der notwendigkeit, die tat zu setzen, waren all diese erörterungen gerade mit bezug auf das bauhaus äußerst prekär, konnte es doch nicht ausbleiben, daß etwa atavistische reflexionen schon bei des wortes ›bauhaus‹ mittelalterlicher begriffsformulierung dessen gewicht und grundsätze von vornherein gefährden könnten. natürlich war die tat ein versuch und zu begrüßen.

rein sachlich verlief die angelegenheit für mich persönlich – und es muß mir hier gestattet sein, persönlich zu sprechen – so: der einladung zur eröffnung des ›bauhauses‹ leistete ich von hier aus nicht folge (meine frau fuhr mit dr. adolf behne hin). meine begründung: wenn ich hinführe, könnte ich nicht garantieren, daß es nicht unangenehme erörterungen gäbe. gerade bei den fundamentalen erörterungen dieser und hier speziell das bauhaus betreffender fragen war mir die vermischung mit weltanschaulichen fragen jeder art (siehe: mazdaznan) äußerst abwegig. die dinge, um die es ging, waren zu wichtig, als daß wir sie mit einer weltanschauung belasten dürfen, die von vornherein für uns symptome eines fatalen »leitbildes« hätten ergeben können, nun: die entwicklung hat mir in jeder form recht gegeben. das dogmatische, das dann auch, durch theo van doesburg hineingetragen, im eigentlichen mehr verwirrung brachte, bewies mir seine eigentliche fundamentlosigkeit und bedeutete für mich persönlich von anfang an die distanznotwendigkeit zu der gropiusschen gründung. (die zusage von mies van der rohe für mich, hier an das weiterzuführende in berlin mitzuwirken, möge genügen.)

die bauhauslegende:
ganz abgesehen davon, daß das erste bauhaus von dem maler muche stammt – der grundriß kam in der konzeption vom zweidimensionalen –, waren die dinge, die das etikett im wesen ausmachten, in jeder beziehung in sehr ausgeprägter form von und neben dem bauhaus bereits vorhanden und durchgeführt: dokumentarisch belegbar: buchholz, burchartz, dexel, doesburg, eggeling, lissitzky, peri...ab 1924 berlewi...sowie uns bekannt. und es ist aufschlußreich, daß sein begründer »seinem institut« sehr bald den rücken kehrte, also flüchtig wurde. das ›bauhaus‹: ein raffiniert ausstaffiertes schaufenster für unerfüllte versprechen, das sich um stützungsaktionen bemühen mußte, wohl wissend, daß das schreibtischarchiv leicht ins rutschen kommen würde. und es ist mehr als ein witz, daß man im vestibül ausgerechnet mit den stühlen von mies paradiert, dem mann, der das bauhaus zu einem bauhaus hätte machen können. bekanntlich sind ja die stühle auch ohne den bauhaus-gedanken entstanden. aber die propaganda – und unzählige bücher filtern sie – schlägt sich selbst ins gesicht. übrigens mies van der rohe heute: »das beste, was gropius getan hat, daß er den namen ›bauhaus‹ erfunden hat.« neben der legende steht das klischee, das – aus einer verlegenheit oder zweckerwägung lanciert – sich als bequemes angebot im mechanismus einer scheinökonomie durch die zeiten schleppt.

Lou Scheper

Geboren 1901 als Lou Berkenkamp in Wesel/Niederrhein. 1920, unmittelbar nach dem Abitur, kommt sie als Lehrling an das Bauhaus Weimar in die Wandmalereiwerkstatt von Johannes Itten. Teilnahme an den Kursen von Paul Klee. Gleichzeitig entwickelt sie viele eigene Ideen: Bilder, Bildgeschichten, bebilderte Briefe, Mitarbeit an den Aufträgen der Bauhaus-Werkstatt, u. a. am Haus Sommerfeld in Berlin, dessen farbige Gestaltung eine der ersten selbständigen Aufgaben von Hinnerk Scheper ist. Er verläßt 1922 das Bauhaus. Im gleichen Jahr heiraten Lou und Hinnerk Scheper.

1925, mit der Berufung Schepers als Jungmeister an das Bauhaus Dessau, Übersiedlung nach Dessau. Hier beteiligt sich Lou Scheper an den Aufgaben der Bauhaus-Bühne unter Oskar Schlemmer. Gleichzeitig widmet sie sich der Malerei und stellt in der Gruppe »Junge Maler am Bauhaus« im Rahmen von Wanderausstellungen aus.

Von 1929 bis 1931 gehen Lou und Hinnerk Scheper zeitweise nach Moskau. Vom Bauhaus beurlaubt, wird der Bauhaus-Meister zum Aufbau einer Beratungsstelle für Farbe in der Architektur und im Stadtbild berufen. Lou Scheper arbeitet journalistisch für die deutschsprachige Wochenzeitschrift ›Moskauer Rundschau‹. Anschließend Rückkehr an das Bauhaus Dessau. Nach der Schließung in Dessau und vielen Wirren gehen die Schepers 1933 nach Berlin. Während der Kriegszeit vorwiegend denkmalspflegerische Arbeiten und malerische Tätigkeit »für die Schublade«.

Nach dem Kriegsende Neubeginn, intensive Mitarbeit in der Berufsorganisation Bildender Künstler und Entwicklung des städtischen Ausstellungswesens. 1949 Beteiligung an der Ausstellung ›22 Berliner Bauhäusler‹ sowie an Gruppenausstellungen in Deutschland. Veröffentlichung von Bildgeschichten für Kinder.

Nach dem Tode von Hinnerk Scheper im Jahre 1957 wendet sich Lou Scheper selbst mehr den Problemen Farbe und Architektur zu und beteiligt sich an verschiedenen Bauaufgaben, u. a. im Auftrage von Ludwig Grote in der Gemäldegalerie des Germanischen Nationalmuseums in Nürnberg, am Ägyptischen Museum und an der Technischen Universität in Berlin. 1962/63 ist Lou Scheper im Team von Hans Scharoun für die Farbgestaltung der neuen Berliner Philharmonie verantwortlich. Seit 1967 ist sie beratende Mitarbeiterin für die Farbgestaltung der Schule in der ›Gropius-Stadt‹ und anderer Gropius-Bauten in Berlin.

Im Anschluß an diese gestalterischen Arbeiten wird Lou Scheper publizistisch tätig, speziell in Fragen der Architektur, des Ausstellungswesens und der Denkmalpflege.

Lou Scheper ist am 11. April 1976 in Berlin gestorben.

Rückschau

Aus der Rückschau über das Bauhaus zu berichten, ist so leicht wie schwer. Leicht, weil die »Fülle der Erinnerungen« dem zuströmt, der die Entwicklung dieses Instituts und die Verwicklungen seiner verschiedenen Phasen miterlebt, der an ihm mitgewirkt hat. Schwer, weil jeder Bauhäusler seinen eigenen Ausgangspunkt und damit einen persönlichen Gesichtspunkt der Bewertung – man kann wohl sagen: jeder Bauhäusler sein eigenes Bauhaus hatte!

Jeder sah es von den Voraussetzungen aus, die ihn bewogen hatten, gerade an diese von anderen Akademien grundsätzlich distanzierte Kunsthochschule zu gehen, sei es bevor oder nachdem sie zur ›Hochschule für Gestaltung‹ geworden war. Um aus der Erfahrung des Bauhäuslers der »Gründerzeit« zu sprechen: Er hatte in dem so vieldeutigen Manifest, das ihn rief, eigene Fragen beantwortet gefunden. Er erwartete in Weimar theoretische und praktische Möglichkeiten und Verwirklichung eigener – oft noch unklarer – Vorstellungen und Wünsche. Möglichkeiten, die zu jener Zeit nur an jenem Ort, dem des Bauhauses, gegeben waren. Daher wurde so vielen Bauhäuslern das Bauhaus zum Zuhause!

Um aus dem subjektiven den objektiven Tatbestand rekonstruieren zu können, braucht man das Dokument als Nachweis der Geschehnisse. Aber das Dokument gibt ein echteres Bild, wenn es ein Teil des Miterlebnisses, nicht nur die Basis des Nacherlebnisses ist. Wenn es als konstruktives Element dem aus eigener Anschauung gewonnenen Material Halt und Form verleiht. Die sachlich nachweisbaren Tatsachen bieten die Umrißlinien. Das

Dabeigewesensein fügt Farbe und Hell/Dunkel-Werte hinzu. Die Lokalkenntnis, das Lokalkolorit! Gerade in der ersten, von Impulsen und Improvisationen so sehr bewegten Zeit ist weniger in Wort und Bild festgehalten worden als später, nachdem Systematik und Methode sich entwickelt hatten.

Da im allgemeinen das Wort ›Gemeinschaft‹ gerade auf die erste Bauhaus-Zeit, jene Weltschöpfungstage, angewendet wird: diese Gemeinschaft entsprach weder dem Begriff ›Kommune‹ noch dem Begriff ›Kloster‹, wenn auch einzelne Bauhäusler für sich die asketische Zelle bevorzugten. Die Bauhaus-Gemeinschaft war die Summe ausgeprägter und ungebundener Individualitäten, die sich in der Zusammenfassung reicher entwickeln konnten als in der Isolierung. Man schrieb damals noch nicht generell klein, und man redete groß – in der Nachkriegsstimmung politischer Hoffnungen und künstlerischer Erwartungen, auf der Suche nach dem ›Gesamtkunstwerk‹. Spiel und schöpferische Phantasie, auch ein Hang zum Mystizismus, selbst zu seelischer Gesundbeterei und zum Sektierertum, dazu eine aus der Jugendbewegung bezogene Naturfreude kennzeichnen die Bauhäusler jener Tage, die mehr Künstler als Techniker, mehr Handwerker als Konstrukteure waren. Erst zu einem späteren Zeitpunkt wurde die Forderung nach der »Rückkehr zum Handwerk«, das aufgerufen war, die »Kathedrale des Sozialismus« mitzugestalten, abgelöst durch die zeitbedingte Betonung der »neuen Einheit« von »Kunst und Technik«. War also das Bauhaus vom handwerklich gefertigten Einzelstück ausgegangen, so entwickelte es in der Folge – scheinbar gegensätzlich – die Normen für industriell hergestellte Gebrauchsgegenstände. Beides aus dem gleichen Formgefühl, aus dem Sinn für Funktion und Material und als Konsequenz, die aus den gesellschaftlichen Aufgaben der Zeit zu ziehen war. Der gleiche Weg ging vom Einzelhaus der Bauhaus-Ausstellung 1923 zur Siedlung, von der handwerklich behandelten Wand zur Bauhaus-Tapete, vom Einzelwebstück zum Meterstoff.

Als ABC des Erlernbaren im räumlichen Gestalten galt es, den Raum als Raum, die Fläche als Fläche, die Linie als Linie in ihren elementaren Eigenschaften zu erfassen und zu behandeln. Es ging immer um die Gesetze: die der Farbe, die der Form, die der

Bewegung. Im geistigen Raum war nichts erlernbar, aber vieles erfahrbar – sei es durch Klee, sei es durch Feininger, sei es durch Kandinsky, sei es durch Schlemmer.

Die Lehrsysteme waren so frei wie die Lehrenden. Methoden, Prinzipien und Theorien nahmen nicht den Charakter von Dogmen an – wo sie in Gefahr dazu gerieten, stieß das Bauhaus sie ab und aus. Die schöpferischen Eigenschaften der Persönlichkeit wurden sorgfältig gepflegt, Spiele ernstgenommen. Phantasiearme Bauhäusler waren selten – sie blieben die Ausnahme, die die Regel bestätigte, daß das gleiche Gesetz des Schöpferischen jegliches Tun eines Hauses bestimmte, unter dessen (flachem) Dach Architekten und Künstler vereinigt, Handwerk und Technik verbunden, Konstruktion und gestaltende Elemente aufeinander bezogen waren.

Nach den allgemeinen Feststellungen mögen Hinweise auf die »Farbe in der Architektur« als Problem und Lehrgebiet im Bauhaus folgen: eine Verpflichtung des ›Dabeigewesenseins‹. Die Werkstatt für Wandmalerei in Weimar arbeitete von ihren ersten Anfängen (bis zum Frühjahr 1922) mit Hinnerk Scheper, der aus Handwerk, Akademie und Kunstgewerbeschule kam, in Dessau von 1925 an unter ihm. In die nicht am Bauhaus verbrachte Zwischenzeit fielen grundlegende Arbeiten an verschiedenen Orten und an verschiedenen Objekten, die die Voraussetzungen zur Berufung als Bauhaus-Meister schufen. Sich herausbildendes Prinzip: Farbe in der Architektur als mitgestaltendes Element des Baues, nicht als aufgesetzter Endeffekt.

In den Frühzeiten der Werkstatt mischte sich, wie überall im Hause, auch hier das Spiel in die Sachlichkeit der Aufgabe. So bei der Ausmalung der Kantine (im Mai 1920), deren Wände und Deckenkonstruktionen bis in die letzten, nur mit farbgetränkten hochgeschleuderten Schwämmen erreichbaren Ecken als Tummelplatz bewegter Ornamente in kleinstem Format und heiterster Farbigkeit dienten. Wir malten und spritzten in Gemeinschaftsarbeit – von Peter Röhl entfesselt – mit Lust und schlechtem Gewissen, denn wir waren uns bewußt, daß unser Tun gänzlich unfunkionell sei. Unangemessen einem Raum, in dem man essen und sich entspannen sollte. Und das geschah, während bereits die Kenntnis der psychologischen Wirkung der Farbe sich herumzusprechen begann und im Bauhaus methodisch untersucht wurde!

Itten, der Gesetzgeber, verlangte, unseren expressiven Überschwang ablösend, ein freudloses Graugrün der Kontemplation als Hintergrund für einen fernöstlichen Sinnspruch, der uns beim Essen erziehen sollte. Aber das war der Ausklang seines Einflusses auf die Wandmalerei im Bauhaus. Es war das Ende einer Anschauung, die im Raum mehr als Gehäuse für den Menschen als das architektonische Gebilde sah, ihn nach innen bezog und nach außen abschloß, eine fast klösterliche Konzeption, die sich auch auf die Farbgebung auswirkte.

In der Folge öffnete sich der Raum nach außen. In den Innenräumen setzte sich die Gliederung der Architektur in Flächenaufteilungen von harmonischer Farbigkeit um (Scheper im Sommerfeldhaus 1921/22). Es folgte seine Neugestaltung des Weimarer Landesmuseums und des Schloßmuseums – ein Umbruch in der Behandlung von Ausstellungsräumen. Zum erstenmal erhielten die an Galerien – ›Samt und Seide‹ – gewöhnten Bilder und Plastiken ihnen in Tönung und Material angepaßte Bildhintergründe als neutrale Hängeflächen. Sie kontrastierten mit den farbigen Anstrichen von Kuppeln und Decken, ein Mittel, den Raum höher oder niedriger erscheinen zu lassen, der ja keinem Selbstzweck, sondern den zu repräsentierenden Objekten diente. Er wurde seinen Aufgaben gefügig und gleichzeitig wirkungsvoller gemacht. Eine verstärkte Differenzierung der Wände, vom Material her, hatte begonnen. Sie wurden glänzend geschliffen oder mattiert, aufgerauht oder strukturiert. Durch das Übereinanderlasieren verschiedener Töne entstand die Wirkung diffuser Farbigkeit. In den Galerien Nierendorf in Berlin, Fides in Dresden, am ausgeprägtesten aber im Museum Folkwang in Essen sollte sich später, von Dessau aus, das Prinzip variabler Hängeflächen in Ausstellungsräumen beispielgebend entwickeln.

In das Jahr 1924 fielen die grundlegenden Arbeiten an den Universitätskliniken in Münster. Die Lösung der Aufgabe: Farbgestaltung der Gebäudekomplexe dieser besonderen Funktion war von besonderer Bedeutung. Man war im allgemeinen ›aseptischen Kasernen‹ gleichende Krankenhäuser gewöhnt. Hier nun: Beruhigung und Aufheiterung durch entsprechende Tönung der Wände und der Decken, die ja für den Liegenden eine so wichtige Fläche im Raum sind. Dabei wurden Licht- und Schattenseite berücksichtigt. Die Decken in den Korridoren der einzelnen Stationen wurden durch stärkere Farben gekennzeichnet. Signa in den gleichen Tönen führten zu ihnen hin – Orientierung im Gebäudekomplex ohne Beschriftung. Dieses Prinzip wurde auch im Neubau des Bauhauses in Dessau angewendet, an das Scheper 1925 berufen worden war. Nun konnte das Erarbeitete und Erprobte Gegenstand von Lehre und Unterricht werden, von theoretischer und praktischer Unterweisung, von Übung und Experiment. In den jungen Bauhaus-Meistern hatte das Bauhaus sich selbst bewiesen – sie beherrschten Handwerk und Form. Ihre Versuche und Anregungen schufen Modellfälle für Produktion und Industrie. Man denke an die Stahlmöbel, die Stoffe, die Werbung, die Tapete!

Für Scheper hatte sich inzwischen die Wendung zum Konstruktiven, Zweckgebundenen, Funktionellen in der Raumgestaltung endgültig vollzogen. Die Farbe hatte ihre Aufgabe zur Selbstdarstellung der Architektur zugewiesen bekommen, sie hatte gleichzeitig dem Zweck des Raumes zu dienen. Die Unterscheidung zwischen tragenden und füllenden Elementen bot die Möglichkeit zu starken Spannungen in den Hell/Dunkel-Kontrasten und den Materialgegensätzen.

Der Auftrag, 1928/29 als »Spezialist« an der Farbe im Stadtbild Moskaus mitzuarbeiten, ermöglicht durch Beurlaubung, eröffnete ein riesiges Versuchsfeld und vermittelte Erfahrungen, die Bauhaus und Bauhäuslern zugute kamen.

Nicht unerwähnt darf bleiben, daß die Ausführung großer Aufträge den Mitgliedern der Werkstatt für Wandmalerei neben der Begegnung mit der Praxis Existenzmöglichkeiten bot. Sie arbeitete wirschaftlich rentabel, eine Ausnahme für einen Lehrbetrieb, die aber nicht auf Kosten der Lehre ging.

Hellklare und dunkelklare Töne, reines Weiß und reines Schwarz, variierte Graustufen ohne Verschmutzung – das war die Farbwelt, in die das schlimme Braun, das brandige Rot des Dritten Reichs einbrachen. Was vor 1934 lag, wurde verschüttet und muß mühsam wieder zutage gefördert, zum Bewußtsein gebracht werden. Wer sich erinnern kann, weiß, wieviel Grundsätzliches erarbeitet worden war (und jetzt seine Verwendung findet), ohne daß man, nach der gewaltsamen Unterbrechung über Jahre, noch wüßte, von wem. Es gibt in der Architektur und der Kunst unserer Zeit wenig, was nicht im Bauhaus vorempfunden, vorformuliert, vorgeahnt worden ist, wenn es auch selten zu Ende gebracht, nicht einmal immer zu Ende gedacht scheint. Ein Fragment, ohne Zweifel, dieses unser nun schon legendäres Bauhaus, verklärt durch den Reiz des Unvollendeten. Aber noch heute bewegender als manches, was zu Ende geführt wurde und erstarrt ist. Wir haben uns oft widersprochen, aber wir haben doch nebenbei Wahrheiten angerührt und zwischen den Zeilen Erkenntnisse formuliert – und jeder von uns hat das Seine zu einer Sache gegeben, die über ihn selbst hinausging.

Heinrich König

Geboren 1889 in Leipzig. Studiert Staatswissenschaften und Chemie in Göttingen, Dresden und Kiel. Nach einer längeren Studienreise 1913/14 durch Südostasien unterbricht er sein Studium während des Krieges, um die Leitung der väterlichen Fabrik zu übernehmen. Von 1917 bis 1918 ist er in der Außenstelle des Auswärtigen Amtes in Brüssel tätig. 1920 promoviert er zum Doktor der Staatswissenschaften. Von 1920 bis 1923 ist er geschäftsführender Gesellschafter der Chemischen Fabrik Dessau GmbH.

Schon seit 1919 macht sich Heinrich König durch viele Reisen nach Weimar mit den Ideen des Bauhauses vertraut und heiratet 1921 die ebenfalls mit dem Bauhaus bekannte Maria Elisabeth Schniewind. Zusammen mit dem anhaltischen Landeskonservator Ludwig Grote setzt sich König in Dessau für die Übernahme des Bauhauses durch die Stadtverwaltung unter der Leitung von Bürgermeister Fritz Hesse ein. 1927 übernimmt er in Dresden die Generalvertretung der Bauhaus GmbH, später auch die Vertretung der von Otto Bartning geleiteten Staatlichen Bauhochschule Weimar.

Nach 1933 zieht er sich von gestalterischen Aufgaben zurück und beschränkt sich auf die Vertretung von bautechnischen Spezialerzeugnissen. Schon im August 1945 gründet er in Dresden zusammen mit Will Grohmann und Stephan Hirzel den Deutschen Werkbund wieder. Bis zur Zwangsauflösung durch russischen Widerspruch ist er auch dessen Geschäftsführer. 1947 beruft ihn Otto Bartning nach Heidelberg zur Leitung einer neuen Abteilung »Wohnbedarf« des Evangelischen Hilfswerks, die in Zusammenarbeit mit modern orientierten Architekten zweckmäßiges Hausgerät für Flüchtlinge und Siedler entwickeln soll. Nach der Währungsreform kommt diese Arbeit zum Erliegen. Von 1947 bis 1964 ist König ehrenamtlicher Geschäftsführer des Deutschen Werkbundes, Landesgruppe Baden-Württemberg. 1949 organisiert er in Köln die erste Werkbund-Ausstellung nach dem Kriege mit dem Titel ›Neues Wohnen‹. Auf Grund seiner Bekanntschaft mit dem britischen Council of Industrial Design ist König am Zustandekommen des Bundestagsbeschlusses beteiligt, der 1953 zur Begründung des Rates für Formgebung führt und zu dessen Mitgliedern er von der ersten Stunde an gehört. Über die Probleme ›Neues Wohnen und moderne Industrieform‹ hat König in den führenden Tageszeitungen und Fachzeitschriften publiziert. Heinrich König ist am 1. Oktober 1966 in Mannheim gestorben.

Das Bauhaus gestern und heute

Die ›Idee‹ des Bauhauses in ihrer lebendigen Beziehung zwischen gestern und heute und ihrer Bedeutung für morgen zu zeigen, entspricht durchaus dem Verlangen von Walter Gropius, der immer wieder gefordert hat, dem reichlich sprießenden Mythos Fakten gegenüberzustellen.

Dabei werden nicht nur die niemals abreißende Kette der gehässigen Angriffe gegen das Bauhaus von außen und ihre sachliche Abwehr sichtbar werden, sondern auch, daß es im Inneren – sowohl im Lehrkörper wie unter den Studierenden – oft große Meinungsverschiedenheiten gab. Wir alle, die wir damals als Freunde dem Bauhaus verbunden waren, haben diese Vielgestaltigkeit nicht als Mangel, sondern als Bereicherung angesehen.

Daß diese inneren Divergenzen die Wirkungskraft des Bauhauses auf lange Sicht nicht beeinträchtigt haben, wird auch durch die Lebenserinnerungen des damaligen Oberbürgermeisters von Dessau, Fritz Hesse, bewiesen, der bei aller sonstigen Genauigkeit der Berichterstattung diese Zwiespälte nicht zu erwähnen für notwendig hält. Um so lesenswerter sind aber seine sehr lebendige Schilderung der Verdienste von Hannes Meyer während dessen Direktorat 1928 bis 1930 und die sachliche Darstellung der Umstände, die zu dessen Ausscheiden führen mußten.

Von einem wichtigen Ereignis in der Geschichte des Bauhauses konnte Oberbürgermeister Hesse nicht berichten, weil es vor der Dessauer Bauhaus-Zeit in Weimar spielte, nämlich von der ersten Bauhaus- Ausstellung 1923 und der damit verbundenen Bauhaus-Woche. Wie diese Ausstellung durch die thüringische Staatsregierung erzwungen wurde und wie sich die Bauhaus-Meister gegen ihre Veranstaltung gesträubt hatten, geben die Dokumente in Hans Maria Winglers Buch ›Das Bauhaus Weimar – Dessau – Berlin 1919 bis 1933‹ wieder (Feininger und besonders Marcks S. 68 bis 69). Aber nachdem die Entscheidung gefallen war, gab jeder sein Bestes, um in der Ausstellung und in den Veranstaltungen der Bauhaus-Woche die Strahlkraft des Bauhauses deutlich werden zu lassen.

Man stelle sich zum Vergleich vor, die 1953 gegründete Ulmer Hochschule für Gestaltung hätte nach vier Jahren – 1957 – in einer Ausstellung Rechenschaft über ihr Tun ablegen sollen –, dabei war der Begriff »Gute Industrieform« schon in weite Kreise der Bevölkerung gedrungen; zum Glück hat man damit bis zum Jahre 1963 warten dürfen. Das Bauhaus aber sollte das Kunststück nach vier Jahren fertigbringen, und das 40 Jahre vor unserer Zeit. Wie sahen unsere Wohnungen damals aus und wie die Gegenstände des täglichen Gebrauchs?

Allen großen internationalen Reisebüros der fünf Erdteile hatte man Plakate und Prospekte der Ausstellung und der Bauhaus-Woche geschickt. Aber von dem reichen internationalen Reisepublikum erschien kaum jemand. Sicherlich hat mancher von den ausländischen Studenten Freunde oder Verwandte nach Weimar gelockt. Die internationale Architekturausstellung – die erste ganz auf das ›Neue Bauen‹ beschränkte – hatte die Architekten aus vielen Ländern herbeigerufen. Aber die große Menge der Erschienenen hatte sich – es war ja fast der Höhepunkt der Inflation – die Reise mühsam abgespart, Menschen, die nun selbst sehen und erleben wollten, was denn hier Neues geschah.

Kein Zweifel, daß viele von ihnen schockiert waren, denn neben der internationalen Architekturausstellung im Hauptgebäude und der Ausstellung der Bildenden Künste im Landesmuseum waren ja die Werkstattausstellungen die hauptsächlichen Anziehungspunkte. Am ehesten konnte man sich mit den Dekorations- und Möbelstoffen, den Teppichen und Wandbehängen aus der Bauhaus-Weberei mit ihren leuchtenden Farben und strengen, abstrakten Zeichnungen anfreunden, auch mit dem, was aus der Keramikwerkstatt auf der Dornburg zu sehen war. Aber schon hier und noch viel stärker bei dem, was aus der Tischlerei, der Metallwerkstatt und Bildhauerwerkstatt kam, hatte mancher Schwierigkeiten des Verstehens. Daß hier vor allem das Experiment, der Versuch, neues Land mit neuen Formen und Farben zu erobern, gemeint war und noch nicht das fertige Modell, das in großer Serie von der Industrie produziert werden könnte, mußten sich viele erst mühsam klarmachen. Viele erwarteten auch einfach eine ›Kunstgewerbeausstellung‹ und hatten nun Mühe, die Stücke – vor allem aus der Metallwerkstatt, zum Beispiel Schmuck von Naum Slutzky oder Besteckteile u. a. von Marianne Brandt, Christian Dell, K. J. Jucker, Otto Rittweger, Wolfgang Tümpel, Wilhelm Wagenfeld – herauszufinden, die dem entsprachen, was sie sich erhofften. Was gerade den hohen Reiz der Ausstellung bildete, nämlich die Vielfalt der Begabungen und damit der Ausdrucksformen zu zeigen, erreichte seinen Höhepunkt – und wurde zugleich zum stärksten Stein des Anstoßes – in der Darstellung des bis 1923 von Johannes Itten geleiteten Vorkurses. Hier aber *konnte* es ja keine »fertigen« Arbeiten geben. Auch die Ergebnisse des minutiösen Naturstudiums wurden ja nicht um ihrer selbst willen gezeigt, sondern als Teil der Ausbildung, zu der freie kompositorische Übungen mit den allerverschiedensten Materialien ebenfalls gehörten. Was von damals noch erhalten geblieben ist, zählt heute zu den sorgsam gehüteten »Inkunabeln« des Vorkurses. Auf den böswilligen Gegner des Bauhauses, aber auch auf manchen ahnungslosen gutwilligen Ausstellungsbesucher wirkten viele Studienarbeiten wie Ausgeburten krankhafter Hirne oder wie eine bewußte Verhöhnung des sogenannten gesunden Menschenverstandes. Niemand von uns, wohl auch nicht Gropius und Itten und ebensowenig Moholy-Nagy und Albers, die anschließend den Vorkurs am Bauhaus geleitet haben, konnte damals ahnen, daß es eben dieser Vorkurs war, der dann die Kunstgewerbeschulen des Erdballs erobern würde.

Noch ist als letzter Teil der Weimarer Ausstellung des Jahres 1923 das Versuchshaus ›am Horn‹ zu erwähnen, entworfen von dem Maler Georg Muche, erbaut unter der Leitung von Adolf Meyer und eingerichtet in Zusammenarbeit aller Bauhaus-Werkstätten: »Kalt und nüchtern und abstoßend häßlich«, nannten es die Gegner; aber alle, die einen Aufbruch zu neuen Lebensformen und damit auch Wohnformen herbeiwünschten, waren begeistert. Hier waren auch die Dinge zu sehen, die nicht lange nach 1923 in Serienproduktion gehen sollten, einige Sitzmöbel, der Kinderspielschrank von Alma Buscher, die Glastischlampe von Jucker und Wagenfeld, die ersten Kugelhängeleuchten und Geschirre von Theodor Bogler. Wenn wir heute die Kücheneinrichtung dieses Versuchshauses – entworfen 1922 von Marcel Breuer – sehen (sie ist nie in Serie produziert worden), mutet sie uns sehr selbstverständlich an. Aber wer weiß noch, daß es die erste Küche in Deutschland war mit getrennten Unterschränken und an der Wand befestigten Hängeschränken, dazwischen aber einer durchlaufenden Arbeitsfläche mit dem Hauptarbeitsplatz vor dem Fenster (in der Küchenmitte gab es keinen Tisch)? 25 Jahre später kam diese Anordnung der Küche als »Schwedenküche« zu uns zurück und ist nun Allgemeingut der Küchenmöbelfabrikanten geworden.

Weshalb werden diese Erinnerungen an eine Zeit vor 40 Jahren hier aufgefrischt? Aus dem Wunsch heraus, daß mehr gutgesinnte Helfer als verständnislose Gegner zur Stelle sein möchten, wenn bei uns ein einzelner oder ein Kreis schöpferischer Menschen mit einer neuen ›Idee‹ auftaucht wie damals Walter Gropius mit seiner ›Idee Bauhaus‹. Es ist da nicht nur an die Hochschule für Gestaltung in Ulm zu denken, sondern auch daran zu erinnern, daß – wie bei der Fünfzigjahrfeier des Schweizerischen Werkbundes Zürich deutlich gesagt wurde – »unsere Generation die erste ist, die sich mit den Erfahrungen einer industrialisierten Welt auseinandersetzen muß«. Die heutige Aufgabe heißt nicht mehr einfach: materialgerecht, werkgerecht, schön und preiswert produzieren. Wir sind mit ihr nicht fertiggeworden. Aber es bedrängen uns ungleich größere Aufgaben. Immer sind schöpferische Menschen unbequem gewesen. Aber nicht immer wird sich eine Idee gegen alle Widerstände durchsetzen lassen, wie wir es von der Idee Bauhaus sagen können.

Videant consules ...!

Helene Schmidt-Nonne

Als Helene Nonne 1891 in Magdeburg geboren. Studiert von 1908 bis 1912 an der Kunstgewerbeschule in Magdeburg, von 1913 bis 1916 an der Königlichen Kunstschule in Berlin. Nach dem Examen als Zeichenlehrerin ist sie von 1916 bis 1918 in der sozialen Kinderfürsorge tätig. Anschließend setzt sie ihr Studium fort und macht 1919 ihr Diplom als Werklehrerin. Von 1919 bis 1924 arbeitet Helene Nonne als Werk- und Zeichenlehrerin am Victoria-Lyceum und an der Frauenschule in Magdeburg.

Auf der Durchreise sieht sie im Sommer 1923 zweimal die Bauhaus-Ausstellung in Weimar und entschließt sich 1924, am Bauhaus weiterzustudieren. Dank ihrer Vorbildung wird ihr der Vorkurs erlassen, und sie kann direkt in der Weberei mitarbeiten. Im Herbst 1925 heiratet sie den Bauhäusler Joost Schmidt. Gleichzeitig Umzug mit dem Bauhaus nach Dessau. Joost Schmidt wird Jungmeister am Bauhaus, Helene Schmidt-Nonne studiert weiter in der Weberei und beschäftigt sich als Schülerin von Paul Klee bis zum Bauhaus-Diplom 1930 mit kunsttheoretischen Fragen. Mit dem Ende des Bauhauses in Dessau gehen Joost und Helene Schmidt nach einem Aufenthalt in Weimar und am Bodensee nach Berlin. 1933 wird Schmidt von Walter Gropius mit Gestaltungsaufgaben für die Ausstellung ›Nicht-Eisenmetalle‹ in Berlin beauftragt.

Später gelegentlicher Unterricht an der von Hugo Häring geleiteten Schule ›Kunst und Werk‹ (früher Reimann-Schule). Nach Denunziation Arbeitsverbot.

Helene Schmidt-Nonne macht in den Kriegsjahren kunstgewerbliche Gelegenheitsarbeiten, bis ihr Mann 1945 von Max Taut als Professor an die Hochschule für Bildende Künste in Berlin berufen wird, wo er die Grundlehre für Architekten leitet. Gleichzeitig ist er Art Director für das US-Ausstellungszentrum in Berlin. Zusammen mit den anderen Berliner Bauhäuslern versucht Joost Schmidt als Herausgeber ein Buch über das Bauhaus vorzubereiten. Durch die Zweiteilung Berlins zerschlägt sich dieses Projekt. Nur die Ausstellung ›22 Berliner Bauhäusler‹ wird 1949 realisiert, an der aber die in Ostberlin lebenden ehemaligen Bauhaus-Mitglieder nicht beteiligt sind. Joost Schmidt geht 1948 mit dem US-Ausstellungszentrum nach Nürnberg und stirbt dort am 2. Dezember 1948.

Helene Schmidt-Nonne arbeitet 1949 für kurze Zeit in der Redaktion der amerikanischen Illustrierten ›Heute‹ in München und läßt sich 1950 in Wangen am Bodensee nieder. Von hier beruft Max Bill sie 1953 an die Hochschule für Gestaltung in Ulm, wo Helene Schmidt-Nonne bis 1957 als Gastdozentin über ›Farbenlehre‹ liest. 1961 läßt sie sich in Darmstadt nieder, um, auf eigenes Material und das Bauhaus-Archiv gestützt, eine Publikation über das Werk von Joost Schmidt vorzubereiten.

Der australische Kunsthistoriker Basil Gilbert hat während seines Studienaufenthaltes am Bauhaus-Archiv in Darmstadt 1966 mit Frau Schmidt-Nonne das hier abgedruckte Interview durchgeführt, um die Persönlichkeit und den Beitrag von Joost Schmidt am Bauhaus darzustellen. Eine Ausstellung über das Werk von Joost Schmidt und dessen pädagogisches Konzept wird vom Bauhaus-Archiv – Museum für Gestaltung in Berlin vorbereitet.

Helene Schmidt-Nonne ist am 7. April 1976 in Darmstadt gestorben.

Interview

Gilbert: An der Universität von Melbourne, also weit entfernt von der Stätte des Bauhauses, hörte ich zum erstenmal darüber, als Ludwig Hirschfeld-Mack von seinen Erfahrungen in Weimar erzählte. Unter seinen farbigen Dias war ein ganz unvergeßliches rot-schwarzes Bauhaus-Plakat. »Das ist ein Entwurf meines Freundes ›Schmidtchen‹«, sagte er dazu. Ich stellte mir augenblicklich einen kleinen freundlichen Mann dabei vor. Trifft diese Beschreibung auf ihn zu?

Schmidt-Nonne: Nicht ganz; Joost Schmidt war ein freundlicher Mensch, aber nicht klein von Gestalt; er war etwa 1,85 m groß. Da er an der Weimarer Akademie in seiner Klasse der jüngste war, bekam er von seinen Freunden den Diminutiv-Namen ›Schmidtchen‹, der ihm sein weiteres Leben lang geblieben ist, und noch heute nennt man ihn so.

G.: Was veranlaßte ihn, zum Bauhaus überzugehen?

Schm.-N.: Schon lange hatte er den Wunsch, eine Kathedralenreise durch Nordfrankreich zu machen und nach seiner Ernennung zum Meisterschüler eine Zeitlang in Paris zu studieren. Er kam dann bis fast nach Paris, auch zu Fuß – aber nicht als Wanderer mit Rucksack, sondern mit Tornister, Helm und Gewehr. Es war 1914; der Krieg hatte alle Zukunftspläne zunichte gemacht.

Später, als Kriegsgefangener in einem amerikanischen Lager in Frankreich, erhielt er Briefe von Weimarer Freunden, die von den erregenden Ereignissen um das neugegründete Bauhaus berichteten. Er entschied sich, nach seinem Austausch als Schwerverwundeter und seiner Entlassung vom Heimatheer, sofort nach Weimar zu fahren und sich von den Veränderungen zu überzeugen.

G.: Welches waren nun diese erregenden Ereignisse?

Schm.-N.: Zunächst war das Eindrucksvollste das »Bauhaus-Manifest«, das Walter Gropius im April 1919 veröffentlichte. Der Umschlag war ein Holzschnitt von Lyonel Feininger mit dem symbolischen Bild einer Kathedrale, von deren Turmspitzen drei Sterne riesige Strahlen aussandten, und auf der Innenseite stand Gropius' »Aufruf an die jungen Künstler, sich zu vereinigen, um das neue Gebäude der Zukunft zu errichten... das kristalline Symbol eines neuen Glaubens«. Dieser eindringliche Aufruf machte großen Eindruck auf die idealistisch gesonnene Jugend; die jungen Menschen kamen von überall her zu dieser neuen Schule. Sie wünschten neue freiheitliche Unterrichtsmethoden, ein Handwerk zu erlernen und innerhalb einer Gemeinschaft zu leben und zu arbeiten. Diese Gemeinschaft bedeutete nicht nur Arbeit, nein auch gelegentliche Feste, und vor allem der Tanz am Wochenende zur Musik der Bauhaus-Kapelle steigerte noch die Hoffnung und Begeisterung nach den Schrecken des eben beendeten Krieges.

G.: Wie kam es, daß Joost Schmidt sich entschloß, in der Bildhauerei zu arbeiten?

Schm.-N.: Er mag sich der Holzschnitzereien an den mittelalterlichen Häusern seiner Heimatstadt Hameln erinnert haben, deren Inschriften er auf dem Heimweg von der Schule zu entziffern und zu begreifen suchte; vielleicht war es noch mehr das Erlebnis der gotischen Skulpturen an den Fassaden der Kathedralen in Frankreich – besonders die Figuren an den Portalen und der Fassade von Reims, die er vom Schützengraben aus im Scherenfernrohr studieren konnte. Und natürlich hatte er keine Lust mehr an dem Lehrbetrieb der steril gewordenen Akademie.

G.: Wer war sein Lehrer an der Akademie?

Schm.-N.: Joost Schmidt war Schüler in der Malklasse von Max Thedy gewesen, als unter Gropius die Akademie mit der früheren Kunstgewerbeschule van de Veldes vereinigt wurde. Aber die neuen Lehrmethoden und die moderne Auffassung von Malerei sagten ihm nicht zu, und er kehrte zusammen mit anderen Professoren zur alten Akademie zurück, die im gleichen Gebäude als rivalisierendes Institut im alten ›Stil‹ wiedererstand – mit Landschaftsmalerei, Perspektiven, Anatomie usw. – im Gegensatz zum Bauhaus mit seinen Lehrmethoden.

G.: Eine von Schmidts ersten bedeutenderen Arbeiten als Studierender am Bauhaus war seine Arbeit am ›Sommerfeldhaus‹ in Berlin. Können Sie mir etwas darüber erzählen?

Schm.-N.: Adolf Sommerfeld war ein Holzindustrieller in Berlin, ein alter Bekannter von Gropius; er hatte ein abgewracktes Kriegsschiff aufgekauft, dessen Offiziersmesse vollständig mit Teakholz ausgekleidet war. Baumaterialien waren noch rar in der Nachkriegszeit; so war es ein Glücksfall, genügend Material zu haben für das Blockhaus, das er sich von Walter Gropius bauen ließ. Ein Glücksfall auch für die Bauhäusler, für die Bauhaus-Werkstätten,

denn sie bekamen Arbeit, und es gab Verdienst in der schrecklichen Armut der Inflationszeit von 1920 bis 1921. Joost Schmidt,
damals Lehrling in der Holzbildhauerei, wurde beauftragt, die von
Sommerfeld – der selber das Zimmereihandwerk erlernt hatte –
gewünschten Schnitzereien an Türen, Treppenaufgängen und an
der Galerie des Oberstockes zu entwerfen und auszuführen.

G.: Waren diese Entwürfe gegenstandslos-expressionistisch?

Schm.-N.: Das kann man nicht sagen; das hing von Wünschen
Sommerfelds ab, der dezidierte Vorstellungen hatte und zum Beispiel seine verschiedenen Sägewerke (mit Städtenamen wie
Schneidemühl, Kohlberg, Danzig usw.) abgebildet, respektive
charakterisiert haben wollte. Außerdem ist Teakholz mit seiner
Eisenhärte und der langaufreißenden Faser denkbar ungeeignet
für Schnitzereien. Daher das häufige Vorkommen von Dreiecks-
formen, weil sie technisch noch das kleinste Risiko boten, mit drei
Keilschnitten leicht zu bewältigen. Die Wandverkleidungen mit
ihren Zick-Zackformen waren so einmal an den Wänden der Offiziersmesse gewesen, ebenso das Parkett. Alles mußte überarbeitet werden in der Tischlerei in Weimar und in Sommerfelds Säge-
werk; und alles fluchte dabei, weil dauernd die Messer geschliffen
werden mußten. Und Gropius wurde die ganze Geschichte als
»Rückfall in einen Expressionismus« angelastet und bewegt
heute noch jeden Kunsthistoriker mit Entrüstung über diesen
unverzeihlichen Sündenfall. Sommerfeld wünschte in den Reliefs
an Treppenaufgängen und der Brüstung am Galerieumlauf auch
noch die Unterschiede der einzelnen Sägewerke verdeutlicht zu
haben, und so kann man Danzig mit Schiff, Ladekran und Anker
als Sinnbild und Schneidemühl zum Beispiel als Wassermühle mit
Rad und Wasserfall bemerken.

G.: Ist dieser Realismus nicht typisch für Schmidt zu dieser Zeit?

Schm.-N.: Nein, durchaus nicht. Er sagte oft, er möchte an das
Sommerfeld-Haus nicht erinnert werden – obgleich die abstrakten
Elemente anzeigen, in welche Richtung es ihn zog – zur Darstellung räumlicher Beziehungen von einfachen plastischen Formen.
Er war von jeher interessiert an Mathematik und Geometrie, und
dieses Interesse bestimmt sicher auch die strenge Logik seiner
späteren typographischen Arbeiten.

G.: Wie kam Schmidt zur Typographie, obwohl er eigentlich der Bildhauerwerkstatt angehörte?

Schm.-N.: Es begann mit dem Sonnabend-Tanz im ›Illmschlößchen‹ in Oberweimar, zu dem allwöchentlich am schwarzen Brett auf schönen und witzigen, bunten Plakaten eingeladen wurde. Sie waren gezeichnet, gemalt – manche waren Collagen – eine Drukkerei des Bauhauses gab es damals noch nicht. (Die Lithographenpresse, die Kupferdruck- und Holzschnittpressen waren ein Erbe von van de Veldes Schule.) Das erste Plakat von Joost Schmidt ist auf Stein gezeichnet und schwarz und rot in einer Lithographenanstalt außerhalb des Bauhauses gedruckt, es ist ein Plakat für die Bauhaus-Ausstellung 1923, hervorgegangen aus einem Wettbewerb.

G.: Die Schrift auf diesem Plakat scheint handgezeichnet zu sein. Hatte er das am Bauhaus gelernt, diese Art von Beschriftung?

Schm.-N.: Nein, damals waren die meisten der Studierenden am Bauhaus entsetzlich arm. Es drückte sich auch in der Kleidung aus, die zum Beispiel aus Kriegsbeute von russischen Soldatenlitewken billig erworben waren und umgefärbt getragen wurden, dunkelblau, grün oder braun usw. Schmidtchen hatte ein dunkelrotes, und es war lange Zeit sein einziger Rock.

So erledigt sich die Legende von der »malerischen Bauhaus-Tracht«, es war ganz einfach Armut, sonst nichts. Aber zurück zu Ihrer Frage. Geld mußte außerhalb des Bauhauses dazuverdient werden. Schmidtchen verdiente es sich beim Buchbinder Dorfner, der eine Buchbinderei am Bauhaus als sein eigenes Geschäft betrieb mit Schriftgestaltung auf Pergament für Dokumente mit vergoldeten, farbig gestalteten Initialen usw. Das Schriftzeichnen hatte er autodidaktisch betrieben, die Landesbibliothek hatte schöne handgeschriebene alte Bücher, die er kopierte und derer verschiedene Schriftcharaktere er dann anwandte.

G.: Und welches war derzeit seine Arbeit in der Bildhauerei?

Schm.-N.: Das Jahr 1923 war eine Zeit besonderer Geschäftigkeit für alle Werkstätten des Bauhauses. Das Versuchshaus ›am Horn‹ sollte gebaut und eingerichtet werden, das Bauhaus-Gebäude selber für die Ausstellung und die ›Bauhaus-Woche‹

vorbereitet werden. Im Gegensatz zu den Beschränkungen bei den Arbeiten am Sommerfeldhaus war Joost Schmidt dieses Mal freie Hand gegeben bei der Ausgestaltung der Vestibülwände im Bauhaus-Gebäude.

G.: Und auf welche Weise wurde das realisiert?

Schm.-N.: Das läßt sich am besten mit seinen eigenen Worten beschreiben, die in einem (unveröffentlichten) Manuskript aus dem Jahre 1947 enthalten sind, in dem er diese Geschehnisse wieder aufleben ließ. Da schreibt er: »... Diese Arbeit war das Ergebnis meiner Versuche mit den primären plastischen Formen; positive und negative Formelemente versuchte ich kompositionell in die gegebene Architektur einzugliedern. – Mir waren in den Vorstudien die expressiven Möglichkeiten klarer als zuvor geworden; die geometrischen Figuren waren keine ausdruckslosen neutralen Gebilde mehr, ihre Schönheit hatte sich mir erschlossen.«

G.: Es ist zu bedauern, daß diese abstrakten Reliefs im Vestibül nach der Ausstellung entfernt wurden, denn man kann sich plastische Formen in fotografischen Reproduktionen nicht klar genug vorstellen. Ich hatte aber das Glück, ein Originalwerk von Joost Schmidt in einer schönen Ausstellung ›Les années 25‹ im Musée des Arts Décoratifs in Paris zu sehen. Diese Arbeit ist ein sehr schönes halbabstraktes Relief einer jungen weiblichen Figur, deren Konturen mir so ausdrucksvoll erschienen, daß sie mich an eine »Melodie von Glück« erinnern, um einen Ausdruck von Sir Kenneth Clark zu zitieren. War diese Rückkehr zu einem gewissen Naturalismus eine neue Seite im Schaffen von Joost Schmidt?

Schm.-N.: Ja, so war es, ab 1929 hatte er auch den obligatorischen Unterricht im Aktzeichnen zu übernehmen; und so – nach einer Pause von 15 Jahren, seit den Tagen der Weimarer Akademie – beschäftigte er sich auch mit Studien am lebenden Modell.

G.: Denken Sie, daß dieses Relief, das jetzt das Bauhaus-Archiv erworben hat, eine außerordentliche gute Kombination von zwei verschiedenen Neigungen in Joost Schmidts Arbeit gewesen ist, abstrakt-geometrischer Elemente mit expressiven Eigenschaften der menschlichen Körperformen?

Schm.-N.: Ob es außerordentlich ist – das zu sagen, ist nicht meine Sache, aber diese Arbeit zeigt seine Neigung, negatives und positives Volumen anzuwenden und mit quasi naturalistischen Gebilden zu kombinieren. Er hatte ursprünglich diese Arbeit in Holz ausführen wollen; nicht aus einem vollen Block, sondern aus einem, der sich aus verschieden strukturierten Schichten zusammensetzte. Das hätte natürlich andere Möglichkeiten ergeben. Der Holzblock verbrannte 1943; das jetzt noch erhaltene Relief ist nur eine Vorstudie.

G.: Um von mehr persönlichen Dingen zu sprechen: wie empfanden Sie den Wechsel von Weimar nach Dessau?

Schm.-N.: Ich muß sagen, daß es uns nicht leicht gefallen ist. Das Weimar jener Zeit hatte für uns eine wunderbare belebende Atmosphäre. Nicht nur im Sinne seiner Tradition, schon die Spaziergänge durch den schönen Park in nächster Nähe des Bauhauses, die Wanderungen durch die Wälder der Umgebung. Die kleine Stadt gab den engeren Zusammenhang untereinander; die lebhaften Diskussionen in der ›indischen Teestube‹ und das Vergnügen, den großen »Meistern« von Zeit zu Zeit zu begegnen. – Dessau war etwas ganz anderes, eine größere Stadt mit bedeutender Industrie.

Wir hatten leider keine Wohnung finden können, ich hatte eine schrecklich möblierte ›Bude‹ mieten müssen, Joost Schmidt hauste ›illegal‹ in seinem provisorischen »Atelier« im Gebäude des Kunstvereins, wo mehrere Räume als Ateliers für die »Meister« dienten und die Bühnenwerkstatt untergebracht war. Die anderen Werkstätten waren provisorisch in einem leeren Fabrikgebäude, und nur Gropius mit der Verwaltung des Bauhauses und einige Unterrichtsräume fanden Platz in der alten Kunstgewerbeschule. Obwohl wir alle ziemlich zerstreut voneinander hausten, war das ›gesellschaftliche‹ Leben nicht langweilig. Es hatte sein Zentrum in der Kunsthalle, wo wir uns trafen. In besonders lebhafter Erinnerung bleibt eine Geburtstagsfeier für Gropius am 18. Mai 1926 . . .

G.: Und wann erfolgte der Umzug in den Neubau?

Schm.-N.: Die offizielle Einweihung war am 4. Dezember 1926. – Verglichen mit Weimar war alles von erstaunlicher Perfektion; die Kleidung einiger »Jungmeister« hatte sich in modische Eleganz verwandelt, die »alten Meister« wurden zu Professoren ernannt, was sie aber nicht im mindesten veränderte. Später, als wir dann in eines der »Meisterhäuser« einzogen, waren Feininger, Kandinsky und Klee gute Nachbarn.

Schmidtchen arbeitete fleißig an seinen Unterrichtsvorbereitungen für den Vorkurs und die »Reklame-Abteilung«, es war gar keine Zeit mehr, sich noch an Weimar zu erinnern.

Wenn ich zurückdenke an alle die Wechselfälle, die das Leben ausmachen seit den Ereignissen von 1933: das Meisterhaus in der Burgkühner Allee 4 in Dessau ist mein letztes wirkliches ›Zuhaus‹ gewesen.

Carl Marx

Geboren 1911 in Göttnitz im Kreis Bitterfeld. Kommt während der Lehre als Dekorationsmaler ab 1929 in Kontakt mit der Arbeiterjugendbewegung, in deren Agitprop-Gruppe er aktiv ist und Agitationsplakate malt. Um noch wirksamere Plakate zu entwerfen, entschließt er sich 1931, an das Bauhaus in Dessau zu gehen, wo er seit seiner Jugend lebt. Das Studium ermöglicht ihm ein Stipendium, das ihm gleichgesinnte Bauhäusler vermitteln, die seine Plakate für die SPD gesehen und sein Talent erkannt haben.

Marx absolviert den Vorkurs bei Josef Albers und arbeitet dann in der Reklame-Werkstatt bei Joost Schmidt und später bei Ludwig Mies van der Rohe. Mit dem erzwungenen Wechsel des Bauhauses von Dessau nach Berlin-Steglitz geht auch Carl Marx mit nach Berlin und erlebt dort das bittere Ende des Bauhauses mit seiner Zwangsschließung im April 1933.

Von Berlin kehrt Carl Marx wieder nach Dessau zurück und arbeitet in seinem alten handwerklichen Beruf weiter, bis man ihn zum Kriegsdienst einzieht. Nach dem Krieg ist er wieder in Dessau und beteiligt sich an einer Ausstellung in der Ruine eines Kaufhauses, in der Künstler, die die Nazizeit überlebt haben, Bilder und Objekte aus der Zeit vor 1933 erstmals wieder ausstellen. Auch an der Wiederbelebung des Bauhauses durch Fritz Hesse, der von der US-Armee als erster Besatzungsmacht in Anhalt 1945 zum Bürgermeister von Dessau eingesetzt wird, ist er intensiv beteiligt und unterstützt erste Aktivitäten, die Hubert Hoffmann als Dessauer Stadtbaurat organisiert. Aus der für 1946 geplanten ›bauhaus-schau‹ wird schließlich nur die Ausstellung ›22 berliner bauhäusler stellen aus‹, die 1949 in Berlin realisiert werden kann. Auch hier ist Carl Marx mit mehreren künstlerischen Arbeiten vertreten.

Als durch die politischen Ereignisse in der gerade gegründeten DDR das Dessauer Bauhaus an aktuellem Interesse verliert und für fast zwei Jahrzehnte ins kulturpolitische Abseits gerät, wendet sich Marx wieder erwerbsorientierten Alltagsaufgaben zu, ohne jedoch seine künstlerische Entwicklung zu vernachlässigen. Es entstehen neue, realistische Bilder, in denen Marx einen eigenständigen bis eigenwilligen Gestaltungsstil entwickelt, der von philosophischer Heiterkeit und erkennbarer Bildspra-

che geprägt ist und der auch Themen aktueller Ereignisse aufgreift und malerisch ins Bild setzt. Mit Blick auf seine circensischen Szenerien und heiteren Frauengestalten gilt Marx heute als der Chagall der DDR, dem ein wachsendes Interesse zuteil wird.

An der Restaurierung des Bauhaus-Gebäudes zum 50. Jahrestag der Einweihung 1976 hat Marx als Berater für Farbgestaltung mitgewirkt, und zu seinem 70. Geburtstag hat das ›Wissenschaftlich-kulturelle Zentrum Bauhaus Dessau‹ eine Einzelausstellung seiner jüngsten Werke gezeigt und ihn als einen der letzten in Dessau lebenden Bauhäusler gewürdigt. Carl Marx lebt und arbeitet auch heute noch in Dessau.

... ein Augenblick bei Joost Schmidt

Joost Schmidt war besessen von der Schönheit einer klaren Typographie.

Konstruierte Ästhetik jeder Buchstabe.

Baute man damit ein Plakat, so ergab die hohe Lesbarkeit verbunden mit einer spannungsvollen Form höchste Werbewirksamkeit.

Die Funktionstüchtigkeit ist das primäre.

Dies konnte er unermüdlich vortragen, bis er spürte, auch wir sind von dieser asketischen Schrifttype bezaubert ...

Dann erst konnten wir anfangen, Spalten, Werbesätze bauen.

Seine Erscheinung trug überzeugend dazubei.

Man glaubte, in ihm den Erfinder dieser strengen Typenform zu sehen.

Die herbe Pony-Frisur, dann dieses Sakko ohne Revers, noch nie gesehen, und auch dies wurde seine Erfindung!

Und dazu dieser widersprüchliche Ausdruck des Gesichtes.

Die Augen schmunzelten, der Mund sprach jedoch noch nüchterne Kritik aus.

Es wurde fleißig gearbeitet.

Er forderte dies mit keinem Wort.

Es lag in der Präzision der Aufgabe.

Dazwischen legte er aufmunternde Bemerkungen über Werbeslangs und Psychologie und Plakatwirkung.

Man zollte ihm hohe Achtung!

Und dann eines Tages zeigte Joost Schmidt seine überlegene Heiterkeit: Wieder demonstrierte er an einem Beispiel die Überflüssigkeit jeglichen Beiwerks an einer Schrifttype ...

Da hob Martin Hesse, der Schweizer und Pflegesohn des Dichters Hermann Hesse, leicht die Hand (spottlustig und wild auf Streitgespräche) und setzte in Schwizerdütsch plötzlich die Frage in den Raum:

»Herr Schmidt, warum tragen sie dann einen Schlips ...?«

Ja, plötzlich fiel uns allen erstmalig auf: Schmidtchen trug eine Krawatte ...!

Die abgestimmte Farbigkeit Hemd, Krawatte, Sakko war ein »Gesamt-Arrangement«, wie ein gutes Plakat komponiert wirkt.

Keine Krawatte ›extra‹

Selbst Joost Schmidt griff zur Brust. Doch nur einen Augenblick verharrte er. Dann zog ein souveränes Schmunzeln über den ganzen Schmidt ...

Ja ... ja ... sagte er ... so ist das ...

und ließ sich auf keinerlei Argumente ein.

Sein Gesicht war Herzlichkeit, er hatte sich im Griff ...

Nicht der Anzug, nicht die Privatsphäre darf berührt werden.

So argumentierte schon Hannes Meyer ...

Das Gebiet des Lehrens oder Lernens kann sich nur in diesem Komplex auseinandersetzen. Alles weitere ist willkürlich.

So dachte er, und so fing er amüsiert ab ...

Souverän, so war Joost Schmidt als Meister und Mensch ...

Max Gebhard (gebs)

Geboren 1906 in Triberg im Schwarzwald. Lernt in Hagen in den frühen zwanziger Jahren den Beruf des Schaufensterdekorateurs. Die kulturelle Atmosphäre der Industriestadt mit dem von Karl Ernst Osthaus gegründeten Folkwang-Museum gibt ihm die Anregung, Anfang 1927 an das Bauhaus Dessau zu gehen. Durch Vermittlung von Walter Gropius erhält er ein Stipendium und kann relativ schnell durch seine beruflichen Vorkenntnisse nach dem Eintritt in die Wandmalerei-Werkstatt bei Herbert Bayer in der Reklame-Werkstatt an freien werblichen Aufgaben mitarbeiten. Diese Form des Studiums entspricht Gebhards Vorstellungen, da sich Theorie und Praxis ergänzen. Zusammen mit Walter Funkat und Kurt Stolp arbeitet er an Bauhaus-Drucksachen. Bei Joost Schmidt ist Max Gebhard im Schrift-Kurs, wo er begeistert über 500 Kompositionsübungen gestaltet, und gemeinsam mit Franz Ehrlich und August Agatz ist er bei ›Schmidtchen‹ in der Plastischen Werkstatt tätig. Im Sommersemester 1927 schließt er sich der KPD-Studentengruppe am Bauhaus an.

Vom Bauhaus geht Gebhard nach Berlin. Hier wird er Mitglied der ASSO (= Assoziation Revolutionärer Bildender Künstler Deutschlands) und entwirft für die Agitprop-Abteilung der KPD Plakate, Broschüren und Agitationsmaterial und ist auch für linke Verlage tätig, z. B. für die ›AIZ‹ (= Arbeiter Illustrierte Zeitung), wo er u. a. mit dem bewunderten John Heartfield zusammenkommt.

Parallel dazu arbeitet Gebhard um 1928/29 mit Laszlo Moholy-Nagy an Bühnenausstattungen für die Kroll-Oper mit und als freier Mitarbeiter bei Herbert Bayer im Studio Dorland bis zu dessen Emigration 1938. Damit ist es Max Gebhard möglich, sich in den schwierigen Zeiten in Berlin wirtschaftlich über Wasser zu halten.

1939 wird Gebhard für die Arbeit in einem Konstruktionsbüro dienstverpflichtet. Kurz vor Kriegsende verliert Gebhard durch einen Bombenangriff sein gesamtes gestalterisches Œuvre.

Nach dem Krieg wird er durch Max Keilson 1946 zum Ressortleiter und Pressezeichner des ›Vorwärts‹ berufen, später wechselt er in die gleiche Funktion bei der SED-Parteizeitung ›Das Neue Deutschland‹ über und arbeitet hier mit Oskar Fischer zusammen, einem nahezu vergessenen Künstler der ASSO. Für kurze Zeit ist er dann wissenschaftlicher Mitarbeiter am ›Institut für industrielle Formgestaltung‹ in Berlin (Ost), seinerzeit geleitet von Mart Stam, das später in ›Institut für angewandte Kunst‹ umbenannt wird und wo auch Marianne Brandt tätig ist. Ab 1950 ist Max Gebhard für fast ein Jahrzehnt Grafiker und Atelierleiter des Dietz-Verlages, Berlin (Ost). Seit seiner Pensionierung widmet er sich wieder verstärkt künstlerischen Aufgaben, vor allem der Collage.

Max Gebhard lebt und arbeitet in Berlin (Ost).

Reklame und Typographie am Bauhaus

Mitte 1926 ging das Bild vom Neubau des Bauhauses in Dessau durch die Presse. Ich weiß nicht genau, in welcher Zeitschrift ich über diese »Hochschule für Gestaltung« zuerst gelesen hatte. Es kann sein, daß es in der damals sehr beliebten ›Kunst und Dekoration‹ aus Darmstadt gewesen ist. Da war auch die Rede von einer »Reklamewerkstatt«. Anlaß für meine Bewerbung um ein Studium am Bauhaus. Hatte ich doch in meiner Lehre als Warenhaus-Schaufensterdekorateur gelernt, Plakate zu malen und Reklame zu machen. In der Sonderklasse einer Fachschule hatte ich mir dann weitere Kenntnisse in Schrift›kunst‹, Naturzeichnen, dekorativer Malerei und anderem angeeignet.

Ein freundlicher zusagender Brief vom »bauhaus – der direktor«, unterschrieben von Walter Gropius, war das erste typographische Dokument des Bauhauses, das ich sah. Alles war klein geschrieben. Das gefiel mir. Noch vor Weihnachten 1926 fuhr ich nach Dessau. Als ich den Bahnhof verließ, bemerkte ich als erstes das Ausstellungsplakat ›Kandinsky 60‹ an einer Litfaßsäule; entworfen hatte es ein »herbert bayer«.

Dann sah ich das unglaublich schöne Bauhaus-Gebäude auf freiem, verschneitem Feld – ganz in Weiß, mit dem gläsernen Werkstättentrakt. Meine Rührung mußte ich herunterschlucken. Ich hatte nicht geahnt, daß moderne Architektur so ergreifen kann – es war wohl das absolut Neue, noch nie Gesehene. Es war ein kurzer Weg zum Gebäude, die Eingangstür verschlossen: Weihnachtsferien. Aber der prächtige Hausmeister, Herr Fehn, ließ mich eintreten. Wie soll man das beschreiben? Drei schwarze

197

Türen zur Aula, farbige Wände und Decke, unter der Decke die bekannte Soffittenkonstruktion, der Aula gegenüber eine Glasfläche, die ganze Breite der Wand einnehmend, mit einem farbigen Orientierungsplan für das Haus, daneben Anschläge für die Studierenden. Und auch da das Kandinsky-Ausstellungsplakat.

Hier empfing mich schon die besondere Atmosphäre, die mich dann später im Unterricht und in der Werkstattarbeit immer begleiten sollte. Es waren Klarheit – Übersicht – Organisation – Farbe – Schrift. Auch hier dieselbe Schrift, dieselbe Farbe, wie auf dem ersten Brief vom Bauhaus.

Damit hatte ich – durch diesen Eintritt ins Vestibül des Bauhauses –, ohne einen Lehrer oder Studenten gesprochen zu haben, einen Einblick in mein künftiges Wahlfach bekommen. Anfang 1927 durfte ich unter Hinnerk Scheper in der Wandmalereiwerkstatt arbeiten, meinen Lebensunterhalt durch praktische Arbeit aufbessernd. In den Monaten bis zum Semesterbeginn befreundete ich mich bei der Werkstattarbeit mit Bauhäuslern, die zum Teil schon Jahre, seit der Weimarer Zeit, am Bauhaus waren. Sie hatten bei Klee, Feininger, Itten, Muche, Kandinsky und Moholy-Nagy gelernt. Aus ihren Erzählungen und ihren Arbeiten, Grafiken und Ölbildern, lernte ich die »Sturm-und-Drang-Zeit« des Bauhauses kennen. Ich bekam bei ihnen das Sonderheft der ›typographischen mitteilungen‹ zu sehen, das Jan Tschichold unter dem Titel ›elementare typographie‹ bearbeitet und gestaltet hatte. Neben dem theoretischen Teil und Abbildungen von El Lissitzky, Laszlo Moholy-Nagy, Herbert Bayer, Joost Schmidt und anderen zeigte es auch typographische Arbeiten von der ersten Bauhaus-Ausstellung 1923 in Weimar, die die bisherige Typographie umgestürzt hatten.

Während Albers im Vorkurs nie versäumte, gute Werbeinserate aus Zeitschriften zur Diskussion zu stellen – auch wenn Fraktur als Schrift darin vorkam –, bemühten sich die Studenten, Zeitschriften, Bücher, Magazine, Kunstbücher für grafische und typographische Gestaltungszwecke und zu Lern- wie Lehrzwecken auszuwerten. Dabei ging es sehr international zu, kamen doch die Bauhäusler aus vielen Ländern. So wurden auch systematisch Fotos gesammelt und für Plakatgestaltungen, Collagen, Inserate usw.

ausgeschnitten. Interessante Buchumschläge, damals besonders die Foto-Buchumschläge von Heartfield für den Malik-Verlag, stimulierten die eigene Arbeit. Besonders beliebt waren die AIZ-Ausgaben (Arbeiter Illustrierte Zeitung), die zu politischen Montagen anregten. Der Chinakrieg, die Hinrichtung von Sacco und Vanzetti, die Reportagen über Arbeitslosigkeit, die Aufbauleistungen des 1. Fünfjahresplanes der Sowjetunion und natürlich auch vieles andere forderten uns zur Auseinandersetzung heraus, auf deren Basis dann grafische und typographische Arbeiten entstanden.

In Dessau gab es – im Gegensatz zu Weimar – eine gut eingerichtete Setzerei- und Druckereiwerkstatt, die zwar nur eine Schrifttype, die Akzidenzgrotesk, besaß, aber diese in allen Schriftgraden und verschiedenen Garnituren; dazu Plakatbuchstaben aus Holz. Herbert Bayer, der schon in Weimar durch seine typographischen Arbeiten bekannt geworden war, leitete – als Jungmeister – die Reklamewerkstatt. Ein ausgebildeter Setzer und Drucker war Lehrmeister. Alle Studierenden, die hier arbeiteten, setzten ihre Entwürfe selbst ab und druckten unter Anleitung. Diese kleine Werkstatt, die noch eine Tiegeldruckpresse und eine Rollenabzugspresse hatte, auf der Plakate gedruckt werden konnten, war ein ausgezeichnetes Experimentierfeld und reichte aus, um Reklameaufträge (zum Beispiel Inserate) aus Handel und Industrie auszuführen. Viele Versuche wurden gemacht mit Zusammendruck, Übereinanderdruck, mit Schriftkompositionen in Holzschriften großen Grades. Grundsätzlich wurden alle für den Eigenbedarf des Bauhauses benötigten Drucksachen, Formulare, Plakate, Werbebroschüren in der Bauhaus-Druckerei nach Entwürfen von Herbert Bayer oder Studierender hergestellt. Alle diese Bauhaus-Drucksachen druckten wir in Kleinbuchstaben. Das Bauhaus unterstützte die »Reformbestrebungen« in Schrift und Sprache und propagierte die Kleinschreibung.

Im Herbst 1927 tagte im Dessauer Bauhaus der ›Verband deutscher Reklamefachleute‹ in einer »werbeunterrichtlichen woche«. Herbert Bayer mußte aber gerade zu dieser Zeit auf die immer mehr um sich greifende oberflächliche Nachahmung der zweckbetonten Typographie hinweisen, die sich durch übertriebene Verwendung dicker Balken, derber Punkte und durch weitere Spielereien mit Satzmaterial als »Bauhaus-Stil« breit machte.

Die Dessauer Bauhaus-Typographie war aber nach der Devise von Gropius »Kunst und Technik – eine neue Einheit« sachlicher und zweckbetonter geworden und war fern von einer dekorativ-spekulativen wie auch »elementaren Typographie« der Anfangszeit in der Werbesachengestaltung. Im übrigen nannte sich nach dieser Tagung die »Reklamewerkstatt« zeitgemäßer »Werkstatt für Typographie und Werbung«.

Im Schriftunterricht bei Joost Schmidt (Schmidtchen) wurde nur Blockschrift (Grotesk) geschrieben und in vielfältiger Form zu typographischen Vorentwürfen verwandt. – Es gab am Bauhaus überhaupt nur die Groteskschrift, im Schriftschreiben wie am Setzkasten. Daraus resultierte denn auch die klare saubere Gestaltung in den Drucksachen. Schmidtchen hat sich sehr gründlich mit der Entwicklung einer klaren Schrifttype in vielen Konstruktionsversuchen beschäftigt. Man darf annehmen, daß die ›Futura‹, die Groteskschrift von Paul Renner, die so viele Jahre das Gesicht der neuen Typographie bestimmt hat, zum Teil auch auf die Versuche am Bauhaus zurückgeht.

Farblehre gab Klee. Kandinsky lehrte uns analytisches Zeichnen. Schmidtchen machte hunderte (!) Farbversuche mit dem Ostwaldschen Farbkreis, dessen Farben man damals als Buntpapier kaufen konnte, das sich wunderbar für Farbübungen eignete. Von Bayer und Schmidtchen erhielten wir oft Anregungen, ihre Ateliers im Prellerhaus standen offen, und sie waren immer ansprechbar. Herbert Bayer experimentierte damals besonders mit Fotos, wie das wunderbare Titelblatt zu ›bauhaus‹ 1/1928 zeigt.

Bedauerlich bleibt, daß in der Bauhaus-Druckerei keine literarischen Werke, und seien es nur ein paar Gedichte, gestaltet worden sind. Das fehlt in dem sonst so reichen Bauhaus-Leben. Begabungen und Begabte hatten wir viele! Es gab reizvolle Geburtstagsgaben zu den verschiedenen Ehrentagen der großen Meister Gropius, Klee, Kandinsky, Moholy-Nagy. Es gab zu den Bauhaus-Festen typographische »Überraschungen« in kleinen Serien; das meiste aber waren wertvolle Unikate – Faschismus und Krieg haben vieles davon brutal vernichtet. So gut unsere Bauhaus-Typographie war, so schlecht war es, daß in kurzer Zeit eine Modewelle daraus wurde, unkontrollierbar. Aber die Zeit hat vieles ins rechte Lot gebracht – es bleibt ein Verdienst des Bauhauses, seiner Meister und Schüler, der ganzen Welt neue Anregungen gegeben zu haben, auch in der Typographie.

Herbert Bayer

Geboren 1900 in Haag, Oberösterreich. Nach einer ersten Ausbildung im Architektur- und Kunstgewerbeatelier Schmidthammer in Linz kommt Herbert Bayer 1920 nach Darmstadt und volontiert bei dem Architekten Emanuel Margold auf der berühmten Mathildenhöhe.

1921 lernt er als Student das Bauhaus Weimar kennen, wo er bis 1923 in der Abteilung Wandmalerei bei Kandinsky studiert. Daneben beginnt er mit typographischen Arbeiten, die für seine spätere Karriere wichtig werden. 1923/24 macht er eine romantische Rundreise durch Italien und malt. 1925 wird er als Jungmeister an das nach Dessau übersiedelte Bauhaus berufen und mit der Leitung der Werkstatt Reklame und Typographie beauftragt. 1928, noch bevor Walter Gropius seinen Rücktritt als Direktor des Bauhauses bekanntgibt, entschließt sich Herbert Bayer nach Berlin zu gehen, wo er die Zeitschrift ›die neue linie‹ entschei-

dend beeinflußt und künstlerischer Leiter des Dorland-Studios wird. Daneben ist er Art Director für die Zeitschrift ›Vogue‹, Paris, und arbeitet an verschiedenen Ausstellungsobjekten mit, u. a. an der Werkbund-Ausstellung in Paris (1930) und an der Ausstellung ›Das Wunder des Lebens‹ (1934) in Berlin.

1938 emigriert Herbert Bayer in die USA und arbeitet in New York an der Ausstellung Bauhaus 1919 bis 1928 für das Museum of Modern Art mit. Neben seiner freien Tätigkeit als Gebrauchsgrafiker ist er zeitweilig beratender Mitarbeiter für das Warenhaus John Wanamaker und die Werbeagentur J. W. Thompson. 1945 wird er ›Director of Art and Design‹ der Werbeagentur Dorland International. 1946 wird er von Walter Paepcke als künstlerischer Berater für die Entwicklung des Kulturzentrums Aspen berufen. Gleichzeitig wird er Berater für Gestaltung der Container Corporation of America, und von 1956 bis 1965 ist er in dem gleichen Unternehmen Leiter der Abteilung Design. Von 1958 bis 1961 ist er Mitglied des Kunstbeirates des Informationsbüros der Vereinigten Staaten und zugleich gestalterischer Mitarbeiter verschiedener Planungsgruppen. Für Container Corporation entwickelt er das gesamte Gestaltungsprogramm einschließlich zahlreicher Architekturaufträge.

Als Maler wird er in vielen Ausstellungen in Europa und den Vereinigten Staaten vorgestellt, als deren wichtigste 1947 bis 1949 eine von Alexander Dorner veranstaltete retrospektive Ausstellung mit dem Titel ›The Way Beyond Art‹ in zahlreichen amerikanischen Städten gezeigt wird. Auch in Deutschland wird 1961 sein gestalterisches Werk in einer Wanderausstellung vorgestellt.

In Aspen hat Herbert Bayer neben der gesamten Beratung für das Aspen Institute for Humanistic Studies eine jährlich stattfindende internationale ›Design Conference‹ ins Leben gerufen, die als Forum für die neue Gestaltung in allen Bereichen des Lebens gilt.

Von 1966 bis 1974 ist Herbert Bayer häufig in Marokko, wo er sich ein eigenes Studio einrichtet. 1974 entschließt er sich aus gesundheitlichen Gründen, nach Montecito in Kalifornien umzuziehen.

Durch Ludwig Grote wird Herbert Bayer 1967 beauftragt, die Ausstellung ›50 Jahre Bauhaus‹ zu gestalten, die 1968 in Stuttgart eröffnet und später in London, Amsterdam, Paris, Chicago, Toronto, Pasadena, Buenos Aires und Tokio gezeigt wird.

Bayers Werk wird durch eine Vielzahl von Preisen ausgezeichnet und in vielen Ausstellungen in der ganzen Welt gewürdigt. 1973 wird am Denver Art Museum ein Herbert Bayer-Archiv eingerichtet, ein weiteres Archiv seines künstlerischen Nachlasses befindet sich im Bauhaus-Archiv/Museum für Gestaltung Berlin, wo 1983 eine große Übersicht seines künstlerischen Werkes von 1918–1938 gezeigt wird. Eine Ausstellung seines gestalterischen Werkes in den Vereinigten Staaten wird für den Sommer 1986 in Berlin vorbereitet. 1984 veröffentlicht Arthur A. Cohen die Monographie ›Herbert Bayer – The Complete Work‹, in dem sein universelles Lebenswerk als Maler, Plastiker, Designer und Architekt zusammengefaßt ist (MIT Press, Cambridge/London).

Herbert Bayer lebt und arbeitet in Montecito, Kalifornien.

Ehrung für Gropius

Es war in seinem Büro im van de Velde-Bauhaus-Gebäude in Weimar, als ich ihm zum erstenmal begegnete und ihm meine Arbeiten zeigte, um Bauhaus-Schüler zu werden. Über seinem Schreibtisch in dem großen, hohen Raum hing ein kubistischer Léger. Und da war auch eine mittelalterliche Bauzeichnung. Gropius trug eine schwarze Hose, ein weißes Hemd, eine schmale schwarze Fliege und eine kurze, helle Lederjacke, die bei jeder Bewegung ächzte. Sein kurzer Schnurrbart, seine schlanke Gestalt und seine flinken Bewegungen gaben ihm das Aussehen eines Soldaten (der er auch bis vor kurzem gewesen war). Gropius' Art, sich zu kleiden, stand im Gegensatz zu den einst phantastischen individualistischen Erscheinungen im Bauhaus.

Es kam darin seine Meinung zum Ausdruck, daß der moderne Künstler sich nicht durch seine Kleidung von seiner Umwelt isolieren solle und daß der erste Schritt zu einer allgemeinen Verständigung darin bestehe, alle Normen anzuerkennen, die nicht den freien Geist einschränken. Wenn ich an jene Jahre zurückdenke, erinnere ich mich zunächst an eine Gemeinschaft von höchst exzentrischen Menschen, von denen einige sonderbar oder ganz einfach komisch waren und die eigentlich gar nicht so recht wußten, weshalb sie dort waren, hauptsächlich durch etwas viel versprechend Unbekanntes angezogen, leichtlebig, arm, den Weimarer Bürgern trotzend. Ich denke auch an den Duft von Rosen und Flieder und an Nachtigallen in Goethes vom Mond beschienenem Park. Ich kam aus der Wiener Zeichnertradition mit ihrer art nouveau und Sezession. Unzufrieden mit der Rolle des Grafikers als eines reinen Verschönerers, fühlte ich mich zum Bauhaus durch seine erste Proklamation mit Feiningers symbolischem romantischem Holzschnitt hingezogen – eine Offenbarung.

Zu der Zeit war ich tief beeindruckt von Kandinskys Buch ›Über das Geistige in der Kunst‹, das ich zufällig las. Selbst wenn ich rückschauend nicht genau sagen kann, was uns alle zusammenbrachte, Gropius muß es gewußt haben, da er mit seinen kristallklaren Bauten schon vor dem Bauhaus neuen Perspektiven die

Türen geöffnet hatte. Und er führte uns unbeirrt durch noch undefinierte Vorstellungen zu einer klaren Vollendung.

Äußere Strömungen und innere Tendenzen schufen eine Atmosphäre explosiver Evolution. Die meisten von uns erfüllte ein romantischer Expressionismus. Der Dadaismus entsprach unserer Ablehnung jeder geheiligten Ordnung.

Die Arbeit der ›Stijl‹-Gruppe, beeindruckend in ihrer Reinheit, übte einen kurzfristigen formalistischen Einfluß aus. Der Konstruktivismus trug seinen Teil zum künstlerischen Aufruhr bei, aber die Welt der Maschinenproduktion mit den ihr eigenen Fakten und Funktionen bestimmte schon das Zukunftsbild. Die Größe seines vorausschauenden Geistes wird noch deutlicher, wenn wir uns die Wirren jener Jahre vergegenwärtigen. Als Bauhaus-Schüler erwähne ich rühmend, daß Gropius sich stets zur Jugend hingezogen fühlte – und die Jugend drängte es immer zu ihm; eine Grundeigenschaft dieses großen Erziehers, sein Bemühen um die jüngere Generation, gab ihm die Kraft, angesichts feindlich Gesinnter mit endlosen persönlichen, künstlerischen, internen und finanziellen Problemen fertigzuwerden. Sein Interesse am Menschen ist das Mark seines Glaubens an eine Arbeitsgemeinschaft.

So geriet ich auch in die glückliche Lage, in späteren Jahren bei grafischen Entwürfen mit ihm zusammenarbeiten zu dürfen. Was ich von ihm gelernt habe, ist dies: geben und nehmen, leben und leben lassen. Durch den Austausch von Gedanken Teile zum Ganzen beitragen, so daß die Zusammenarbeit zu einer großen erfolgreichen Erfahrung wird.

Ob die Ziele des Bauhauses unbestimmt oder klar waren, es herrschte eine vereinende Atmosphäre – der Geist einer Gruppe, bei der jeder Einzelne aktiv an der Erforschung des Neuen teilnahm. Die gedankliche Auseinandersetzung oder die Übereinstimmung der Ideen inspirierte den Einzelnen. Gruppengeist beherrschte das Fühlen und Denken, das Leben und Arbeiten. Für den Wirrwarr der Arbeit, die in der Zukunft auf uns wartete, gab uns das Bauhaus ein Gefühl von Zuversicht und Selbstvertrauen. Wir lernten, eine Arbeit richtig anzupacken, wir erwarben uns die handwerklichen Grundkenntnisse, ein unschätzbares Erbgut zeitloser Prinzipien, angewandt auf den schöpferischen Prozeß. Er

lehrte wieder, daß wir den Dingen, die wir benutzten, den Strukturen, in denen wir lebten, nicht ästhetische Gesetze aufdrängen
sollten, sondern daß Zweck und Form ein Ganzes bilden. Daß
jedes selten für sich allein stehen kann. Daß sich die Richtlinien
ergeben, sobald man beginnt, sich mit den konkreten Wünschen,
den besonderen Bedingungen und dem speziellen Charakter auseinanderzusetzen. Aber nie sollte man aus den Augen verlieren,
daß man vor allem Künstler ist.

Der Maler hingegen kann sich nur von seinem Innern leiten
lassen. Das Bauhaus hat nur eine kurze Zeit existiert, aber die
potentiellen Werte seiner Prinzipien werden jetzt allmählich
erkannt. Seine Quellen werden der Grafik stets neue Möglichkeiten bieten. Das Bauhaus ist tot. Lang lebe das Bauhaus!

Ich huldige Gropius wegen seiner schöpferischen Intuition,
wegen seiner unermüdlichen Bemühung um Erweiterung des
Lebens, wegen seiner geistigen und charakterlichen Stärke im
Kampf gegen Widersacher und Verleumder, wegen seiner begna-
deten Führerschaft. Wegen seiner tiefen Verbundenheit mit dem
Menschen und seiner Gemeinschaft, wegen seinem Suchen nach
einer gemeinsamen Basis für ein allgemeines Verstehen über alle
materiellen und physischen Gegebenheiten hinaus. Wegen seines Glaubens an die Persönlichkeit als dem letzten, entscheidenden Wert.

Fritz Hesse

Geboren 1881 in Dessau. Studiert
an den Universitäten Jena, Berlin
und Halle. Nach der großen juristi-
schen Staatsprüfung läßt er sich
1907 als Rechtsanwalt in Dessau
nieder.

Sein politisches Debüt beginnt er
als Vertreter der liberalen »Demokratischen Vereinigung«. 1914
wird Fritz Hesse zum Stadtrat und
1918 zum Bürgermeister seiner
Vaterstadt Dessau gewählt.
Gleichzeitig ist er Mitglied der Weimarer Nationalversammlung. In
dieser Zeit bemüht er sich aktiv um
eine Umgestaltung Dessaus aus

einer stillen Residenzstadt in eine moderne Industriestadt. So hat Hesse von Anfang an die Entwicklung der Junkers-Werke unterstützt.

Über die bevorstehende Schließung des Bauhauses in Weimar wird Bürgermeister Hesse Anfang 1925 durch Berichte im ›Berliner Tageblatt‹ aufmerksam. Seine damaligen Gedanken skizziert er in seinen Erinnerungen. »Für die Entwicklung der Stadt Dessau könnten sich aus dieser Situation Möglichkeiten ergeben, wie sie sich ihr kaum je wieder bieten würden. Die kulturelle Blüteperiode der Residenzstadt Dessau war vor mehr als hundert Jahren mit dem Tode des Fürsten Franz zu Ende gegangen. Nur auf dem Gebiet des Theaters wurde unter den Nachfolgern des Fürsten durch die besondere Pflege der Oper die Tradition als Verpflichtung empfunden. Wenn man dem Bauhaus in den Mauern von Dessau Asyl und Arbeitsmöglichkeit böte, könnte man dann nicht auch Stimmen anderer Künste wieder zum Klingen bringen?«

Die Überlegungen von Fritz Hesse bestätigt die Reaktion des Dessauer Generalmusikdirektors Franz von Hoesslin, der den Bürgermeister fragt, welche Chancen es für die Übernahme des Bauhauses nach Dessau gebe. Hesse fragt seinen Landeskonservator, den jungen Ludwig Grote, der die Idee sofort zu seiner eigenen Sache macht und im Auftrag des Bür-

germeisters wenige Tage später nach Weimar fährt. Nach einem persönlichen Besuch in Weimar, zusammen mit Grote, ruft Hesse den Gemeinderat am 25. März 1925 zu einer nicht öffentlichen Sitzung zusammen, in der beschlossen wird, eine Exkursion des gesamten Rates und von Vertretern der anhaltischen Ministerien, von Industrie, Handwerk und Presse zum Bauhaus durchzuführen. In Weimar gibt Walter Gropius eine Einführung zur Idee, und die Meister führen durch die Werkstätten. Am 23. März 1925 kommt es dann, nach heftigen Diskussionen in der Bevölkerung, zur Abstimmung im Rat der Stadt. Mit 26 gegen 15 Stimmen erreicht Bürgermeister Hesse sein Ziel: Das Bauhaus kommt nach Dessau.

Mit dem Beschluß ist auch die Errichtung des Bauhaus-Gebäudes und der Meisterhäuser verbunden. Die Eröffnung des Neubaus am 4. und 5. Dezember 1926 wird zu einem Ereignis von internationalem Rang. Die Bauten gelten noch heute als wegweisend für unsere Epoche. Die Arbeit am Bauhaus geht unter der Obhut von Fritz Hesse, der 1929 für weitere zwölf Jahre zum Oberbürgermeister von Dessau gewählt wird, einige Jahre ruhig weiter.

Nach der politischen Katastrophe, als deren Auswirkung das Bauhaus bereits 1932 in Dessau schließen muß, geht Fritz Hesse, nach mehrwöchiger Schutzhaft, im

Mai 1933 als privater Rechtsanwalt nach Berlin. Nach der Kapitulation wird er als letzter freigewählter Bürgermeister vom Kommandanten der amerikanischen Besatzungsmacht wieder in sein Amt als Oberbürgermeister der Stadt Dessau eingesetzt. Nach dem Abzug der US-Truppen und dem Einzug der Sowjetischen Besatzungsarmee wird seine Position zunächst bestätigt. Fritz Hesse versucht, an die wichtigen Ereignisse der zwanziger Jahre anzuknüpfen, und beruft den ehemaligen Bauhäusler Hubert Hoffmann nach Dessau, um das Bauhaus wieder zu eröffnen.

Die politischen Tendenzen verhindern die Realisierung, und im November 1946 muß Fritz Hesse sein Amt endgültig niederlegen. Er wird erneut als Rechtsanwalt tätig, ab 1950 wieder in Berlin. 1952 läßt er sich in Bad Pyrmont nieder.

In seinen Memoiren ›Von der Residenz zur Bauhausstadt‹, Hannover 1963, hat Fritz Hesse sein politisches Engagement und seine Bemühungen um das Bauhaus ausführlich und ebenso sachlich geschildert.

Fritz Hesse ist am 30. April 1973 in Bad Neuenahr gestorben.

Dessau und das Bauhaus

Das Bauhaus war kein Institut mit einem festen Programm, es war eine Idee, und Gropius selbst hat diese Idee mit großer Präzision formuliert. Er sagte: »Kunst und Technik – eine neue Einheit!« So Mies van der Rohe, der letzte Leiter des Dessauer Bauhauses, in seiner Rede bei der Feier von Gropius' 70. Geburtstag am 18. Mai 1953 in Chicago.

Als nach der – Ende des Jahres 1924 erfolgten – Absage von Leitern und Meistern des Staatlichen Bauhauses in Weimar an die Thüringische Staatsregierung Walter Gropius im Februar 1925 mein Anerbieten annahm, mit dem gesamten Institut nach Dessau zu übersiedeln und hier in der Form eines städtischen Instituts unter günstigeren Bedingungen die in Weimar abgebrochene Arbeit fortzusetzen, hatte das Bauhaus nahezu sechs Entwicklungsjahre hinter sich. Es waren in mehrfacher Beziehung Sturm-und-Drang-Jahre gewesen. Die in Dessau – besonders nach der Errichtung eines umfänglichen Lehrgebäudes – erfolgende Konsolidierung trug ihre Früchte und rechtfertigt das Urteil einer Persönlichkeit wie Bruno Paul, der später einmal in einem Brief an mich das Dessauer Bauhaus »die zweifellos bedeutendste Neuschöpfung auf dem Kunsterziehungsgebiete« nannte.

Was das Bauhaus in der Praxis lehrte, war – wie es Gropius in seiner in der Fischer-Bücherei erschienenen Schrift ›Architektur‹ ausdrückt – »die Gleichberechtigung aller Arten schöpferischer Arbeit und ihr logisches Ineinandergreifen innerhalb der modernen Weltordnung«.

Die Lehrerfolge des Bauhauses, die sich in der Dessauer Zeit auch in einer Vervielfachung der Zahl der Studierenden auswirkten, wären aber nicht möglich gewesen ohne die außerordentlichen Persönlichkeiten, die den Lehrkörper des Bauhauses bildeten, und die Methoden, die sie praktizierten.

Die Bauhaus-Schülerin Wera Meyer-Waldeck sagte darüber in ihrer Antwort auf eine Umfrage der Bauhaus-Direktion unter den Studierenden, worin sie das Wertvolle am Bauhaus sähen:

»Für mich ist nicht wertvoll, *was* gelehrt wird, sondern *wie* gelehrt wird, daß man erst selbständig denkende und handelnde Menschen heranbildet und erzieht, bevor man ihnen das nötige Wissen übermittelt.

Das Positivste ist für mich die pädagogische Arbeit, die sich zwar in keinen Stundenplan einzeichnen läßt, die aber einen der wesentlichsten Faktoren der Bauhaus-Arbeit bedeutet. Eine pädagogische Arbeit, wie sie beispielsweise im Vorkurs geleistet wird, ist kaum noch einer Steigerung fähig. Und wenn es am Bauhaus nichts weiter gäbe als diesen Vorkurs, so würde das menschlich und künstlerisch so viel bedeuten, daß es sich schon allein darum lohnte, herzukommen.«

Daß die Idee des Bauhauses aller Anfeindungen und Unterdrückungsversuche spottete und nach der im Herbst 1932 erfolgten Vertreibung des Instituts aus Dessau und seiner späteren Auflösung durch die Nationalsozialisten von ehemaligen Lehrern und Schülern über alle Grenzen getragen wurde, ist ja bekannt. In einem Brief vom Mai 1953 schrieb mir Gropius darüber: »Wenn man zurückblickt in die Zeit des Bauhauses, kann man es kaum begreifen, daß trotz der sich auftürmenden Schwierigkeiten soviel

Wirkung von ihm ausgegangen ist. In Deutschland lebend, können Sie sich kaum vorstellen, wie weltbekannt das Bauhaus geworden ist, hauptsächlich in den USA und England. In beiden Ländern sind die Systeme der Kunst- und Architekturschule nach der Bauhaus-Lehre ausgerichtet, und im öffentlichen Staatsexamen der Architekten ist die Frage ›Was ist das Bauhaus?‹ obligatorisch in der Prüfung. Es war also doch der Mühe wert, obwohl weder Sie noch ich vorher gewußt haben, wie hoch und zahlreich die zu überwindenden Schwierigkeiten sein würden.«

Gunta Stadler-Stölzl

Geboren 1897 in München, studiert nach dem Abitur von 1914 bis 1916 an der Kunstgewerbeschule München in der Klasse von Professor Engels dekorative Malerei. Anschließend ist sie bis zum Ende des Ersten Weltkrieges Rot-Kreuz-Schwester.

Im Herbst 1919 wird Gunta Stölzl Lehrling in der Wandmalerei-Werkstatt am Bauhaus Weimar. Ab 1920/21 beteiligt sie sich am Aufbau der Handweberei zur Lehrwerkstatt. Später besucht sie ergänzend Kurse an der Textilfachschule und an der Färbereifachschule in Krefeld. 1924 richtet sie für Johannes Itten im Mazdaznan-Zentrum in Herrliberg bei Zürich eine Handweberei ein, geht aber im gleichen Jahr wieder an das Bauhaus zurück, um in der Handweberei weiterzuarbeiten.

Mit der Übersiedlung des Bauhauses 1925 nach Dessau wird Gunta Stölzl Lehrer der Textilwerkstatt. In dieser Zeit erfolgt der Neuaufbau der Werkstatt, geteilt in eine Lehr- und eine Produktionswerkstatt, sowie die Entwicklung eines Ausbildungsprogramms bis zum Bauhaus-Diplom. Als Nachfolgerin von Georg Muche wird Gunta Stölzl von 1927 bis 1931 Bauhaus-Meister und mit der Gesamtleitung der Textilwerkstatt betraut.

Seit 1931 hat Gunta Stölzl in Zürich eine eigene Werkstatt für Textilentwürfe und eine Handweberei. In Zusammenarbeit mit Architekten und der Industrie entwirft sie Stoffe für alle Anwendungsbereiche. Ihre Tätigkeit am Bauhaus und in eigener Regie hat einen eminenten Einfluß auf die Entwicklung der Weberei. Durch Heirat verändert sich ihr

Name 1929 in Gunta Sharon-Stölzl, und 1942 in Gunta Stadler-Stölzl.

Gunta Stadler-Stölzl ist 1983 in Zürich verstorben.

Über die Bauhaus-Weberei

In der Abteilung Weberei, Bauhaus Weimar, später Dessau, wollten wir junge Menschen durch ein Handwerk zu freier künstlerischer wie technischer Leistung heranbilden.

Nicht aus sentimentaler Romantik und nicht aus Protest gegen die maschinelle Weberei haben wir unsere Werkstatt gegründet. Vielmehr wollten wir auf einfache, überschaubare Art verschiedenartigste Gewebe entwickeln. Auf diesem Wege versuchten wir den Lernenden zu befähigen, seine eigenen Ideen zu verwirklichen.

Das Studium der Materie lag uns ganz besonders am Herzen, natürlich nicht in Richtung auf Wissenschaftlichkeit, sondern in seiner ästhetischen Auswirkung auf den Menschen. Vom sinnlichen Begreifen her versuchten wir den Lernenden anzuregen, vor allem am Anfang der Lehrzeit legten wir mehr Gewicht auf ein lockeres, mehr künstlerisch als technisch bestimmtes Arbeiten. Die Wirkung der Gespinste im Gewebe, ob Wolle, Seide oder Leinen, der Ausdruck der Eigenschaften eines Materials soll, möglichst unbeschwert von Fachkenntnissen, vom Lernenden selber aufgespürt werden. Richtiges Schauen und richtiges Empfinden waren nicht vorauszusetzen, sie mußten geweckt und methodisch gefördert werden. So lag uns daran, gerade im Anfang dem Studierenden einen möglichst totalen Begriff seines Handwerks zu geben, zudem ist für den ernsthaft Strebenden eine gewisse weiträumige Bewegungsfreiheit geradezu notwendig. Nach einigen Monaten des Laborierens konnten dann Lehrer und Schüler erkennen, ob überhaupt Eignung zum Textilberuf vorhanden sei. Liebe zum Material, ein gefühlsmäßiges Eingehen auf die vielfältigen Eigenschaften der Gespinste, vorwegnehmende Vorstellungskraft, sicheres Farbempfinden, Geduld, Ausdauer, Findigkeit und Beweglichkeit in geistiger sowie manueller Hinsicht sind Voraussetzungen für dieses Handwerk.

Künstlerische und technische Ausbildung sollen ineinandergreifen, weder dem einen noch dem anderen darf ein Vorrang zukommen, denn ein Ding ist nur dann gut, wenn alle seine Qualitäten in Harmonie stehen. Um die künstlerische Seite zu entwickeln, bedarf es offener Augen und empfänglicher Sinne. Materieaufgaben betreffend Gleichwertigkeit, Steigerung und Kontrastierung von glänzend und matt, körnig und glatt, weich und rauh, samtig und haarig usw. halfen, die Vielfalt der Gespinste zu unterscheiden. Die reiche Skala der ästhetischen Werte, wie Farbe, Proportion, Linie, Fläche, Helldunkel und Struktur, wurde fortgesetzt behandelt. Teilweise in speziellen Kursen.

An technischen Fächern wurde in Dessau unterrichtet: Bindungslehre, Materialkunde, Dekomponieren, Färben und Kalkulation. Die sehr gut eingerichtete Werkstatt in Dessau (noch nicht in Weimar) verfügte über die verschiedensten Webstuhlsysteme, so daß die Heranbildung der Schüler für Entwurfs- und Programmarbeit in der Industrie möglich war. Der Industrie Kräfte zuzuführen, die geistig und künstlerisch neue Wege gingen, war ja unser Ziel. Das Nebeneinander von Menschen verschiedenen Alters und verschiedener Vorbildung, die Internationalität der Schüler hatten das wechselseitige Lernen in kameradschaftlichem Sinn gefördert und bildeten für uns Lehrkräfte einen fruchtbaren Ansatzpunkt.

Ich möchte besonders hervorheben, daß neben der Lehrwerkstatt eine Produktivwerkstatt die Ausbildung sehr günstig beeinflußte. Der Schüler wurde vor konkrete Aufgaben gestellt und bekam von Anfang an ein Gefühl für Arbeitsleistung, Verantwortung gegenüber Material und Handwerkszeug. Kalkulation des Gewebes sowie Kalkulation eines handwerklichen Betriebes vermitteln dem Schüler eine Praxis, wie das wohl selten in einer Schule gelang.

Unsere Ausbildung zerfiel in zwei gegensätzliche Gebiete:
erstens – das Unikat, individuelle Formgebung, frei künstlerisches Schaffen einer selbstgegebenen oder gestellten Aufgabe: »der Wandteppich«, der »geknüpfte Bodenteppich«;

zweitens – Gewebemusterung. Dieses Gebiet verlangt Phantasie, die sich vom Technischen her inspirieren läßt, starke Vorstellungskraft für Farbe und Struktur, Ausnutzung aller Mittel.

Die Verbindung der Werkstätten untereinander, die es ermöglichte, große Aufträge gemeinsam zu bearbeiten, erschloß dem Schüler den Blick für das Ganze und im Rahmen des Ganzen seine besondere Aufgabe und manches mehr.

Sigfried Giedion

Über die praktischen Leistungen des Bauhauses

Die Leistungen des Bauhauses gehen nach zwei Richtungen: die Schaffung neuer Typen und die Schaffung einer neuen Lehrmethode. – Es ist ganz natürlich, daß die Pädagogik darauf bedacht ist, bereits Bekanntes schulmäßig zu bearbeiten, um die Studenten in ihren Beruf einzuführen. Beim Bauhaus verhielt es sich anders. In seiner hochgespannten Atmosphäre entstanden Typen, die es früher nicht gab.

Bekanntlich ging das Bauhaus darauf aus, den Riß zwischen künstlerischer Form und industrieller Produktion zu überbrücken. Dabei haben möglicherweise die Jugendeindrücke von Walter Gropius mitgewirkt, die er als Leiter des Ateliers von Peter Behrens in Berlin empfing. Der Industrieherr Ernst Rathenau hatte Behrens erstmals die Möglichkeit geboten, die Formgebung eines großen Unternehmens zu beeinflussen. Es galt, im Bauhaus auf praktischem Gebiet einen Nachwuchs zu erziehen, der fähig war, Serienmodelle im Sinn der reinen Form und im Sinn der Maschine zu entwerfen. – Wie der Schüler erzogen wurde, den langen Läuterungsprozeß vom Entwurf bis zum Industriemodell mitzumachen, darauf kann ich hier nicht eingehen.

In Dessau – von 1925 bis 1928 – wirkte sich die experimentelle Laborzeit der Weimarer Periode aus oder, wie Paul Klee seinen Unterricht bezeichnete, »der Umgang mit formalen Mitteln«.

Eine ganz in der Bauhaus-Atmosphäre aufgewachsene Generation tritt in den Vordergrund und wird Meister, so Josef Albers (Vorkurs), Herbert Bayer (Typographie), Marcel Breuer (Tischlerei) u. a. m. Das ist eine große Leistung für einen Lehrbetrieb von wenigen Jahren.

Aus scheinbar weltabgewandten Ateliers entstehen artneue Serienprodukte. Typisch dafür ist die Erfindung des Stahlrohrsessels durch Marcel Breuer, 1925. Anfangs war die Industrie nicht gerade begeistert. Als Gropius von den Mannesmannwerken einige Meter Rohr für Stuhlversuche verlangte, erwiderte man, daß für solche Spielereien kein Material übrig sei. Später allerdings änderte die Industrie ihre Haltung wesentlich.

Auf dem Gebiet der Architektur sei nur ein Beispiel erwähnt. Völlig aus der Atmosphäre des Bauhauses ist ein neuer Wohnhaustyp erwachsen: das Scheibenhochhaus, das acht bis zwölf Stockwerke umfassende scheibenförmige Wohnhochhaus, das heute überall verbreitet ist. Zum erstenmal wurde dieser Typ des Wohnhochhauses, das durch seine plattenförmige Gestalt so sehr den Begriff der Massivität widerlegt, in einem Wettbewerb für billige Wohnungen, den die ›Bauwelt‹ 1924 veranstaltete, von Marcel Breuer entworfen. Vergebens führte Walter Gropius bis 1933 einen intensiven Kampf für die Realisierung dieses Wohntyps. Das erste Scheibenhaus in Rotterdam wurde 1934 von van Tijen gebaut.

Xanti Schawinsky

Geboren 1904 in Basel. Studiert zuerst Kunst und Musik in Zürich. Von 1921 bis 1923 ist Schawinsky Volontär in einem Architekturbüro in Köln. Ab 1924 Studierender am Bauhaus, Weimar. Mitarbeit als

Gestalter, Autor und Tänzer an der Bauhaus-Bühne. Assistent von Oskar Schlemmer.

Von 1926 bis 1927 wirkt Xanti Schawinsky als Bühnenbildner am Stadttheater Zwickau (Sachsen). Anschließend kommt er wieder an das Bauhaus Dessau. Hier lehrt er Bühnengestaltung und widmet sich intensiv der Malerei. Ausstellung mit der Gruppe ›Junge Maler am Bauhaus‹.

1929 übernimmt Schawinsky die Leitung des grafischen Ateliers der Stadtverwaltung Magdeburg, die in jenen Jahren unter der Leitung des Stadtplaners Johannes Göderitz ein fortschrittliches Kulturprogramm entwickelt. Jedoch schon 1931 geht Schawinsky, veranlaßt durch die politischen Anfeindungen, nach Berlin, um sich freien Aufträgen als Grafiker und Ausstellungsgestalter zu widmen. 1933 emigriert er nach Italien, wo er als Grafiker im Mailänder Studio Boggeri und als freier Gestalter für Unternehmen wie Olivetti und Motta tätig ist.

Durch Josef Albers wird Xanti Schawinsky 1936 an das Black Mountain College in den USA eingeladen. Neben einem Lehrauftrag für Malerei setzt er dort mit einer studentischen Werkgruppe seine Bühnenexperimente fort und gründet die ›spectodrame-demonstrations of contemporary studies on the stage‹. 1939 gestaltet er den Pavillon ›North Carolina‹ auf der Weltausstellung in New York und

arbeitet mit Walter Gropius und Marcel Breuer am Pavillon ›Pennsylvania‹. Anschließend läßt sich Schawinsky als Maler und Designer in New York nieder. Er ist zeitweise Dozent an der New Yorker University und am New York City College und hält Seminare an anderen Universitäten in Nordamerika. Ab 1950 beginnt sich Schawinsky wieder ganz der Malerei zu widmen. Einzelausstellungen seiner neuesten Arbeiten werden in den USA und Europa gezeigt.

1961 entwirft er die Gesamtausstattung für das Ballett ›Stone Flower‹ von Prokofjew am Stadttheater in Basel. Im gleichen Jahr wird er mit dem Copley-Preis für Malerei ausgezeichnet.

In den Ausstellungen und Publikationen, die das Bauhaus veranstaltet bzw. herausgibt und die dem Bauhaus gewidmet sind, ist Schawinsky durch seine Bühnenarbeiten, Plakate und Bilder vertreten. Seine Erfahrungen als experimenteller Theatermann hat Schawinsky unter dem Titel ›play, life, illusion‹ (spectodrama), Buenos Aires, 1954, veröffentlicht.

Seit Mitte der fünfziger Jahre wird Schawinskys künstlerisches Werk in Einzel- und Gruppenausstellungen international ausgestellt. 1971 präsentiert das Museum of Modern Art in New York einen Film über Schawinsky und dessen Arbeiten; 1981 veröffentlicht Hans Heinz Holz die Monographie ›Xanti Schawinsky – Bewegung im Raum / Bewegung des Raumes‹ (ABC-Verlag, Zürich).

Schawinsky kommt 1961 nach Europa zurück, behält aber sein Atelier in New York bei und arbeitet bis zu seinem Tode am 11. September 1979 in Locarno in Italien und New York.

metamorphose bauhaus

wo soll ich da anfangen, mich heute über das bauhaus zu äußern ... nach den vielen jahren, in welchen jene zeit plastisch geworden ist, viel weniger verschwommen, als sie damals war, als sie noch heiß war und voller erlebnisse der stürmischsten, aber auch der stillsten art und mit allen nuancen, die dazwischenliegen können – dem gedanken, der erkenntnis, der entsagung, der raserei, der vernunft, dem zweifel, der freundschaft und hingabe, dem bewußtsein des menschlichen wertes, der freude, aber auch dem schmerz ... das meiste, das dabei herauskam, ist heutzutage ja bekannt geworden – sei es auf dem gebiet der architektur oder demjenigen der kunst; ob umwelt-gestaltung oder welt-umgestaltung ... dafür haben die zeiten gesorgt, zur genüge, fast ein bißchen übergenug. denn damit wird diese welt des damaligen impulses ins sanfte grab gebettet, sie wird klassifiziert, gar verstanden und in ihrer bedeutung hoch eingewertet.

natürlich fallen einem aus dem monströsen mosaik der bauhaus-erlebnisse hundert sinnvolle oder belanglose begebenheiten ein, die in ihrem originalgeschehnis vielleicht ebenso bemerkenswert waren wie ein stuhl, ein haus oder ein bild.

so stoße ich auf folgendes ereignis, weniger bekannt, leicht skandalös und eher traurig, aus welchem aber noch heute ein ehrreiches beispiel abgeleitet werden könnte.

winter 1928. berlin. die bauhaus-kapelle spielte auf engagement am steinplatz zum poelzig-fest, welches jährlich von seiner klasse inszeniert wurde. ein baron x und ein journalist z treten an die kapelle heran und schlagen den mitgliedern vor, unter ihrer gemeinsamen finanziellen obhut ein »fest der bauhaus-kapelle«

in berlin zu organisieren. wo soviel talent und orginalität beieinander seien, meinten sie, werde ein solches unternehmen zu einem künstlerisch interessanten ereignis führen, wie man es in berlin in dieser art vielleicht noch nicht gesehen habe.

auf dem heimweg nach dessau, bepackt mit instrumenten aller art, wird in der bahn und später in den ateliers der kapellenmitglieder der vorschlag besprochen und schließlich nach langem hin und her unter der in unserer miserablen geldlichen lage verständlichen bedingung angenommen, daß das finanzielle risiko von der zwei herren übernommen werden müsse. maler alle, konnten wir außer unseren bildern nur auf spärliche aufträge rechnen, was aber fürs blanke leben ausreichte. heinrich koch, der realist in der gruppe, malte das risiko in den glühendsten farben aus, die ihresgleichen nur in seinen augen fanden – während wir ein frugales mahl, bestehend aus brot, zwiebeln, salz und einer flasche wein, verzehrten. schließlich reichten sich optimismus und pessimismus die hand.

die kapelle setzte sich zusammen aus:

andreas weininger	piano und falsettotenor
heinrich koch	bumbaß
jackson jacobson	schlagzeug
clemens röseler	zweites piano, posaune, banjo
fritz kuhr	zweiter bumbaß, banjo
lux feininger	klarinette, banjo
xanti schawinsky	sopran- und altsaxophon, flexator
	cello und lotosflöte
und, als eigentlicher gast: jura fulda	banjo und solostimme

die musikalische heritage stammte aus den geburts- und heimatländern deutschland, ungarn, tschechoslowakei, polen, schweiz, rußland und anderen, und so verschieden sie war, vereinigte sie sich kunstgerecht in einem phantastisch-rhythmischen und durchdringenden lärm. stühle, revolverschüsse, klingeln und riesige stimmgabeln, sirenen und mit nägeln, drähten und jeder art von tonverändernden materialien, umgemodelte klaviere ergänzten die instrumentale ausrüstung, die im zusammenwirken aus irgendwelchen folkloristischen oder auch aus eigenen kompositionen stundenlange, garantiert tanzbare musik hervorzubringen imstande war. improvisationen, auch wenn sie weit abzuschweifen drohten, schienen jedoch wie vom schweren hammer des schwungvollen taktes zusammengenagelt zu sein.

teilweise hatte ich diese besetzung nach der auflösung des weimarer bauhauses in dessau gebildet, wo es in den ersten wochen noch an der gelegenheit fehlte, sich in einem geeigneten lokal in corpore zu tanz- und bühnenimprovisationen zusammenzufinden und auf diese art in ausgelassener stimmung scherzhafte, aber auch scharfe gedanken zum austausch zu bringen, welche die in ihrer arbeit isolierten geister beschäftigten. endlich wurde ein ländliches bierlokal mit passendem ballsaal und theater entdeckt, wohin am samstagabend alles strömte, was beine hatte, schnell noch kostümlich verwandelt und innerlich geladen gemäß einem kurz proklamierten kollektivthema... der im ilmschlößchen bei weimar abgerissene faden wurde auf diese weise wieder aufgenommen, man fühlte sich endlich wieder verbunden im austausch von ideen, gefühlen und temperament. bei solchen gelegenheiten wurden auch die geburtstage von gropius und der meister mit dem dazugehörigen rummel gefeiert und die selbstfabrizierten gaben der bauhäusler verteilt oder, wie einmal an lyonel feiningers feier, von einem gemischten männersextett gesungen:

es steht ein mann, ein mann
so fest wie eine eiche, eiche
vielleicht hat er schon manchen sturm erlebt, erlebt, erlebt,
vielleicht ist er schon morgen eine leiche,
wie es so manchem seiner brüder ging, ging, ging.

manchmal, wenn der höhepunkt überschritten schien, wurde andy (weininger) vom erhitzten publikum angefleht, zu singen. im nu verwandelte sich das getöse in tiefste stille, alle gruppierten sich sitzend auf dem boden vor dem bühnenpodium, um den ergreifenden liedern andys zu lauschen, die, abstrakt, manche träne mit den ertanzten schweißtropfen zusammenfließen ließen.

bei solchen anlässen standen sich kapelle und bühne am nächsten, deren mitglieder ihre oft noch im entstehen begriffenen theaterexperimente zum besten gaben. oskar schlemmer etwa als musikalischer clown, siedhoff in einem reifen-, kasten- oder treppentanz, joost schmidt im ringkampf mit sich selbst, kurt schmidts mechanisches ballet mit bogler und teltscher, schawinskys jazz- und stepmaschine, teile des triadischen balletts und mechanischen kabaretts, gruppenarbeiten wie ›der mann am schaltbrett‹, die gestentänze, proklamationen wie ›quadrat & blume – eine neue einheit‹, sketches wie ›höhepunkt‹ oder ›olga-olga‹, ›zirkus‹ oder ›rokoko-kotte‹, die farblichtspiele von hirschfeld und schwertfeger, lux-masken und geisterhafte tischgesellschaften, wanda von kreibigs femininer einbruch in diese überwiegend maskuline theaterproduktion... all das war angetan, das tanzgelage in eine atemlose zuschauerschaft zu verwandeln, zur musik von bach, händel, mozart, antheil, stuckenschmidt, strawinsky, hindemith oder den improvisationen der kapelle. auch gäste traten auf, unter denen kurt schwitters der hervorragendste war mit seiner urlautsonate:

laanketerglll, pepepepepe
oka oka oka lanketerglll pepepepepe
zuekazueka zueka
ruemph, rnph – usw.

oder als darsteller seines soloeinakters, in welchem er den ›gesamt‹-text »ich hüte-te meine schaafe-fe« so lange zu variieren wußte, bis – trotz seines blauen sonntagsanzugs – jedem sowohl der hirtenknabe als auch die schafe plastisch auf den brettern erschienen. und als die palucca ihre provozierenden »auflockerungsübungen« aufführte, hatte es zur nicht ungefährlichen folge, daß die bauhäusler die glasfassade des bauhauses erklommen und vom dach hinunterspringen wollten, hätte nicht krajewsky seine mahnungen zur vernunft lautstark ertönen lassen.

der noch sehr junge lux feininger produzierte eine serie von tollen zeichnungen, zu welchen ihn die bauhaus-kapelle inspirierte, oft auch in den grellsten farben. er beschenkte uns mit solchen zeichnungen, und eines tages besuchte er mich, um mich zu bitten, seinen beitritt zur kapelle zu befürworten, da er den großen wunsch hege, mitzumachen. als obmann der bühne kannte ich ihn ziemlich gut und wußte, daß ihm das normale musikalische gehör abging. darin erblickte ich eine hemmende schwierigkeit, die auch unter den übrigen mitgliedern zur ablehnung führte, obwohl ich an kurt schmidts theorie erinnerte, daß man die gesamte ›carmen‹ singen könne, auch wenn man nicht zwei töne auseinanderzuhalten wisse – solange nur der rhythmus richtig sei! es nützte nichts, das anliegen mußte in schonender weise abgelehnt werden. nach einigen monaten kam lux wieder in mein atelier, diesmal ein längliches etui mit sich führend. daraus entnahm er die teile einer klarinette, setzte sie schnell zusammen, stellte sich in eine ecke und spielte auf dem instrument fehlerlos eine bauhaus-weise, dann eine andere, so daß ich aus dem staunen nicht herauskam und mich vor lachen nicht halten konnte. er hatte heimlich stunden genommen und mit hilfe des lehrers alles auswendig gelernt und sich die fingersätze visuell so genau eingeprägt, daß es schließlich aufs gleiche herauskam – als ob er ein ›normales‹ gehör besäße. wir arrangierten darauf eine probe, und es kam zum klappen. von nun an, wenn es im tumult einer tanznacht zur heiklen frage kam, ob der nächste tanz mit f oder mit g beginne, konnten wir uns getrost auf lux verlassen, dessen visuelle musikalität ihn nie verwirrte. dies geschah hauptsächlich bei engagements zu künstlerfesten außerhalb des bauhauses, in hannover, halle, berlin, magdeburg, infolge des etwas zu reichen stroms von sekt und kognak, mit welchem die gäste die kapelle bedachten.

trotz intensivster beruflicher arbeit der einzelnen kapellenmitglieder wurde es natürlich als selbstverständlich angenommen, daß sie die lust an der veranstaltung von festlichkeiten mit allen bauhäuslern teilten, nach dem alten slogan: »saure wochen, frohe feste ...« ab und zu arteten diese in größere veranstaltungen aus, zu welchen freunde von nah und fern eingeladen wurden. zu den dafür bekanntgegebenen themen erschienen manchmal ganze gruppen geschlossen und thematisch kostümiert, von weither, wie unsere freunde aus der burg giebichenstein in halle oder die hellerauer und andere, aber auch aus der eigenen stadt dessau. da gab es fieberhafte vorbereitungen, das thema in vielfältiger form zum ausdruck zu bringen und die räume demgemäß zu gestalten (das weiße fest, das metallische fest). für albers und seine vorkursler war es das gefundene fressen, ihre ideen ins große zu übertragen; aber auch die meister wurden damit beauftragt, ihre »altäre« zu bauen. der originalität des kostümlichen einfalls waren keine grenzen gesetzt, und es wurde so intensiv gewerkt und geschafft, als ginge es um tod und leben. wenn dann kandinsky mit einem riesenbart erschien, klee mit hochgedrehtem schnauz und gropius seinen halsbrecherischen sturzflug glänzend vollbrachte, schien jedem im lichte des vergnügens, daß sich die arbeit sehr gut bezahlt gemacht habe.

vor diesem leicht abschweifenden hintergrund des täglichen lebens rückt vielleicht das angebot der beiden berliner herren, baron von x und journalist z, in ein verständlicheres licht. es galt nun, nachdem man darauf eingegangen war, den schauplatz an einem fremden ort erstehen zu lassen. heinrich stephan übernahm die suche nach einem berliner lokal und fand es in einem etwas mysteriösen hotel in form von zwei großen sälen und den dazugehörigen eleganten vestibüls, speiseräumen und verbindenden nebenzimmern, wie garderoben, reichliche umkleidegelegenheiten, künstlerzimmer, buffet und bar, weitläufige hotelküchen und anrichten, konferenzzimmer mit gemälden, umkleideräume, jedoch keine bühne. angesichts der zwei säle wurde beschlossen, eine zweite kapelle zu engagieren, und zwar diejenige von friedrich holländer, die aber erst um 11.30 uhr einsetzen konnte, eines theaterengagements wegen (dreigroschenoper). damit war man die sorge los, daß sich das publikum gegenseitig zu tode trampelte, wenn einmal richtig zum tanz aufgespielt wurde. auf den meisten großen festen gab es zwei orchester, selbst zur eröffnung des neuen bauhauses in dessau 1926 wurde eine zweite kapelle hinzuengagiert. während dann die größere kapelle um vier uhr morgens schluß machte, spielte die bauhaus-kapelle weiter bis acht uhr oder auch zehn uhr.

das thema war »bart-, nasen- und herzenfest der bauhauskapelle«. schawinsky wurde mit den dekors betraut, herbert bayer entwarf die einladungen, eine kostümberatungsstelle wurde in berlin eröffnet, umbo für eine fotografenbude gewonnen, eine festaufführung geplant trotz fehlender bühne – diese mußte eben gebaut werden. der termin drängte, die festsaison ging zu ende, es eilte ... der 31. märz war der letzte termin. es wurde an allem gearbeitet, die bauhäusler halfen mit, wo es ging; die mädchen fertigten blumengebinde, die in einem basar verkauft werden sollten; haare wurden zu haufen zu perücken, bärte jeder art, von sudermann bis chaplin, geformt und gekämmt, gelockt und onduliert; nasen geformt – nach der ungerechtigkeit der natur –, herzen erfunden. einladungen wurden verschickt, wohin man konnte. aber aus berlin kam die nachricht, sowohl der baron als auch der journalist seien von der bildfläche verschwunden, es sei überhaupt kein geld da. so war nur zu hoffen, daß das defizit durch den verkauf der eintrittskarten zu zehn mark gedeckt werden konnte.

bis dahin mußte sich jeder behelfen, so gut es ging. die theateraufführung mußte fallengelassen werden, wir konnten uns die transporte nicht leisten. schon im jahre 1925 hatten wir eine solche pleite erlebt, als wir in berlin mit einem riesenarsenal von figurinen, dekorationen und ausrüstungen unser glück versucht hatten, jedoch als viel zu radikale agenten und direktoren nicht den erhofften erfolg buchen konnten. jener finanzielle zusammenbruch mußte zur auflösung der weimarer bühnengruppe führen; die arbeit von mehreren jahren vermoderte in lagerhäusern ... also, achtung!

unverzagt fuhren wir am morgen des 31. märz mit unseren instrumenten nach berlin, eine ganze schar von bauhäuslern, eilzug vierter klasse ... es sah schlecht aus, viel zu wenige bezahlte eintrittskarten. der prächtige aufbau, die beleuchtung, die verwandlung der riesen-kronleuchter in farbige skulpturen, die errichtung des coiffeurladens und der fotobude – alles ging erstaunlich gut vonstatten. die erwartungen waren groß, obwohl mit spannungen erfüllt ...

später hieß es allgemein, es sei das schönste fest gewesen, das je in berlin gestiegen sei. es wurde gespielt wie noch nie, die paare erschienen in den wunderbarsten kostümen, aber die säle waren halb leer. der wirt beschwerte sich, es werde nicht genug konsumiert, die kellner machten verdrossene gesichter. jeder pfennig aus der kasse war auf die miete des lokals draufgegangen. unsere kehlen waren trocken. das publikum durfte nichts merken. es merkte nichts. die stimmung war von ungewohnter vornehmheit durchtränkt, manchmal fast traumhaft anmutend. die menschen bewegten sich festlich und dennoch frei, wie unter der regie eines großen meisters. es ging fröhlich zu, das konnte man vom kapellenpodium aus sehr wohl sehen, wobei dort trotz der zur schau getragenen hochstimmung eine höchst depressive spannung herrschte. die holländer-kapelle war inzwischen eingetroffen und hatte unverzüglich das honorar von 1500 mark verlangt. heinrich koch wurde ins künstlerzimmer gerufen, zu verhandeln, da stephan mit holländer nicht weitergekommen war. als auch ich gerufen wurde und dort eintrat, hörte ich die kategorische stimme kochs: »wir unterschreiben nichts!« da unsere garanten verschwunden waren, drängte holländer auf einen schuldbrief unsererseits. aber womit hätten wir ihn decken können?

»nichts unterschreiben!«, wiederholte koch, als er mich sah. ich erklärte, daß wir maler seien und daß die einzigen werte in unserem privatbesitz unsere eigenen bilder seien. ob wir nicht mit bildern bezahlen könnten? ich versprach, meine bilder zur verfügung zu stellen. auch andy wurde hereingerufen. er schlug eine versteigerung der bauhaus-blumen vor. das war wenigstens etwas momentan greifbares, und holländer war damit einverstanden, seine jazzband einige tänze spielen zu lassen.

andy kündigte die versteigerung an und spielte den auktionär meisterhaft. er war ein sehr bescheidener, zartbesaiteter mensch, was sehr gut zu den schönen blumen paßte, jedoch weniger dazu angetan war, die angebote hochzutreiben. im gegenteil, er schien zu sagen: »seht euch diese seltene blume an, die man sich nur fürs jenseits eines bauhaus-paradieses vorstellen kann... aber wer braucht schon ein solches wunderwerk auf dieser welt?«

es wurde mehr gelacht als gekauft; immerhin kam eine kleine summe zusammen, und diese wurde, mit den prozenten von den getränken, unserem gläubiger als anzahlung ausgehändigt. das fest ging weiter. gemerkt hat niemand etwas.

Tut Schlemmer

1890 unter dem Mädchennamen Tutein in Mannheim geboren. Studiert von 1910 bis 1914 an der Handelshochschule Mannheim und an der Universität Heidelberg Nationalökonomie. Assistentin am Betriebswirtschaftlichen Institut, Mitbegründerin der »Freien Studentenschaft«. Während des Ersten Weltkrieges Dienst beim Roten Kreuz. Lernt 1918 Oskar Schlemmer kennen, der, aus dem Militär entlassen, wieder in sein Atelier als Meisterschüler der Akademie der Künste in Stuttgart zurückgekehrt ist.

Oskar Schlemmer nimmt hier seine 1912 begonnenen Tanzexperimente wieder auf und verläßt 1920 die Akademie. Im gleichen Jahr heiraten Tut und Oskar Schlemmer. Ende 1920 wird Oskar Schlemmer als Meister an das Bauhaus Weimar berufen, wo er zuerst die künstlerische Leitung der Werkstatt für Wandmalerei, später für Holz- und Steinbildhauerei übernimmt. 1922 Uraufführung des ›Triadischen Balletts‹ im Landestheater Stuttgart und während der Bauhaus-Woche im Sommer 1923 am Deutschen Nationaltheater in Weimar. 1925 Übersiedlung mit dem Bauhaus nach Dessau, wo Oskar Schlemmer mit dem Aufbau der Versuchsbühne beginnt.

1929 folgt Oskar Schlemmer einer Berufung als Professor an die Breslauer Akademie mit dem Lehrauftrag »Raum und Mensch«. Als die Akademie infolge der politischen Tendenzen im April 1932 geschlossen wird, geht Schlemmer nach Berlin und übernimmt ein Lehramt an den Vereinigten Staatsschulen für Kunst. Im März 1933 wird in Stuttgart eine Ausstellung seiner Werke durch die SA geschlossen. Im gleichen Jahr wird er aus dem Lehramt entlassen und geht mit seiner Familie nach Eichberg (Baden). Dort trifft er die Vorbereitungen zu einer Gedächnisausstellung für seinen Malerfreund Otto Meyer-Amden, die 1934 im Kunsthaus Zürich von ihm eröffnet wird. Gleichzeitig erscheint die Monographie von E. Gubler, ›Otto Meyer-Amden. Zur Erinnerung an seine Lehrtätigkeit 1928–1931 in Zürich.

1937 Übersiedlung nach Sehringen bei Badenweiler in ein selbsterbautes Atelierhaus, in dem er jedoch infolge der Verfemung der Moderne in Deutschland niemals zum Arbeiten kommt. 1937 wird er in der Ausstellung ›Entartete Kunst‹ angeprangert. Ab 1938 muß sich Oskar Schlemmer den Lebensunterhalt als Malerhandwerker verdienen, bis ihn Kurt Herberts 1940 in das Farbenlabor seiner Lackfabrik nach Wuppertal holt, wo bereits Willi Baumeister, Georg Muche, Gerhard Marcks und andere Künstler tätig sind. Vorzeitig aufgerieben durch die Diskrepanz zwischen wirtschaftlichen und künstlerischen Interessen, stirbt er am 13. April 1943 in Baden-Baden.

Tut Schlemmer wohnt seit 1949 in Stuttgart. Ihr Heim entwickelt sich zu einem kleinen Bauhäusler-Treffpunkt. Schon zu dieser Zeit beginnt sie in mühevoller Arbeit eine Liste der ehemaligen Bauhäusler zusammenzustellen und zu verschicken. Sie hat auf diese Weise viele Bauhäusler wieder zusammengeführt. Diese Liste wird später vom Bauhaus-Archiv übernommen und vervollständigt. Auf Anregung von Will Grohmann hält sie 1949 im Amerikahaus in Berlin einen Vortrag über die Bauhaus-Bühne, zusammengestellt aus Aufzeichnungen Oskar Schlemmers und Originaldias aus jener Zeit. Diesen Vortrag wiederholt sie in unzähligen Städten, darunter auch in Amsterdam, Zürich und Basel. Ihr Verdienst ist es, die Bauhaus-Bühne der Vergessenheit entrissen zu haben.

Ferner editiert sie aus dem Nachlaß ihres Mannes ›Oskar Schlemmer – Briefe und Tagebücher‹, München 1958.

Tut Schlemmer lebt in Stuttgart und als Ehrenbürgerin in Sehringen/Baden.

. . . vom lebendigen Bauhaus und seiner Bühne

Neun Jahre waren wir am Bauhaus. Es war eine aufregende und anstrengende Zeit, jedoch trotz allem eine unvergleichliche, voll großartiger Entscheidungen. Diese Jahre waren ein Stück Kunstgeschichte, aber auch Zeitgeschichte. Ein Kampf der Geister, offenkundig oder geheim wie vielleicht nirgends sonst, eine dauernde Unruhe, die den einzelnen fast täglich zwang, zu tiefgehenden Problemen grundsätzlich Stellung zu nehmen.

Wenn ich an dieser Stelle nicht tief genug über die Spannungen und die Dramatik des Ablaufes erzähle, so ist es wohl darum, weil die Glanzlichter der Erinnerung über dieser schönsten Zeit unseres – wohl auch meines – Lebens schweben. Mit dem Wort Bauhaus ist ein Zauber verbunden, der uns alle, die wir dort waren, noch heute zusammenhält in der ganzen Welt.

Das Bauhaus ist keine Legende! Der neue Wohnstil, das Metall, das Glas, die Töpferei, die Beleuchtung, die Tischlerei, die Drukkerei, das Plakat, die Tapete, das Foto – heute wäre auch der Film dabei –, die Bühne und die Königin aller Werkstätten, die Architektur, sind Zeugen davon. Es wird immer das Verdienst des Bauhauses bleiben, die Problematik der Kunst an die Realität des Handwerks gebunden und die alte Stammfolge der Künste wiederhergestellt zu haben, wonach die Architektur die Führerin sein sollte gemäß ihrem orchestral zusammenfassenden Charakter, nämlich daß vom Bau aus die Voraussetzungen gegeben werden für Form und Gestalt alles Weiteren, vom einfachen Gegenstand an.

1919 war der Anfang in Weimar. Er war wild und enthusiastisch. Auch damals war gerade ein mörderischer Krieg zu Ende gegangen, jedoch waren die künstlerisch orientierten Überlebenden in allen kunstliebenden Nationen mit neuen Ideen und Wünschen aus jener Zeit hervorgegangen. Die Generation von 1918 sah eine Aufgabe vor sich – nämlich die neue Ära, die vor dem Kriege im künstlerischen Geschehen angebrochen war, weiterzutragen. Auch bei uns in Deutschland gab es einen ungeheuren Aufschwung in Theater, Film, Musik, Tanz, Literatur, in den Bildenden Künsten und in der Architektur – die Entdeckung der großflächigen Schönheit, die Selbstherrlichkeit des Funktionellen, nahm ihren Anfang –, und all dies trotz der Nöte der Nachkriegszeit und trotz Inflation. Der Aufruf von Gropius wirkte wie eine Fanfare, und von überall kamen die Begeisterten herbei.

Am Anfang ließ man sich erst einmal gehen. Die Haare lang bei den Jungen, die Röcke kurz bei den Mädchen. Man ging ohne Kragen und Strümpfe, was damals schockierte und eine Extravaganz bedeutete (heute gibt es bei den Jungen wieder lange Haare und bei den Mädchen den kurzgeschorenen Schopf – so hat jede Zeit ihren Spaß) ... Man konstruierte ein Bauhaus-Gewand, erfand den Bauhaus-Pfiff, den Bauhaus-Gruß, und man saß gerne im Mondschein im Goethepark an der Ilm oder unter dem großen Zeigefinger von Franz Liszt (Denkmal im Park) beim Gesang der Nachtigallen. Man fror aber auch und hungerte für seine Ideale. Kurzum, ein Suchen nach neuen Möglichkeiten der Lebensgestaltung, Jugendfeuer, lebendigstes Leben!

Man ärgerte aber auch die Bürger, stieß sie vor den Kopf – ich glaube, wir lebten noch lange als Spießerschreck in der Erinnerung –, man freute sich unbändig über diese Ungebundenheit und proklamierte begeistert neue Ideen. Man feierte Feste mit wunderschönen selbstgebastelten Lampions, man feierte das Drachenfest in jedem Herbst mit ebenfalls phantastischen Gebilden, die allerdings manchmal vor lauter Schönheit nicht mehr fliegen konnten. Sie wurden aber stolz durch die Stadt getragen, und dies versöhnte manchen Verärgerten und machte ihn zu unserem Freund. In den Vorstadtbühnen feierten wir unsere Feste, und es wurde alles, was nach Pathos und Ethik roch, lächerlich gemacht. Es wurden Opern und Schauspiele parodiert, und Kasperle – meistens Felix Klee – spielte Bauhaus-Satiren.

Die Ziehharmonika war unser Instrument, und wir entwickelten einen Bauhaus-Tanz – so eine Art Gehopse aus Lebensfreude –, der es in sich hatte. Später, in Dessau, wandelte er sich mit unserer Bauhaus-Kapelle bis zum befrackten Step und Jazz. Bis zuletzt spielten die Feste eine große Rolle am Bauhaus. Ich erinnere an die späteren, wie »Weißes Fest« und »Metallisches Fest«, wo sich die künstlerische Phantasie entfaltete und entzündete und Oskar Schlemmer stets ein einfallsreicher Initiator war und meistens selbst mitagierte. Weil der Spieltrieb da war, war vom ersten Tag des Bestehens des Bauhauses auch die Bühne da. Jener Spieltrieb, den Schiller in seinen wunderbaren Briefen über die ästhetische Erziehung des Menschen als die Kraft bezeichnet, aus der die wahrhaft schöpferischen Werte fließen, als jene unreflektierende, naive Lust am Schaffen und Gestalten, ohne daß nach Wert und Unwert, Sinn oder Unsinn, Gut oder Böse gefragt wird.

Glauben Sie aber ja nicht, daß das Leben am Bauhaus einfach oder unkompliziert gewesen wäre! Man fühlte sich vielmehr wie auf einem vulkanischen Gelände, und man mußte sehr aufpassen, nicht allzusehr hin und her gerissen zu werden von all dem, was auf uns einstürmte. Man war andauernden Wandlungen preisgegeben: Wir fingen ja fast mittelalterlich an mit unseren Satzungen von Formmeistern, Handwerksmeistern und Lehrlingen und endeten doch am Schluß (1933) mit einer Avantgarde auf allen Gebieten. Was sich auch ereignete in Kultur und politischem Geschehen, es spiegelte sich bei uns. Es gab schärfste Auseinandersetzungen – aber sie waren stets getragen von Verantwortung dem

Ganzen gegenüber. Rückblickend glaube ich das Geheimnis verstanden zu haben, warum das Bauhaus sich trotz unglaublicher Schwierigkeiten eben doch entwickeln konnte und warum wir so zusammengehalten haben bis heute: Wir liebten es einfach, es war mit unser Werk, und wir fühlten uns verantwortlich. Und dann besondere Gründe: Das Bauhaus hatte nicht nur ausgezeichnete Meister, es hatte die besten Schüler, sie waren wirklich eine Elite! Das Manifest von Gropius hatte schon die Richtigen angezogen. Die Unbegabten spuckte das Bauhaus automatisch wieder aus, sie konnten sich nicht länger als ein halbes Jahr halten – das war die vorgeschriebene Aufnahmezeit. Auch die Meister waren Magneten, aber das Bauhaus hätte sich nicht bis zur Idee verkörpern können, wenn diese Schüler nicht gewesen wären. Sie halfen mit, neuen Wein in alte Schläuche zu gießen.

1923 war die erste große Bauhaus-Ausstellung in Weimar. Sie erregte Aufsehen in der ganzen modernen Welt. Ja sie war vielleicht die Manifestation des Bauhauses überhaupt. Es wurde Zeugnis abgelegt von dem bis dahin Geleisteten. Es gab eine Ausstellung der Meister und der Lehrlinge, es gab Wandgestaltungen und Plastiken. Die Forderung »Form ohne Ornament« wurde konsequent verwirklicht. An einem Versuchshaus, das Georg Muche baute und nicht der Architekt Gropius, wurde die angestrebte Zusammenarbeit mit der Industrie demonstriert. Auch die Reklame und die ersten Fotomontagen präsentierten sich. Es wurde das erstaunlich gute und heute noch aktuelle und vielseitige Bauhaus-Buch herausgegeben. Im Staatstheater wurde Musik von Hindemith und Busoni gespielt und die ›Geschichte vom Soldaten‹ von Strawinsky, der wie auch Hindemith anwesend war, und das ›Triadische Ballett‹ von Oskar Schlemmer aufgeführt.

Und auch die Bauhaus-Bühne zeigte sich zum erstenmal offiziell. Sie hatte damals – nachdem das Experiment mit Lothar Schreyer nicht gelungen war – noch keine eigene Werkstatt, sondern sie existierte in allen Werkstätten. Es war so eine Art Team der Bühnenbegeisterten unter Führung von Oskar Schlemmer, der damals noch Formmeister der Holz- und Steinbildhauerei war. Die Vorführungen fanden in dem von Gropius umgebauten Theater in Jena statt. Später sprach man nur noch von der Schlacht von

Jena und Auerstedt. Denn dieses erste Auftreten war so etwas wie eine Blamage. Wir waren bis dahin nur an Improvisationen gewöhnt. Wenn unser Conférencier Andor Weininger nicht gewesen wäre, der mit Witz und Charme dem unruhig gewordenen, von nah und fern gekommenen Elitepublikum verzweifelt zuredete, doch auszuharren – wer weiß, ob es dann nicht unter Protest das Theater verlassen hätte. Denn die Pausen wurden nach jeder Nummer länger und länger, man hörte, wie hinter dem Vorhang aufgeregt debattiert, gehämmert und laut geflucht wurde. Andor kam immer wieder mit einer neuen Ausrede heraus, und ich entsinne mich, daß er unter anderem in seiner Verzweiflung sagte, daß der Vorhang aufgehe, das sei ja üblich, aber daß er nicht aufgehe, das sei doch geradezu sensationell. Wie die begossenen Pudel kehrten wir nach Weimar zurück, und Gropius würdigte uns keines Blickes.

In der weiteren Entwicklung des Bauhauses folgten Zeiten der Negation, des Zweifels, ob man auf dem richtigen Weg sei, der Kritik, die alles sezierte und in Frage stellte, und man rang um jene zweite skeptische Naivität, die diese gefährliche Krise ausglich. In dieser Beziehung ist dem Bauhaus nichts erspart geblieben.

Je stärker jedoch der Einfluß des Bauhauses nach außen wurde, desto mehr wuchs die Opposition in Weimar. Die Weimarer Regierung drehte sich bereits politisch stark nach rechts, und aus war es mit der sorglosen Herrlichkeit. In einem Pressefeldzug ohnegleichen, in Versammlungen, in Verleumdungsklagen stellte sich die ganze Reaktion gegen das Bauhaus und erreichte 1924 die Auflösungserklärung für Weimar.

Die Stadt Dessau bot eine neue Heimat. Wenn man sagen kann, daß Weimar sozusagen die Kindheit, die Sturm-und-Drang-Periode war, so fing der Ernst des Lebens für das Bauhaus in Dessau an.

Es war das Jahr 1925/26. Der neue Bau aus Stahl und Glas – damals ein großes Ereignis –, ein vielgliedriges Unterrichtsgebäude, und die Meisterhäuser wurden nach Plänen von Walter Gropius gebaut. Man zog ein und betrat damit eine ganz andere Welt. Denn schließlich kam man ja aus einem von van der Velde im Jugendstil errichteten Haus und war etwas romantisch angehaucht – deshalb stimmte auch vieles nicht mehr, als wir uns in Glas und Stahl bewegten. Das große Umformen begann. Die Werkstätten wurden Modellwerkstätten und das Herz des Bauhauses. Die Maschine wurde bejaht. Das Handwerk der Zukunft wurde als schöpferische Vorarbeit für die industrielle Produktion bezeichnet. Die Werkstätten hatten nur einen kleinen Etat und mußten sich rentieren. Es galt, Aufträge zu bekommen, und die Industrie mußte gewonnen werden. Dies gelang auch: Stahlmöbel-, Beleuchtungs-, Tapetenindustrien und viele andere Industriezweige stellten Tausende von Gebrauchsgegenständen her. Die gleiche Breitenwirkung hatte die vom Bauhaus ausgehende neue Auffassung von Typographie, Grafik, Fotografie, Fotomontage usw. Die Reihe der Bauhaus-Bücher – schon 1924 begonnen – wurde herausgegeben. Eine vierteljährliche Zeitschrift, die über die Ereignisse innerhalb des Instituts orientierte und auch über alles, was sich an Künstlerischem ereignete, erschien. Die sehr schönen Prospekte trugen unter anderem die Aufschrift: »Junge Menschen aller Länder, kommt ans Bauhaus!«

Und sie kamen aus vielen Ländern! Wir waren ja inzwischen auch viel bewußter geworden. Gesetzmäßigkeiten haben sich aus dem Unbewußten und Chaotischen gelöst, und Begriffe wie Norm, Typus, Synthese bezeichnen den Weg, der zur Idee der Gestaltung führen sollte. Denn: Von jetzt ab nannte man das Bauhaus ›Hochschule für Gestaltung‹. Die Meister wurden zu Professoren.

Man hat sich enorm bemüht, den Studierenden eine möglichst totale, möglichst umfassende Bildung und Ausbildung zu vermitteln. Man hat an dieser einzigartigen Hochschule versucht, durch Zusammenfassung künstlerischer und handwerklicher Tendenzen zu neuen Gestaltungsformen zu gelangen. Man beschritt dabei bewußt diesen Weg, um den Stilverwirrungen und Geschmackswucherungen jener Zeit eine Ordnung entgegenzusetzen, die auf einer neuen Auffassung von Sachlichkeit basierte.

Diese Bestrebungen bezogen sich naturgemäß auch auf das Gebiet der Bühne. Ist sie doch ein Gebilde voll Ordnung und Plan und der Schauplatz von Form und Farbe in lebendigster Gestalt, und bildete sie doch gegenüber den bisweilen allzu sachlichen Tendenzen des Bauhauses einen notwendigen Gegenpol:

Zufluchtsort und Sammelpunkt metaphysischer Interessen! Nicht umsonst sagte man damals, die Bühne sei die Blume im Knopfloch des Bauhauses! Allerdings hinderte dies nicht unsere Technisch-Funktionellen, von welchen es auch viele gab, zu fragen: wozu Blume, Knopfloch genügt ...

Diese Bühne wurde von Oskar Schlemmer ab 1925/26 in Dessau aufgebaut und geleitet. Er legte seine Ergebnisse und Erkenntnisse in dem grundlegenden und heute noch aktuellen Bauhaus-Buch unter dem Titel ›Mensch und Kunstfigur‹ nieder. Da Schlemmer ein Maler war, befaßte sich die Bühne in erster Linie mit Form und Farbe, Raum und Mensch. Es wurden, soweit es die bescheidene Basis dieser Bühne erlaubte, Gestaltungen versucht, die – weil sie in dieser Art nirgends versucht wurden – notwendigerweise original waren. Unsere Versuchsbühne konnte – und dies möchte ich betonen – nur ein kleiner Ausschnitt sein aus dem Gesamtbereich des Theaters und beschränkte sich vorerst bewußt auf das stumme Spiel und die Pantomime. Später sollte das Wort dazukommen – unliterarisch erfaßt, eben elementar, als Ereignis. Was für Wort und Sprache gesagt ist, galt auch für den musikalischen Klang. Bis dahin wurden nur Gong und Pauke verwendet. Es wurden keine Bühnenbilder entworfen und keine Kostümkunde gelehrt, sondern es wurde eine unmittelbare Aktion im Raum der Bühne angestrebt. Nie war daran gedacht, ein theaterwissenschaftliches Institut zu schaffen, obwohl auf unserer Bühne auch mit den Mitteln der wissenschaftlichen Erkenntnis gearbeitet wurde, vielmehr handelte es sich um das Ding an sich. Es handelte sich darum, tabula rasa zu machen und den ganzen Ballast über Bord zu werfen, der vormals einer Sache anhing, und unvoreingenommen wieder mit dem ABC zu beginnen, nämlich mit den Elementen.

Die Elemente sind Raum, Form, Farbe und das Licht.
Der Raum:
    seine Planimetrie, sein Gesetz und sein Geheimnis.
Die Form:
    jegliche ihrer vielfältigen Erscheinungsarten als Fläche,
    als plastischer Körper.

Die Farbe:

    als Phänomen, ihre gegenseitige Beeinflussung,
Harmonie–Disharmonie.

Das Licht:

    Beleuchtung, Projektion, Transparenz und Film sollten wesentliche Mittel sein, die Eigengesetzlichkeit der Bühnenform zu demonstrieren, fern von naturalistischen Nachahmungstendenzen.

Die Beleuchtung sollte nicht Sonne, Mondschein, Morgen, Abend und so weiter erzeugen, sondern das Licht sollte wirken als das, was es ist, nämlich gelb, blau, rot, grün, violett usw.

Man stellte dar: die Mechanik als Selbstzweck, als selbsttätige Maschine, wobei der Mensch nur am Schaltbrett figurierte, ebenso wie den Menschen als Ereignis: Privilegierter und Bevollmächtigter der Unmittelbarkeit, Vermittler und Künder des Worts und des Tons, seine Verwandlung durch das Kostüm und die Maske, sein Widerspiel in der leblosen Puppe, in der Marionette und der darin möglichen Übersteigerung der Gestalt.

Dies war der große Zirkelschlag um den Bereich der Bühne, der bis zum Bühnenbau reichen sollte. Man dachte sich ihn aus neuen Materialien, und sein Inneres sollte ein Wunderwerk aus dem Material von morgen sein, mit neuen Erfindungen auf dem Gebiet der Optik, Mechanik, Akustik, und keine Guckkastenbühne mehr, sondern die in Etagen organisierte, versenkbare, schiebbare Raumbühne.

Form und Farbe sind das Rüstzeug des bildnerischen Gestalters, Raum und Mensch sind polare Komponenten, um die sich die Welt der Bühne dreht.

Oskar Schlemmer, der nie aufhörte, auch als Künstler ein Optimist zu sein, sagte vor etwa 35 Jahren:

»Bedenkt man die ganze Phalanx menschlicher Figuration vom nackten Menschen zum kostümierten, zur Kunstfigur und Marionette bis zur überlebensgroßen Phantasiegestalt, bedenkt man das Ganze in seinen Spannungsmöglichkeiten vom Komisch-Grotesken bis zum Heroisch-Pathetischen,

bedenkt man dazu das kommende Bühnenhaus, geschaffen unter völlig neuen Voraussetzungen, bedenkt man die sphärische Musik, die organisierten Ätherwellen oder die in unerhörter Klangintensität maschinell-dynamisch zu erzeugende Musik, von der ein Busoni träumte,

bedenkt man, daß die Dichter – angeregt durch die neuen Möglichkeiten – zu ganz neuen Ideen und Stoffen kommen werden, daß sie dann weniger in Bilderbogen denken als in räumlich plastischer Architektur,

bedenkt man die Fortschritte auf dem Gebiet der Optik, Mechanik, und bedenkt man vor allem, daß diese Mittel Selbstzweck zu sein vermögen, derart, daß sie nicht dazu dienen, die Illusion einer zweiten Natur auf der Bühne vorzutäuschen, sondern direkt und unmittelbar mit der elementaren Kraft ihrer Wesenheit wirken können,

so kann man wohl sagen, daß sich der schaffenden Phantasie Spielräume eröffnen, die fast unbegrenzt sind.«

Nina Kandinsky

Als Nina de Andreewsky in Moskau geboren, Tochter eines russischen Generals. Lernt Wassily Kandinsky Ende 1916 in Moskau kennen, nachdem er aus Deutschland via Schweden wieder nach Rußland zurückgekehrt ist.

Im Februar 1917 Heirat mit Kandinsky. Wie Will Grohmann in seiner Kandinsky-Monographie übermittelt, sind Nina und Wassily Kandinsky »ihr ganzes Leben keinen Tag getrennt« gewesen. Nach den Revolutionsjahren in Rußland bekommt Kandinsky 1921 die Ausreisegenehmigung nach Deutschland und trifft mit Nina am 24. Dezember

1921 in Berlin ein. Im Frühsommer übersiedeln sie nach Weimar, wo Kandinsky auf Einladung von Gropius den Unterricht am Bauhaus beginnt und wieder mit seinem Freund Paul Klee zusammentrifft. Mit dem Umzug des Bauhauses ziehen die Kandinskys ebenfalls nach Dessau. Im Frühjahr 1928 werden sie dann deutsche Staatsbürger. Auf Wunsch von Mies van der Rohe folgt Kandinsky mit dem Bauhaus 1932 nach Berlin. Im Frühjahr 1933, als das Bauhaus endgültig geschlossen wird, übersiedeln die Kandinskys nach Paris. 1934 beziehen sie dann das letzte

Quartier in Neuilly s. S., wo Kandinsky am 13. Dezember 1944 stirbt.

Nach Wassilys Tod widmet sich Nina Kandinsky ganz der Verwaltung seines Nachlasses und organisiert einen großen Teil der späteren Ausstellungen. 1946 stiftet sie einen ›Kandinsky-Preis‹ zur Förderung junger Talente.

Insgesamt 27 Jahre ist die Moskauer Generalstochter Nina de Andreewsky mit dem Künstler verheiratet gewesen und danach 36 Jahre dessen kämpferische Witwe. Im September 1980 wird sie in ihrem Haus in Gstaad Opfer eines Raubmordes. Noch zu Lebzeiten verfügt sie über Stiftungen der Werke ihres Mannes, dessen Hauptnachlaß in der Wassily-Kandinsky-Stiftung im Centre Pompidou in Paris verwaltet wird. In ihren 1976 erschienenen Lebenserinnerungen ›Kandinsky und ich‹ bezeichnet sie sich bescheiden als eine liebende Frau, die für ihren Mann vieles aufgegeben hat, damit er sich entfalten könne.

Interview

Eckhard Neumann: Frau Kandinsky, in welcher Absicht ist Kandinsky 1921 nach Berlin gegangen?

Nina Kandinsky: Wir waren in Rußland, in Moskau, zuerst war Krieg 1914, dann kam die Revolution 1917. Wir konnten Rußland nicht verlassen. Während der Revolution hat er sehr viel gearbeitet, natürlich nur für die Kunst. Und er hat gesagt: Ich will nichts mit Politik zu tun haben. Er hat in dieser Zeit viel für die Kunst geleistet. Und da hat er eine Einladung bekommen, einen Brief glaube ich, vom Bauhaus. Man wollte, daß er zum Bauhaus käme.

N.: Den hat er noch in Moskau bekommen?

K.: Ja, den hat er noch in Moskau bekommen. Es war, wenn ich mich nicht irre, Anfang 1921, und das war, ich weiß es nicht genau, auf offiziellem Weg gegangen. Nebenbei, der erste Brief kam nie in seine Hände. Dann kam der zweite Brief, und da hat er gesagt, er möchte doch nach Deutschland zurückgehen. Lenin hat nach dem Ausbruch der Revolution absolute Freiheit für den Ausdruck in der Kunst gegeben. Nachher wurde es allmählich strenger oder enger, wollen wir sagen. Und da spürte Kandinsky, daß es nicht sehr angenehm wäre, dort zu bleiben für seine Arbeit. Und da hat er beschlossen, nach Deutschland zurückzugehen.

Und jemand hat geholfen mit dem Paß und hat gesagt: Kandinsky – Sie haben diese Einladung vom Bauhaus, und wenn Sie wollen, können Sie immer fahren, Sie sind ein großer Maler. Sie haben viel gearbeitet für uns, aber Sie brauchen natürlich Ihre eigene Arbeit. Und da hat Kandinsky gesagt, jetzt muß ich nur meine Aufgabe fertigmachen. Er hat da eine ganz merkwürdig-interessante Sache gegründet, eine Akademie der Kunst und Wissenschaft. Alles basierte auf der Idee der Großen Synthese. Diese Idee hat Kandinsky das ganze Leben sehr interessiert, und in dieser Akademie waren Vertreter der Wissenschaft und der Kunst. Alle haben Kunst gelernt, Ballett, Malerei, Skulptur, Musik, Theater, und das war wirklich eine absolut unerwartete Geschichte, es war eine einzigartige Geschichte, und er wollte diese Akademie fertig machen und dann, als er das geschaffen hat, da hat er gesagt, jetzt möchte ich fahren, und wir haben dann ganz bald die Bewilligung bekommen, Rußland zu verlassen. Wir konnten sogar verschiedene Bilder mitnehmen. Und dann fuhren wir nach Berlin. Wir waren müde, wir wollten zuerst ausruhen.

Nach Berlin kamen wir, ich weiß es ganz bestimmt, am 24. Dezember, gerade vor Weihnachten. Im Januar hat Gropius Kandinsky besucht. Wir wohnten im Hotel. Damals war er verheiratet mit Madame Mahler, Alma Mahler, und sprach vom Bauhaus, und Kandinsky hatte Interesse für das Bauhaus, denn das Bauhaus hatte auch etwas mit der Großen Synthese zu tun. Das stand sicher unter dem Einfluß des ›Blauen Reiters‹.

N.: Es gibt verschiedene Quellen, die behaupten, daß Kandinsky im Zusammenhang mit der ›1. Russischen Kunstausstellung‹ (1922) nach Berlin kam.

K.: Nein, das hat damit gar nichts zu tun, absolut gar nichts. Wir sind viel früher nach Berlin gegangen. Er wollte nach Deutschland zurück, und er war vom Bauhaus eingeladen.

N.: Durch Gropius?

K.: Ja, vom Bauhaus, durch Gropius. Im Mai sind wir nach Weimar gefahren. Er wollte das Bauhaus ansehen, das hat ihm sehr gefallen. Und dann sind wir Anfang Juni nach Weimar übersiedelt.

N.: Eine andere Quelle habe ich noch, und zwar durch den Maler Edmund Kesting aus Dresden, der sagte, daß Kandinsky um 1919 eingeladen wurde, als Professor an die Dresdener Kunstakademie zu kommen.

K.: Das habe ich nie gehört. Das weiß ich nicht. Jedenfalls wußte er davon auch nichts. Vielleicht ist die Einladung geschickt worden, aber sie ist nie bei ihm angekommen. Es könnte sein.

N.: Und dann hat Kandinsky seine Arbeit gleich am Bauhaus aufgenommen?

K.: Ja, da hat er angefangen. Erstens hatte er Vorkurs, zweitens hatte er damals die Werkstatt der Wandmalerei übernommen.

N.: Und hat er seine eigene künstlerische Tätigkeit daneben weitergeführt? Wie war das Verhältnis zu seinen Schülern damals in Weimar?

K.: Ich glaube sehr gut, am besten werden Sie seine Schüler fragen, aber ich glaube, die Beziehungen waren immer glänzend. Die Jugend hat Kandinsky sehr geschätzt und geliebt, und ich glaube, Kandinsky hat die Jugend auch sehr gut verstanden. Kandinsky war froh, dort Klee wieder zu treffen, den er aus München kannte. Es war eine sehr gute Atmosphäre. Dort befanden sich Schlemmer, Feininger – es war wirklich eine sehr angenehme Atmosphäre, und da waren dort seine Schüler. Herbert Bayer war zum Beispiel in seiner Werkstatt der Wandmalerei.

N.: Ja, aus dieser Zeit gibt es eine Reihe Arbeiten der Kandinsky-Schüler.

Als das Bauhaus von Weimar nach Dresden übersiedelt worden war, hat, glaube ich, Kandinsky eine Rolle des Vermittlers gespielt, als stellvertretender Direktor. War er das schon in Weimar, oder war er das erst in Dessau geworden?

K.: Ja, das war so. Wissen Sie, also die Stadt Weimar konnte oder wollte nicht, wollen wir sagen, das Geld für das Bauhaus geben, und da mußte Gropius das Bauhaus schließen. Da waren verschiedene Einladungen aus verschiedenen Städten, und Gropius – wir waren gerade zu dieser Zeit auf einer kleinen Reise nach Dresden – hat dann Kandinsky geschrieben, ob er nicht nach Dessau fahren würde, und da kam auch Muche, um die Atmosphäre zu sehen, und da fuhr ich mit Kandinsky, Georg Muche und seiner

Frau. Wir hatten uns in Dessau getroffen und haben uns die Stadt und die Leute angesehen. Das war sehr interessant in Dessau. Erstens, es war im Zentrum von Deutschland, wie Sie wissen, und da waren auch die Junkers-Werke, da waren sehr gute Theater mit sehr guten Orchestern.

Natürlich, nach Weimar erschien uns die Stadt nicht schön, Weimar war eine sehr hübsche Stadt.

Kandinsky und Muche haben mit dem Oberbürgermeister gesprochen, damals war er einfach noch Bürgermeister, kein Oberbürgermeister, und mit den Vertretern von der Stadt. Frau Muche und ich, wir sind gegangen, um die Stadt Dessau anzusehen, was die Geschäfte anbelangt und überhaupt solche Sachen, und da sind wir plötzlich draußen gewesen, da war ein sehr schöner Park, mit dem Schloß der Prinzessin, und als wir zum Tee zu dem Bürgermeister kamen, hat er uns gefragt, wie wir Damen die Stadt finden, und ob es uns hier gefallen habe. Und damals, ich war noch sehr jung, habe ich ihm gesagt, ja, es wäre sehr schön, wenn wir wohnen könnten, da in der Nähe von dem Schloß, vom Park der Erbprinzessin. Der Architekt der Stadt hat mich angeschaut und gesagt, weshalb nicht. Dann später hat Gropius die Möglichkeit bekommen, unsere Villen dort zu bauen. Ich erinnere mich gerade an diese kleine Geschichte, wie wir davon sprechen. Wir hatten ein Haus mit Klee zusammen. Das war ein sehr schönes Haus in der Burgkühnauer Allee 6 und 7.

N.: Die Häuser existieren heute zum Teil noch, aber sie sind zerstört, teilweise restauriert worden. Sie sind fast nicht wiederzuerkennen. Und das Meisterhaus von Gropius ist ganz abgetragen worden. Auch das Bauhausgebäude selbst existiert noch, aber es ist auch rekonstruiert worden, allerdings nicht ganz authentisch, wie Gropius es seinerzeit gebaut hat.

Nun, als Gropius das Bauhaus 1928 verlassen hat, zu dem Zeitpunkt war doch Kandinsky schon stellvertretender Direktor des Bauhauses?

K.: Ja, er war sozusagen Assistent von Gropius gewesen, schon in Weimar.

N.: Und hat sich sein Verhältnis zum Bauhaus dann unter Hannes Meyer geändert?

K.: Ja, Hannes Meyer, wissen Sie, das sind verschiedene Sachen, also da war eine Aktion der Architekten, sozusagen gegen Kunst, gegen Bilder an der Wand.

Auch Gropius hatte sich in dieser Beziehung etwas geändert, und das hatte die Künstler geärgert. Hannes Meyer hatte sich immer für die Maler eingesetzt und hat sogar, als er Direktor wurde, Ausstellungen veranstaltet von Bauhaus-Meistern usw., und das hat die Maler, Kandinsky, Klee und die anderen gefreut, daß sie wieder zusammenarbeiten konnten. Aber dann plötzlich hieß es: Er mache kommunistische Propaganda und beschäftige sich mit der Politik, und ich muß sagen, als er Direktor wurde, da haben Klee und Kandinsky für ihn, für Hannes Meyer, beim Oberbürgermeister gesprochen und sozusagen gebürgt. Das war sehr peinlich, und dann wußte man natürlich, daß Hannes Meyer weggeht, er war eine Gefahr für das Bauhaus. Kandinsky sagte seinen Schülern, sie können sein, was sie wollen, und wenn sie wollen Revolutionäre. Die Interessen können verschieden sein, aber nicht am Bauhaus, weil das eine große Gefahr für die Schule sei.

N.: Ja, es steht jedenfalls fest, daß unter Hannes Meyer wieder regelrechte Malklassen eingeführt worden sind im Bauhaus?

K.: Nein, das war schon vorher. Die Malklassen, das war eine Bedingung, gestellt von Kandinsky und Klee, als die Schule nach Dessau kam. Sie haben verlangt, daß da freie malerische Klassen gemacht werden, also das war von Anfang an in Dessau.

N.: Kandinsky hat auch den Wechsel von Hannes Meyer zu Mies van der Rohe in Dessau mitgemacht?

K.: Natürlich mußte man frei werden von Hannes Meyer. Es war ein großes Glück, daß wir den größten Architekten von Deutschland bekommen konnten, Mies van der Rohe. Er ist wirklich ein außerordentlich interessanter Architekt und Mensch gewesen. Es war ein Glück für das Bauhaus.

N.: Und dann sind Sie doch mit Kandinsky auch noch bis an das Bauhaus von Berlin gegangen?

K.: Ja, als das Bauhaus offiziell geschlossen war, hat Mies van der Rohe einige Meister vom Bauhaus gebeten, mit ihm weiterzuarbeiten, und diese weitere Arbeit war natürlich absolut idealistischer Art. Denn die Leute wurden nicht bezahlt. Kandinsky, dann

Albers und einige Leute sind mit Mies nach Berlin gegangen, und damit ging die Schule gut weiter, sehr gut sogar.

N.: Bestand denn damals noch Hoffnung, daß sich das politische Leben wieder einrenken würde?

K.: Nein, aber es war immer eine Hoffnung, daß man trotzdem für sich bleiben könnte, allein, in Ruhe für die Arbeit. Aber leider kam es so, plötzlich wurde die Schule im Frühjahr 1933, wenn ich mich nicht irre, im März, geschlossen. Das heißt, nicht ganz, aber provisorisch. Man hat Untersuchungen gemacht, und das waren doch immer dieselben Phrasen gegen die Kommunisten und die Juden. Man hat nichts gefunden, aber sie haben dann zu Mies van der Rohe gesagt, die Schule kann weitergehen mit zwei Bedingungen: Kandinsky darf nicht bleiben, er ist zu gefährlich als Geist, und dann der Architekt Ludwig Hilberseimer darf auch nicht bleiben, weil er in der Sozialdemokratischen Partei war. Aber Mies van der Rohe hat diese beiden Bedingungen natürlich nicht angenommen, und die Schule wurde definitiv geschlossen. Ich muß sagen, die Bauhaus-Schule kann nie wiederholt werden. Man hat es zu machen versucht, aber das ist gar nicht das Bauhaus. Denn das Bauhaus, das war eine Schule, die aus bestimmten Persönlichkeiten bestand. Das waren erstens wichtige Künstler, sehr gute Pädagogen und Idealisten. Denn das Gehalt war klein, und man mußte jedem viel Arbeit zumuten. Alles ging nur durch die wirklich idealistische Einstellung.

N.: Haben Sie selbst, Frau Kandinsky, Ihren Mann bei der Arbeit am Bauhaus in irgendeiner Weise unterstützt, haben Sie daran direkt teilgenommen?

K.: Nein, wieso? Ich war nicht seine Schülerin, ich habe nie gesehen, wie er unterrichtete. Ich war nie dabei. Aber ich habe alles gemacht zuhause, damit er ruhig arbeiten konnte.

N.: Und als Sie dann 1934 im Januar nach Paris kamen, hat sich Kandinsky dann noch einmal mit Unterrichtsfragen beschäftigt oder mit dem Fortsetzungsproblem des Bauhauses? Ist er möglicherweise eingeladen worden von Gropius oder Moholy-Nagy, die ja später alle drüben waren, nach Amerika zu kommen?

K.: Nein, Kandinsky hat gesagt, jetzt genug, jetzt möchte ich für mich arbeiten. Albers wollte sehr gern, daß er mit ihm zusammenarbeitete. Albers war übrigens ein ausgezeichneter Pädagoge, und er hat eine große pädagogische Leistung in Amerika vollbracht. Aber Kandinsky wollte nicht mehr, er wollte frei sein, erstens, und zweitens er konnte nicht genug die englische Sprache. Als wir dann hier waren, wurde er öfters gefragt, ob er nicht auf die eine oder andere Weise unterrichten wolle, aber er sagte: nein, jetzt will ich frei sein.

Ursula Schuh

Als Ursula Diederich in Hamburg-Blankenese geboren. Studiert zuerst Kunstgeschichte an den Universitäten Hamburg, Berlin und Heidelberg. Neben dem Besuch der Sorbonne beginnt sie sich für Malerei zu interessieren und studiert gleichzeitig an der Académie Calarossi in Paris. 1931/32 kommt sie an das Bauhaus Dessau, um in der Malklasse von Kandinsky ihr Studium fortzusetzen. Von 1932 bis 1934 lebt sie als Stipendiatin in Paris; später, bis 1937, weilt sie jährlich mehrere Monate in Paris, wo sie ihre künstlerischen Anregungen dem Maler Hans Reichel verdankt. 1939 heiratet sie den Regisseur Oskar Fritz Schuh.

Nach ihrer Übersiedlung nach Wien im Jahr 1940 beginnt sie mit Ausstellungen ihres malerischen Werkes; ihre erste Ausstellung findet 1942 in der ›Neuen Galerie‹ in Wien statt.

Von 1945 bis 1947 ist Ursula Schuh in Wien Zeichnerin, später Bildredakteurin und Kritikerin für die ›Welt am Montag‹ und die ›Welt am Abend‹. Nach vielen Reisen in Europa lebt Ursula Schuh von 1953 bis 1958 in Berlin und von 1958 bis 1963 in Köln. Danach läßt sie sich in Hamburg nieder. Auf Anregung von Rolf Liebermann beginnt sie ab 1964 für die Staatsoper und das Deutsche Schauspielhaus in Hamburg Bühnenbilder und Kostüme zu entwerfen. Zu den von ihr gestalteten Bühnenausstattungen zählen: Strawinsky ›Feuervogel‹, Frisch ›Die chinesische Mauer‹, Schnitzler ›Der grüne Kakadu‹, Giraudoux ›Undine‹ u. a. Unter den Ausstellungen ihres malerischen Werkes sind die Einzelausstellungen in der Galerie Rosen in Berlin, 1955, und im Wallraf-Richartz-Museum in Köln, 1961, hervorzuheben.

Im Klassenzimmer Kandinskys

Das Bauhaus Dessau war ein imposanter Bau. Eisenbeton, Glas, große, weiße, quadratische oder rechteckige, von spiegelnden Fensterreihen unterbrochene Raumblöcke in freier Landschaft. Damals der Sieg eines seiner Zeit vorausempfindenden Bürgermeisters. Des Bürgermeisters von Dessau. Ein Vorläufer heutiger Stadtplaner.

Im September 1931 öffne ich dort als Kandinsky-Schülerin zum erstenmal die Eingangstür. Bei meinem Eintritt ist es, wie immer in Akademien, sehr überheizt, und lautlose Stille überfällt mich. Selbst die Portiers sprechen dort gedämpft. »Kandinsky-Klasse bitte?« »Dort die Treppe hinauf, zweiter Stock links.« Ich gebe mir Mühe, auf dem spiegelnden Linoleumboden nicht auszurutschen. Schattenhaft bewege ich mich die Treppe hinauf: Treppe, Riesenfenster, Treppe, erster Stock. Menschenleerer Gang mit geschlossenen Türen. Weiter: Treppe, Riesenfenster, Treppe, zweiter Stock. Ich bin ganz Schatten, und nur die Mappe mit den jugendlichen Machwerken unter meinem Arm empfinde ich als viel zu persönlich, völlig unsachlich und abgeschmackt. Ich gehe suchend an den geschlossenen Türen mit den oft zitierten imponierenden Namen vorbei, die lautlosen Korridore entlang bis zur Tür: Klasse für Malerei. Kandinsky. Gott sei Dank, ›er‹ ist noch nicht da! Ich finde einen Platz. Bänke. Tische, wie in einem Klassenzimmer.

›Er‹ kommt. Alles Schattenhafte verfliegt im Nu vor diesem lebendigen, schnellen hellblauen Blick durch die scharfgeschliffenen Brillengläser. Ein Blick, der für alles Interesse hat. Der in der Umwelt dauernd neue Geheimnisse aufzudecken scheint. Dann ist man schon unversehens durch Fragen und Antworten mittendrin in den Problemen seiner Farbenlehre. Er hat eine große Anzahl verschiedenfarbiger Rechtecke, Quadrate, Scheiben und Dreiecke mitgebracht, die er uns in verschiedenen Kombinationen vorhält, um unser Sehvermögen zu prüfen und zu bilden. In dieser Zusammenstellung z. B. ist das Gelb vorn und das Blau hinten. Nehme ich nun aber dieses Schwarz dazu, »was passiert dann?«

usw. usf. Für den Maler: nie ermüdendes Spiel, Zauberei und – Quälerei, wenn man z. B. etwas »nicht nach vorn kriegt«.

Später erst konstatierte ich bei Kandinsky den fast weiblich empfindsamen, aber sehr kontrollierten Mund. Die graumelierten Haare. Das Würdige, eher Präzeptorale seiner Erscheinung. Die Korrektheit des dunklen Anzugs. Das schneeweiße Hemd, die ›Fliege‹ (wie bei Braque). Braune Schuhe. Die gepflegte Eleganz eines Wissenschaftlers von 1931. Auch die dazu gehörende gewisse Unpersönlichkeit im Umgang mit Menschen und Objekten. Dabei sehr attraktiv. Er mochte gut 55 Jahre alt sein. 60 vielleicht? So war der erste und bleibende Eindruck, den man von Kandinsky als Person hatte.

Seine Kunst, seine künstlerischen Experimente trafen genau auf das Lebensgefühl der damaligen Generation. Man liebte das Sprengen alter Konventionen, genauso liebte man aber die Exaktheit in der Fixierung und Formulierung neuer Erkenntnisse, auf welchem Gebiet immer. Auch in jeder Art künstlerischer Manifestation. Man liebte die Abstraktion, man empfand »abstrakt«. Man hatte damals auch bezeichnenderweise nie das Ziel, »modern« zu malen, ebensowenig dachte man in Richtungen (beides überließ man dem versierten Betrachter), vielmehr trachtete man danach, für seine eigene Erlebnisweise die allein entsprechende, einmalige und klare Form zu finden. Urteile über die Bilder wurden etwa so formuliert: »Das Bild stimmt«, »Das Bild ist schlagend«, logische Farb- und Formwendungen usw. Sagte man von einem Bild: »Das hat hübsche Sachen«, war es zwar zweit-, dritt- oder fünftklassig, hatte aber genau umrissene, feststellbare, wertvolle Stellen.

Verpönt war das »Arrangieren« von Bildern. Ein Bild ist »arrangiert«, hieß: es ist mit mehr oder weniger angenehmen Formen ein Viereck, geschickt, aber ohne echtes Erlebnis aus- oder angefüllt. Es war nicht »komponiert«, d. h. inneres Erlebnis und formales Können bildeten keine Einheit.

Das Große an Kandinskys künstlerischer Erscheinung war: seine Unerbittlichkeit; seine Konsequenz; seine künstlerische Wahrheitsliebe. Das war das große Beispiel, das sich die junge Generation zum Maßstabe nehmen und an dem sie sich messen konnte, selbst wenn sie sich nachher ganz davon lösen sollte oder mußte, da sie ja, je konsequenter sie war, eigene Wege ging.

Kandinsky empfand die sichtbare Umwelt nicht als das Wesentliche. Das Wesentliche waren für ihn die immanenten Eigenschaften und Erscheinungen in seiner Umwelt und die eigenen inneren Empfindungen. Die wollte er freilegen. Daher auch die Titel seiner Bilder: ›Leicht‹, ›Zueinander‹, ›Schwebend‹ usw. Oder, wenn ihn die Entdeckerfreude am freien Umgang mit Farbe und Form rauschhaft überkommen haben mochte, nannte er das so entstandene Bild »Improvisation« und nicht »Komposition«, denn »Komposition« bedeutete immer ein überlegtes, genau abgezirkeltes Bild. In der Kunst war man sehr streng mit sich und mit anderen.

Stark wurde in der Bildenden Kunst auch die Parallele zur Musik empfunden: die scheinbar freien und doch gesetzmäßig sich entwickelnden Formen und Farben, wie es auch immer wieder in den Bildtiteln ›Fuge‹, ›Variation‹, ›Crescendo‹ oder ›Allegro‹ u. ä. zum Ausdruck kommt.

Bezeichnenderweise verehrte Kandinsky sehr die Tanzkunst der Palucca, weil ihr Tanz sozusagen nichts als Tanz war, ganz aus den Möglichkeiten des Körperrhythmus entwickelt, ohne literarische oder bildhafte Ablenkung in der Themenstellung.

Ich blieb nicht lange am Bauhaus, da die künstlerische Atmosphäre stark von kulturpolitischen Auseinandersetzungen zersetzt war, und fuhr nach Paris zurück. Dort hatte ich auch die letzte persönliche Begegnung mit Kandinsky. Das war in seiner Wohnung in Neuilly, einem modernen westlichen Vorort von Paris, nach seiner 1933 erfolgten Emigration. Glücklicherweise erlebte ich dort noch die beiden großen Ausstellungen von Klee und Kandinsky, durch die ihre internationale und allgemeine Bedeutung erst so recht im eigentlichen Sinn sanktioniert wurde.

Will Grohmann

Geboren 1887 in Bautzen. Besucht als Gymnasiast 1904 die große Internationale Kunstausstellung in Dresden. Starkes Interesse für Kunst, zunächst jedoch mehr für Malerei als für Kunstwissenschaft. Studiert an den Universitäten Dresden und Leipzig orientalische Sprachen, Archäologie, Kunstgeschichte und Germanistik. 1913 Promotion zum Dr. phil. an der Universität in Leipzig. Während des Ersten Weltkrieges und später ist Will Grohmann im höheren Schuldienst tätig.

1923 wird er Mitarbeiter der Zeitschrift ›Der Cicerone‹ und wirkt an der Redaktion des Thieme-Beckerschen ›Künstlerlexikons‹ in Leipzig mit. In dieser Zeit beginnt er einen intensiven freundschaftlichen Kontakt mit den Künstlern der neuen Kunst und wird ein entschiedener Verfechter ihrer Ziele. Bereits 1924 veröffentlicht er eine Monographie über Kandinsky, der viele Bücher und unzählige Aufsätze zu Themen der modernen Kunst folgen.

Nach der Eröffnung des Bauhauses ist er dort ein häufiger Gast, besonders bei Kandinsky und Paul Klee. In Frauenkirch bei Davos besucht er 1923 Ernst Ludwig Kirchner, veröffentlicht 1925 ein Buch über Kirchners Handzeichnungen und 1926 ein Buch über dessen Gesamtwerk. Wichtige Monographien schreibt er 1929 über Paul Klee, 1930 wieder über Kandinsky, 1931 über Willi Baumeister und 1933 ein Buch über die Sammlung Ida Bienert.

1933 wird er aus politischen Gründen entlassen und beschäftigt sich mehr mit archäologischen Fragen, u. a. mit der Kunst der Wandervölker. Eine wichtige selbstgestellte Aufgabe in dieser schwierigen Zeit ist die Vorbereitung einer kommentierten Ausgabe der Schriften des Asienforschers Josef Strzygowski, der um 1900 die Einflüsse des Orients auf die westliche Kultur beschrieben hat. Das Manuskript ist leider bei Kriegsende verbrannt. Nach dem Krieg in Dresden, bemüht sich Grohmann als Ministerialdirektor für Volksbildung intensiv um die Reaktivierung des kulturellen Lebens. 1948 wird er als Professor für Kunstgeschichte an die Hochschule für Bildende Kunst in Berlin berufen, und gleichzeitig ist er bis 1955 Chief Art Critic an der ›Neuen Zeitung‹ in Berlin. Er wendet sich jetzt wieder seinem eigentlichen Interessensgebiet zu, der modernen Kunst, und veröffentlicht eine Reihe großer Monographien, die gleichzeitig in mehreren Sprachen erscheinen, darunter: Paul Klee (1954), Karl Schmidt-Rottluff (1956), Wassily Kandinsky und Ernst Ludwig Kirchner (1958), Henry Moore (1959), Willi Baumeister (1953), Oskar Schlemmer (Zeichnungen) (1965), Hans Hartung (Aquarelle) (1966), Paul Klee (1966) und andere. 1959 wird Grohmann der italienische Literaturpreis von Viareggio verliehen, 1962 wird er zum Ehrenpräsidenten der ›Association internationale des critiques d'art‹ und zum Ehrenmitglied des Museums of Modern Art in New York gewählt. Zu seinem 80. Geburtstag im Jahre 1967 stiftet die Deutsche Gesellschaft für Bildende Kunst (Kunstverein Berlin) in Anerkennung seiner langjährigen Verdienste für die junge Kunst den ›Will-Grohmann-Preis‹, und die Akademie der Künste in Berlin ernennt ihn zum Ehrenmitglied. Seine persönlichen Beziehungen zu den Künstlern seiner Zeit werden im gleichen Jahr in einem Buch mit dem Titel ›Lieber Freund – Künstler schreiben an Will Grohmann‹ zusammengefaßt, es spiegelt das intime Verhältnis und die große Wirkung seiner Arbeit wieder. Will Grohmann ist am 5. Mai 1968 in Berlin gestorben.

Bauhaus und moderne Kunst

Daß man noch immer von einer Kunstschule spricht, die nur 13 Jahre lebte und innerhalb dieser Zeit auch noch zerschlagen und wieder konstituiert wurde, ist ganz ungewöhnlich. Es gibt in Deutschland Akademien, die auf eine mehr als hundertjährige Vergangenheit zurückblicken und trotzdem niemanden interessieren, und es gibt Privatschulen, von denen wenigstens einige eine Rolle gespielt haben, die von Azbé in München z. B., deren Schüler Kandinsky und Jawlensky waren. Kandinsky ging erst 1900 an die Akademie zu Franz Stuck, bei dem gleichzeitig auch Klee studierte, und beide trafen sich nach dem Krieg am Bauhaus in Weimar wieder. Klee begann im Januar 1920 seine Tätigkeit, Kandinsky im Juni 1922. Und Lyonel Feininger, der mit ihnen 1913 in dem berühmten ›Herbstsalon‹ des ›Sturm‹ ausgestellt hatte, war bereits seit 1919 an der Schule. Die übrigen »Meister« kamen aus anderen Bezirken des künstlerischen Lebens.

Das Bauhaus war mehr eine Idee, und diese stammte von Gropius. Er war kühn genug, sich Mitarbeiter zu suchen, denen er ebensoviel zutraute wie sich selbst, in erster Linie eigene Gedanken und Kritik. Es ging oft hart auf hart in den ersten Jahren des Aufbaus, es gab heftige Auseinandersetzungen zwischen den Lehrern und mit den Studierenden, aber Gropius vertrug Wahrheit und Widerspruch. Er war als Mensch ein Gentleman, als Direktor ein guter Organisator und Pädagoge, und er war ein Esprit fort. Was er bedeutete, zeigte sich, als er nach zehn Jahren das schwere Amt niederlegte, um wieder als freier Architekt tätig zu sein. Er war nicht zu ersetzen, auch Mies van der Rohe, das Genie unter den Baumeistern, konnte es nicht. Direktor eines solchen Instituts sein, heißt den Kleinkram und den Verkehr mit den Behörden, den Politikern und den Industriellen nicht zu scheuen, dabei elastisch bleiben und bereit, jeden Tag von neuem das Bessere an die Stelle des Guten zu setzen, immer wieder neu anfangen.

Solange das Bauhaus bestand, wurde es angegriffen. Die Besten standen zwar auf seiner Seite, aber sie waren eine kleine Minorität. Die Idee des Bauhauses lag in der Luft. Als unmittelbar nach dem Krieg der »Arbeitsrat für Kunst« gegründet wurde, erhob dieser Forderungen, die denen des Bauhauses eng verwandt waren: Reform der Kunstschulen, Ausbildung auf handwerklicher Grundlage, Synthese der Künste, Abwehr des schrankenlosen Individualismus usw. Und dem Arbeitsrat gehörten beinahe alle führenden Köpfe an: Erich Heckel, Karl Schmidt-Rottluff, Lyonel Feininger, Gerhard Marcks, Hans Poelzig, Wilhelm Valentiner, Paul Cassirer und natürlich auch Gropius. Aber Gropius hatte sein »program in progress« schon in der Tasche, er wußte, was er wollte, er wußte nur noch nicht genau, wen er ans Bauhaus berufen sollte.

Gropius war gerade aus dem Krieg zurückgekommen und glaubte, daß nichts unmöglich sei. Die Jahre nach 1918 waren die erregendsten und kühnsten des 20. Jahrhunderts in Deutschland, die hoffnungsreichsten. Jeder wollte die Welt verbessern, jeder philosophierte oder dichtete oder machte utopische Pläne. Was Gropius wollte, leuchtete zunächst ein, das Debakel erst, als die von der Revolution Weggefegten sich wieder sammelten und Oberwasser bekamen. Die Idee von Gropius war, alle künstlerischen Kräfte auf das Bauwerk zu konzentrieren, er wünschte eine Ausbildung auf handwerklicher Grundlage, damit alle Lernenden brauchbar würden und sich dem Ganzen einordneten. Es gab nicht Professoren und Studierende, sondern Meister und Lehrlinge, nicht freie und angewandte Künstler, sondern Schaffende, die sich gegenseitig ergänzten, um einer gemeinsamen Sache zu dienen. Kunst ist nach Gropius nicht lehrbar, sondern nur das Können der Hand und das Wissen. Das Genie ist nicht Angelegenheit der Schule, aber auch die freie Schöpfung erwächst aus der handwerklichen Ausbildung. Kann der Künstler, der am Bauhaus Lehrling war, von seiner Kunst nicht leben, kann er auf das gelernte Handwerk zurückgreifen.

Es gab eine Vorlehre (Form- und Materialübung), eine Werklehre in einer der Lehrwerkstätten (Stein, Holz, Metall, Textil, Glas, Farbe), die mit einer Formlehre verbunden war (Naturstudium, Konstruktion, Raum, Farbe), und endlich eine Baulehre mit dem Meisterbrief als Abschluß. Man wirkte auf den Lernenden gleichzeitig von zwei Seiten ein, von der werklichen durch den Handwerksmeister und von der formalen durch den Künstler. Diese hatten in Weimar nicht etwa Mal- oder Bildhauerklassen, sie waren »Form-Meister«, Kandinsky z. B. für Wandgestaltung, Klee für Glasmalerei, Moholy-Nagy für Metallarbeit, Marcks für Keramik, Muche für Textil, Feininger für Druckerei, Schlemmer für Plastik, später für Bühne und Theater. Erst in Dessau hatten Kandinsky und Klee eine Malklasse, und erst in Dessau lag die Ausbildung in einer Hand, da ehemalige Schüler nun als Form- und Werkmeister wirken konnten. Sie waren für beides ausgebildet. Die Werkstätten wurden in Dessau immer mehr zu Laboratorien, in denen Modelle für Standardware entwickelt wurden, die Architekturstudenten hatten sich mit dem Haus als Frage des Massenbedarfs, mit den Fabrikationsmethoden von Bauteilen und der Serienherstellung zu beschäftigen. Wissenschaft und Technik wurden bejaht, im Zentrum aber stand die Frage der Gestaltung.

Man erstrebte eine Synthese, das Zusammenwirken aller, und dies bereits in der Ausbildungszeit. Jeder sollte sich einordnen, aber seinen Eigenwert nicht verlieren. Im Orchester findet auch das Nichtgenie seinen Platz. Die mittelalterliche Bauhütte fand im Bauhaus ihre aktuelle Erneuerung. Die meisten Schüler gingen nach Abschluß ihres Studiums in die Praxis, führten die Anregungen ihrer Lehrer weiter und erblickten in der Umweltgestaltung ihre Aufgabe. Verhältnismäßig wenige wurden Maler oder Bildhauer, wie Fritz Winter. Eine ›Kunstschule‹ im üblichen Sinne war also das Bauhaus nicht, »Hochschule für Gestaltung« war damals schon die richtige Bezeichnung gewesen, aber »Bauhaus« war die richtigste.

Wie erfolgreich die Lehre war, sah man 1930 in der ›Exposition de la Société des Artistes Décorateurs‹ in Paris. Gropius hatte vom Werkbund den Auftrag erhalten, die Section allemande zu machen, und ein internationales Publikum sah zum erstenmal Modelle und Gegenstände, die ebenso schön wie funktionell exakt waren. Der vielkritisierte Funktionalismus erwies sich im Bau wie im Gebrauchsgegenstand keineswegs als trocken und gefühllos, er war nichts weiter als ein notwendiger Regulator der Phantasie, ein technischer und ökonomischer Partner.

Daß zehn Jahre lang (erst 1928 bröckelte das Team ab) so viele außergewöhnliche Begabungen zusammenhielten, menschlich und beruflich miteinander auskamen, erscheint wie ein Wunder. Wer je in den Betrieb des Instituts Einblick genommen oder an Bauhaus-Veranstaltungen und Festen teilgenommen hat, wird nie den Geist der Freundschaft vergessen, der im Bauhaus waltete, und den Elan, der die Arbeit auszeichnete. In dieser Atmosphäre wuchs jeder über sich hinaus. Die Lehrer waren anspruchsvoll, und die Schüler wurden es durch sie. Das Mißglückte wurde schonungslos abgetan und das Gelungene rückhaltlos gelobt. Es gab keine Eifersüchteleien, nur Wettstreit.

Und ebenso ernst wie die Arbeit nahm man die Feste, die stets unter einem Motto standen, wie »Metall« oder »Schwarz-Weiß«. Es war Ehrensache, alles selbst zu machen, sogar die Musik. Die Jazzkapelle der »Bauhäusler« war in ganz Deutschland berühmt und auch auswärts begehrt. Die Studierenden verdienten damit das Geld zum Studium, wie sie auch vom Ertrag ihrer Entwürfe und Modelle, soweit die Industrie sie akzeptierte, ihren prozentualen Anteil erhielten. Das Bauhaus verdiente sich in Dessau einen Teil seines Etats selbst, und die Industrie arbeitete gern mit den Lehrern und Schülern. Die Bauhaus-Tapeten wurden von Jahr zu Jahr ein besseres Geschäft.

Wenn man die Bauhaus-Bücher heute durchblättert – 13 sind erschienen –, kann man es kaum fassen, wieviele der bekannt gewordenen Fabrikate in den wenigen Jahren entstanden sind, die Bauhaus-Lampe, die Stahlmöbel, die Aschenschalen usw. Und alle diese Dinge haben sich gehalten, weil sie nicht modisch waren. Das Wort Mode gab es am Bauhaus nicht, es hatte für alle einen üblen Klang. Eine exakte Arbeit, die den Ansprüchen an sinnvolle Form genügt, hat von selbst den Stil ihrer Zeit, sie sucht ihn nicht. Das Individuelle trat zurück, man konnte schon erraten, wer dies oder jenes entworfen und entwickelt hatte, oft waren es mehrere, aber stärker als das Persönliche war in jeder Arbeit das Verbindende.

Als 1926 die jungen Meister in Dessau die Werkstätten übernahmen, lief der Betrieb so, wie Gropius ihn sich von Anfang an gedacht hatte. Josef Albers und Moholy-Nagy machten den Vorkurs. Die Schüler experimentierten mit den verschiedensten Materialien und lernten mit ihnen konstruieren. Was man z. B. mit Papier machen kann, hatte niemand vorher geahnt; Max Bill macht heute noch viele seiner plastischen Entwürfe in Papier.

Man arbeitete mit der Hand und mit möglichst wenig Werkzeugen. Das Verfahren war rein induktiv und machte erfinderisch. Was Raum ist, wurde nicht erklärt, sondern auf Grund der biologischen Grundlagen des Raumerlebnisses gefunden. Schon im Vorkurs konnte der Schüler merken, wo seine Stärke und seine Schwäche lag. Albers entwickelte sich in Dessau zu einem der führenden Kunstpädagogen.

Kandinsky und Klee hatten in Dessau ein jeder seine Malklasse und außerdem die kunstpädagogischen Vorlesungen. Aus ihnen publizierten Kandinsky sowohl wie Klee Ausschnitte, Klee im ›Pädagogischen Skizzenbuch‹ (1925), Kandinsky in ›Punkt und Linie zu Fläche‹ (1926). Von Klee sind die pädagogischen Vorlesungen kürzlich in toto publiziert worden, von Kandinsky die Aufsätze, die überall verstreut waren, und man sieht heute, daß hier am Bauhaus so etwas wie eine Harmonielehre, entsprechend der in der Musik, erarbeitet worden ist.

Manches Wissenswerte erschien in der Bauhaus-Zeitschrift (1926 bis 1931), der Hauszeitschrift, in der Lehrer wie Schüler zu

Wort kamen und auch Außenstehende. Das Bauhaus legte größten Wert auf den Kontakt mit der Außenwelt, mit Wissenschaftlern aller Fakultäten und aller Nationen, um die Studierenden auf dem laufenden zu halten und um neben der »Orientierung auf der bildnerischen Ebene«, wie Klee sich ausdrückte, die Orientierung auf der Ebene des Lebens nicht zu vernachlässigen. Deshalb war auch ein »Kreis der Freunde« gegründet worden, der keineswegs nur die Aufgabe hatte, durch Mitgliedsbeiträge Lücken im Etat zu stopfen.

Als Architekt kam Gropius, der Leiter der Baulehre, erst in Dessau zum Zuge. Im Auftrag der Stadt, deren Bürgermeister Fritz Hesse das Institut nach seiner Auflösung in Weimar herübergeholt hatte, errichtete er einen Neubau für das Bauhaus, der zu den schönsten Bauten der zwanziger Jahre gehört, und außerdem sieben Meisterhäuser für die Lehrer in der Burgkühnauer Allee. Die meisten dieser Häuser waren bauhausmäßig eingerichtet, es waren Musterhäuser mit herrlichen Ateliers, und viele der Lehrer kamen auf diese Weise zum erstenmal in den Besitz eines ihrer Arbeit würdigen Studios.

Das Zusammenwohnen stärkte das Zusammengehörigkeitsgefühl, es hatte in all den Wirren der Aufbaujahre und der politischen Kämpfe kaum gelitten. Gropius baute damals auch eine Arbeitersiedlung in Dessau-Törten mit 316 Häusern nach den neuesten Methoden und mit genormten Bauteilen. Man sollte meinen, Deutschland hätte stolz sein können auf soviel Leistung, aber sie war wie ausgelöscht, als die geistfeindliche Bewegung des Nationalismus das Land überschwemmte.

Geblieben ist die Erinnerung an ein Unternehmen, das in seiner Zeit einzigartig war, an Lehrer, die ebenso große Künstler wie Pädagogen waren, an eine Gemeinschaft, in der jeder, auch jeder Schüler, seinen Platz hatte und sich selbst übertraf, an eine Atmosphäre, in der Kunst, Wissenschaft und Technik, Intuition und Forschergeist sich vertrugen und gegenseitig befruchteten.

Josef Albers

Geboren 1888 in Bottrop. Studiert von 1905 bis 1908 am Lehrerseminar in Büren. Anschließend unterrichtet Albers in seiner Heimatstadt an einer Volksschule. Von 1913 bis 1915 setzt er seine bisher privaten Kunststudien an der Königlichen Kunstschule in Berlin fort. Schon 1908 kommt er durch das Folkwang Museum, Essen, in Kontakt mit den neuen Strömungen der Kunst und trifft dort den Mäzen Karl Ernst Osthaus und den Maler Christian Rohlfs. In Berlin regelmäßige Besuche in den Museen und fortschrittlichen Galerien, besonders bei Paul Cassirer, Gurlitt und Herwarth Walden (Der Sturm). 1913 erste abstrakte Bilder.

Nach dem Examen als Kunsterzieher kehrt er zurück an die Volksschule und studiert gleichzeitig von 1916 bis 1919 an der Kunstgewerbeschule in Essen, danach kurz an der Münchener Akademie in der Klasse von Franz von Stuck. So vorbereitet, kommt Josef Albers 1920 – 32jährig – als Lehrling in den Vorkurs an das Bauhaus Weimar.

1922, als Bauhausgeselle, übernimmt Albers den Aufbau der Glaswerkstatt. Gleichzeitig entstehen seine ersten Glasbilder, u. a. für das Haus Sommerfeld in Berlin. Bereits 1923 überträgt ihm Walter Gropius die Leitung der Material- und Gestaltungslehre im Bauhaus-Vorkurs.

Mit dem Umzug des Bauhauses nach Dessau wird Josef Albers zum Bauhaus-Meister und Leiter des Vorkurses ernannt. Hier entwickelt er, jetzt ohne Glaswerkstatt, seine bekannten sandgeblasenen Glasbilder und arbeitet auf den Gebieten: Typographie und Möbeldesign. Als Marcel Breuer 1928 das Bauhaus verläßt, übernimmt Albers auch die Leitung der Möbelwerkstatt und wird stellvertretender Direktor des Bauhauses. 1932, nach der Schließung des Bauhauses in Dessau, geht er mit Ludwig Mies van der Rohe und dem Rest der Studenten bis zum endgültigen Ende im April 1933 an das private Bauhaus Berlin.

Gleich nach der Schließung des Bauhauses werden Josef und Annie Albers als erste Bauhäusler an das eben eröffnete ›Black Mountain College‹ in North Carolina berufen. Albers unterrichtet als Professor für Kunst. Von 1936 bis 1940 lehrt er regelmäßig als Visitor an der Graduate School of Design der Harvard University in Cambridge/ Mass. 1949 tritt er von seiner Professur am Black Mountain College zurück und folgt 1950 der Berufung als Head of the Department of Design an die Yale University in New Haven. Daneben leitet Albers eine große Fülle von Gastseminaren, überwiegend an nord- und südamerikanischen Hochschulen und

Universitäten. Ende 1953 und im Sommer 1955 ist er Gastdozent an der Hochschule für Gestaltung in Ulm.

Josef Albers hat dem Bauhaus am längsten angehört, insgesamt 13 Jahre und davon zehn Jahre als Lehrer. Diese Bauhaus-Erfahrung und sein Wirken in den USA, 16 Jahre am Black Mountain College und zehn Jahre an der Yale University, haben ihn zu einem international einflußreichen Bahnbrecher des ›Basic Design‹ gemacht.

Das malerische Werk von Albers ist seit den zwanziger Jahren in vielen Einzel- und Gruppenausstellungen international vorgestellt und in vielen bedeutenden Museen gesammelt worden. Der Beitrag, den seine künstlerische Philosophie auf die Kunst der Gegenwart ausgeübt hat, ist durch Sonderkollektionen in der Ausstellung ›The Responsive Eye‹ im Museum of Modern Art, New York 1965, sowie auf der ›Documenta IV‹, Kassel 1968, besonders gewürdigt worden.

Josef Albers hat im Laufe seines Lebens unzählige Ehrungen, Preise und Auszeichnungen erhalten, darunter allein 14 Ehrendoktorwür-

den amerikanischer und deutscher Universitäten. Seine Bilder sind ebenso auf zahllosen Ausstellungen in wichtigen Museen und Galerien der Welt gezeigt worden. Als erstem lebenden Künstler hat ihm 1971 das Metropolitan Museum of Art in New York eine Einzelausstellung gewidmet.

Die Witwe des Malers, Annie Albers, ebenfalls eine Bauhäuslerin, hat nach dem Tod des Künstlers seiner Geburtsstadt Bottrop 90 Bilder und den überwiegenden Teil seiner Grafik als Schenkung und Grundstock für ein Museum vermacht. Das Josef-Albers-Museum (Kubus) ist am 25. Juni 1983 durch den US-Vizepräsidenten und den deutschen Bundeskanzler eingeweiht worden und ist seitdem neben der Josef-Albers-Foundation in Orange/Connecticut, seinem letzten Wohnsitz, Sammlungszentrum der Kunst- und Kunstpädagogik von Albers und Diskussionsort für konstruktive Kunst.

Kurz nach seinem 88. Geburtstag ist Josef Albers am 25. März 1983 in New Haven/Connecticut gestorben.

13 Jahre am Bauhaus

Ich war drei Jahre als Student und zehn Jahre als Lehrer am Bauhaus (das heißt länger als irgend jemand). 1919, als das Bauhaus gegründet wurde, war ich in München, und Anfang 1920 studierte ich an der Münchner Akademie bei Franz von Stuck, wo vorher auch Kandinsky und Klee studiert hatten. Obschon mir München besonders sympathisch wurde, zog es mich bald sehr stark nach Weimar, weil dort Studienaussichten unter einem ganz ungewöhnlichen Namen lockten – der Name war »Bauhaus«. Offensichtlich hatte dieser Name etwas anderes im Sinn als ›Akademie‹. Er erschreckte auch nicht als Institut oder gar Hochschule. Und anstatt ›Werkstatt‹, die es wirklich war, nannte es sich höchst bescheiden nur ›Haus‹, und bezeichnenderweise nicht Haus für Kunst oder Gewerbe oder ein anderes Gemengsel aus beidem, sondern Bauhaus, also ein Haus fürs Bauen, und, wieder in bescheidener und verhaltener Weise, für Bilden und Gestalten. Noch heute glaube ich, daß die Erfindung dieses Namens, die Erfindung des Wortes Bauhaus, eine besonders glückliche und wichtige Tat von Gropius ist. Das geschah in einer Zeit, die Kunst mit einem großen ›K‹ schrieb, und nach einem allzu retrospektiven 19. Jahrhundert, in dem man zu sehr und zu oft von goldenen Zeitaltern und Renaissancen redete, so daß für die eigene Arbeit kaum Zeit übrigblieb. Trotz des unabhängigen, unkonventionellen Namens Bauhaus blieben wir auch in Weimar nicht ohne rückwärtige Fingerzeige und Warnungen. Doch je mehr wir die alten Erinnerungen studierten, desto gewisser wurde uns Lernenden, daß Analysieren und Sezieren kein Ziel bedeuten. Wichtiger noch, daß die alten Meister sich selbst nicht nach noch älteren Meistern umsahen, sondern bewußt Opposition machten gegen das, was bereits vorgestellt und gesagt war, um sich intensiver der eigenen Entwicklung zu widmen. So sahen wir lieber neuen, lebendigen Meistern zu, die entschlossen waren, nicht anderen zu folgen, und Gropius war es, der uns mutig solche Meister vorstellte.

Das Bauhaus war am erfolgreichsten in seinem Streben, die Industrie zu gewinnen und zu interessieren. Wir haben dieses Ziel nur zu einem kleinen Teil erreicht. Die Zeit war zu kurz und wohl auch nicht reif dafür. Dafür haben wir etwas anderes, viel Wirksameres gewonnen: eine neue visuelle Erziehung. Wir hatten einen unorganisierten, aber sehr breit wirkenden Einfluß auf die allgemeine Erziehung. Es war ein unerwarteter Erfolg. Ich glaube, daß ich in den zehn Jahren meines Lebens am Bauhaus das Wort Erziehung nicht gehört habe. Wir hatten viel über Entwurf, Produktion und Industrie gesprochen, kaum aber über Erziehung. Wir haben einfach neu zu lehren versucht. In Amerika macht man heute den Fehler, von einer »Bauhaus-Methode« zu sprechen. Wir haben gehört, daß das Reden über den »Bauhaus-Stil« vergeblich ist, weil kein Stil gesucht wurde. Ebenso ist auch eine »Bauhaus-Lehrmethode« nie gesucht worden. Denn jeder Meister hat unabhängig von den anderen eine eigene Methode des Lehrens entwickelt. Unabhängig besonders von vereinbarten Lehrprinzipien und Zielen.

Und damit wird angedeutet, warum das Bauhaus gerade pädagogisch so erfolgreich war. Wie aller Erfolg im Lern- und Lehrprozeß von der Persönlichkeit der Lehrer abhängt, so war es auch am Bauhaus mit den Lehren von Gestaltung, d. h. von »Formen und Bilden«.

Das Bauhaus war für mich zuerst und wichtigst Opposition. Natürlich war diese Opposition am lautesten bei den Jungen, sie wurde gestützt durch Arbeit und Haltung der Meister, die auch nicht anderen folgten, nicht andere wiederholten. Das Resultat war: Die Studenten hatten Einfluß auf die Entwicklung des Bauhauses. So ist es typisch, daß der allererste Unterricht am Bauhaus, nämlich der erste Vorkurs, schon bald der Opposition der Studenten erlag. Nachherige Kurse konnten und wollten deshalb nicht eine Fortsetzung des ersten Kurses sein, schon aus dem Grunde, weil spätere Kursgeber nicht Erben einer früheren und abgelehnten Pädagogik sein konnten und wollten. Ich möchte versuchen, kurz etwas über die späteren Lehrabsichten zu sagen. Ein diktierter Expressionismus wurde durch ein Training in »struktularer Organisation« abgelöst, durch eine Schulung der erkennenden Beobachtung und Formulierung und eine Arbeitsweise, bei der Lehren wie Lernen als gegenseitige Verpflichtung von Lehrern wie Schülern verstanden und kooperativ praktiziert wurde. Damit kamen wir zu einem systematischen Schritt-für-Schritt-Studium, das auf dem Prinzip basierte: Man fordert vom andern nicht, was man selbst nicht tun kann oder will. Hier möchte ich kurz auf die allgemeine Erziehung eingehen, die immer eine Schlüsselstellung gehabt hat – auch in den zwanziger Jahren. Wir müssen hier ein falsches Erbe erkennen, das schon aus der Zeit vor den zwanziger Jahren stammt und in dem Satz zusammengefaßt ist: »Wissen ist Macht.« Ich verurteile diesen Satz als die gefährlichste pädagogische Irrlehre, wenn es auch viele nicht so verstehen wollen. Was ist ›Wissen‹? Nicht Können noch Kennen, nicht Sehen noch Schauen, weder Bauen noch Bilden. Es ist Besitz von sogenannten Fakten, die man teuer in Schulen und Büchern kaufen kann, sammelt und häuft, um sie zuerst im Examen wiederzugeben und, danach vielleicht auch, um etwas besser zu verstehen. Aber das Wichtigste ist, daß es Macht verleiht. Und wohin Macht uns geführt hat, brauche ich hier nicht zu beschreiben. Anstatt Macht möchte ich eine andere Stärke propagieren: nämlich Kraft. Kraft ist eine Stärke, die nicht andere, sondern uns selbst meint. Ich empfehle statt »Wissen ist Macht« für die Erziehung den Satz »Sehen ist Kraft«, und zwar Sehen im Sinne des englischen ›seeing‹, was mehr Schauen meint. Denn mir scheint eine visuelle schöpferische Erziehung eine der wichtigsten Aufgaben unserer Zeit zu sein.

T. Lux Feininger

Geboren 1910 in Berlin. Übersiedlung 1919 mit den Eltern nach Weimar, nachdem der Vater Lyonel Feininger als einer der ersten Meister ans Bauhaus berufen worden ist. Beginnt 1926 sein Studium am Bauhaus Dessau. Von 1927 bis 1929 Mitarbeit an der Versuchsbühne von Oskar Schlemmer. Bleibt auch, als Schlemmer das Institut 1929 verläßt, aktives Mitglied der Bauhaus-Bühne. Ab 1928 wird T. Lux Feininger Mitglied der Bauhaus-Jazzband. Zu seinen speziellen Lehrern gehören Josef Albers, Laszlo Moholy-Nagy, Oskar Schlemmer, Paul Klee und Wassily Kandinsky.

Neben seinem Studium am Bauhaus zeigt T. Lux Feininger großes Interesse für die Fotografie und ist von 1927 bis 1931 als bekannter Fotoreporter der Berliner Agentur ›Dephot‹ für maßgebende Zeitschriften und Illustrierte tätig. 1929 beginnt er sich auch der Malerei zu widmen. Bis 1947 stellt er in Amerika und Europa unter Theodore Lux aus, später unter seinem vollen Namen.

Nach der Schließung des Bauhauses in Dessau läßt sich Feininger in Paris nieder und kommt 1935 wieder nach Deutschland, wo in Berlin und Hamburg eine große Ausstellung seines malerischen Werkes gezeigt wird. Ende 1936 geht T. Lux Feininger nach New York, 1942 bis 1945 Heeresdienst. Anschließend läßt er sich wieder als Maler in New York nieder und übernimmt von 1950 bis 1952 einen Lehrauftrag für Malerei am Sarah Lawrence College. 1953 wird Feininger als Dozent an das Fogg-Museum der Harvard University in Cambridge berufen. Von hier folgt er 1962 einem Ruf als Instructor an das Painting Department der Boston Museum School.

Zu seinen Hauptinteressen gehört auch die Tätigkeit als kunstkritischer Schriftsteller. Neben der Auseinandersetzung mit moderner Kunst stehen Leben und Werk seines Vaters Lyonel Feininger im Mittelpunkt seines Schaffens. Werke von T. Lux Feininger befinden sich u. a. im Besitz des Museum of Modern Art, New York; im Busch-Reisinger-Museum, Harvard, wo 1962 eine retrospektive Ausstellung stattfindet, und in vielen amerikanischen und europäischen Privatsammlungen.

In der Jubiläumsschau zum 50. Jahrestag der Werkbund-Ausstellung ›Film und Foto 1929‹ im Stuttgarter Kunstverein 1979 ist Feininger mit seinen frühen Bauhaus-Fotos vertreten, anschließend präsentiert die Prakapas Gallery in New York eine Einzelausstellung von Feiningers Fotos aus den zwanziger und dreißiger Jahren. Besonders gewürdigt wird sein fotografisches Werk in dem Buch ›Photography at Architecture 1839–1939‹, herausgegeben vom Centre Canadien d'Architecture, Montréal 1982.

T. Lux Feininger lebt und arbeitet in Cambridge, Mass.

Das Bauhaus: Fortentwicklung einer Idee

Ich bin mit dem Bauhaus und am Bauhaus aufgewachsen. Ich war neun Jahre alt, als mein Vater aufgefordert wurde, Gründungsmitglied zu werden. Das machte unseren Umzug von Berlin nach Weimar erforderlich. Wie ich mich entsinne, war das von einer Reihe erfreulicher Umstände begleitet. Die ersten Frühlingstage nach dem Krieg waren Tage voller neu aufkeimender Hoffnung.

Ich liebte die Stadt und die Umgebung von Weimar, doch am meisten mochte ich die Bauhaus-Atmosphäre. Als Kind macht man sich keine Gedanken um den Ursprung und die Geschichte der Dinge, und so lernte ich die anziehenden Leute, ihre Werke und die Aufmerksamkeit, die sie mir und meinen Arbeiten schenkten, kennen als etwas, das es vielleicht schon immer gegeben hatte, das aber ganz sicher einen sehr angenehmen und erfreulichen Kontrast bildete zu den muffigen Fächern auf dem Gymnasium. Die Leute vom Bauhaus liebten die Fröhlichkeit, überließen sich dem Spiel, gaben sich dem Feiern von Festen hin; eine Lampionserenade unter unseren Fenstern am Geburtstag meines Vaters wird immer unvergeßlich für mich bleiben. In den folgenden Jahren drängten sich, ganz unvermeidlich, andere Ereignisse in die Hochstimmung des Neubeginns, und als ich sieben Jahre später selbst Student des Bauhauses wurde (der jüngste, den man je zugelassen hatte), hätte ich mich vielleicht noch dunkel an meine kindliche Anteilnahme erinnern können, wäre ich nicht in einer völlig neuen, gänzlich anderen Verfassung gewesen, so daß mir alles wie eine ganz neue Welt vorkam.

40 Jahre sind seit jener Zeit vergangen; und je mehr ich über das staune, was mir einst so vertraut gewesen ist, desto mehr Staunenswertes eröffnet sich mir. Diese Entdeckungen beruhen auf zwei verschiedenen, einander aber doch berührenden Anschauungen. Ich hätte nie gedacht, welchen Einfluß die Schule auf meine Entwicklung genommen und welche Formungskraft sie hatte, ganz besonders nicht, welche Einmaligkeit, welche Tiefe, welch kritisches Wahrnehmungsvermögen sie in einer Gemeinschaft vermittelte, in die ich als junger Mensch so unkritisch hineinspazierte, wie man vielleicht gelegentlich in eine am Weg liegende alte Kirche hineingerät; etwas, das es »immer gegeben hat«. Ich entdecke, daß es das nicht immer gegeben hat und daß es das bald auch nicht mehr geben wird. Ich muß versuchen zu trennen zwischen der persönlichen Erinnerung und der ganz allmählichen Erkenntnis der gesellschaftlichen Bedeutung dessen, was als »Bauhaus« bekannt ist, ein Gebilde, entstanden aus dem Zusammenwirken vieler. Am Anfang all dessen standen die Vision und der Genius von Walter Gropius. Niemals zuvor traf das Wort des

Propheten, der zu Hause verhöhnt wird, mehr zu als in seinem Fall. Seine Botschaft beginnt, wie könnte es anders sein, mit einem Wort. Seine Schöpfung wollte er »DAS BAUHAUS – Hochschule für Gestaltung« nennen. Das Wort Gestaltung verkörpert dabei die Philosophie, die ihm vorschwebte.

Wenn »Bauhaus« allerdings den mittelalterlichen Begriff ›Bauhütte‹, Zentrum der Kathedralenbauer, wieder aufnimmt, dann ist das Wort Gestaltung alt, bedeutungsträchtig und so schwer zu übersetzen, daß es Eingang ins Englische gefunden hat. Über die Bedeutung des Gestaltens, des Formens, des Durchdenkens hinaus hat es etwas, das die Gesamtheit einer solchen Schöpfung, eines Kunstwerkes oder einer Idee, hervorhebt. Es läßt Nebelhaftes, Diffuses nicht zu. In seiner ganzen philosophischen Bedeutung ist es Ausdruck des platonischen »eidolon«, des Urbildes, der vorexistenten Form. Das Gefühl für das enge Nebeneinandersein des reinen Gedankens und der konkreten Substanz ist typisch deutsch. Am Sinn und Widersinn der Gedichte von Christian Morgenstern wage ich nicht zu entscheiden, was überwiegt. Einer seiner Vierzeiler spricht, die Gründung des Bauhauses vorwegnehmend, von der Tragik zwischen Geist und Körper, und das bleibt, auch wenn ich zum Ergebnis kommen muß, daß es keine bewußte Parallele dazu geben kann, eine seltsam treffende Vorwegnahme:

Wenn ich sitze, möcht ich nicht
sitzen wie mein Sitzfleisch möchte,
sondern wie mein Sitzgeist sich,
säße er, den Sitz sich flöchte.

Noch während Gropius in der Armee diente, hatte man ihn aufgefordert, die Neugründung und mögliche Zusammenlegung zweier Schulen in Weimar zu planen: der Hochschule für bildende Kunst und der Kunstgewerbeschule, die beide unter der Schirmherrschaft des Großherzogs von Sachsen-Weimar standen. Ausgestattet mit allen Vollmachten und mit Geld, konnte Gropius 1919 die ersten drei Künstler berufen: Johannes Itten, Lyonel Feininger und Gerhard Marcks. Paul Klee und Oskar Schlemmer nahmen den Ruf 1921 an, Kandinsky 1922 und Moholy-Nagy 1923. Unter diesen sieben Künstlern waren sechs Maler und einer Bildhauer;

257

und nur einer von ihnen, Johannes Itten, besaß feste Vorstellungen von Kunsterziehung und hatte zuvor bereits Kunst gelehrt. Sie alle sollten »Form-Meister« sein und jeweils zusammen mit einem technischen »Werk-Meister« einen der Ausbildungszweige Schreinerei (Möbel), Metallbearbeitung, Weberei, Keramik, Farbdesign (Wandmalerei), Steinmetzerei, Druckerei, Buchbinderei und Glasbearbeitung leiten. Die Bühnenwerkstatt gewann erst ganz allmählich Bedeutung. Gropius nannte das Studienprogramm, das er entworfen hatte und anläßlich der Eröffnung der Schule vortrug, »Idee und Aufbau des Staatlichen Bauhauses«; eine Zeitschrift für Gestaltung wurde ins Leben gerufen, in der der Ausbildungsgang dargelegt wurde nach dem Vorbild der Künstler-Innungen in Deutschland, aufbauend auf den Ausbildungsstufen Lehrling – Geselle – Meister. Durch die starke Betonung des Handwerks sollte eine Theorie der Gestaltung entstehen, wobei Praxis und Theorie aus dem gemeinsamen Geist der Architektur des Gesamtgefüges inspiriert werden sollten. Das waren die Grundzüge, nach denen sich das Leben und die Lehre am Bauhaus entfalteten.

Heutzutage wird der Begriff ›revolutionär‹ vielleicht ein wenig zu leichtfertig für ein neues Waschmittel oder irgendeine Finesse am neuesten Automodell gebraucht, die Idee des Bauhauses war aber tatsächlich revolutionär; nicht weil – wie viele denken – die am Bauhaus entworfenen Stühle, Gefäße, Lampen usw. anders aussahen als andere Lampen, Gefäße und Stühle, sondern weil das Bauhaus einen anderen pädagogischen Ansatz hatte. Wo hat es im vorrevolutionären Deutschland – oder anderswo – eine Schule gegeben, auf der die Lehrer ihre Studenten genau befragten, was und wie sie lernen wollten? Man kann es nicht oft genug wiederholen: Wenn auch die Produkte des Bauhauses später eine bestimmte Richtung einschlugen, so war am Anfang keine feste Vorstellung davon geplant. Sogar ausgesprochenes Industrie-Design, Entwerfen neuer Produkte für die Massenproduktion, wurde zunächst nicht ›gelehrt‹, so charakteristisch dieses auch späterhin werden mochte. Auch wenn Gropius vielleicht eine vage Vorstellung gehabt hatte, die Studenten hatten keine. Das änderte sich sehr bald – verfrüht, wie die Formmeister dachten – durch den

steten äußeren Druck von seiten der Gesetzgeber, die ihren Geld-
gebern »Ergebnisse« vorweisen wollten. Die wirklich revolutionäre Konzeption liegt in der Methode des Lehrens und nicht in den
Produkten, die entstanden. Gropius' unerschütterliche Idealvor-
stellung war das »gemeinschaftliche Kunstwerk – ein Gesamtge-
füge« (der »Bau«), und um das zu verwirklichen, mußten Mittel
und Wege gefunden werden. Sein Plan war, eine Gruppe stark
ausgeprägter Individualisten in einem Kern zu formieren, der Breitenwirkung haben sollte. Wer, zum Beispiel in der Malerei, einmal
die »äußere Form« gefunden hat, muß diese Form auch auf
andere Gebiete übertragen können. Ohne daß der Maler oder
Bildhauer seine berufsspezifischen Techniken aufgibt, muß er
seine Schöpfung im Bereich der »äußeren Form« auf alle Studien-
bereiche übertragen können; er darf nicht »Malerei« unterrichten,
sondern muß »äußere Form« lehren. Zweifellos ein sehr hohes
Ziel. Doch es wurde erreicht. Es hätte aber nie erreicht werden
können, wenn die ersten Studentenjahrgänge nicht das gewesen
wären, was sie waren; ›zielstrebig‹ würden wir heute sagen, durch
Entbehrungen, Not und Elend und Resignation über das Versagen
eines Systems, hungrig nach geistiger Wiedergeburt. Sie kamen
mit der Bereitschaft zum Experimentieren ans Bauhaus. Mit der
Flucht des Kaisers war ganz plötzlich ein autoritäres Zeitalter zu
Ende gegangen. Aus dem politischen, wirtschaftlichen und moralischen Chaos rief man die fortschrittlichen Intellektuellen, die
gestern noch eine verachtete Minderheit waren, zur Mithilfe bei
der Neubildung des Gesellschaftssystems auf. Dieses völlig neue,
schockierende Vordringen des Bauhaus-Ideengutes war nur möglich, weil eine ganze Gruppe im Kampf gegen Barbarei und Reaktion ein gemeinsames Ziel anstrebte. In ihrem Abgekapseltsein
war nichts Wirklichkeitsfremdes. Es war nur der in diesem Stadium
erforderliche Pioniergeist, der dieser Gruppe zur Aufgabe machte,
sich in Deutschland zu etablieren. Alle waren arm – die Inflation
sorgte dafür; aber die Bauhaus-Gemeinschaft verkörperte im
Anfang die »Armen im Geiste«. Der Lebensstandard war niedrig
(die finanzielle Situation wurde so schwierig, daß das Unterrichts-
geld völlig abgeschafft werden mußte), die Ziele waren hoch. Die
Bauhäusler von 1920 sahen hohlwangig und hohläugig aus, tru-

gen auffallende Bekleidung, liefen barfuß in Sandalen herum, die Männer hatten lange Locken, die Frauen Bubiköpfe, und sie verursachten ständig irgendwelchen Ärger in der Öffentlichkeit. Doch unter diesem exzentrischen Äußeren verbarg sich Begeisterung für eine Idee, ein brennendes Streben nach Vergeistigung, die Bereitschaft, auf der Suche danach die verrücktesten Fehler zu machen – eine Horde Suchender aus einem Stück von Dostojewski. Begeisterung und tiefe Niedergeschlagenheit bei ihnen wechselten einander ab. Sie waren unermüdliche Streiter, heute Widersacher und voller Anschuldigungen, morgen von gemeinsamem, rastlosem Tatendrang, wenn es die Sache erforderte. Zwar mißtrauten sie aller Führung und sträubten sich gegen »Beeinflussung«, doch sie konnten auch Selbstdisziplin und Loyalität ihrem Direktor und ihren Lehrern gegenüber bekunden, wenn Gefahr von außen drohte. Lyonel Feiningers erste Eindrücke, die er über die zukünftigen Studenten schriftlich niederlegte, waren folgende:

»Mai 1919: Die Studenten, die ich bisher gesehen habe, sehen sehr selbstbewußt aus. Fast alle waren beim Militär, es ist ein neuer Menschenschlag, eine neue Generation. Sie sind keineswegs so zahm und harmlos, wie es sich die alten Professoren hier vorstellen. (»Die alten Professoren« gehörten zur Vorkriegsfakultät der Akademie; sie zogen sich bald nach der Bauhaus-Eröffnung zurück.)

Mai 1919: Wie oft bin ich in diesen Tagen mit der Tatsache konfrontiert worden, daß diese jungen Leute keine Kinder mehr sind . . . daß sie nichts hinnehmen, ohne es vorher gnadenlos zerpflückt zu haben . . . Für sie ist Expressionismus das Symbol ihrer Generation und ihrer Sehnsucht.

Juni 1919: Diese Gespräche mit den Studenten gehören zu den Dingen, die mich am meisten beschäftigen. Ich grüble häufig darüber nach, wie man eine gemeinsame Arbeit mit den Studenten aufbauen kann. Ich glaube, jetzt hab ich's: sie leiten und ihnen helfen, ganz offen mit ihnen reden und Gedanken und Ideen mit ihnen austauschen. Ich fühle mich reich und stark, ich bin überzeugt davon, daß ich ihre Entwicklung mitformen kann, ohne sie zu etwas zwingen zu müssen, was ihnen fremd ist. Das Vertrauen, das sie in mich setzen, ist wundervoll.«

Die Formmeister konnten Privatschüler unterrichten, aber zum offiziellen Lehrplan gehörte keine Klasse für Malerei. Lyonel Feininger wurde die Leitung der »Druckerei-Werkstatt« übertragen.

Die Haltung, die Gropius den Schönen Künsten gegenüber einnahm, ist in dem eingangs erwähnten Bericht (Idee und Aufbau) niedergelegt: »Der pädagogische Grundfehler der Akademien war die Einstellung auf das außerordentliche Genie, anstatt... daß kleinere Begabungen dem Werkleben des Volkes durch entsprechende Schulung nutzbar gemacht wurden...« Klarer kann er es nicht sagen, sowohl was Ablehnung von vorangegangenen Einstellungen anbelangt als auch zur Feststellung der neuen Richtung. Wie andere ideologische Feststellungen ist auch diese nicht frei von Paradoxa. Die ethisch wertvolle republikanische Ablehnung der veralteten akademischen Hierarchie ging von einem Manne aus, der in seinem Innersten ein Gentleman und Aristokrat war. Um eine Schule aufzubauen, deren Leistungsniveau nach seinen Bewertungsmaßstäben niedriger sein mußte, lud er berühmte Maler ein, für die die Möglichkeit bestand, unter seiner Nase eine neue Akademie ins Leben zu rufen. Diese Gefahr wurde abgewendet, nicht ohne häufige Auseinandersetzungen und gelegentlich einen massiven Krach: Die Sitzungen des »Meister-Rates« führten oft zu heftigen Debatten.

Lassen Sie mich kurz zu Lyonel Feininger zurückkehren: Die Zitate zeigen deutlich, wie sehr sich der Künstler bemühte, die völlig veränderten Verhältnisse mit neuen Augen zu sehen. Dies traf für alle zu, die ans Bauhaus berufen wurden, außer für Itten, der das alles schon kannte. Sie alle neigten von Natur aus mehr dazu, sich in den Geist der Zusammenarbeit anhand eines gemeinschaftlichen Lehrplans einzufügen als mein Vater, der an der Idee des »Künstlers im Amt« festhielt und sich stärker auf Beeinflussung als auf schulmäßiges Dozieren verließ. So entschloß er sich, auch nach der Übersiedlung nach Dessau, als unbezahltes Mitglied am Bauhaus zu bleiben. Der Unterricht am Bauhaus tendierte jedoch ganz allmählich in die entgegengesetzte Richtung, in die Richtung von Klassen und Fächern. An diesen unterschiedlichen Lehransätzen sieht man am besten, wie richtig Gropius' Plan von Anfang an gewesen war, wenn er auf der totalen Persönlichkeit seiner Mitarbeiter aufbaute, statt sich viel um ihre künstlerischen Privatansichten zu kümmern. Unter diesem Gesichtspunkt ist es interessant, daß gerade Itten es war, der am besten ausgebildete und erfahrenste Lehrer am Bauhaus, der sich am allerwenigsten dieser Gemeinschaftsidee unterordnen konnte und als erster das Bauhaus verließ.

1922 bis 1924 waren entscheidende Jahre für das Bauhaus. Die große Bauhaus-Ausstellung von 1923 wurde 1922 beschlossen. Das geschah auf Grund der starken Kritik von außen, und es kam hinzu, daß Gropius selbst von der Richtigkeit dieses Schrittes überzeugt war, gegen die Meinung der Lehrer und Studenten, die glaubten, eine solche Zurschaustellung in der Öffentlichkeit sei vorzeitig und könne daher die gesamte Ausbildungskonzeption gefährden. Gropius konnte jedoch den Lehrkörper davon überzeugen, daß ohne dieses Zugeständnis die Tage der Schule gezählt seien. Die Ausstellung, heute ein Markstein in der Geschichte der modernen Kunst, zeigte damals ganz klar, wie richtig die Bauhaus-Ziele waren. Obwohl sich bereits das Ende der Weimarer Zeit abzeichnete, stand ohne jeden Zweifel fest, daß das Bauhaus nicht nur für Deutschland, sondern für ganz Europa bedeutend war. Die Reaktion auf diese Ausstellung war überall in überwältigendem Maße positiv, mit Ausnahme von seiten der konservativen Einheimischen. Die Aufforderung der Stadt Dessau, das Bauhaus solle dort ansässig werden, war eine unmittelbare Folge der Ausstellung.

Es überrascht keineswegs, daß sich gerade in dieser Zeit des intensiven Bemühens die Ideologie herauszukristallisieren begann. Die Zeit des bloßen Experimentierens war vorbei. Von nun an erschien es wesentlich, daß gewinnbringende Arbeit produziert wurde; dies konnte nur in Zusammenarbeit mit der Industrie erreicht werden. Einem Teil der Bauhäusler widerstrebte diese neue Linie durchaus, doch die Mehrheit der Lehrer und Studenten war damit einverstanden, teils weil sie nicht daran vorbeikamen, teils weil sie ihnen ganz erstrebenswert erschien. Zwei Wege begannen sich abzuzeichnen: es konzentrierten sich seither die Klassen einmal auf Standard-Design für die industrielle Fertigung – die Klasse für Achitektur richtete von nun an Kurse in

Mathematik, Physik, Statik, Grafik usw. ein und ersetzte das bisherige private Baubüro – zum anderen fanden die Ziele der ›Künstler‹ stärker Anerkennung. Klee und Kandinsky richteten regelmäßige Kurse ein; sie wurden für alle Studenten am Bauhaus obligatorisch. Darüber hinaus bot man freie Malklassen dieser beiden Lehrer an. Wenn auf diesem Wege die Anhänger beider Richtungen am Bauhaus Gewinne erzielten, so geschah dies auf Kosten einer Schwächung des Einheitsprinzips, nach welchem versucht werden sollte, durch das Erforschen der Beziehungen zwischen den einzelnen Disziplinen eine große einheitliche Linie zu erreichen, wo alle Design-Probleme nur formaler Art waren und wo die finale Form eines Stuhles zum Beispiel (im oben erwähnten Morgensternschen Sinne) das Ergebnis eines Prozesses sein konnte, der sich nicht wesentlich von der Schaffung eines Gemäldes oder einer Skulptur unterschied.

Die ursprüngliche Unschuld und Freude an Entdeckungen war vorbei; das Bauhaus wurde ›erwachsen‹. Es gewann ganz beachtlich an Profil. Durch den Umzug nach Dessau 1925 gingen einige weg und machten anderes; fünf ehemalige Studenten wurden Meister. Sie sollten für das Bauhaus bedeutende Lehrer werden. Es waren Josef Albers, Herbert Bayer, Marcel Breuer, Hinnerk Scheper und Joost Schmidt. Von den ersten drei Lehrern ging nur Feininger als »Künstler im Amt« mit nach Dessau; so wurden fast alle Meisterstellen mit neuen Lehrern besetzt. Auch die Lehrfächer änderten sich. Die Werkstätten für Steinmetzerei, Keramik und Glasbearbeitung wurden aufgelöst; aus der ehemaligen Druckereiwerkstatt und der Buchbinderei wurde eine Klasse für typographische Druckerei, in der auch Grundzüge der Werbung – in Zusammenarbeit mit einem Werkmeister – gelehrt wurden, anfänglich unter Herbert Bayer, später unter Joost Schmidt. Die Bühnenklasse war anfänglich ein etwas schwer zu definierendes Gebilde gewesen; in Dessau wurde »Theater« festes Lehrfach, und bekam eine experimentelle Bühnenwerkstatt, deren Leitung Oskar Schlemmer übernahm.

Die Aufforderung, nach Dessau zu kommen, und die Errrichtung des prachtvollen Gebäudekomplexes für das Bauhaus verdankte man dem weitvorausschauenden und liberalen Stadtrat unter der progressiven Führung von Oberbürgermeister Fritz Hesse. Nach dem das Bauhaus in Dessau in siebenjähriger Aufbauarbeit – 1925 bis 1928 unter der Leitung von Gropius, 1928 bis 1930 unter Hannes Meyer und 1930 bis 1932 unter Mies van der Rohe – nur seiner Vollendung entgegensah, zerbrach es wie so viele andere Einrichtungen am Nazi-Regime. Zum Schluß wurde das Bauhaus von Rechts- wie von Linksextremisten attackiert.

Als das Gebäude im Dezember 1926 offiziell eingeweiht wurde hatte das Bauhaus eine vielversprechende Zukunft vor sich. Die Bauhäusler glaubten zu Recht, sie hätten den Nachweis für ihre Existenzberechtigung erbracht.

Die Bevölkerung von Sachsen-Anhalt arbeitete vorwiegend in der Industrie, nicht in der Landwirtschaft, sie war aufgeschlossen nicht rückschrittlich. Der Geist und die Hallen der großherzoglichen Akademie gehörten endgültig der Vergangenheit an. Zwei Jahre zuvor war die unruhige Zeit der Inflation zu Ende gegangen die Stabilisierung der deutschen Währung brachte eine Zeit voller Optimismus und günstiger Prognosen für die Wirtschaft.

Von diesem Zeitpunkt an kann ich aus persönlicher Erfahrung vom »Unterricht am Bauhaus« berichten. Alle Lehrer gingen von der Idee aus, daß die Studenten Selbstdisziplin zu üben hatten, und sie verzichteten darauf, Aufgaben unter Zwang ausführen zu lassen. Es wurden Ideen ausgeworfen, und wenn sich ein Student entschloß, an einer dieser Ideen weiterzuarbeiten, war es gut; wenn er nicht wollte, wurde nicht darauf bestanden. Es wurden keine ›Grade‹ verliehen, es gab weder Prüfungen noch Zensuren. Von Zeit zu Zeit überprüften die Form- und Werkmeister die Arbeit der Studenten in den Werkstätten, und in kritischen Fällen wurden sie ermahnt; wenn einer überhaupt nichts zustande brachte, konnte es vorkommen, daß er aufgefordert wurde, die Schule zu verlassen. Kein Zweifel, es gab auch die Möglichkeit, in einer ganzen Reihe von Klassen am Unterricht teilzunehmen, ohne auch nur das Geringste zu lernen. Das war am Bauhaus auch nicht anders als in einer herkömmlichen Schule; ein Teil der Studenten ging ab, und weil keine akademischen Titel verliehen wurden, bin ich ganz sicher, daß das Bauhaus weniger unfähige Absolventen hatte als jede andere Hochschule. Das ist im wesentlichen auf die hohen Anforderungen zurückzuführen, die an die große Zahl von Bewerbern um einen Studienplatz gestellt wurden. Lediglich in den letzten Jahren wurden die Aufnahmebedingungen etwas weniger streng gehandhabt. Zur Zeit als Hannes Meyer das Bauhaus leitete, wurde zum erstenmal parteipolitische Aktivität geduldet, deren zersetzende Wirkung, die damals einsetzte, den Auflösungsprozeß beschleunigt hat, nachdem Gropius von seinem Posten zurückgetreten war.

Der Vorkurs von Josef Albers zeigte am deutlichsten die Charakteristik der Kurse am Bauhaus. Die Idee eines Probesemesters, nach dessen Abschluß die Aufnahme in eine der Werkstätten erfolgen sollte und nach dem man auch recht zuverlässig sagen konnte, ob diese Schule für den Absolventen überhaupt geeignet sei oder nicht, war aus den Jahren in Weimar übernommen worden, als Itten und Georg Muche nach dieser Methode auswählten. Albers änderte aber die Konzeption dieses Kurses so stark, daß außer dem Namen aus dieser Zeit nichts mehr übrigblieb. Wichtig schien ihm, daß mit vielerlei Materialien, vornehmlich mit Holz, Papier und Metall, Gestaltungsversuche gemacht wurden. Die spezifischen Eigenheiten der einzelnen Materialien konnte man am besten begreifen lernen, wenn man sie auseinandernahm und wieder zusammenfügte, mit einem Minimum an Materialverschwendung und Werkzeugaufwand. Beim Zusammenfügen der Einzelteile konnte man die Bestandteile des entsprechenden Materials am besten erforschen; Metall z. B. kann man biegen, Holz dagegen nicht, es sei denn unter erheblichem Aufwand; Metall muß geschnitten werden, Papier kann man reißen usw. Bevorzugt waren Materialien aus dem Alltagsgebrauch, die normalerweise weggeworfen werden; ich entsinne mich an ein höchst eindrucksvolles Gebilde, das aus nichts anderem als Sicherheitsrasierklingen (vom Hersteller gekerbt und mit Löchern versehen) und abgebrannten Streichhölzern zusammengesetzt war. Das erstaunlichste an solcher Art von Arbeit ist die Tatsache, daß sie im wahrsten Sinne des Wortes nicht ›gelehrt‹ wurde. Sehr viel von diesem »Geist« haben wir auch in Oskar Schlemmers Vorträgen gemerkt; Ideen wurden vorgeschlagen, und manches im Verborgenen blühende Talent wurde so angesprochen; auf diese Weise erzielte man ganz erstaunliche Resultate. Aber man spürte auch die ungeheure Überzeugungskraft, die von Albers ausging, Freude an allem, was er tat, auch eine gewisse Ehrfurcht mit der selbst verunglückte Arbeiten diskutiert wurden, um den Studenten ihre Arbeiten stärker bewußt zu machen. Zu meinen ersten Eindrücken über Albers' Vorkurs gehört die Einführung einer Stapler-Drahtheftmaschine, die damals längst nicht so bekannt war wie heute; er führte mit großer innerer Befriedigung ihre vielfältigen Variationsmöglichkeiten vor und schloß auch gleich noch einen Vortrag über die amerikanische Herkunft dieser Maschine an. Ich erinnere mich auch an eine Führung durch eine Pappkartonfabrik, die wir machten; ich gestehe, es war bedrückend für mich, und er erläuterte mit einer solchen geradezu religiösen Hingabe gute und schlechte (das heißt verbesserungsfähige) Einzelheiten der Herstellung, wie man sie bestenfalls von einem Führer durch den Louvre erwartet hätte. Die Kriterien, nach denen die Arbeiten bewertet wurden, waren: strukturelle Erfindung und statische sowie Druck- und Zugkraft. Ästhetischen Wert strebte man nicht an, ja, Ästhetik als Ausgangspunkt wurde abgelehnt.

Gerade das Nichtvorhandensein eines bestimmten »Verwendungszweckes« bei diesen Übungen stärkte das Gefühl der »Funktion«: ein weiteres Paradoxon! Funktion hieß, das Kunstwerk sollte so weitgehend wie möglich aus Holz, Metall oder Papier bestehen, sozusagen aus Super-Papier, -Holz usw. Diese Dinge sind heutzutage fast Allgemeingut geworden, sie waren es nicht vor 30 Jahren. Sie wurden überhaupt nicht als abgeschlossene Kunstwerke angesehen, sondern sie dienten dazu, die Fähigkeiten der Studenten in bezug auf die erwählte Werkstatt zu erforschen.

Dabei werden in mir Erinnerungen geweckt an die Begegnung mit einem Künstler, dessen Werke aus der Nach-Bauhaus-Zeit in den Vereinigten Staaten wahrscheinlich bekannter sind als die jedes anderen Lehrers am Bauhaus, und zwar einmal durch seine Lehrtätigkeit am Black Mountain College und seit 1950 an der Universität von Yale, zum zweiten durch seine Ausstellungen. Ich habe öfters gehört, daß Albers ein Anti-Intellektueller sei, doch ich glaube, daß der geistige Hintergrund dessen, was er »gesunder

Menschenverstand« nennt, einen tieferen Sinn hat. Er verherrlicht nicht so sehr den ›Unintellektuellen‹, als daß er dem Nur-Intellektuellen seine Einseitigkeit vorwirft. Er will die verborgenen Talente in den Studenten wecken; seine Ziele gehören tatsächlich in den Bereich der Psychologie, obwohl seine Lehre sehr nüchtern und praxisbezogen ist oder dies zu sein vorgibt. Seine Lehrmethode, die anfänglich auf geduldigen Überzeugungsversuchen beruhte, wurde in späteren Jahren dadurch vermehrt, daß er seine Zuhörer in die Erkenntnis der Vorexistenz aller formalen, logischen Beziehungen zu schockieren versucht. Er sieht keinen Grund, die Kontrolle über das Artefakt aufzugeben, denn er unterscheidet zwischen »Kunst als Produkt« und der »Fähigkeit zum Malen«. Er hat einmal über sich gesagt: »Ich glaube, in der Kunst ist das Denken genauso nützlich wie sonstwo, und ein klarer Kopf ist kein Hindernis für reine Gefühle.«

Man könnte sagen, daß Albers mit seiner Lehre versucht hat, die höchste Stufe »nützlicher Nutzlosigkeit« zu erreichen: er strebte im wahrsten Sinne nach einem echten Symbol (welches wirkt), nach einem Instrument des geistigen Verstehens, nach etwas Notwendigem für Maler wie für Lehrer, Architekten und Designer.

Ich möchte behaupten, daß neben der unerläßlichen Genauigkeit bei der geometrischen Exploration auch das Spiel mit der einfachen geometrischen Form einen sehr wesentlichen Faktor darstellt. Dieses Spiel kann auf wunderbare Weise symbolhaft werden, wenn es zum Überdenken repressiver Philosophen des 19. Jahrhunderts, des Utilitarismus zum Beispiel, anregt, einer Philosophie, die das Spiel ächtete (wie die »schweren Zeiten« von Dickens). Heute, hat man erkannt, ist das Bedürfnis zum Spielen fast oder sogar ganz auf tödlichem Ernst begründet, und das keineswegs nur bei der Jugend, obwohl man diesen tödlichen Ernst vielleicht am besten begreift, wenn man mit der Jugend spielt. Man sieht sich plötzlich einem Archetyp gegenüber.

Vom Ursprung her ist Spiel symbolhaft, und das Symbol läßt das Spiel bewußt werden. Dabei kann man auch leiten: Kinder leiten wir zum Beispiel, doch die Erwachsenen lernen leicht, wie sie ihr eigenes Spiel am besten selbst leiten können; und wenn sie begabt sind (und diese Art von Erfahrung setzt eigentlich Begabung voraus, wenn sie bis ins Erwachsenenalter reichen soll), dann lernen sie, Zeichen der Annäherung an die verborgenen Schätze des Verstehens zu erkennen (eine Erweiterung des Bewußtseins). Hat man diese Zeichen einmal erkannt, dann ersetzt zielgerichtete Arbeit das Spiel. Es genügt also nicht, daß diese Schätze zutage gefördert werden, sie müssen klug eingesetzt werden. Nur wenn beides zusammenkommt, verläßt man die Stufe der Infantilität.

Paul Klee sagt das gleiche in seiner hoch spezialisierten Sprache, und seine Kunst zeigt das Leben, das er aus dieser einen, der einzigen Quelle schöpft: Des Menschen vergängliche Hülle wurzelt im Kosmos, seine unsterbliche Seele mit all den Empfindungen im Körper, der geboren wird und der stirbt.

Am Ende des propädeutischen Semesters wurden die Arbeiten aller Studenten ausgestellt, und jeder wählte seine Werkstatt; anschließend trat der Meister-Rat unter der Leitung von Gropius zusammen, bewertete die Leistung und entschied, ob der vom Studenten gewünschten Studienrichtung zugestimmt werden könne. Ich rutschte gerade noch durch; die Meister ermahnten mich, ich solle mich mehr mit den Studienfächern befassen, und ließen mich zur Bühnenwerkstatt zu.

Ich hatte diese gewählt, weil ich in atemloser Aufregung, voller Bewunderung und tiefen Erstaunens eine Abendvorstellung der Theaterklasse im Bauhaus-Theater miterlebt hatte. In früher Jugend hatte ich schon aus den verschiedensten Materialien Masken geformt, und ich kann nicht sagen, warum, aber ich hatte das dunkle Gefühl, daß diese Tätigkeit tiefere Bedeutung für mich haben würde. Dieses Gefühl schien am Bauhaus-Theater Leben und Gestalt anzunehmen. Ich hatte den »Gestentanz« und den »Formentanz« gesehen, den Tänzer mit Metallmasken und in wattierten, plastikartig anmutenden Kostümen vorführten. Die Bühne hatte einen pechschwarzen Hintergrund und ebensolche Kulissen, war von magischen Spotlights erhellt, die Requisiten hatten streng geometrische Formen: einen Kubus, eine weiße Kugel, Treppenstufen; die Schauspieler kamen, gingen mit großen Schritten, schlichen, trabten, jagten dahin, hielten kurz inne, wandten sich langsam und majestätisch ab; es waren Arme in

farbigen Handschuhen zu sehen, die lockende Bewegungen aus-
führten; die Köpfe aus Kupfer, Gold und Silber gingen zusammen
und flogen auseinander (die Masken reichten rundherum, sie
bedeckten den ganzen Kopf und sahen in Form und Gestalt alle
gleich aus – abgesehen von der Farbe der Metallfolie, mit der sie
umhüllt waren); ein schwirrendes Geräusch, das in einem dumpfen Schlag endete, unterbrach die Stille; ein Crescendo von dröh-
nendem Lärm fand seinen Höhepunkt in einem niederschmettern-
den Schlag, dann unheilverkündende, bange Stille. Eine andere
Phase des Tanzes zeigte alle äußeren und Lautmerkmale eines
Katzenchors, bis hin zu den jaulenden und tiefgezogenen Tönen,
die die widerhallenden, maskierten Köpfe glänzend untermalten.
Schritte und Gesten, Form und Inhalt, Farbe und Ton, alles war
elementar, zeigte auf neue Art die Problematik von Schlemmers
Theaterkonzeption: Der Mensch im Raum. Das, was wir gesehen
hatten, sollte uns die Bühnenelemente erklären, ein Vorhaben,
das durch die Arbeit in den folgenden Jahren immer weiter ergänzt
wurde. Die Bühnenelemente wurden zusammengestellt, kombiniert, modifiziert, und so wurden sie ganz allmählich zu einer Art
›Theaterstück‹; wir haben nie herausgefunden, ob es eine Komö-
die oder eine Tragödie werden würde, weil der Fortlauf durch Veränderungen in der Theaterklasse jäh unterbrochen wurde. Interessant daran war folgendes: Nachdem sich die Studenten der
Bühnenklasse auf die zu verwendenden Bühnenelemente geei-
nigt hatten und so eine gemeinsame formelle Basis geschaffen
war, sollte durch Zutaten der einzelnen Mitspieler das aus Einzel-
teilen zusammengesetzte Stück schließlich auch noch als Ganzes
eine Bedeutung und einen Sinn haben oder eine Botschaft vermitteln; Gesten und Laute sollten zu Worten und Handlungen werden. Wer weiß? Das Bauhaus-Theater war im wesentlichen ein
Theater für Tanz und als solches eine Art Selbstverwirklichung der
geistigen Schöpfung von Oskar Schlemmer; es war aber auch
eine Klasse, eine Stätte des Lernens, und dieses wundervolle
Gebilde war Schlemmers Lehrwerkzeug.

Von Zeit zu Zeit wurden Sketches und andere Stücke vor der
Öffentlichkeit oder vor dem Bauhaus-Publikum aufgeführt. Es ist
schwer, mit wenig Worten die dauernd sich wandelnde Truppe zu

charakterisieren; das Bauhaus-Theater bildete seine Schüler
nicht in Ballett oder in Choreographie aus, aber es zog Schüler
heran, die Ideen hatten und Interesse auf diesem Gebiet, und es
bot ihnen die Gelegenheit, ihre Begabung für ein großes Werk zur
Verfügung zu stellen. Einige der besten Tänzer nahmen freiwillig
am Unterricht teil und durchliefen eigentlich eine ganz andere
Klasse am Bauhaus (zum Beispiel Walter Kaminsky, Lou Scheper
oder Werner Siedhoff). Für lebensgroße Aufführungen konnte
Schlemmer eine eindrucksvolle Anzahl von Mitwirkenden aufbie-
ten (auf Grund von Einladungen veranstaltete das Bauhaus-Theater Ende der zwanziger Jahre in vielen großen Theatern in ganz
Deutschland Aufführungen), während sich die Arbeit in der zah-
lenmäßig kleinen Bühnenklasse beschränkte auf Entwurf, Herstellung und Pflege von Masken, Kostümen und Requisiten sowie auf
Planung, Leitung und Koordinierung zukünftiger choreographi-
scher Entwicklungsmöglichkeiten, Sketches und Ideen; letzteres
wurde in einem Rat diskutiert, dessen Vorsitz Schlemmer führte.

Starke Selbstverleugnung prägte Schlemmers Lehrmethode.
Mir, einem begeisterten und sehr jungen Bewunderer, schien es
oft unverständlich, daß ein Mann, der so viel zu geben hatte wie er,
sich so klaglos einer wirklich nicht immer sachverständigen Mehrheit beugte. Ich wünschte ihm, daß er sich mehr behauptete. Es
dauerte viele Jahre, bis ich endlich merkte, daß ihm dieser Weg
verschlossen blieb und daß das in seiner Persönlichkeit begründet
war – er hatte also in diesem Punkt keine Wahl. Überzeugung
schwelte in seinem Inneren, er konnte aber keine Worte finden. Ich
erinnere mich noch sehr gut an seinen Ausruf »Janein« in geistigen Streß-Situationen; dann konnten ihm jedenfalls nur Taten,
lebhaft vorgebrachte Argumentationen, physische Äußerungen
Erleichterung bringen. Und es war in solchen Fällen ein Hochge-
nuß, die Präzision, die selbstbewußte Haltung, die innere Kraft und
das Feingefühl seines Auftrittes zu beobachten. Seine Sprache
war, obwohl ihr der Befehl versagt war, ein starkes Ausdrucksmittel. Er verfügte über das individuellste Vokabular, das ich je gehört
habe. Sein Erfindungsreichtum an Metaphern war unerschöpflich,
er liebte ungewöhnliche Gegenüberstellungen, paradoxe Allitera-

tionen, barocke Umschweifungen. Der satirische Humor in seinen Aufzeichnungen ist nicht in andere Sprachen übersetzbar.

Über die anderen Meister, die ich kannte, kann ich nur sehr spärlich Dinge berichten, die das Bild des Unterrichts am Bauhaus, das ich hier zu beschreiben versuche, abrunden würden. Vor Paul Klee und Wassily Kandinsky habe ich noch heute eine tiefe Ehrfurcht und empfinde eine innige persönliche Zuneigung zu ihnen; bei Moholy-Nagy erinnere ich mich an seine ansteckende Begeisterung und Freude am Experimentieren, doch vermisse ich in mir jenen Widerhall, der mir so charakteristisch für die Atmosphäre am Bauhaus scheint, die Wechselwirkung zwischen Lehrer und Schüler. In einem Beitrag für die Festschrift zum 70. Geburtstag von Oskar Schlemmer (privat veröffentlicht im September 1958 von Frau Tut Schlemmer in Stuttgart) schrieb ich, von Oskar Schlemmer habe ich nicht so sehr das Theaterhandwerk als das Lehren gelernt, und das gleiche würde ich auch von dem Verhältnis sagen, das ich zu Albers hatte. Ich muß einer der schlechtesten Studenten gewesen sein, die jemals seine Klasse besucht haben, jedenfalls unmittelbar an diesem Verhältnis gemessen. Ich glaube jedoch, daß er mein Bewußtsein unauslöschlich geprägt hat durch sein beharrliches Betonen der gestalterischen Grundelemente. Er und Schlemmer führten die Studenten zu geistiger Bewegungsfreiheit durch ihre ständigen Appelle an das allen Fakultäten Zugrundeliegende, Gemeinsame: an den Spieltrieb. Und Schlemmers Tänzer, in seinem Kostüm und mit seiner Maske, in seiner ursächlichen Beziehung zum gestalteten Raum, ist für mich eine ebenso fruchtbare Erfahrung wie die der grundlegenden geometrischen Formen von Albers. Durch ihren Umgang mit dem Symbol haben sie die Grenzen des Bewußtseins erweitert – sie haben das letzte Ziel des Lehrens erreicht.

Als ich selbst vor 19 Jahren Lehrer wurde, hatte ich mit den ersten Bauhäuslern eines gemeinsam: ich war auch Soldat gewesen. Alles andere war genau umgekehrt: ich war nicht ausgehungert, es hatte keine Revolution gegeben, ich ›kämpfte‹ in einem Krieg, den wir gewonnen und nicht verloren haben. Die Bauhaus-Studenten von 1919 genossen zum erstenmal in ihrem Leben die Freiheit in vollen Zügen, die Studenten in meinen ersten Übungen genossen so viele Freiheiten, daß sie gar nicht wußten, was sie damit anfangen sollten. In den ersten Interviews fiel mir eine Forderung besonders auf: es war die nach Disziplin. Und im Grunde ist es heute noch so: das Bedürfnis nach Ordnung in einem Chaos ist nicht sozialer, sondern geistiger Art. Heute befinden wir uns im Bereich der Kunst mitten in einer phantastisch anmutenden Revolution. Kunst, als letzte Zuflucht der Manifestation von ›nutzlosen‹ Werten, in der Zeit eines tatsächlich allvernichtenden und entsetzlichen Materialismus, nicht vermindert dadurch, daß »65 Prozent der Bevölkerung in irgendwelcher Form kirchlich aktiv sind«, ist ursprünglich mysteriös, vergeistigt, romantisch, bedrohlich – vielleicht sogar zur Psychose geworden. Die letzten Versuche, objektiven Sinn aus ihren Verkörperungen zu ziehen, scheitern hoffnungslos an der Tatsache, daß Kunst zu einem Produkt von hohem Marktwert geworden ist.

Da ich Malerei, nicht Philosophie lehre, sehe ich in der reinen geometrischen Form den einzigen Weg, der uns aus diesem Dilemma befreien kann. Nach meiner Lehrmethode gehe ich vom Äußeren in die Tiefe ; ich beginne mit dem Ausgangsstoff zum Malen – der Farbe, dem Farbstoff – und versuche dann, den Studenten das Erkennen von Abhängigkeiten zwischen Form und Farbe nahezubringen. Von dieser impressionistischen Entwicklungsstufe aus versuche ich dann, Farb-Gestaltung im Sinne der Malerei (Stilleben) aufzubauen; wir entdecken die Funktion des Lichts, zunächst als Mittler für die optische Formgebung. Wenn Licht (und Schatten) alle visuellen Möglichkeiten eines Kunstwerkes wiedergeben können, dann wird Farbe überflüssig. Wenn jedoch Farbe auf Grund ihrer Wesenheit (gefühlsmäßig und geistig) in der Malerei erwünscht ist – ein Ausdrucksmittel, das mit Licht und Schatten nichts zu tun hat –, dann verlangt die Konzeption des Bildes mehr und anderes als die Visualisierung von Oberflächen von Objekten. In diesem Stadium bereits ist der Student in seinem Innersten engagiert, und sein erwachender, schöpferischer Drang sucht begierig nach neuen Formen. Von diesem Punkt an sollte er frei sein, doch gerade an diesem Punkt beginnt die Freiheit eine schwere Bürde zu werden. »Müssen wir wirklich das tun, was wir tun wollen?« Wie schwer ist es, die Frage nach dem Sinn der Dinge nicht mehr zu stellen! Wie ungemein schwer, mit jener mephistophelischen Erkenntnis fertig zu werden:

Wie würde dich die Einsicht kränken
wer kann was Dummes, wer was Kluges denken,
das nicht die Vorwelt schon gedacht?

Da ich dieses grausame Stadium in meiner Jugend selbst erlebt, selbst durchlitten hatte, konnte ich wenig später selbst erkennen, daß das, was mir wiederfahren war, typisch für unsere Zeit ist. Zu jener Zeit war es auch, da sich mir die Bedeutung meines Studiums am Bauhaus offenbarte: Konstruktive Präzision in der äußeren Form führt unausweichlich zum Urgrund, aus dem alle schöpferische Erfindungskraft hervorgeht (ich möchte sie »geometrisch« nennen, weil ich kein besseres Wort dafür habe); nur müssen wir uns daran erinnern können, daß »das Messen der Erde« am Anfang der Menschheit eine unvergleichlich abenteuerlichere Unternehmung war, als sie das heute zum Beispiel sein würde. Für mich wurden damals geometrische Zusammenhänge zum Übermittler neuer Farbkompositionen – zumindest für eine gewisse Zeit. Und diese Erfahrung der geistigen Wiedergeburt versuche ich meinen Studenten zugänglich zu machen. Dabei braucht man immer wieder auf die symbolische Bedeutung solcher Abhängigkeiten hinzuweisen. Das Symbol lebt weiter, auch wenn wir es anfangs (und vielleicht für immer) nicht erkennen. Das einzig Nötige ist die Erfahrung, die man selbst gemacht haben muß. Zum Schluß noch eine letzte, das gleiche aussagende Formulierung. In einem Gedicht von Josef Albers fand ich die Zeilen:

Und so ist Kunst nicht Gegenstand, sondern Erlebnis.

Hannes Beckmann

Geboren 1909 in Stuttgart. Studiert seit 1928 am Bauhaus Dessau. Nach Abschluß seines Studiums erhält Beckmann 1931 das Bau-haus-Diplom Nr. 61 für seine bühnenbildnerischen Arbeiten. Zu seinen Lehrern am Bauhaus zählen besonders Josef Albers, Paul Klee und Wassily Kandinsky. Eine Berufung zum Bühnenbildner am Landestheater Dessau scheitert an der – politisch bedingten – Feindseligkeit gegenüber den Bauhäuslern.

In Wien studiert Beckmann an der Graphischen Lehr- und Versuchsanstalt Fotografie, um sich 1934 in Prag als Presse- und Bühnenfotograf niederzulassen. Mit einer Jüdin verheiratet, wird Beckmann mehrmals von der Gestapo verhört und schließlich in das Konzentrationslager Janovice eingeliefert, wo er bei Kriegsende befreit wird. 1947 erhält er die tschechoslowakische Staatsbürgerschaft. Ein Jahr später emigriert Beckmann in die USA. In New York wird ihm dann in den nächsten Jahren die Organisation der Fotoabteilung des Guggenheim Museums übertragen. Seit 1953 lehrt Hannes Beckmann ›Zweidimensionale Gestaltung‹ und ›Farbtheorie‹ an der bekannten New Yorker Hochschule Cooper Union, School of Art and Architecture. 1960/61 Gastvorlesungen an der Yale University, New Haven.

Das malerische Werk von Hannes Beckmann ist in verschiedenen Museen der Vereinigten Staaten vertreten. Zu den letzten Gruppenausstellungen, an denen er teilnimmt, gehört die Ausstellung ›The Responsive Eye‹ im Museum of Modern Art in New York. Hannes Beckmann ist Mitte der siebziger Jahre in den USA gestorben.

Die Gründerjahre

Natürlich ist es schwer, sich nach 38 Jahren an Dinge zu erinnern, die sich ereigneten, als ich noch jung und mir der Bedeutung dieser Ereignisse nicht voll bewußt war. Wenn ich jedoch zurückblicke, dann weiß ich, daß mich die Arbeit des Bauhauses beeindruckte als eine ganz neue schöpferische Kraft des kulturellen Lebens. Damals war ich 19 und studierte bei Professor X. an der Hamburger Kunsthochschule.

Gleich am ersten Tag hatte man mich dort in ein riesiges Atelier gesetzt, genau vor einen Kaktus, den ich Stunde um Stunde, tagelang, wochenlang zeichnen mußte, und in all diesen Wochen war ich allein in diesem Atelier. Zwei andere Studenten von Professor X., die sich bereits Meisterschüler nannten, arbeiteten in einem weiteren Atelier. Zweimal am Tag kam Professor X. ins Atelier, musterte meine Skizzen mit kurzem Blick über den Brillenrand und schüttelte enttäuscht den Kopf, bevor er wortlos den Raum verließ. Damals war ich sehr unglücklich. Eines Tages traf ich meinen früheren Zeichenlehrer von der Oberschule und erzählte ihm von meinen kafkaesken Erfahrungen. Er erwiderte darauf in seiner Berliner Mundart: »Mann, bist du verrückt, deine Zeit dort zu verschwenden? Wenn ich heute nochmal jung wäre, würde ich ans Bauhaus gehen. Da sieht man die Dinge ein bißchen anders als dein Herr Professor X.«

So stand ich denn eines Tages – nachdem ich die ganze Nacht durch von Hamburg nach Dessau gefahren war – vor dem damals supermodernen Bauhaus-Gebäude. Allein die Architektur wirkte auf mich wie der Anfang eines neuen Zeitalters.

Ich empfand dort an der Schule eine besondere Art von Vertrauen, von Begeisterung und Optimismus, alles was ich in Hamburg so sehr vermißt hatte. Und deshalb wurde ich ein begeisterter, treuer Bauhäusler.

Zu einer meiner bedeutsamsten und aufschlußreichsten Erfahrungen wurde der Vorkurs von Josef Albers. Jeder Student mußte daran teilnehmen, um seine Begabung zu beweisen. Erst danach wurde er endgültig zum Studium zugelassen.

Ich kann mich noch lebhaft an den ersten Unterrichtstag erinnern: Josef Albers betrat den Raum mit einem Bündel Zeitungen unter dem Arm, die er an die Studenten verteilen ließ. Dann wandte er sich uns zu und sagte ungefähr: »Meine Damen und Herren, wir sind arm und nicht reich. Wir können es uns nicht leisten, Material und Zeit zu verschwenden. Wir müssen aus dem Schlechtesten das Beste machen. Jedes Kunstwerk hat ein ganz bestimmtes Ausgangsmaterial, und deshalb müssen wir zuerst einmal untersuchen, wie dieses Material beschaffen ist. Zu diesem Zweck wollen wir – ohne schon etwas anzufertigen – zuerst einmal damit experimentieren. Im Augenblick ziehen wir die Geschicklichkeit der Schönheit vor. Die Aufwendigkeit der Form ist abhängig von dem Material, mit dem wir arbeiten. Denken Sie daran, daß Sie oft mehr erreichen, indem Sie weniger tun. Unser Studium soll anregen zu konstruktivem Denken. Haben Sie mich verstanden? Ich möchte, daß Sie jetzt die Zeitungen, die Sie bekommen haben, zur Hand nehmen und mehr daraus machen, als es im Augenblick noch ist. Ich möchte auch, daß Sie das Material respektieren, es sinnvoll gestalten und dabei seine Eigenheiten berücksichtigen. Wenn Sie das ohne Hilfsmittel wie Messer, Schere oder Leim schaffen, um so besser. Viel Spaß!« Stunden später kam er zurück und ließ uns die Ergebnisse unserer Bemühungen vor ihm auf dem Boden ausbreiten.

Da waren Masken entstanden, Boote, Schlösser, Flugzeuge, Tiere und verschiedenartige klug ausgetüftelte kleine Figuren. Kindergartenkram nannte er das alles und meinte, das hätte in sehr vielen Fällen aus anderen Materialien besser gestaltet werden können. Dann wies er auf ein Gebilde, das äußerst einfach aussah; ein junger ungarischer Architekt hatte es hergestellt. Nichts anderes hatte er getan als die Zeitung längs zu falten, so daß sie flügelartig aufrecht stand. Josef Albers erklärte uns nun, wie gut das Material begriffen, wie gut es verwendet worden und wie natürlich der Faltvorgang gerade bei Papier sei, weil er ein so nachgiebiges Material starr mache, derart starr, daß es an seiner schmalsten Stelle – auf dem Rand – stehen könne. Weiter erläuterte er, eine auf dem Tisch liegende Zeitung habe nur eine einzige visuell aktive Seite, der Rest sei unsichtbar. Nachdem jetzt das Papier aufrecht stehe, sei es beidseitig visuell aktiv geworden. Das Papier habe dadurch sein langweiliges Äußeres, sein müdes Aussehen verloren. Nach einer Weile hatten wir diese Art zu sehen und zu denken begriffen. Wir fertigten faszinierende Studien aus allen möglichen Materialien: Papier, Wellpappe, Streichhölzer, Draht, Metall.

Wir hatten jeder ein Stück Blech, etwa 24 mal 30 Zentimeter, und eine Schere dazu bekommen. Die Aufgabe lautete, das Material so zu bearbeiten, daß dessen Eigenart gewahrt bleibe. So schnitt ich das rechteckige Blech einfach diagonal bis kurz vor den Mittelpunkt auf und bog dann die beiden oben und unten entstandenen Dreiecke im Winkel von 90 Grad nach oben. Die vier Flügel blieben verbunden durch das etwa einen Quadratzentimeter große Mittelfeld, in dem die vier eingeschnittenen Diagonalen zusammentrafen. Ein derartig punktueller Zusammenhalt ist natürlich nur bei Metall möglich. Hätte ich die einzelnen Flügel

noch weiter gebogen, wären sie abgebrochen. In seiner anschließenden Kritik erläuterte Josef Albers, wie außergewöhnlich einfach der handwerkliche Vorgang sei, der zu dieser Studie geführt
habe: Vier gleichlange Schnitte, zwei Drehungen. Dann schlug er
noch eine Verbesserung vor. Bis dahin hatte das Metall auf vier
festen Punkten geruht. Durch sehr behutsames Umbiegen der
beiden Seitenflügel nach unten würde das winzige Mittelstück
angehoben, das ganze Gebilde nur noch auf drei festen Punkten
ruhen, plötzlich sehr viel dynamischer aussehen, einem fliegen-
den Vogel gleichen. »Warum auf vier Beinen stehen, wenn drei
Beine genügen?« Das war alles, was Albers sagte.

Mit diesem Vorkurs eröffnete sich uns eine gänzlich neue Welt
des Sehens und Denkens. Fast alle Studenten waren mit festen
Vorstellungen von Kunst und Gestaltung ans Bauhaus gekommen. Romantische Klischeevorstellungen waren das gewöhnlich.
Aber wir lernten sehr bald, das Denken in überlieferten Kategorien
als ersten Schritt zu schöpferischem Denken zu begreifen. Der
Vorkurs war wie eine Gruppentherapie. Durch das anschauliche
Vergleichen aller Lösungen, die die anderen Studenten gefunden
hatte, lernten wir sehr schnell, die erstrebenswerteste Lösung
einer Aufgabe herauszufinden. Und wir lernten, uns selber zu kriti-
sieren; das wurde für wichtiger gehalten als die Kritik an anderen.
Ohne Zweifel führte diese Art von ›Gehirnwäsche‹, die wir im Vorkurs durchmachten, zu klarerem Denken.

Ich hatte das große Glück, nach dem Krieg Josef Albers in den
Vereinigten Staaten wiederzubegegnen, wo er um diese Zeit als
großartiger Lehrer und Maler bereits bekannt war. Er leitete
damals in New York einen Kurs mit dem Namen »Laboratory in
Design – Werkstatt für Gestaltung«. Auch ich hatte mich als Teil-
nehmer eingeschrieben, und er stellte mich den anderen Kursmit-
gliedern vor mit der launigen Bemerkung: »Dieser Mann hier hat
vor 21 Jahren bei mir studiert, und jetzt kommt er wieder, um sich
meinen ganzen Unsinn noch einmal anzuhören.« Gerade seine
»un-unsinnige« Art zu unterrichten, hatte mich zum Wiederkommen veranlaßt.

Einer der eigenständigsten Beiträge zur Kunsterziehung, die
Josef Albers in den Vereinigten Staaten leistete, war sein Kurs

»Farbenlehre«. Ähnliche Kurse werden heute an Universitäten und Kunsthochschulen überall in den Vereinigten Staaten von seinen ehemaligen Studenten gehalten, auch von mir. Das Prinzip dieses Kurses ist, die Farbe durch unmittelbare Wahrnehmung kennenzulernen. Statt sich in die Feinheiten des Farbstoffverhaltens zu vertiefen, sucht man sich seine Farben einfach lieber aus einer fertigen Muster-Mappe mit 200 verschiedenen farbigen Papierbogen heraus. Die Verwendung von Papier empfiehlt klar umrissene Formate zur Herstellung einfacher zweidimensionaler Entwürfe, die das Wechseln, Durchscheinen, Mischen, Flimmern und andere grundlegende Erscheinungsweisen der Farbe verdeutlichen können. Die dauernde Notwendigkeit, die farbigen Papierseiten solange miteinander zu vergleichen, bis einer die richtige Farbe findet, entwickelt Farbgefühl und Farberinnerungsvermögen.

Wenn ich zurückdenke an die Bauhaus-Jahre, dann drängt sich mir unwillkürlich die Frage auf, in welche Richtung das Bauhaus sich wohl entwickelt haben würde, wenn nicht die nationalistische Unvernunft eine solche Entwicklung ganz plötzlich unterbrochen hätte.

Während der Sturm-und-Drang-Jahre des Bauhauses in Weimar hatte dessen Gründer Walter Gropius verkündet: »Architekten, Bildhauer, Maler, wir alle müssen zurück zum reinen Handwerk.« Nachdem das Bauhaus jedoch von Weimar nach Dessau gezogen war, betonte man den technischen Funktionalismus viel stärker als eine Rückkehr zum Handwerk, und das ging häufig zu Lasten der psychologischen Rolle des Bauhauses.

Die Malerei und andere künstlerische Bereiche waren in Gefahr, isoliert zu werden; das Bauhaus schien sich zu einer reinen Schule für Architektur und Design zu entwickeln. Gerade zu jener Zeit forderte der Studentenrat Vorlesungen über Gestaltpsychologie. Dieser Forderung wurde stattgegeben: von Dürckheim kam aus Leipzig und hielt eine ganze Reihe von Vorlesungen zu diesem Thema. Bis dahin waren alle Gestaltprobleme mehr oder weniger aus dem Gefühl heraus gelöst worden. So schien es fast, als frage der Künstler den Wissenschaftler und hole sich bei ihm die Bestätigung, auf der richtigen Spur zu sein. Dagegen hatten die Gestaltpsychologen schon seit Jahren Untersuchungen zur geistigen Wahrnehmung und Deutung von Farbe und Form durchgeführt. Sie machten klar, warum manche Gebilde sich gut deuten lassen – eine gelungene Gestalt, die als Ganzes mehr verkörpert als die Summe ihrer Teile –, während andere Gebilde dagegen nur schlecht gedeutet werden können – eine verfehlte Gestalt, deren Teile zusammenhanglos bleiben.

Mag sein, daß die Interessen des Bauhauses, selber Schule für Gestaltpsychologie, Hochschule für Gestaltung, in eine Richtung führten, die die Kunstschulen der Zukunft vielleicht einmal einschlagen werden. Aus der Einsicht, daß Kunst als solche nicht lehrbar ist, sollte das Schwergewicht auf der Ausbildung des visuellen Wahrnehmungsvermögens liegen, zum Teil auf der Grundlage gestaltpsychologischer Erkenntnis, um das Ziel zu erreichen, das Josef Albers so beschrieb: einen bedeutsamen Schritt auf dem Wege zur Gewinnung der Form.

Ludwig Grote

Geboren 1893 in Halle a. d. Saale. Studiert in München und Halle, promoviert bei Professor Paul Frankl in Halle.

1924 wird Ludwig Grote zum Anhaltischen Landeskonservator ernannt. 1927 eröffnet er die neu gegründete Anhaltische Gemäldegalerie und leitet den Anhaltischen Kunstverein. Der Oberbürgermeister der Stadt Dessau, Fritz Hesse, bemüht sich auf Grotes Rat mit ihm zusammen intensiv um die Übersiedlung des Bauhauses von Weimar nach Dessau. 1933 wird Ludwig Grote wegen seines Eintretens für das Bauhaus und einiger Bilderankäufe bei Bauhaus-Malern aus dem Staatsdienst entlassen. Als freier Schriftsteller und Denkmalspfleger läßt er sich 1935 in Berlin nieder und siedelt später nach München über.

1949 bis 1951 veranstaltet und leitet er die ersten fünf internationalen Ausstellungen nach dem Krieg im Haus der Kunst in München: Der Blaue Reiter, Max Beckmann, Oskar Kokoschka, Grafik von Henri de Toulouse-Lautrec und ebenfalls als erste Übersicht nach dem Krieg ›Die Maler am Bauhaus‹. 1951 wird er zum Generaldirektor des Germanischen Nationalmuseums in Nürnberg berufen.

Seit 1963 wieder freiberuflich tätig, ist Grote wesentlich an der Konzeption und Vorbereitung der Wanderausstellung ›50 Jahre Bauhaus‹ beteiligt, die 1968 in Stuttgart beginnt. 1974 ist Ludwig Grote in Gauting bei München gestorben.

Das Bauhaus und der Funktionalismus

Es hat sich eingebürgert, die am Anfang der zwanziger Jahre einsetzende neue Baubewegung als Funktionalismus zu bezeichnen und im Bauhaus den orthodoxen Vertreter einer nur aus der Funktion abgeleiteten Gestaltung zu sehen. Die sich seit einigen Jahren bemerkbar machenden neuen Tendenzen in der Architektur wenden sich gegen den Funktionalismus der Väter und Großväter und proklamieren Humanisierung und Individualisierung in der Formgebung.

Auch der Deutsche Werkbund, aus dessen Schoß das Neue Bauen hervorgegangen ist, bemüht sich um Distanzierung und um eine neue Zielsetzung. Auch hier bildet der Funktionalismus den Stein des Anstoßes. Hans Schwippert, sein derzeitiger Vorsitzender, veranstaltete vor einiger Zeit in Baden-Baden drei Vorträge, in denen ein Philosoph, ein Zoologe und ein Politiker zu dem Thema »Sinn und Gebot der Gestalt« Stellung nahmen. Die Persönlichkeit der Vortragenden – Warnach, Portmann und Arndt – und ihre Ausführungen waren sehr eindrucksvoll und gaben tiefe Aufschlüsse. Nur traf das, was sie zu dem Verhältnis von Funktion und Gestalt sagten, nicht die Theorie des Neuen Bauens. Alle drei nahmen den Funktionsbegriff isoliert, absolut und ließen außer acht, wie er von Gropius oder Mies van der Rohe theoretisch interpretiert und in ihren Werken realisiert worden ist. Nachdem Arndt das bekannte thomistische Zitat von Mies verworfen hatte, ging er zum offenen Angriff über: »Mit Hans Schwippert hoffe ich deshalb, daß der Traum einer Gleichsetzung von Funktion und Form ausgeträumt ist. Nur halte ich diesen Traum nicht einmal für schön, sondern für einen Alptraum, denn weder der einzelne Mensch noch die Gemeinschaft lassen sich lediglich funktional determinieren.«

Diese Kritik richtete sich in der Tat gegen einen Traum, gegen eine Vorstellung, die von den Schöpfern des Neuen Bauens nie vertreten worden ist. Gropius hat sich oft und unmißverständlich gegen den Vorwurf der Gleichsetzung von Funktion und Form gewendet.

Als das Bauhaus im August 1923 einem internationalen Publikum seine bisherigen Leistungen vorführte, gab Gropius der Ausstellung den Titel: »Kunst und Technik, eine neue Einheit«. Das heißt, daß die Form die Synthese von Kunst und Technik sein muß. Die neue Lehre des Bauhauses, die seine geistige und künstlerische Selbständigkeit gegenüber ›Stijl‹ dokumentierte, beruht, wie Gropius in Band 1 der Bauhaus-Bücher ausführte, auf der Erkenntnis, daß die künstlerische Gestaltung Sache des Lebens selbst sein muß und daß die Revolution des künstlerischen Geistes elementare Erkenntnis für die neue Gestaltung brachte, wie die technische Umwälzung das Werkzeug für ihre Erfüllung. Alle Anstrengung galt der Durchdringung beider Geistesgruppen. Schon damals wehrte sich Gropius gegen den Vorwurf, daß das Bauhaus eine Apotheose des Rationalismus vertrete. Er suche vielmehr die gemeinsamen Voraussetzungen und die Grenzen für den gestalterischen und technischen Bereich zu fixieren. Jedes Ding ist bestimmt durch sein Wesen. Um es so zu gestalten, daß es richtig funktioniert, muß sein Wesen erforscht werden, denn es soll seinem Zweck vollendet dienen, d. h. seine Funktionen praktisch erfüllen, dauerhaft, billig und ›schön‹ sein. Die Standardisierung der praktischen Lebensvorgänge zielt nicht auf eine neue Versklavung und Mechanisierung des Individuums, sondern soll im Gegenteil das Leben von unnötigem Ballast befreien, um es desto ungehemmter und reicher sich entfalten zu lassen.

»Ich habe immer gleichzeitig den anderen Lebensaspekt betont, dem die Befriedigung der seelischen Bedürfnisse ebenso wichtig ist wie die der materiellen und dem das Ziel einer neuen räumlichen Vorstellung mehr bedeutet als bloße strukturelle Sparsamkeit und funktionelle Vollkommenheit... Das Schlagwort:

›Das Zweckmäßige ist auch schön‹ ist nur zur Hälfte wahr . . . nur vollkommene Harmonie in der technischen Zweckfunktion sowohl wie in den Proportionen der Formen kann Schönheit hervorbringen. Gute Architektur muß das Leben der Zeit widerspiegeln, und das erfordert intime Kenntnis der biologischen, sozialen, technischen und künstlerischen Fragen . . . Unser vornehmstes Ziel ist, einen Menschentyp zu erziehen, der fähig ist, das Leben in seiner Gesamtheit zu sehen, statt sich zu früh in den Kanälen der Spezialisierung zu verlieren.« Um das Bauhaus in den Strom des Lebens zu stellen, gab Gropius dem Institut eine offene Form, die es vor Erstarrung und Manierismus bewahrte. Sobald ein neues Gestaltungsgebiet ins Blickfeld trat, wurde es aufgegriffen und seine Möglichkeiten festgestellt. Als die Leica die Fotografie befreite, wurde sie Unterrichtsgegenstand, ebenso die Werbung, als sie ihre ganze Bedeutung für das moderne Leben enthüllte. Eine Aufgabe wurde niemals isoliert für sich angefaßt, sondern immer im Zusammenhang mit der Neuordnung und Gestaltung der gesamten menschlichen Umwelt. Jede gelungene Formgebung trug zur Überwindung der chaotischen Zustände der Gegenwart bei. Zweckerfüllung hieß für das Bauhaus nichts anderes als Dienst am Menschen . . . Humanismus im wahrsten Sinne des Wortes.

Der Nachfolger von Gropius, Hannes Meyer, vertrat während seiner kurzen Regierungszeit zusammen mit seinem Propagandisten Kallai theoretisch die enge Auffassung, daß nur die Funktion die Gestaltung zu bestimmen habe. Er bezeichnete sich als wissenschaftlichen Marxisten und versuchte, die Bedürfnisse des Menschen im Sozialismus durch Anlegung von Tabellen und Berechnungen zu erfassen und den irrationalen Einfluß der Kunst auszuschalten. Aber auch in seinen Bauten und Entwürfen lenkt sichtlich der Geist der Abstraktion die Formgebung. Sein Formalismus war es, der ihn zwang, Sowjetrußland zu verlassen. Aus der Integrierung von moderner Kunst und Technik ist das Neue Bauen hervorgegangen, bei dem die Funktion nicht Selbstzweck ist, sondern nur das Mittel zur Realisierung der neuen Ästhetik. Infolgedessen wird der Begriff des Funktionalismus dem Phänomen in keiner Weise gerecht. Weit angemessener wäre es, von abstrakter Architektur zu sprechen. Die Einheit von moderner Architektur und moderner Kunst ist evident, sie beruht auf dem Ausdruck eines Stiles der Gegenwart, der über die gleiche Assimilierungskraft verfügt wie die historischen Stilepochen. Es gehört zum organischen Wesen eines echten Stiles, daß er nicht stehenbleibt. Es spricht für die lebendige Kraft unseres Stiles, daß er jetzt, nach 40 Jahren, in eine neue Phase eintritt, die aber keine Wende darstellt, sondern Wachstum aus der gleichen Wurzel. Mit meinen Ausführungen wende ich mich also nicht gegen das Kommende.

Georg Muche
Bauhaus-Epitaph

Das entscheidend Ursprüngliche der zwanziger Jahre entstand im Jahrzehnt zuvor. Schon im März 1912 veröffentlichte der Werkbund in einem seiner Jahrbücher so etwas wie ein Bauhaus-Programm: »Der Werkbund erstrebt die Durchgeistigung der Arbeit im Zusammenwirken von Kunst, Industrie und Handel durch Erziehung.« Schon im Vorwort ist die Rede »von dem Zusammenhalt von Industrie und Künstlern auch auf den Gebieten der Massenfabrikation«, und dann kommt eine bemerkenswerte Einschränkung zum späteren Bauhaus-Programm, das seine große werbende Wirkung dem Umstand verdankte, daß es romantisch war und daß Gropius in die Mitte seines Planes die Rückkehr der Künstler zum Handwerk stellte. Im Werkbund-Jahrbuch wird einschränkend bemerkt: »Man erwartet das Heil von den Kunsthandwerkern mittelalterlichen Schlages. Der Werkbund ehrt die Romantiker, blickt aber der Gegenwart und Zukunft mutig ins Auge.«

Das Bauhaus ist ein revolutionäres Gebilde gewesen. Es ist bei seiner Planung in Berlin auch im ›Arbeitsrat für Kunst‹ erörtert worden. Der Arbeitsrat für Kunst war eine Variante der Arbeiter- und Soldatenräte. In diesem Arbeitsrat für Kunst, in dem Walter Gropius Vorsitzender war, wurden die Schulprobleme in einer manchmal ideologisch überspitzten, unwirklichen Art und Weise erörtert. Gropius aber blieb dem Werkbund-Programm treu. Er hatte das Glück gehabt, schon 1918 vom Großherzog von Sachsen-Weimar-Eisenach den Auftrag zur Vereinigung von Kunstgewerbeschule und Akademie zu erhalten, und er hatte das noch größere Glück, daß die revolutionäre Regierung ihn als einen Exponenten der geistigen Erneuerung ansah und ihm jenen Auftrag beließ. Das Bauhaus konnte als staatliche Einrichtung nur Fuß fassen, weil die Autorität des Staates in Unordnung geraten war. Damals waren in der Regierung neue Männer, die nicht viel von Klee, Feininger und Kandinsky und auch nicht viel von Gropius wußten, die aber eine Erneuerung des Ganzen anstrebten. So hatten sie nichts dagegen, wenn Gropius »lauter obskure Leute« um sich versammelte. In unserem Lande war offenbar die Zeit für den Beginn eines so kühnen Unternehmens, wie es das Bauhaus war, günstig.

Historie hat für mich etwas Beängstigendes, und deshalb möchte ich als einer, der dabei gewesen ist, ein Epitaph für das Bauhaus zu schreiben versuchen, weil man im Epitaph knapp und genau sagen muß, was war. Auf diesem Epitaph würde ein Zitat obenan stehen: »Die Unerfahrenheit erlaubt der Jugend zu erfüllen, was das Alter für unmöglich hält!« (Tristan Bernard). Dann kämen – in Gruppen geordnet – zunächst einmal Kandinsky, Feininger, Klee; das sind die Alten und Weisen am Bauhaus; hinter ihren Namen käme das Alter, das sie hatten, als sie von Gropius ans Bauhaus berufen wurden: Kandinsky 56, Feininger 48, Klee 42 Jahre. Dann käme eine kleine Gruppe: Gropius 36 und Marcks 30 Jahre alt. In der Epitaph-Nachschrift würde erklärt werden, warum sie die Mittelgruppe bilden. Die dritte Gruppe: Schreyer, Schlemmer, Itten, Moholy-Nagy, Muche; ihr Alter zur Zeit der Berufung: 35, 33, 31, 28 und 25 Jahre. Dieses Zusammentreffen der Generationen hat große Bedeutung. Schließlich käme eine Gruppe der aus dem Bauhaus hervorgegangenen Bauhaus-Meister; es sind: Albers, Bayer, Breuer, Scheper, Stölzl und Arndt. Darunter, einsam und allein: Mies van der Rohe. Unter allem stünde der Satz: »Erst Mitte und Ende klären die Finsternis des Anfangs auf« (Goethe).

Was brachte die Generationen – die Alten, also Kandinsky, Feininger, Klee, und die Jungen, Schreyer, Schlemmer, Itten, Moholy-Nagy und Muche – zusammen, und was unterschied sie?

Wir waren ihnen durch unsere Jugend voraus, wir verwendeten uns für eine gemeinsame Sache und vergaßen darüber das eigene Ziel. Sie waren uns durch ihr Alter voraus, sie ließen ihr Ziel nie aus den Augen. Sie wirkten in der Stille. Wir waren bereit, wie die Knechte zu arbeiten, die keinen Anteil haben an Ernte und Gewinn. Ihnen gehörte der Ruhm. Sie waren Schöpfer neuer Bildwelten. Wir – jeder von uns – waren um einen Schöpfungsmoment zu spät geboren. Sie waren die Entdecker des neuen Kontinents im Meere der geistigen Strömungen am Anfang des Jahrhunderts. Wir bauten Wege im Gestrüpp ihrer Entdeckungen und legten Planquadrate an. Sie hatten ihre Widersacher durch Eroberungen überwunden. Wir brauchten für neue Abenteuer Mut und kühne Entschlüsse. Eines hatten wir gemeinsam: Ihr Schaffen und unser Schaffen hatten ihren Ursprung in der Malerei.

Sie wurden zur Basis der Verständigung und Lehre, als wir – einer nach dem anderen – in Weimar dem Architekten Walter Gropius begegneten, der das Bauhaus gegründet hatte, und Gerhard Marcks, dem Bildhauer, der Gropius' Vorstellungen von handwerklicher Lehre und dem Wirken der Werkleute am Bau am meisten entsprach. Beide gehörten zum Werkbund.

Schöpferische Taten, die aus der Ferne gesehen wunderbar anmuten, waren für die Schöpfer stets das Selbstverständlichste der Welt. Wir verstanden die Ideen von Gropius und verwandelten sie. Und wir verwandelten uns mit Gropius. Aus der Auflösung der Gegensätze und Spannungen entstand das Bauhaus. Zuerst streute Johannes Itten neue Saat in die Furche, die Walter Gropius gezogen hatte. Sie ging tausendfältig auf und blüht noch heute weitgestreut in pädagogischen Räumen. Johannes Ittens Lehre von den gestaltenden Kräften überspannte die Bindungen, die Gropius zusammenzuhalten versuchte. Sie wären gerissen, wenn keiner von beiden nachgegeben hätte. Itten gab nach und ging noch vor der großen Bauhaus-Ausstellung 1923. Doch auch Gropius mußte ein Opfer bringen. Er durfte das Haus nicht bauen, das er, der Gründer und Architekt, als Sinnbild seiner Idee und als

Mittelpunkt der Ausstellung gern gebaut hätte. Er konnte es nicht bauen, weil es ihm nicht gelungen war, mit den nüchternen Plänen und Beispielen seines Architekturbüros die Jugend des Bauhauses zu überzeugen. Sie verschloß sich seinen Worten.

Ich müßte von den Ereignissen berichten, bei denen es auf Biegen oder Brechen ging, weil sie die entscheidenden waren. Alles am Bauhaus geschah für Gropius oder war gegen ihn gerichtet. Er hatte die große Fähigkeit, zum Zerspringen gespannte Kräfte ins Ziel zu lenken. Doch ist es zu wenig, seine Erfolge zu rühmen. Er vermochte mehr, er überwand oder verband Widerstände durch Klugheit und Mut des Herzens.

Ludwig Mies van der Rohe meint, die Ursache für den großen Einfluß, den das Bauhaus in der Welt gehabt hat, sei in der Tatsache zu suchen, daß das Bauhaus eine Idee gewesen sei. War das wirklich der Grund? Ich kann es nicht glauben, denn viel zu oft blieben Ideen ohne jede Auswirkung. Wenn es aber eine Idee war, dann muß es eine von denen gewesen sein, die keiner hatte, also etwas Geheimnisvoll-Rätselhaftes. Auch das mag ich nicht glauben. Was war es aber dann? Was gab dem Bauhaus die große Wirkung? Es war das Zusammentreffen einiger Menschen von ausgeprägter Eigenart, die sich zu derselben Sache bekannten und trotzdem kein Team bildeten, sondern einen Akkord erzeugten, der schließlich rings um den Erdkreis klang. Die selbständige Führung mehrerer Stimmen wechselte am Bauhaus oft und sehr schnell. Jeder war einmal der Wichtigste und ein anderes Mal der Überflüssigste.

Max Bill

Geboren 1908 in Winterthur. Studiert von 1924 bis 1927 an der Kunstgewerbeschule Zürich und von 1927 bis 1929 am Bauhaus Dessau. 1930 läßt sich Bill als Architekt in Zürich nieder und führt zeitweilig unter der Bezeichnung ›bill-reklame‹ gebrauchsgrafische Arbeiten aus. Seit 1930 ist er Mitglied des Schweizerischen Werkbundes und auch in dessen Vorständen tätig. Als Maler und Bildhauer wird er 1932 Mitglied der Gruppe ›abstraction-creation‹, Paris, als Architekt seit 1938 Mitglied des CIAM (Congrès International d'Architecture Moderne) und seit 1959 Mitglied des Bundes Schweizer Architekten (BSA). Auf der Triennale von Mailand baut er 1936 und 1951 den Schweizer Pavillon, wofür er beide Male den großen Preis erhält.

Neben seiner Tätigkeit als Architekt, Maler, Plastiker und Typograph arbeitet Max Bill publizistisch und pädagogisch an den »theoretischen und praktischen Grundlagen für eine mit der technischen Zivilisation übereinstimmenden Umwelt«. 1944 organisiert Bill für die Kunsthalle Basel die erste Ausstellung ›konkrete kunst‹. Im gleichen Jahr bekommt er einen Lehrauftrag für Formlehre an der Kunstgewerbeschule Zürich. 1948 gründet er ein ›Institut für progressive Kultur‹, ebenfalls in Zürich, und hält Gastvorlesungen an der Technischen Hochschule in Darmstadt.

1949 Auszeichnung mit dem Kandinsky-Preis. 1949 initiiert Max Bill die erste Ausstellung ›Die Gute Form‹ an der Mustermesse Basel und an der Werkbund-Ausstellung Köln.

1950 wird Max Bill Mitbegründer der Hochschule für Gestaltung Ulm, die als Wiederbelebung der Bauhaus-Idee in Deutschland nach einem gescheiterten Versuch um

1945 in Dessau rasch internationales Ansehen bekommt. Von 1951 bis 1956 ist er Rektor der Hochschule und Leiter der Abteilungen Architektur und Produktform. In dieser Zeit baut er die Gebäude der Hochschule einschließlich der Lehrer- und Studentenwohnhäuser. Nach internen Auseinandersetzungen verläßt er 1957 die Hochschule, um seine Tätigkeit wieder nach Zürich zu verlegen.

Für die Globus-Kaufhäuser Zürich, Basel, St. Gallen, Chur und Aarau gestaltet er die Ausstellung ›Die unbekannte Gegenwart‹ und organisiert 1960 die Ausstellung ›Konkrete Kunst – 50 Jahre Entwicklung‹ in Zürich. Für die Schweizerische Landesausstellung EXPO in Lausanne 1964 gestaltet er als Chefarchitekt die Abteilung ›Bilden und Gestalten‹. 1961 wird er vom Schweizerischen Bundesrat in die Eidgenössische Kunstkommission berufen, im gleichen Jahr wählt man Max Bill in den Gemeinderat der Stadt Zürich, 1964 wird er zum Ehrenmitglied des American Institute of Architects, Hon. F. A. I. A. ernannt, 1965 zum Ehrenmitglied des Œuvre (Schweizerische Vereinigung für Kunst, Gewerbe und Industrie).

1967–71 Mitglied des Schweizerischen Nationalrates. 1967–74 Professor an der Staatlichen Hochschule für Bildende Künste in Hamburg, Lehrstuhl für Umweltgestaltung. 1968 Kunstpreis der Stadt Zürich, 1972 einer der 10 Preise der Internationalen Biennale der Kleinplastik Budapest. 1972 außerordentliches, seit 1976 ordentliches Mitglied der Akademie der Künste Berlin. 1973 Conseiller Honoraire, Association Internationale des Arts Plastiques (AIAP/UNESCO), 1973 Auswärtiges Mitglied der Koninklijke Academie voor Wetenschappen, Letteren en Schoone Kunsten van Belgie. 1979 Kulturpreis der Stadt Winterthur. 1980 großes Verdienstkreuz der Bundesrepublik Deutschland. 1980 Dr. Ing. h. c. der Universität Stuttgart. 1981 Ehrensaal der XIII. Biennale del Bronzetto, Padua. 1982 Kaiserring der Stadt Goslar; Belgischer Kronen-Orden; Misha Black Medaille für Design-Erziehung; Korrespondierendes Mitglied der Academie d'Architecture (Paris). 1984 Ehrenmitglied der Staatlichen Kunstakademie Düsseldorf. 1985 Vorstandsvorsitzender des Bauhaus-Archivs Berlin.

Max Bills künstlerisches Werk ist in vielen Einzel- und Gruppenausstellungen international vorgestellt worden und ist in zahlreichen öffentlichen und privaten Sammlungen vertreten. Max Bill lebt in Zumikon und Zürich.

fortsetzung notwendig

meine intensive beschäftigung sowohl mit dem prinzip der bauhaus-idee und der bauhaus-erziehungsmethode als auch mit den persönlichkeiten, die am bauhaus maßgebend wirkten, zeigt allein schon, daß ich diese noch immer für aktuell halte.

allerdings bin ich immer wieder gezwungen, darauf hinzuweisen, daß das bauhaus den weg für viele möglichkeiten geöffnet hat, ohne seinerzeit selbst in der lage gewesen zu sein, diese auszuschöpfen. meine überzeugung ist es, daß die ungenutzten möglichkeiten von damals heute noch immer weitgehend unverwertet sind und daß sie, was noch schlimmer ist, in vollständig mißverstandener form gebraucht werden.

die hoffnungen, die ich seinerzeit mit der gründung der hochschule für gestaltung in ulm verband, haben sich leider auch dort nicht bestätigt. auch an keiner anderen stelle sehe ich heute eine wirkliche weiterentwicklung der bauhaus-idee als ganzes. vielmehr sind es immer wieder teilstücke, die daraus herausgebrochen sind, und es sind falsche deutungen, die keine sinngemäße weiterentwicklung ermöglichen.

trotz aller dieser fehlentwicklungen bin ich nach wie vor der festen überzeugung, daß das grundprinzip des bauhauses, auf die heutige zeit übertragen, der seitherigen entwicklung angepaßt, die einzige reale chance bietet, aus der unsicherheit in der gestaltung unserer umwelt herauszukommen und dem blühenden kommerz-design-betrieb wirkliche, verantwortungsbewußte gestaltung entgegenzusetzen.

diese möglichkeit war seinerzeit in meinem programm der ulmer hochschule für gestaltung enthalten.

Lucia Moholy

Geboren in Prag, wo sie auch Kunstgeschichte und Philologie studiert hat. Nach dem Staatsexamen ist sie als Lektorin bei verschiedenen deutschen Verlagen, u. a. Kurt Wolff und Ernst Rowohlt, tätig.

In Berlin lernt sie 1920 Laszlo Moholy-Nagy kennen, den sie ein Jahr darauf heiratet. Von Weimar aus, wo Moholy-Nagy seit 1923 als Meister am Bauhaus lehrt, studiert sie gleichzeitig an der Akdemie für Graphische Künste in Leipzig mit dem Ziel, die Fotografie in ihren Arbeitskreis einzubeziehen.

In Dessau macht sie dann zahlreiche, viel veröffentlichte Fotos von den Bauhaus-Bauten und Werkstattprodukten sowie Porträts einiger Bauhaus-Meister und Reproduktionen ihrer Werke. Wie das Studium der Fotografie bei ihrer Zusammenarbeit mit Moholy-Nagy auf dem Gebiet des Fotogramms, so kommt ihr die verlegerische Erfahrung bei der Arbeit an den Bauhaus-Büchern sehr zustatten.

Als Walter Gropius 1928 die Leitung des Bauhauses niederlegt, kehren die Moholys nach Berlin zurück. Aus jener Zeit stammen die Aufnahmen, die Lucia Moholy von Bühnenbildern in der Staatsoper sowie von Inneneinrichtungen und Ausstellungen in und um Berlin gemacht hat. Einige Jahre später wird die Ehe getrennt.

1933 geht Lucia Moholy nach Paris und wenig später nach England. In London hält sie zunächst Vorträge über das dort damals noch wenig bekannte Bauhaus sowie über die Sozialgeschichte der Fotografie. Ihr 1939 veröffentlichtes Buch ›A Hundret Years of Photography‹ wird ein großer Erfolg.

Seit 1940 arbeitet Lucia Moholy auf dem Gebiet der wissenschaftlichen Dokumentation, die in jenen Jahren von offizieller Seite sehr gefördert wird. In der Fachpresse hat sie zahlreiche Beiträge darüber veröffentlicht. 1947 wird sie in England naturalisiert und 1948 Fellow der Royal Photographic Society of Great Britain.

Von der Unesco und der Weltgesundheitsorganisation in den fünfziger Jahren verschiedentlich als Fachberaterin auf dem Gebiet der Dokumentation herangezogen, wird sie im Rahmen der Technischen Hilfe mit Spezialaufgaben, insbesondere im Nahen Osten, betraut. Auf internationalen Kongressen u. a. in London, Cambridge, Paris, Rom, Köln hat sie sich wiederholt für neuzeitliche Methoden der Dokumentation eingesetzt.

1959 übersiedelt Frau Moholy in die Schweiz, wo sie auf dem Gebiet der Kunstkritik und Kunstpädagogik publizistisch tätig ist. Sie ist Mitglied des Schweizerischen Werkbundes und lebt in Zollikon, Kanton Zürich.

Fragen der Interpretation

Manche Kollegen sind der Meinung, die Geschichte des Bauhauses könne erst dann beginnen, historische Wahrheit zu werden, wenn keiner der Beteiligten mehr am Leben sei. Ich selbst bin im Gegenteil der Ansicht, daß wir, die noch da sind, die Verpflichtung haben, aus unserem Wissen, unserer Erfahrung, unserer Erinnerung, unseren eigenen Fragen und Lösungsversuchen soviel wie möglich mitzuteilen, um die Späteren nicht allzusehr im Dunkeln tappen zu lassen. Hierzu ein paar Stichworte, die nicht im entferntesten Anspruch auf Vollständigkeit erheben.

Von einem eindeutigen Gesamtbild sind wir noch weit entfernt; denn, wie ein früherer Bauhäusler 1967 in Berlin sagte: »Es sind so viele Versionen über das Bauhaus im Umlauf, daß man versucht sein könnte zu glauben, es habe nicht ein Bauhaus, sondern sieben bis acht Bauhäuser gegeben.«

In der Absicht, unterschiedliche Versionen vergleichsweise nebeneinander zu stellen, habe ich mich mit einigen Beispielen aus der Publizistik zum Thema Bauhaus auseinandergesetzt.

Dabei bin ich auf sehr ungleiche Deutungen gestoßen. Zwischen Schlagzeilen wie »Die Fanfaren des Bauhauses sind verklungen« (SWB Kommentare) einerseits und »Die Bauhaus-Idee ist so aktuell wie je« (Stuttgarter Zeitung) andererseits, findet sich auch die nüchterne Feststellung, daß »das Bauhaus heute aus einer Art verklärter Sicht in die sachlich historische Betrachtung tritt« (Schwäbische Donauzeitung).

In weiten Kreisen wird noch heute an der Meinung festgehalten, das Bauhaus sei eine Architektur-Schule gewesen. Zum Teil mag wohl der Name eine Suggestivwirkung ausgestrahlt haben oder noch ausstrahlen, zum Teil auch das Gründungsmanifest mit seiner an eine »neue Zunft der Handwerker« appellierenden Forderung nach einem zu erstellenden »Bau der Zukunft«. Die von Hans M. Wingler 1962 herausgegebene Dokumentensammlung ›Das Bauhaus‹ hat neuerdings die Erinnerung an jenes Manifest wieder wachgerufen. »Gropius baut seine letzte Kathedrale«, hieß es im Sommer 1970 bei der Eröffnung des Thomas-Glaswerks in Amberg, Oberpfalz.

Daß die Anfangskonzeption zunächst starken Widerhall fand, sich aber trotzdem nicht schnell realisieren konnte, lag in der Natur der Sache. Aber wer, außer vielleicht den Nächstbetroffenen, war oder wäre in der Lage, sich in die vielfachen Komplikationen des von den verschiedensten Strömungen der Nachkriegszeit durchfluteten Bauhaus-Alltags hineinzudenken? Gar mancher mag erstaunt gewesen sein, bei Otto Stelzer 1968 zu lesen: »Damals hatte Gropius taktisch vorzugehen, und er war der Mann dazu. Alle Welt redete von Handwerk und Bauhüttengeist, das war geradezu Mode und besonders den konservativen Kreisen der finanzierenden Behörden angenehm. Gerade die konservative Welt applaudierte im Gründungsaufruf des Bauhauses dem Satz: ›Architekten, Bildhauer, Maler, wir alle müssen zum Handwerk zurück‹.« Die Art der Interpretation muß autorisiert gewesen sein; denn bald darauf konnte man in einer Fernsehsendung Gropius selbst Ähnliches sagen hören. Ein tragisches Vermächtnis im letzten Jahr seines Lebens? Darauf gibt Stelzer die Antwort: »Der Nachweis, daß in diesem ›Zurück‹ das Ziel eines Gropius nie lag, ist leicht, denn es existierte ein Programmentwurf bereits aus dem Jahre

1916, und dieser geht keineswegs auf eine Belebung des Handwerks aus.«

So fest und sicher war der Glaube an das Manifest, daß schon das 1921 von Walter Gropius und Adolf Meyer im Präriestil erbaute, mit Schnitzereien reich ausgeschmückte Haus Sommerfeld in Berlin-Dahlem als »Dokument der Bauhaus-Lehre« (G. C. Argan) gepriesen wurde. Der gleiche Autor, die Meinung vertretend, daß Industrial Design dem Gegenstand »mythische Bedeutung« beimesse, schrieb 1951, die Bauhaus-Tapeten seien als »Träger der neuen Raumidee« und die Bauhaus-Lampen als »absolute Identifizierung von Licht und Raum« zu verstehen. Um wieviel klarer war die 1960 aus Argentinien berichtete Formulierung von Walter Gropius: »Architecture should be in everything from a teacup to a city plan.« Mythos und Sachlichkeit haben sich oft die Waage gehalten.

In der Auffassung weiter Kreise verkörpert das Bauhaus nach wie vor den »großen Aufbruch zur neuen Architektur« (Nationalzeitung Basel), obwohl nicht unbekannt geblieben ist, daß es während der ersten acht Jahre seines Bestehens keine Architekturklasse besaß. Es wurden Vorlesungen über Statik und Baugeschichte gehalten, und das Bauatelier Gropius' bot Gelegenheit zum Einholen von Informationen und mitunter zur Mitarbeit an privaten Architekturaufträgen. Die Bezeichnung »Architekturabteilung des Staatlichen Bauhauses Weimar« in den 1924 zusammengestellten, 1925 erschienenen Bänden 1 und 3 der Bauhaus-Bücher ist aus der Ungereiftheit der damaligen Terminologie zu verstehen.

Die erste reguläre Abteilung für Architektur, Siedlungs- und Städtebau wurde 1927 gegründet. Zu ihrer Leitung war der Schweizer Architekt Hannes Meyer berufen worden. Von 1928 bis 1930, als Meyer Direktor des Bauhauses war, führte er, wie nach ihm Mies van der Rohe, der dritte Direktor, die Abteilung weiter. Die oft dem Bauhaus zugeschriebenen Anregungen im Hinblick auf Wohnungs- und Städtebau sowie Rationalisierung und Industrialisierung des Bauens wären also, insofern man sie überhaupt mit einer einzelnen Stelle in Verbindung bringen kann, am ehesten wohl aus dem späteren Bauhaus hervorgegangen. In Wirklichkeit jedoch sind sie Teile einer umfassenden Bewegung, die, von vielen Seiten gefördert, an zahlreichen Punkten fast gleichzeitig ihren Anfang genommen hat.

Ebenfalls wenig bekannt ist noch heute, daß die Fotoklasse am Bauhaus erst 1929 gegründet wurde. Dennoch nennt man sie häufig mit Moholy-Nagy zusammen. Das entspricht nicht den Tatsachen. Richtig ist, wie Müller-Brockmann es ausdrückt, daß Moholy-Nagy am Bauhaus »die Auseinandersetzung mit Typographie und Fotografie als Medium künstlerischer und werblicher Aussagen förderte«, zudem auch, wie Wingler schreibt, daß »die für die Dessauer Zeit charakteristischen fotografischen Experimente von ... Moholy-Nagy angeregt worden sind«. Aufgebaut oder geleitet hat Moholy-Nagy die Fotoklasse nicht. Zur Zeit ihrer Gründung hatte er mit Gropius und anderen das Bauhaus bereits verlassen. Es war Walter Peterhans, der die Fotoklasse von 1929 bis 1933 betreute. Auch andere Ungenauigkeiten und Widersprüche wären richtigzustellen.

Obwohl also systematische Schulung auf dem Gebiet der Architektur erst in der Spätzeit des Bauhauses praktiziert wurde, ist es üblich geworden, den Ausdruck »Bauhaus-Architektur« mit dem Bauhaus vor und um 1928 in Verbindung zu bringen. Der seinerzeit in Erscheinung getretenen Neigung des Publikums, die am Bauhaus entwickelten Produkte, wie Geschirr, Lampen, Stoffe, Tapeten, Möbel, Druckerzeugnisse usw., als »Bauhaus-Stil« zusammenzufassen, wurde in der Folge entgegengehalten, daß es einen Bauhaus-Stil nicht gebe und nicht geben könne; denn das wäre, so hieß es, ein »Rückschlag in die akademische Stagnation, in den lebensfeindlichen Trägheitszustand, zu dessen Bekämpfung das Bauhaus einst ins Leben gerufen wurde« (Bauhaus-Buch Band 12).

Der Gebrauch der Wortbildung »Bauhaus-Architektur« hingegen ist unwidersprochen geblieben, obwohl – oder auch weil – sie verschiedene Deutungen zuläßt. Der Begriff »Bauhaus« ist ja von Anfang an der Auslegung offen gewesen. Selbst für den Eingeweihten konnte es Idee, Programm, Methode, Institut und/oder Bau sein. Wie sollte der Außenstehende die verschiedenen Inhalte gegeneinander abgrenzen können? Schon damals mag es lockend gewesen sein, den realisierten Bau, das *Bauhaus* – so stand es ja in großen, weit sichtbaren Lettern geschrieben –, anstelle einer Idee oder eines Programms zu setzen, dessen Sinngebung zu verstehen nicht eben leicht war, und sich in dem Glauben zu wiegen, der »Bau der Zukunft« sei bereits erstellt worden. Auch der zuversichtliche Ton des Rücktrittsgesuchs von Walter Gropius an den Magistrat der Stadt Dessau war möglicherweise dazu angetan, den Umständen eine optimistische Seite abzugewinnen. Gropius ging; der Bau blieb.

Die spätere Publizistik hat dem als Privatauftrag ausgeführten Gebäudekomplex – die Bauhaus-Werkstätten waren am Innenausbau beteiligt – eine stellvertretende Funktion eingeräumt, die seither in der Bezeichnung »Bauhaus-Architektur« weiterlebt und »einer ganzen Architekturrichtung den Namen gab« (Tagesanzeiger). In einem Bericht »Das Dessauer Bauhaus heute« schrieb James Marston Fitch (Der Monat), seine »Vorstellung der Gropius-Architektur« (er sagte nicht Bauhaus-Architektur) »sei geformt durch eine bestimmte Auswahl von Originalfotos« – er nannte sie »klassische Ansichten«; das »Bauhaus heute« war damit nicht mehr identisch.

Die irrige Vorstellung vom Primat der Architektur: »architecture was the dominant motive« (Paris this week) ist durch die 1968 in Umlauf gesetzte Wanderausstellung ›50 Jahre Bauhaus‹ etwas eingeschränkt worden. Das ergab sich schon dadurch, daß zahlreiche der gezeigten Architekturfotos Arbeiten aus der Nach-Bauhaus-Zeit darstellten, die mit den Jahren 1919 bis 1933 oft nicht allzuviel gemein hatten. Mit dieser Sparte, wie mit einigen anderen, sollte allerdings auch der Versuch gemacht werden, den Titel der Ausstellung zu rechtfertigen. Das wiederum führte dazu, daß mancher Berichterstatter sich veranlaßt sah, der Vorstellung von »Werk und Leistung des Bauhauses in der Zeit von 1919 bis 1969« (Neue Zürcher Zeitung) oder dem »50jährigen Bestehen des Bauhauses« (Die Zeit) Nachdruck zu verleihen. Der Titel der Ausstellung war weder korrekt noch sonst glücklich gewählt. Er suggerierte eine Kontinuität, die mit den realen Gegebenheiten nicht übereinstimmt. In Deutschland wurden damit auch jene Jahre einbezogen, die viele Bauhaus-Angehörige veranlaßten und manche von ihnen nötigten, das, was einst »Bauhaus« gewesen war, zu verlassen und früher oder später eine neue Heimat zu suchen. Ob man, wie es bei der Eröffnung in Stuttgart geschah, das Bauhaus unter diesen Umständen als »deutschen Beitrag zur Kultur und Zivilisation der Welt in diesem Jahrhundert« (Staatsanzeiger für Baden-Württemberg) in Anspruch nehmen kann, bleibe dahingestellt.

Auch ein Übergewicht zugunsten der freien Künste hat seit ein paar Jahren in der Bauhaus-Publizistik um sich gegriffen. Mitunter wird das Bauhaus so geschildert, daß man meinen könnte, es sei in erster Linie ein Sammelpunkt für Maler gewesen, die sich, ähnlich den Künstler-Kolonien wie Worpswede, in eine ihnen gemäße Umgebung zurückzogen, um ungestört ihrer Kunst leben zu können. Das Museum des Zwanzigsten Jahrhunderts in Wien hat anläßlich der Eröffnungsausstellung im Jahre 1962 die Stellung der Künstler am Bauhaus folgendermaßen beschrieben: »Mit ihrem Werk demonstrierten die Meister des Bauhauses, daß dem ›Rein- und Ewig-Künstlerischen‹ keine Gewalt geschieht, wenn es sich seiner isolierten Genialität begibt ... und sich zu objektiven Gesetzen bekennt ...«. Im Umkreis dieser objektiven Gesetze fanden sich die Künstler »in der Kameradschaft des Bauhauses« (Haftmann) zusammen; in ihren Ateliers blieben sie, ein jeder auf seine Art, Einzelgänger. Was sie als Künstler waren, hatten sie mitgebracht, nicht erst auf dem Boden des Bauhauses erarbeitet, wenn auch die relative Daseinssicherheit und, in erster Linie, die pädagogische Ideen-Gemeinschaft innerhalb der Gruppe für die Persönlichkeitsentwicklung von erheblicher Bedeutung waren.

Unter den Verfechtern der »isolierten Genialität« fehlte es allerdings nicht an Äußerungen des Bedauerns darüber, daß die Künstler von ihrer eigentlichen (freikünstlerischen) Arbeit zur Mitwirkung am Bauhaus-Experiment hinübergewechselt waren. Umgekehrt wird auch unterstellt, der Erfolg der Bauhaus-Lehre sei so zu verstehen, »daß dort Künstler von großem pädagogischen Geschick ihre eigene, im Augenblick aktuelle Kunst simultan lehrbar machen konnten« (Werk). Hier liegt ein grundsätzliches Mißverständnis vor. Auch die häufig anzutreffende Bezeichnung »Bauhaus-Maler« ist mißverständlich. Sie sucht eine Anzahl grundverschiedener Künstler-Persönlichkeiten auf einen Nenner zu bringen und damit das Bauhaus als Malrichtung zu definieren. Gelegentlich werden die Meister des Bauhauses mit dem »Blauen Reiter« in einem Atem genannt (Pictures on Exhibit); und auch der Formel »Mondrian und Bauhaus« kann man gelegentlich begegnen (Kunstnachrichten).

Im Zusammenhang mit einer Ausstellung in London wurde über den »romantischen Zug der Bauhaus-Kunst« (National Zeitung Basel) und die »perikleische Potenz dieser modernen Weimarer Klassik« (Frankfurter Rundschau) berichtet. Kühl und überlegen schrieb das Wochenblatt ›The New Statesman‹: »What have such things to do with the Bauhaus... whose main achievement qua school was not in the field of painting at all« (Was haben diese Dinge mit dem Bauhaus zu tun, dessen hauptsächliche Aufgabe als Schule nicht auf dem Gebiet der Malerei lag).

Gropius hat den Posten des Direktors im Frühjahr 1928 niedergelegt. Es ist irrig, von einem Rücktritt im Jahre 1925 (Stuttgarter Zeitung) oder einer »Entlassung« 1933 (Zeitgemäße Form) zu sprechen. Von 1934 bis 1937 – nicht, wie die Sunday Times Gropius in den Mund legte, »1937 bis 1940« – war Gropius in England, bevor er 1937 nach Harvard berufen wurde. Gerade dort, in seiner nächsten Umgebung, kam 1964 eine Schrift ›Building Harvard‹ heraus, die ihn als Leiter des Bauhauses in den zwanziger und frühen dreißiger Jahren (»... the famous Bauhaus in Germany which Gropius led in the 1920s and early 1930s« bezeichnete. Es scheint nicht ausgeschlossen, daß hier eine gewisse, die Dauer des Bauhauses betreffende Unsicherheit mit hineinspielt, die durch den Titel des 1938 in den Vereinigten Staaten erschienenen Buches ›Bauhaus 1919–1928‹ ausgelöst wurde.

Im übrigen kursieren unbestätigte Interpretationen, so etwa, wer unter den Weggenossen »gewissermaßen zu den Mitbegründern gehörte« (Grohmann), wer jeweils die Stellung eines stellvertretenden Direktors innehatte, welcher Lehrer von wem »entdeckt«, und wer von wem »angenommen« oder »abgelehnt« wurde (Schreyer). Es gibt Stimmen, die El Lissitzky und Theo van Doesburg zu den Meistern des Bauhauses zählen (Farner), andere, die auch Malewitsch und Mondrian als »dem Bauhaus nahestehende

Kombattanten« (Stelzer) für potentiell zugehörig halten. Demgegenüber besteht unter vormaligen Angehörigen des Bauhauses eher die Neigung, den Einfluß der Russen und Holländer zu unterschätzen. Unterschätzt wird nach wie vor auch die Rolle von Hannes Meyer, obgleich sein Name durch die Bücher von Wingler und Schnaidt wieder an die Öffentlichkeit gedrungen ist. In der ›Encyclopedia of the Arts‹, 1966, ist in dem Abschnitt über das Bauhaus der zweite Direktor ungenannt geblieben, eine Unterlassung, die sich natürgemäß in der Presse widerspiegelt.

Die Tendenz, frei-künstlerische Betätigung innerhalb des Bauhauses zu betonen, wurde durch die Wanderausstellung nicht gemindert, sondern eher verstärkt. Eine Gegenüberstellung von Werken der betreffenden Meister gehörte natürlich ins Bild; und daß man auch Arbeiten von Studierenden oder solchen, die es gewesen waren, zeigen wollte, ist begreiflich. Wichtig war dabei das Verhältnis zwischen freier Kunst einerseits und Lehre plus Werkstatt andererseits. Die relativ große Zahl freier Arbeiten (in Stuttgart) konnte dazu verleiten, die Schwerpunkte zu verschieben. Da ein Teil der Kritik a priori geneigt war, die malerische Komponente herauszustellen, kam es, wie bereits bei früheren Anlässen, zu Debatten darüber, ob die Unterrichtsmethoden des Bauhauses geeignet gewesen seien, eine neue Maler-Generation auszubilden. »Of course not«, hatte Reyner Banham schon 1962 gesagt; »that was not the intention« (das ist ja nicht die Absicht gewesen). 1968 war die Fragestellung insofern wieder von Interesse, als sie Schlüsse auf die Art der Präsentation im Rahmen der Wanderausstellung zuließ.

Dennoch kann, in völlig anderem Sinne, der Ausstellung das Verdienst zugesprochen werden, die Unterscheidung von Kunst und Werklehre deutlich gemacht zu haben. Die Protagonisten der Primary Structures, Minimal Art, Art of the Real, Land Art und dergleichen haben vielfach die Behauptung aufgestellt, diese Versuche seien auf das Bauhaus oder den »Umkreis des Bauhauses« zurückzuführen – eine Fehldeutung, die durch die ausführliche Behandlung der Vorlehre wohl zum Teil korrigiert worden ist. Was in der von Gropius als »Schlagader der gemeinsamen Bauhausarbeit« charakterisierten Vorlehre erarbeitet wurde und, wie die Ausstellung zeigte, zuweilen an heutige Bestrebungen erinnerte, waren Versuche, Studien, Übungen, »Etüden« zur Erlernung des Umgangs mit Form und Farbe, Struktur und Textur, Fläche und Material, Stoff und Raum, Gleichgewicht und Akzentsetzung, ohne jeden Anspruch, Kunst zu produzieren. »Investigation and not creation« hieß es in einem Vortrag an der BBC und »das Schüttelsieb der Talente, ein Test für die richtige Werkstattwahl«, in der Stuttgarter Zeitung.

Was gestern und heute gefaltet und gebogen, gedehnt und geschrumpft, geschnitten und gelocht, durchsichtig oder opak, farbig oder farbarm, geschichtet oder gereiht, schwebend, ruhend, bewegt, den Besucher als Kunst anzusprechen sucht, leitet sich häufig von den Ergebnissen her, die in den zwanziger Jahren mit völlig anderer Zielsetzung aus der früheren oder späteren Vorlehre herausgewachsen waren. »Es ist hochinteressant«, hieß es in einer Besprechung der Frankfurter Allgemeinen Zeitung, »daß dieser Teil des Bauhauses, eben die Vorlehre, gerade in Paris so verselbständigt wurde. Op Art, Schöffer, Vasarely, Agam, Takis (hier wäre auch Bridget Riley zu nennen), haben diese Übergangsstation zum Ziel erklärt. Sie haben das, was in Weimar und Dessau Pädagogik war, verabsolutiert«. Sagte ein englischer Zyniker: »That Op is op no one can doubt; but is Op art?«

Den freien Arbeiten von Mitgliedern des Bauhauses waren laut Hauptkatalog Stuttgart nahezu 300 Nummern eingeräumt, deren Zahl später reduziert wurde. Die als »Bauhaus-Grafik« geführten Werke waren in einem Sonderkatalog vereinigt. »Warum wohl?«, fragte ein Londoner Kritiker. Die Antwort kann aus der von H. M. Wingler verfaßten Einführung zu den neu herausgegebenen Mappenwerken hergeleitet werden. Während 1963 in einem Ausstellungsprospekt von den »Arbeiten aus der Grafischen Druckerei des Staatlichen Bauhauses« die Rede war und die Zugehörigkeit zu dieser oder jener Gruppe deutlich gemacht wurde, hieß es zwei Jahre später: »Die technische Verwirklichung in der Druckerei des Bauhauses wird ... als Kriterium der Zugehörigkeit zur Bauhaus-Grafik aufgefaßt ... Die ›fremden‹ (Anführungsstriche im Original) Arbeiten der Bauhaus-Grafik zuzurechnen, ist legitim, denn mit der Annahme eines künstlerischen Entwurfs zum Druck ist in jedem Fall auch eine ideelle Entscheidung getroffen worden.« Und so hingen denn an den Wänden der Stuttgarter Ausstellung, zwischen altvertrauten Bauhaus-Namen eingestreut, Blätter von Archipenko, Baumeister, Beckmann, Boccioni, Carrà, Chagall, Chirico, Gontscharowa, Grosz, Heckel, Jawlensky, Kirchner, Kokoschka, Léger, Larionow, Marcoussis, Mondrian, Pechstein, Prampolini, Rohlfs, Schmidt-Rottluff, Severini und anderen Künstlern, die dem Bauhaus-Zusammenhang niemals angehört hatten. Daß diese Namen nicht im Hauptkatalog figurieren konnten, ist zu verstehen.

Die Magie großer Namen hat sich, wie es scheint, auch sonst mitunter als unwiderstehlich erwiesen. Anläßlich einer Ausstellung in Frankfurt war 1964 von Dexel, Michel und Molzahn als »Zugewandten« die Rede, und in dem erwähnten Heft des Harvard University Information Center wurden auf einer »From the Bauhaus« überschriebenen Seite neben künstlerischen Beiträgen von Albers und Bayer auch solche von Arp und Miró genannt.

Obwohl die Publizistik alles Erdenkliche unternommen hat, um die »sagenumwobene Idee namens Bauhaus« (FAZ) begreiflich zu machen, ist sie im Grunde bis zum heutigen Tage ungreifbar geblieben. Auch die Rolle des Design, das als Handwerk sowohl wie auch als industrielle Formgebung eine durchaus reale Funktion hatte, mußte im Laufe der Jahre an Klarheit der Vorstellung einbüßen. Geblieben ist die summarische Formel: »Die Wiege von allem, was sich heute als supermodernistisch gebärdet, stand im Bauhaus.«

Sinn und Bedeutung der Vorgeschichte sind noch recht wenig ins Bewußtsein gedrungen. Anreger und Gleichgesinnte werden manchmal genannt, oft jedoch übersehen. Julius Posener, Professor an der Hochschule für Bildende Künste, Berlin, hat sich zu den historischen Beziehungen insbesondere im Hinblick auf Werkbund und Bauhaus verschiedentlich geäußert und mit seinen Ausführungen eine heftige Polemik wachgerufen. Bedeutsam für die Zusammenhänge waren auch die Ausstellungen der Neuen Sammlung, München, durch die man 1969 und 1971 mit eindrucksvollen Beispielen funktionaler Gestaltung im 19. Jahrhundert bekanntgemacht wurde. In einem 1966 vom Bauhaus-Archiv veranstalteten Vortrag über »Erziehung durch manuelles Tun« sagte Otto Stelzer, das Bauhaus sei »nicht so sehr die Geburtsstätte gänzlich neuer revolutionärer Ideen als vielmehr eine Art Sammelbecken längst bestehender Vorstellungen« gewesen. »In der Tat«, sagte er weiter, »haben die Bauhaus-Ideen eine lange Vorgeschichte.« Schon 1960, anläßlich der Gründung des Bauhaus-Archivs, sprach H. M. Wingler von der »Manifestation einer geschichtlichen Entwicklung, die mehr als ein Jahrhundert umspannt«; und im Vorwort einer 1966 erschienenen Schriftenreihe zu Gottfried Semper führte er aus, die Broschüre »Wissenschaft, Industrie und Kunst« (1852) gelte »neuerdings oft als Inkunabel der Bestrebungen, die dann im Bauhaus gipfelten«.

Den geschichtlichen Abläufen gegenüber steht der Versuch, eine Zukunft zu evozieren. »Selbst in dem gewaltigsten Tor, das je den Eintritt zu einem Kontinent freigibt, selbst in New York, lebt das Bauhaus strahlend himmelstürmend fort«, schrieb Benno Reifenberg im Jahre 1965. »Man müßte auf Cluny, die Willenskraft hochgeschulter Mönche im zehnten Jahrhundert zurückgehen, um die Parallele eines ähnlichen Vorgangs zu finden. Sie hielt zum Heil der Seele eine Ordnung der weltlichen Dinge für das Nächstliegende, ihr Streben freilich zielte sehr weit fort, fast auf das Regime der Kirche ... Die Faszination des Namens Bauhaus beruht auf dem Glauben an eine reformatorische Macht, den die Baukunst nicht preiszugeben gedenkt.«

Weniger »himmelstürmend«, doch ebenfalls die Vision einer künftigen Baukunst beschwörend, hat Roland Günter in einer gesellschaftskritischen Abhandlung die These vertreten, »daß die einzige wirkliche Revolution in der Architektur, die des Bauhauses, welche den Menschen in einer emblemlosen Welt tatsächlich zu emanzipieren versuchte und nicht nur in einer Hierarchie aufsteigen ließ, deshalb im wesentlichen noch nicht durchgeführt ist, weil das Gefüge unserer Gesellschaft nur mobil, aber nicht unhierarchisch geworden ist.« Auch hier der Versuch, Architektur als solche und Architektur am Bauhaus einander gleichzusetzen.

Wenn man sich über das geschichtliche Bauhaus unterhalten will, meinte H. M. Wingler 1967 in Chicago, müsse man sich vergegenwärtigen, daß es in vier Abschnitte unterteilt werden könne, die jeweils 1923, 1928, 1930 und 1933 zu Ende gegangen sind. Die Haltung eines Gesprächspartners zum Thema Bauhaus werde, so sagte er, davon bestimmt, auf welchen dieser Abschnitte der Gesprächspartner sich bezieht. Als provisorische Diskussionsbasis mag diese Unterteilung von Nutzen sein. Als Ausgangspunkt für eine Gesamteinschätzung ist sie ungeeignet. Sie bestärkt die Neigung, die verschiedenen Phasen wertend gegeneinander abzusetzen und die Mehrzahl der dem Bauhaus zugeschriebenen Erfolge auf den einen oder anderen der genannten Abschnitte zusammenzudrängen. Damit ist dem Kern des Phänomens Bauhaus nicht beizukommen. Die Gesamtheit der Zeit, die ihm zur Verfügung gestanden hat, betrug nur 14 Jahre. Von »24 aktiven Jahren« (New York Times) kann keine Rede sein.

Noch ist die Diskussion um das historische Bauhaus, »Laboratorium und Missionsstätte in einem«, nicht frei von Spannung, Pathos und Emotion; auch Spuren von Esoterik sind vorhanden. Aus dieser Umklammerung wird man sich allmählich lösen müssen, wenn man in der Lage sein will, objektive Wertmaßstäbe zu vermitteln.

Mit der Ad-hoc-Entnahme von Stichworten aus der Publizistik wollte ich versuchen aufzuzeigen, daß noch erhebliche Arbeit zu leisten ist; vergleichendes Studium der vorhandenen Literatur, kritische Einordnung individueller Überlieferung, Auseinandersetzung mit den jeweiligen Programmen, Analyse der Umweltbedingungen einschließlich der menschlichen und zwischenmenschlichen Faktoren und anderes mehr gehören, neben der Einschätzung von Ergebnissen und Leistungen, zu den Grunderfordernissen einer Interpretation, die Anspruch auf Gültigkeit erheben will.

Das Thema der Bauhaus-»Nachfolge« ist hier unberücksichtigt geblieben.

Ladislav Sutnar

Geboren 1897 in Pilsen. Studium an der Schule für angewandte Kunst, der Karls-Universität und der Technischen Hochschule in Prag. Bereits 1922 erhält Ladislav Sutnar einen Ruf als Professor an die Staatliche Schule für Grafische Künste in Prag. 1932 wird er zum Direktor der Hochschule berufen und behält das Amt in Abwesenheit bis 1946.

Seit den frühen zwanziger Jahren hat Sutnar als Designer, Lehrer und Publizist an der neuen Bewegung der funktionalen Gestaltung in der Tschechoslowakei entscheidend mitgewirkt. Von 1926 bis 1939 besucht er als offizieller Vertreter der Tschechoslowakischen Regierung alle wichtigen Ausstellungen und Kongresse der ›Neuen Kunst‹ und ist auch häufig als Gestalter beteiligt. In dieser Zeit steht er mit vielen Gleichgesinnten der europäischen Avantgarde in freundschaftlicher Verbindung, darunter auch mit den Künstlern vom Bauhaus. Der Schwerpunkt seiner Arbeit konzentriert sich auf das Design von Massenprodukten in Glas, Porzellan, Metall, Textil und von pädagogischem Spielzeug. Als typographischer Gestalter und Herausgeber ist er für einen führenden Verlag in Prag tätig. Karel Teige kommentiert 1934: »Die Typographie von Ladislav Sutnar gehört zu den konsequentesten, reifsten und

kultiviertesten Arbeiten, die die internationale Bewegung der ›Neuen Typographie‹ hervorgebracht hat.«

In den Jahren 1926 bis 1938 hat Sutnar für die Tschechoslowakei eine Reihe von Ausstellungsbauten in europäischen Zentren entworfen. 1939 wird er zum Chefdesigner für den Tschechischen Pavillon auf der Weltausstellung in New York ernannt. Wegen der politischen Situation in seiner Heimat, der Besetzung des Landes durch die Nationalsozialisten, entschließt er sich zur Emigration in die USA.

In den Vereinigten Staaten beschäftigt sich Sutnar zuerst mit Problemen der visuellen Information im Bereich der Industrie. Von 1941 bis 1960 ist er Art Director der Forschungsabteilung von Sweet's Catalog Service und Designer für Industrie-Aufgaben. 1951 eröffnet er in Manhattan ein eigenes Design-Studio, bekannt unter dem Namen ›Sutnar-Office‹.

Sein Werk als Gestalter wird 1961 unter dem Begriff: »Visual Design in Action« vom Contemporary Art Center, New York, in einer umfassenden Wanderausstellung in den Vereinigten Staaten gezeigt. Die Ausstellung wird anschließend in die Sammlung des Rochester Institute of Technology aufgenommen.

Im Museum of Modern Art, New York, werden in den Ausstellungen

›Art in Progress‹ 1944 und ›Word and Image‹ 1968 Arbeiten von Ladislav Sutnar ausgestellt; das Museum besitzt auch in seiner ständigen Sammlung Werke von Sutnar. Darüber hinaus hat Sutnar in den USA mehrere wichtige Bücher über Designprobleme veröffentlicht und gestaltet. Eine Gesamtübersicht seines Werkes ist 1961 in New York anläßlich der gleichnamigen Ausstellung: ›Visual Design in Action‹ erschienen. Seit 1925 sind Ladislav Sutnar und sein Werk mit vielen internationalen Preisen und Medaillen ausgezeichnet worden.

Neben seiner Alltagsarbeit als Designer hat Sutnar in seinen letzten Lebensjahren intensiv gemalt. Im Gegensatz zu seinem funktionalistischen Design sind die Motive seiner Bilder »famous Venuses and prototypes of the American woman«, die er unter der Bezeichnung »Joy-Art« seit Mitte der sechziger Jahre mehrfach erfolgreich ausgestellt hat.

Ladislav Sutnar ist am 18. November 1976 in New York gestorben.

Das Bauhaus, gesehen vom südlichen Nachbarn

»Um die Bedeutung und das Gedankengut des Bauhauses zu verstehen, muß man die Hintergründe kennen, die zu seiner Gründung führten.«

Als der Erste Weltkrieg zu Ende war, brachten wir, die wir von der Front kamen, die neue, in den Kriegsjahren erwachsen gewordene Generation, den festen Willen mit, die Grundsätze und Hoffnungen, die sich während des Krieges als falsch herausgestellt hatten, neu zu überdenken, neu zu bewerten und zu reformieren. Nachdem die unsinnigen Verwüstungen des Krieges vorüber waren, war es höchste Zeit, vernünftigere und dauerhaftere Werte für eine bessere Zukunft zu schaffen.

Im Bereich der Kunst war alles in Bewegung geraten. Neue Kunstrichtungen in Fotografie, Film und Journalismus waren entstanden und forderten Anerkennung. Die Streitfrage lautete nicht einfach nur: »Was ist Kunst?«, sondern: »Welchen Platz nimmt

die Kunst in der demokratischen Nachkriegsgesellschaft ein?«
Diese neue Frage weckte das Verlangen, etwas Rationelles zu
tun, etwas, das immer mehr Leute anspricht und das ihnen nützt.

Bereits vier Jahre zuvor hatten sich diese Ideen herauskristalli-
siert; sie wurden zu einer internationalen Bewegung, deren grundlegende Forderung es war, die Sprache der Form als Gestaltungsmittel solle Ausdruck der Funktion werden.

In der Architektur war diese neue Gestaltungskonzeption Kenn-
zeichen einer historischen Trennungslinie zwischen den mit äuße-
rem Prunk überladenen Monumental- oder Repräsentationsbau-
ten der Vergangenheit und der modernen Architektur, die, vom
Innenraum ausgehend, alle Möglichkeiten einbezog, die ein Bauwerk unter dem Gesichtspunkt der Nützlichkeit so reibungslos wie
ein Präzisionsinstrument funktionieren lassen.

1925 etwa fand diese neue Richtung Eingang in die grafische
Gestaltung bei der Druckkunst. Was immer man auch von der
»Neuen Typographie« hielt, von da an wurde alles daran gemessen, wie es dargestellt worden war. Um den Anforderungen einer
immer größer werdenden Zahl gedruckter Informationen gerecht
zu werden, mußte die neue Gestaltung ein erfinderisches, dynami-
sches Mittel sein, um die visuelle Aufmerksamkeit zu wecken und
sie solange zu fesseln, daß eine Kurzinformation über das Auge
ins Bewußtsein eindringen konnte oder daß das inhaltliche Verstehen vieler Druckseiten leichter gemacht wurde. Diese Einstellung
gab den Weg frei für neue Experimente. Ein ganz klarer Bruch mit
den traditionellen Gesetzen der Gestaltung war unvermeidlich; es
mußten neue, wirksame visuelle Ausdrucksmittel gefunden werden. Doch bei der »Neuen Typographie« mußten nicht nur neue
Methoden der Reproduktion und deren Wirtschaftlichkeit herausgefunden, sie mußten anschließend auf sehr erfinderische Weise
auch wieder vertuscht werden.

Auf dem Gebiet des Produkt-Design betonte die neue Bewegung die ethischen Werte im Design sehr stark und forderte eine
vollkommenere Ganzheitsfunktion. Design sollte nicht nur die
Anforderung erfüllen, echt produktnützlich zu sein, Design sollte
außerdem eine Einheit mit dem Gestaltungsmaterial und der
Gestaltungstechnik bilden. Diese neue Richtung bedingte bei

Bedarfsgegenständen, wie zum Beispiel Geschirr aus den herkömmlichen Grundstoffen Glas und Porzellan, eine absolute Reinheit der Gestaltung. Überflüssige Oberflächenbehandlung durch Ornamentik wurde als Beleidigung an der Freude am reinen Material empfunden. In der Grafik bestand logischerweise das Problem darin, daß durch diese neuen Gestaltungsversuche die Grafik überhaupt erst einmal Anerkennung fand. Doch in dem Streben nach dauerhaften Werten durch zurückhaltende Einfachheit mußte im neuen Produkt-Design zunächst die Irrationalität des Käuferverhaltens überwunden werden. Aus diesem Grunde mußten neue Verkaufsmethoden ausgearbeitet und die unsicheren Produzenten davon überzeugt werden, daß es einen aufnahmefähigen, neuen Markt dafür gab. Das funktionelle Design in der neuen Bewegung regte auch an zu einer neuen Denkweise und zu ungewöhnlicher Experimentierfreude in der Gestaltung von Ausstellungen. Diese neuartigen Ausstellungen – jede hatte übrigens die gleiche Schwierigkeit, nämlich auf optimale Weise die Aufmerksamkeit des Besuchers zu wecken – machten ein neues visuelles Konzept und eine neue visuelle Sprache erforderlich. Diese hatten funktionell und überzeugend zu sein, um den Ausstellungsgegenstand gut zur Geltung zu bringen, sollten aber bei jeder Ausstellung frisch und neu wirken. Je größere Bedeutung die Ausstellungsgestaltung gewann, desto stärker wuchs die Verantwortlichkeit des Designers: früher war er Techniker gewesen, zuständig für die rein äußerlichen Vorkehrungen, jetzt war die Überwachung aller Gestaltungs- und Verwaltungsaufgaben eingeschlossen.

Vor diesem Hintergrund der ›Zwanziger Jahre‹ hat die Avantgarde der Designer, die unabhängig voneinander in den verschiedensten Ländern ihre Probleme nach den gleichen Vorstellungen löste, durch die Wandlung ihrer Ansichten enorm viel erreicht. Diese neue Bewegung hatte aber noch eine weitere Schwierigkeit zu überwinden. Sie mußte in diesem neuen Geiste eine Basis zum Erlernen dieser fortschrittlichen Gestaltungsnormen schaffen. In jenem Sinne ist die ›Idee des Bauhauses‹ zum Symbol geworden. Wir in Prag sind sehr genau über die Aktivitäten des Bauhauses seit dessen Gründung informiert worden, und zwar durch zahlreiche Veröffentlichungen, durch den Direktkontakt zu Gropius und den Bauhaus-Meistern sowie durch ›L'Esprit Nouveau‹ und andere bedeutende Zeitschriften, die sich mit dieser Bewegung befaßt haben. Ich besaß außerdem alle ›Bauhaus-Bücher‹ in meiner Privatbibliothek. In der Tschechoslowakei gab es eine recht beachtliche Zahl von Schulen für einzelne Industriezweige, auf denen fast alle Bauhaus-Fächer gelehrt wurden. Etwa 1926 kamen Probleme beim Design-Unterricht auf. Die Frage, wie man die Studenten am besten auf das Leben vorbereiten könne, stand an erster Stelle. So wurde in unseren Diskussionen über dieses Thema im Ministerium für Bildung das Beispiel ›Bauhaus‹ sehr häufig als hervorragendes Experiment einer Hochschule bezeichnet, die zwischen Kunst und Industrie eine Einheit erreicht hatte. 1927 kam ich ohne jede Ankündigung an das Bauhaus nach Dessau. Es war ein sonniger Sonntagmorgen im Spätfrühling. Ich erinnere mich noch immer sehr gut an die Bauhaus-Gebäude außerhalb der Stadt, die über die Weizenfelder ragten und sich weiß gegen den strahlend blauen Himmel abhoben. Diesen Anblick werde ich nie vergessen. Es sah in Wirklichkeit viel besser aus als auf Fotografien. Gropius verlebte das Wochenende gerade in Berlin, und so führte ich den ganzen Tag über angeregte Gespräche mit den Studenten. Offensichtlich hatte ich den falschen Tag für meinen Besuch ausgesucht, und da mußte ich einfach fühlen, wie unwohl es den Studenten zumute war in ihrer Isolierung mitten in einer industrialisierten Umwelt, die sie als zukünftige Designer einmal mitgestalten sollten. Um dieses Gefühl der Frustration loszuwerden, malten einige in ihrer Freizeit.

Der Einfluß des Bauhaus-Gedankens machte sich in ganz Deutschland bemerkbar und wurde ein wesentlicher Teil der Gestaltungslehre. Das konnte ich zum Beispiel 1927 in der Sommerausstellung einer Kunstschule in Stuttgart sehen und auch, als ich 1929 Breslau besuchte. 1928 beteiligte sich das Bauhaus am Internationalen Kongreß für Design in Prag, und zu diesem Zweck bereitete Albers für mich einen sehr aufschlußreichen Artikel vor über die Leitgedanken seines Unterrichts im Vorkurs am Bauhaus. Dieser Artikel wurde in Prag in der Zeitschrift für Design und Erziehung ›Vytvary snahy‹ veröffentlicht, deren Mitherausgeber ich war; er erregte große Aufmerksamkeit in den Schulen in der Tschechoslowakei. Mein guter Kontakt zum Bauhaus hielt die ganze Hannes Meyer-Ära hindurch an, und ich denke immer noch an die analytischen Grundlagenstudien, die die Architekturstudenten immer vorlegen mußten, ehe sie die Ergebnisse einer solchen Studie in einen Entwurf umsetzen durften. Zu meinen Aufgaben als Lektor für Kunst im Verlag ›Druzstevni prace‹ in Prag gehörte es, die Entwürfe, die später veröffentlicht wurden, auszuwählen und zu begutachten. Dabei habe ich Hannes Meyer auf seinen Geschäftsreisen nach Prag viele Male gesehen. Und so fanden Produkte aus der Textil- und der Metallwerkstatt vom Bauhaus Eingang in tschechische und slowakische Familien. Nachdem das Bauhaus aufgelöst worden war, stellte die staatliche Schule für Grafik in Prag, deren Direktor ich war, eine sehr eindrucksvolle Fotosammlung von Jindrich Koch zu einer späteren Ausstellung zusammen. Koch war zufällig der erste Tschechoslowake, der sich zum Studium einschreiben ließ, als das Bauhaus 1919 in Weimar seine Pforten öffnete.

Die hier aufgeführten kleinen Episoden sind nur Bruchteile meiner dauerhaften, engen Verbindung zu den ›drei Bauhäusern‹, dem ersten unter Gropius, dem zweiten unter Hannes Meyer und dem dritten unter Mies van der Rohe. Geblieben ist die Erinnerung. Nicht an einen bestimmten ›Bauhaus-Stil‹ – nein, einfach an das Bauhaus – die Stätte ganz bewußter Gestaltungsplanung für neue, weit in die Zukunft reichende Ideen auf dem Gebiet der Kunsterziehung. Das wollte das Bauhaus immer sein, und so werden wir es auch immer in Erinnerung behalten.

Emil Rasch

Geboren 1904 in Bramsche bei Osnabrück. Studiert ab 1922 Rechts- und Staatswissenschaften an den Universitäten Göttingen, Freiburg, Berlin und Münster und promoviert 1927 zum Dr. jur. Durch seine

Schwester Maria Rasch, die am Bauhaus in Weimar studiert, kommt Emil Rasch sehr früh mit der Idee des Bauhauses in Kontakt. Nach dem Eintritt in die elterliche Tapetenfabrik Rasch in Bramsche kommt er 1928 durch Vermittlung von Hinnerk Scheper mit Hannes Meyer in Verbindung und macht den Vorschlag, daß das Bauhaus für ihn Tapeten entwerfen solle, die unter der Bezeichnung »Bauhaus-Tapeten« zum erstenmal einen Markenartikelbegriff in dieser Branche kreieren.

Aus diesem Kontakt entwickelt sich eine intensive Zusammenarbeit mit dem Bauhaus, die bis zur Schließung des Bauhauses in Berlin andauert. Die zusammen mit dem Bauhaus entwickelte Bauhaus-Tapete ist noch heute ein wichtiger Teil der Produktion der Tapetenfabrik Gebr. Rasch.

Nach dem Kriege hat sich Emil Rasch intensiv mit öffentlichen Belangen befaßt. Von 1947 bis 1951 ist er Mitglied des niedersächsi-schen Landtages, außerdem wird er Vorsitzender des Verbandes deutscher Tapetenfabrikanten und bemüht sich besonders um das Verhältnis von Industrie und Kultur als Stellvertretender Vorsitzender des Vereins Industrieform, Essen, und als Mitglied des Rates für Formgebung, Darmstadt. Ferner hat sich Emil Rasch nachdrücklich für die Idee des Bauhauses eingesetzt. Besonders wichtig ist die in seinem Verlag erschienene Dokumentation ›Das Bauhaus‹, die Hans Maria Wingler, der Direktor des Bauhaus-Archivs, herausgegeben hat. Die Ausstellung, die 1964 in der ›göppinger galerie‹ unter dem Titel ›Bauhaus – Idee, Form, Zweck, Zeit‹ in Frankfurt stattgefunden hat und deren Katalog die Basis zu diesem Buch bildet, ist von ihm in großzügiger Weise unterstützt worden.

Emil Rasch hat zuletzt bis zu seinem Tod 1971 in Bramsche bei Osnabrück gelebt.

Mit dem Bauhaus arbeiten

Dem Bauhaus bin ich an allen drei Orten, in Weimar, in Dessau und in Berlin, begegnet. Meine ersten Kontakte in Weimar, zur Zeit der Inflation, waren privater Natur. Meine Schwester Maria studierte am Bauhaus Malerei.

Im Gegensatz zur Haltung der Jugend nach dem Zweiten Weltkrieg übten damals revolutionäre Ideen auf junge Leute eine große Anziehungskraft aus, und so hat mich das Bauhaus sehr beeindruckt. Es störten mich allerdings die vielen Schlagworte, die, wie das Inflationsgeld schnell entwertet, bei den Studenten täglich wechselten und nicht allzuviel aussagten. Auch hatte ich den Eindruck, daß man zwar gern in Theorien schwelgte, es aber an Wirklichkeitssinn mangelte. Mit Personen des Lehrkörpers bin ich nicht in Berührung gekommen, konnte mein Urteil also nur aus Eindrükken bilden, die sich aus dem Umgang mit den Studenten ergaben. Für deren Einstellung mag es bezeichnend sein, daß meine Schwester mich seinerzeit ernsthaft verpflichtete, am Bauhaus niemals zu sagen, daß sie Tochter eines Fabrikanten, noch gar eines Tapetenfabrikanten sei.

Es hat mich darum nicht überrascht, bei meiner zweiten Begegnung mit dem Bauhaus in Dessau 1928, die mir Hinnerk Scheper vermittelt hatte, den damaligen Direktor, Hannes Meyer, zunächst reserviert zu finden, als ich ihm den Vorschlag machte, Bauhaus-Tapeten zu entwickeln. Hannes Meyer, der für das Bauhaus grundsätzlich eine Zusammenarbeit mit der Industrie anstrebte, um die wirtschaftliche Basis der Schule zu erweitern und den Studierenden neue praktische Ausbildungsmöglichkeiten zu erschließen, hat dann doch meine Anregung akzeptiert, und unsere weitere Zusammenarbeit verlief sehr harmonisch. Als ich ihm einmal ein Kompliment machte für die korrekte und termingerechte Durchführung unserer Programme und für seine solide kaufmännische Einstellung, sagte er mir: »Sie brauchen sich darüber nicht zu wundern, ich stamme aus einer Baseler Kaufmannsfamilie.«

Die Zusammenarbeit mit Mies van der Rohe war nicht weniger angenehm. Allerdings verließ einen im Gespräch mit ihm niemals das Gefühl, es mit einer überragenden Persönlichkeit zu tun zu haben, die kaufmännische Fragen nur ganz am Rande interessierten.

Die Berliner Begegnungen waren leider überschattet von den politischen Ereignissen, von dem drohenden Ende des Bauhauses.

Das Weimarer Versäumnis, Walter Gropius kennenzulernen, konnte ich leider erst nach dem Kriege gutmachen. So ist er in meinem Bewußtsein weniger als der Gründer des Bauhauses denn als symbolhafter Vertreter der geistigen und moralischen

Kräfte lebendig, die ein verblendetes Deutschland außer Landes getrieben hat. Heute wissen wir, daß er und die Idee des Bauhauses zum Besitz der Welt geworden sind.

Gustav Hassenpflug

Geboren 1907 in Düsseldorf. Studiert von 1927 bis Ende 1928 am Bauhaus Dessau Malerei, Möbelentwurf und industrielle Formgebung. Später Studium der Architektur. 1929 bis 1931 Zusammenarbeit mit Marcel Breuer in Dessau und Berlin. Von 1931 bis 1934 ist Hassenpflug als Stadtplaner und Architekt in Moskau tätig.

In den Jahren 1934 bis 1937 und 1939 bis 1941 ist Hassenpflug ein enger Mitarbeiter von Ernst Neufert in Berlin und dabei maßgeblich an der Entstehung der ›Bauentwurfslehre‹ beteiligt. Anschließend läßt er sich als freier Architekt und Designer in Berlin nieder.

Nach dem Krieg beauftragt ihn Professor Sauerbruch mit der Leitung des Wiederaufbaus der zerstörten Krankenhäuser in Berlin. 1946 wird Gustav Hassenpflug als ordentlicher Professor für Städtebau und Landesplanung an die Hochschule für Architektur in Weimar berufen. Von 1950 bis 1956 ist er Leiter der Landeskunstschule in Hamburg, die er in dieser Zeit in eine Hochschule umwandelt. Von

1951 bis 1956 ist er Erster Vorsitzender des ›Werkbundes Nordwestdeutschland‹ und gestaltet mehrere Werkbund-Ausstellungen in Hamburg. Als Architekt beteiligt er sich 1957 an der Interbau-Ausstellung in Berlin mit einem Wohnhochhaus im Hansaviertel. Zu seinen weiteren wichtigen Bauten zählen: Aquarium und Biologische Anstalt auf Helgoland, Rechtsuniversität Hamburg, Schule Weddestraße Hamburg, Institute der Technischen Hochschule München, Wohnbauten und Landhäuser.

Neben seiner Tätigkeit als Architekt und Pädagoge hat Hassenpflug seine vielfältigen Erfahrungen in zahlreichen Büchern niedergelegt: ›Das Gesundheitswesen in der Bauplanung Berlins‹, 1948; ›Baukastenmöbel‹, 1949; ›Handbuch für den neuen Krankenhausbau‹ (mit Prof. Dr. med. Vogler), 1951, 2. Auflage 1962; ›Geschichte der Kunstschule Hamburg‹, 1956; ›Das Werkkunstschulbuch‹, 1956; ›Abstrakte Maler lehren‹, 1959; ›Stahlmöbel‹, 1960; ›Stahlmöbel für Krankenhaus und ärztliche Praxis‹, 1963. 1956 ist Gustav Hassenpflug ordentlicher Professor für den Entwurf von Bauten an der Technischen Hochschule in München, Mitglied der Akademie für Städtebau und Landesplanung und Mitglied der Akademie der Schönen Künste in Hamburg.

Gustav Hassenpflug ist am 22. Juli 1977 in München gestorben.

Das Bauhaus aus der Sicht von heute

Das Bauhaus war kein stilistisches Diktat von zeitlich begrenztem Ausmaß, sondern es vertrat eine neue geistige und künstlerische Haltung.

Natürlich kann die zeitgenössische Umweltgestaltung und deren Lehre nicht mehr die gleiche wie zur Zeit des Bauhauses sein. Diese Seite des Bauhauses ist nicht mehr aktuell, weil sich in vier Jahrzehnten die Gestaltungsmöglichkeiten und die Bedürfnisse geändert haben. Aber eine andere Seite ist noch immer aktuell – die geistige und künstlerische Haltung, die durch das Bauhaus geprägt wurde. Die Geschichte des Bauhauses ist die Geschichte einer künstlerischen Entwicklung vom Jugendstil bis zum Neuen Bauen, in allen schillernden Phasen, mit vielen Wandlungen und Abzweigungen. Dieser Durchbruch zu neuen Möglichkeiten konnte nur durch eine neue künstlerische Einstellung erreicht werden, durch die Ablehnung eines damaligen Akademismus und eines starren Programms, durch die Erziehung des neuen, vielseitigen künstlerischen Menschen. Es entstand damals eine neue Malerei, eine neue Pädagogik, eine neue Architektur und eine neue Formgebung industrieller Erzeugnisse. Das Bauhaus hatte an dieser Entwicklung wesentlichen Anteil. Das ist erstaunlich, wenn man bedenkt, daß das Bauhaus eine kleine Schule mit nie mehr als 120 – meist weniger – Studenten war, dreimal zwangsweise geschlossen wurde und nur 14 Jahre existierte. Sicher war damals die Zeit für eine künstlerische Wende reif, sicher war das seltene Zusammentreffen von unwahrscheinlich starken Lehrerpersönlichkeiten für das Bauhaus besonders günstig, aber entscheidend war die Idee des Bauhauses.

Wenn wir heute mit der gleichen Grundeinstellung versuchen würden, eine Schule aufzubauen, dann würden wir wahrscheinlich ebensolche Schwierigkeiten haben, wie sie das Bauhaus damals gehabt hat. Allerdings würden diese Schwierigkeiten wenigstens teilweise anders beschaffen sein als zur Zeit des Bauhauses. Während damals der Akademismus aufgelockert und aufgelöst werden mußte, wäre es heute notwendig, anstelle der Auflockerungen neue Grundkonzeptionen, neue Zusammenfassungen zu finden. Anstelle einer sich breitmachenden Ideenlosigkeit müßte eine neue, feste Basis gefunden werden. Im übrigen drohen ähnliche Gefahren wie zur Zeit des Bauhauses. Das Kunstgewerbe im schlechten Sinn feiert nicht nur durch den Kunststoff seine Auferstehung. Eine materielle Einstellung mit deutlichen Müdigkeitserscheinungen auf geistigem und kulturellem Gebiet ist mancherorts festzustellen. Unser Wirtschaftswunderwohlstand begünstigt künstlerische Auswüchse und Scheinblüten. Das sind genügend Gründe, um aus der Geschichte des Bauhauses die Frische und Lebendigkeit, die geistige und künstlerische Haltung in unsere Zeit herüberzuholen.

Howard Dearstyne

Geboren 1903 in Albany, New York. Studiert von 1921 bis 1925 am Columbia College, New York. Abschluß als Bachelor of Arts. Wendet sich danach dem Studium der Architektur zu und wird bei einer Europareise mit den Ideen des Bauhauses bekannt. Von 1928 bis 1932 studiert Dearstyne am Bauhaus und bekommt als einziger Amerikaner sein Bauhaus-Diplom von Mies van der Rohe in Dessau. Ein besonderes Verhältnis verbindet ihn am Bauhaus mit Kandinsky, in dessen Klassen er Vorlesungen über Malerei hält. Enge freundschaftliche Verbindungen bestehen auch zu Ludwig Mies van der Rohe und Ludwig Hilberseimer. Nach der Schließung des Bauhauses in Berlin wird Dearstyne für ein Jahr Privatschüler von Mies van der Rohe.

Nach den Vereinigten Staaten zurückgekehrt, arbeitet er in führenden Architekturbüros, u. a. bei

Wallace K. Harrison in New York. 1941 wird er auf Empfehlung von Mies van der Rohe als Dozent für Architektur an das Black Mountain College, North Carolina, berufen. Andere pädagogische Aufgaben folgen, darunter eine mehr als zehnjährige Tätigkeit als Dozent für Architektur am College of William and Mary Williamsburg, Virginia. 1957 wird er von Ludwig Mies van der Rohe an das Illinois Institute of Technology, Chicago, berufen, wo er als außerordentlicher Professor für Architektur unterrichtet.

Neben seinen Aufgaben als Pädagoge betätigt sich Dearstyne als Fotograf; sein besonderes Interesse gilt der Fotografie. Fotos von ihm sind zuerst auf der zweiten Armory-Show 1945 in New York und im Museum of Modern Art, New York, gezeigt worden, gefolgt von vielen Ausstellungen und Veröffentlichungen. Dearstyne ist Autor zahlreicher Abhandlungen über Fragen der Kunst- und Architekturgeschichte in verschiedenen Publikationen und hat Bücher von Kandinsky und Malewitsch übersetzt.

Nach seiner Emeritierung hat Howard Dearstyne intensiv an einem Manuskript für ein Buch über das Bauhaus aus persönlicher Sicht ›Inside the Bauhaus‹ gearbeitet, das seine Erinnerungen und Erfahrungen am Bauhaus sammelt und zugleich dessen Einfluß in den Vereinigten Staaten darlegt. Leider hat sich bis heute noch kein Verleger dafür gefunden.

In den letzten Lebensjahren hat sich Howard Dearstyne aus seinem Appartement im Campus des Illinois Institute of Technology (IIT), einem Bau von Mies van der Rohe, nach Alexandria in Virginia zurückgezogen, wo er 1978 verstorben ist.

Mies van der Rohes Lehrtätigkeit am Bauhaus Dessau

Nachdem Hannes Meyer im Sommer 1930 als Direktor des Bauhauses in Dessau fristlos entlassen worden war, erhob sich unter den Studenten ein Proteststurm, den nicht zuletzt zum Teil eine Handvoll stimmgewaltiger Kommunisten, die angeblich an der Hochschule studierten, provoziert hatte. Ich ging im Herbst 1928 ans Bauhaus und blieb knapp zwei Jahre dort. Ich mochte Hannes Meyer immer gut leiden, weil er eine so herzliche Art hatte und –

abweichend von der offiziellen Linie – mich freundlich behandelte, der ich Amerikaner und damit eine sehr ungewöhnliche Erscheinung am Bauhaus war. Ich interessierte mich aber für Architektur als Kunst, wohingegen Hannes (wie ihn jeder nannte) unerschütterlich seine Abneigung gegenüber Kunst im allgemeinen und Kunst in der Architektur im besonderen ganz offen mit der Behauptung kundtat, daß Kunst in der Architektur de facto immer irgendwelchen Nützlichkeitserwägungen weichen müsse. Ich glaube, daß die rigorose Ablehnung aller ästhetischen Gesichtspunkte im Falle von Hannes Meyer tatsächlich unter dem Gesichtspunkt zu sehen war: »Hunde, die bellen, beißen nicht«, denn man hatte ihn mehr als einmal dabei ertappt, daß er die Proportionen eines Bauwerkes abwägend prüfte, und das ist für einen ›Durch-und-durch-Funktionalisten‹ sicher sehr ungewöhnlich. Ich für meinen Teil hatte jedenfalls bereits in Erwägung gezogen, das Bauhaus zu verlassen.

Dann kam die Abberufung von Hannes Meyer und die Ernennung von Mies van der Rohe zum neuen Direktor des Bauhauses. Ich entsinne mich, in einer Zeitschrift der Linoleumhändler die Fotografie eines Raumes gesehen zu haben, den er für die Glasindustrie zur Werkbund-Ausstellung 1927 in Stuttgart gestaltet hatte; dieser Raum hatte mich durch seine Einfachheit besonders beeindruckt. Aber ich hatte noch niemals etwas von der Weißenhof-Siedlung, von dem Pavillon in Barcelona und von den vielen anderen Projekten und Werken gehört, die von Mies van der Rohe gestaltet waren. Doch manche Studenten, die seine Werke kannten, behaupteten, diese seien formalistisch, und Mies baue Bürgerhäuser für die Reichen, anstatt Wohnungen für die Armen zu entwerfen. Sie forderten, er solle seine Werke ausstellen, damit sie überhaupt beurteilen könnten, ob er befähigt sei, Direktor ihrer geliebten Schule zu werden oder nicht. Sie hielten turbulente Massenveranstaltungen in der Bauhaus-Kantine ab, auf denen sie ihren Unmut über die Entlassung von Hannes und die Berufung von Mies laut kundtaten. Im Verlauf einer solchen Veranstaltung forderten sie Mies dazu auf, er solle von seinem ›Olymp‹ herabsteigen – gemeint war der brückenartige Verbindungsbau zwischen dem Bauhaus und der Hochschule – und sich verteidigen.

Wütend über eine solche Majestätsbeleidigung ordnete der neue Direktor an, die Kantine solle geräumt werden, und als sich die Studenten weigerten, den Raum zu verlassen, ließ er sie durch die Polizei hinauswerfen. Ich habe dieses drastische Vorgehen von Mies immer als Fehlentscheidung angesehen. Hannes Meyer oder Walter Gropius hätten sich in ähnlicher Situation immer den Studenten gestellt, mit ihnen debattiert und sie wahrscheinlich auch besänftigt. Mies war kein guter Verwaltungsmann, es zeigte sich aber, daß er ein großer Lehrmeister war.

Die Studentenunruhen am Bauhaus haben Oberbürgermeister Hesse und den Meisterrat dazu veranlaßt, die Hochschule für einige Wochen zu schließen. Während dieser Beruhigungspause wurden einige der Rädelsführer bei dieser Revolte zwangsweise exmatrikuliert, und als die Hochschule dann wieder geöffnet wurde, hatten sich die Dinge beruhigt. Mies van der Rohe schien es dennoch ratsam, sozusagen als Vorsichtsmaßnahme, jeden einzelnen Studenten in einem Gespräch unter vier Augen in seinem Privatbüro zu befragen. Als ich an der Reihe war, wußte ich nicht, was ich dem Direktor sagen sollte, weil er einfach kein Gespräch anfing. Schließlich wagte ich es, eine Frage zu stellen, die mir schon lange am Herzen lag. Ich fragte: »Soll man eigentlich in der Architektur nicht mehr nach Formschönheit streben?« Daraufhin bestätigte er mir sofort, daß man das natürlich solle. Allein die Tatsache, daß ich diese Frage gestellt hatte, zeigt, wie völlig ahnungslos ich damals war, wie völlig unbekannt mir Mies van der Rohes bisheriges Leben und seine Ziele waren. Ich fand dann aber sehr bald heraus, daß die Bestrebungen nach Formschönheit in der Architektur tatsächlich sein Lebensziel waren und er seinen Studenten immer wieder die Suche danach beibringen wollte.

Zu der Zeit, als Mies van der Rohe in Dessau anfing, hatte ich gerade die erforderlichen Vorsemester zur Aufnahme in die Architekturklasse beendet und wurde also einer seiner Studenten. Es war die erste Architekturklasse, die Mies am Bauhaus unterrichtete, ja es war sogar die erste Lehrtätigkeit überhaupt, die er ausübte. Zu dieser Gruppe gehörten nur etwa ein halbes Dutzend Studenten, von denen einige, Eduard Ludwig, Hermann Blomeier und Willy Heyerhoff, Freunde von mir wurden. Mies ließ uns mit einer ganz einfachen Aufgabe beginnen, dem Entwurf eines aus einem Raum bestehenden Atriumhauses, dessen Vorderseite in einem mit einer Mauer umgebenen Garten lag. Die Entwürfe, die wir für ein solches Haus angefertigt hatten, glichen einander bis auf geringfügige Abweichungen in einigen Details. Wingler hat Ludwigs Lösung in seinem Buch über das Bauhaus veröffentlicht, und Philip C. Johnson entwarf sein Privathaus in Cambridge, Massachusetts, nach Lösungsvorschlägen, die damals auf der Schule erarbeitet wurden.

Mies van der Rohe war so stark engagiert, uns unsere schlechten Entwürfe auszutreiben und uns auf die richtige Spur zu bringen, daß er manchmal ganz unabsichtlich die Gefühle seiner Studenten verletzte. Die beiden unzertrennlichen Freunde Blomeier und Heyerhoff zum Beispiel waren Studenten, die die Architekturschule von Paul Klopfer in Holzminden mit Auszeichnung absolviert hatten. Bei irgendeiner Gelegenheit zu Beginn des Semesters zeigten sie Mies Drucke der Bauplanungen, die sie dort gemacht hatten, in der Überzeugung, daß er diese loben würde. Ich stand dabei und fuhr erschrocken zusammen, als er über die Entwürfe herfiel, mit einem schwarzen Stift darin herumstrich, um anzudeuten, wie sie eigentlich hätten aussehen sollen. Hermann und Willy waren durch Mies van der Rohes Rücksichtslosigkeit so tief getroffen, daß sie ungefähr einen Monat lang nicht zum Unterricht kamen und Seelenmassage betrieben. Aber wir alle mußten uns daran gewöhnen, daß unsere liebsten Pläne abgelehnt wurden. Jedesmal, wenn ich Skizzen gemacht hatte, die mir gut gefielen, dann prüfte Mies sie und sagte lakonisch: »Versuchen Sie es noch einmal«, und ich hatte das Gefühl, daß es ungut war, mit ihm darüber zu streiten.

Mies van der Rohe selbst entwarf in dieser Zeit hauptsächlich Häuser, und er ließ uns auch, einer nach dem anderen, Häuser planen. Er pflegte häufig zu sagen, wenn einer einen Hausentwurf machen könne, dann könne er alles andere auch entwerfen. Ich bin inzwischen so fest von dieser Erkenntnis überzeugt, daß ich sie heute meinen Studenten auch zu vermitteln versuche, um ihnen ganz bewußt klarzumachen, wie wichtig es ist, mit den einfachen Problemen fertigzuwerden.

Nachdem ich zahlreiche Skizzen angefertigt hatte (Mies sagte immer, man müsse mindestens hundert anfertigen), ging ich schließlich mit einem Plan zu ihm, der ihm gefiel. Das Haus war ein einstöckiges Atriumhaus mit einem langgestreckten Wohn-Eßzimmer und einem Einbettschlafzimmer, das unmittelbar daran anschloß. Die beiden Seitenwände des Hauses schlossen bündig ab mit der Gartenmauer, Wohn- und Schlafzimmer hatten vom Fußboden bis zur Decke reichende Glasfenster mit Blick in den Garten. Eine überdachte Veranda, die durch freistehende Säulen abgestützt wurde, verband das Haus mit der Gartenmauer auf der anderen Seite. Ich werde nie die Schwierigkeiten vergessen, die wir in den Detailplanungen hatten. An einem Punkt hätten wir den ganzen Plan beinahe verworfen; wir konnten nämlich keinen Platz für den Mülleimer in der Küche finden! Der Eingang war für uns auch ein schwieriges Problem. In meinem ursprünglichen Plan war die Verbindung Foyer-Wohnzimmer zu abgehackt. Nachdem ich mehrere Stunden an meinem Layout herumskizziert hatte, traf Mies endlich genau die Lösung, die einen indirekten Durchgang vom Foyer zum Wohnzimmer ermöglichte und gleichzeitig auch noch einen indirekten Weg von der Küche zum Eßzimmer. Diese Art Umführungen von einem Raum in den anderen sind ein immer wiederkehrendes Charakteristikum der Arbeiten von Mies van der Rohe.

Ich hielt die ganze Verwandtschaft in den Vereinigten Staaten über das Studium am Bauhaus auf dem laufenden, und meine Mutter hat glücklicherweise jedes Schnippelchen Papier aufgehoben, das ich ihr je geschickt habe. In einem Brief vom 20. Dezember 1931 schrieb ich über die Arbeit bei Mies:

»Ich nutze die wenigen Tage bis Weihnachten, um an dem Hausentwurf, an dem ich seit meiner Rückkehr (von einer USA-Reise) arbeite, die letzten Striche zu machen. Das Haus ist klein, hat einen Wohnraum, einen Schlafraum und die erforderlichen Nutzräume, wie Bad, Küche usw. Es ist in der Art genauso wie die beiden, die ich mit in Amerika hatte. Mies van der Rohe beschäftigt uns weiterhin mit kleinen Problemen. Aber daß er damit recht hat, zeigt die Tatsache, daß es Wochen und Monate dauert, bis man einen wirklich hübschen Entwurf für ein solches Haus gefunden hat. Die Schwierigkeit dieser Häuser besteht darin, daß sie so schrecklich einfach sind. Es ist viel leichter, etwas Schwieriges zu planen, als etwas, das so klar und einfach ist.

Wir lernen von Mies van der Rohe unheimlich viel. Und sollte er keine guten Architekten aus uns machen, dann hat er uns zumindest beigebracht, wie man beurteilt, was gute Architektur ist. Es ist ein Nachteil (vielleicht), fast täglich mit einem solch erstklassigen Architekten zusammenzusein, denn er verdirbt einem den Geschmack an neunundneunzigeinhalb Prozent aller architektonischen Entwürfe auf der ganzen Welt. Mies geht nicht nur mit den amerikanischen Architekten hart ins Gericht (deren Arbeiten – das ist ganz außer Zweifel – er immer noch am meisten schätzt), sondern er behauptet, daß man nicht einmal die fünf Finger an einer Hand brauche, um die guten Architekten in Deutschland zu zählen. Er legt sehr hohe Maßstäbe an; das sollte uns eigentlich nur freuen. Es ist sehr viel leichter, unter einem weniger kritischen Mann zu arbeiten und sich mit mittelmäßigen Lösungen zufriedenzugeben. Genau das habe ich in Columbia getan; das tun die meisten Studenten in Amerika und hier auch. Dem Himmel sei Dank, daß ich bin, wo ich bin.«

Mies hatte sich eines der Meisterhäuser genommen und verbrachte drei Tage pro Woche in Dessau. Er hatte mit Ludwig Hilberseimer, der am Bauhaus Städteplanung unterrichtete, ein Abkommen getroffen, wonach beide zwischen Berlin und Dessau hin und her pendelten, und zwar immer so, daß der eine gerade in Dessau war, während der andere sich in der Hauptstadt aufhielt. Wir sahen Mies sehr häufig während seiner wöchentlichen Aufenthalte in Dessau, und ich dachte oft, daß wir einen großen Vorteil hätten, so eng mit ihm zusammenarbeiten zu dürfen. Unsere heutigen Architekturstudenten am Institute of Technology in Illinois, die ihn als ihren großen Lehrer und Meister verehren, sind glücklich, wenn sie ihn während ihres ganzen fünfjährigen Studiums auch nur einmal zu Gesicht bekommen.

Als das letzte Semester anfing, waren wir in unserer Klasse nur noch vier Leute. Ich weiß noch genau, daß Eduard Ludwig und Edgar Hecht dabei waren, und ich bin fast sicher, daß Hubert Döllner der dritte war, der zusammen mit mir das Quartett bildete.

Wir zogen in einen Atelierraum im Erdgeschoß, der immer abgeschlossen war und zu dem jeder von uns einen Schlüssel besaß. Hier arbeiteten wir an unseren Diplomarbeiten. Ich hatte mir den Entwurf einer Badeanstalt ausgesucht; sie war für den Kühnauer-See am Rande von Dessau geplant, und Mies fuhr mit mir zusammen hinaus, um die Gegend erst einmal anzusehen. In diesem letzten Semester hatten wir beneidenswert oft Gelegenheit, uns mit Mies zu unterhalten; isoliert von allen anderen Klassen in unserem Privatraum, hatten wir ihn Stunden am Tage ganz für uns allein. Ich schrieb damals, am 12. Juni 1932, an meine Verwandten:

»Wir haben Mies van der Rohe letzte Woche sehr oft gesehen. Er kam an drei Tagen in unser Atelier. Am Mittwoch blieb er drei Stunden und ließ Kaffee aus der Kantine für uns bringen. Am Donnerstag kam er ungefähr eine Stunde. Am Freitag kam er zweimal, blieb insgesamt ungefähr fünf Stunden und erzählte die ganze Zeit. Wir (das ist unser Semester, die vier Leute) haben ihn dadurch sehr gut kennengelernt, und es scheint, als unterhalte er sich lieber mit uns als mit den unteren Semestern. Wir diskutieren einfach über alles, Architektur, Kunst, Philosophie, Politik usw. Diese Diskussionen haben natürlich nicht immer direkt mit unserer Arbeit zu tun, aber sie sind ungemein interessant und wertvoll, weil Mies van der Rohe ein Mann mit profundem Wissen und einem großen Erfahrungsschatz ist. Selbst wenn ich hier überhaupt keine Gestaltungsarbeiten machen würde, sind allein diese Diskussionen es wert, daß ich hier bin. Meine große Hoffnung ist es, daß das Bauhaus nicht geschlossen wird und daß ich wieder hierher kommen kann (von einer geplanten Reise nach Amerika).«

Soweit ich mich entsinne, bekamen wir alle vier unsere Bauhaus-Diplome im Juli 1932, obwohl Hecht beinahe durchgefallen wäre, und zwar in der Hauptsache, weil er so gräßlich aussehende Bäume in einer zeichnerischen Wiedergabe seines Entwurfs gemalt hatte. Der politische Zwang, der schon jahrelang wie ein Damoklesschwert über unseren Köpfen geschwebt hatte, schlug schließlich wie ein Blitz auch bei uns am Bauhaus ein. Die Nazis, die bereits unzählige Male beteuert hatten, sie würden das Bauhaus schließen und das Gebäude dem Erdboden gleichmachen, erhielten endlich auch im Stadtrat von Dessau die Mehrheit. Ganz in der Absicht, das verhaßte Bauhaus endlich zu beseitigen, gaben sie ihrem wohlüberlegten Vorgehen doch noch den Anschein der Rechtmäßigkeit; sie strengten einen Prozeß an, der den äußeren Anschein des Rechts wahrte. Sie forderten den Direktor auf, eine Ausstellung der Bauhaus-Arbeiten zu veranstalten, und ernannten Paul Schultze-Naumburg als Gutachter, einen ultra-konservativen Architekten, der das Bauhaus verachtete und der umgekehrt natürlich auch vom Bauhaus verachtet wurde. So suchte Mies denn die besten Arbeiten der Studenten für diese nutzlose Ausstellung aus. Wir alle waren fest entschlossen, unser Bestes zu geben, und aus diesem Grunde bat ich auch Hinnerk Scheper, den Lehrer für Farbgestaltung am Bauhaus, für die Ausstellung eine Zeichnung meiner Badeanstalt anzufertigen. Er willigte gern ein, und ich bin heute noch glücklich darüber, ein Andenken an diesen hochbegabten und bescheidenen Mann zu besitzen.

Kurz ehe der unvermeidliche Schlag kam, ging ich zu einem Ferienaufenthalt in die Vereinigten Staaten. Als ich im Oktober 1932 nach Dessau zurückkehrte, war das Bauhaus geschlossen; Mies sowie die meisten Lehrer und Studenten waren nach Berlin abgereist; dort hatte Mies van der Rohe ein neues Bauhaus als sein Privatinstitut gegründet. Ich gab mein Appartement in Dessau auf und folgte ihm nach.

Frank Trudel

Geboren 1911 in Baden bei Zürich. Bereits sehr früh kann sich Frank Trudel als Sohn des Bildhauers und Malers Hans Trudel (1881 bis 1958) in plastischem Material, Ton und Plastilin gestalterisch ausdrücken. Nach dem Progymnasium absolviert er eine Lehre als Bauzeichner bei einem Architekten in seiner Heimatstadt und studiert für ein Jahr am Technikum in Winterthur (HTL).

Erste Informationen über das Bauhaus bekommt er durch einen

deutschen Kollegen, der schon kurze Zeit in Dessau gewesen ist und begeistert über den Vorkurs von Albers und den Unterricht von Kandinsky spricht. Gleiche Begeisterung löst der Bericht über die gerade fertiggestellte Weißenhof-Siedlung in Stuttgart aus. So entschließt er sich spontan, sein Studium in Winterthur abzubrechen und ans Bauhaus zu gehen.

Trudel kommt buchstäblich in den letzten Tagen des Bauhauses in Dessau, am 25. April 1932, an. Dann geht er mit den Bauhäuslern nach Berlin und bleibt dort bis zum bitteren Ende 1933. Bis 1934 macht er dann eine freie Meister-Lehre bei Ludwig Mies van der Rohe.

Wieder in der Schweiz, empfängt ihn auch dort Arbeitslosigkeit, er kann nur wochenweise arbeiten und hilft seinem Vater, der auch nur wenige Aufträge erhält. Hier besinnt sich Frank Trudel auf die von Mies oft wiederholte Aufforderung: »Lernen Sie bauen!« und nutzt die Chance einer Reise nach Portugal und Spanien. In der Umgebung von Sevilla gerät er durch Zufall in den spanischen Bürgerkrieg und kann als Architekt an landwirtschaftlichen und industriellen Projekten mitarbeiten. Mit dem Beginn des Zweiten Weltkrieges ruft ihn die Schweizer Armee im September 1939 aus Andalusien zurück, und er muß bis zum Ende seiner Dienstzeit hauptsächlich Bunker- und Barackenbauten ausführen.

Nicht vom unmittelbaren Kriegsgeschehen betroffen, hat Trudel Zeit zum Nachdenken und greift auf eine Idee der Bauhaus-Zeit zurück, eine Wohnarchitektur mit variablen Innenräumen, die zu 90 Prozent durch ein modulares System veränderbar sind. Sein System ›T‹ wird nun auch anwendbar für Büro-, Werkstatt- und Laborbauten, eine neue Form industrialisierter Architektur, vielfach in der Fachpresse diskutiert, jedoch nie ausgeführt.

Als projektierender Architekt arbeitet Trudel bis zu seiner Pensionierung in den siebziger Jahren in einem führenden Architekturbüro in Genf. Seitdem hat er sich wieder mit Aquarellmalerei und Plastik beschäftigt. Frank Trudel lebt und arbeitet in Carouge am Genfer See.

Ein Bauhäusler erinnert sich . . .

Mein erster Kontakt mit dem Bauen war derjenige eines Lehrlings in einem Architekturbüro einer kleinen Stadt in den späteren zwanziger Jahren. Schon sehr bald las ich alles, dessen ich habhaft werden konnte, über die moderne Kunst und Architektur, vor allem aber die Werke von Le Corbusier. Damit machte man sich in jenen Jahren mehr Feinde als Freunde, aber ich entschloß mich trotzdem, koste es, was es wolle, später bei Le Corbusier in Paris zu arbeiten. Auch hatte ich in Erfahrung gebracht, daß man mit guter technischer Ausbildung bei Corbusieur mehr Chancen hätte als die Anfänger. Aus diesen Gründen begann ich das Studium an einem Schweizer Technikum. Die eher stagnierende Atmosphäre, die einen an dieser technischen Mittelschule umfing, mochte gut sein für untergeordnete Fächer, jedoch vom Bauen als Ganzem war nie die Rede! Hingegen ließ man uns die alte griechische Säulenordnung aufzeichnen. Durch Zufall erfuhr ich von einer Bauschule, genannt »Das Bauhaus« in Dessau. Das, was ich über dieselbe in Erfahrung bringen konnte, bewog mich, das Technikum aufzugeben und mich als Kandidat anzumelden. Auf Grund einiger Arbeiten, die ich beigelegt hatte, wurde ich dann als Studierender akzeptiert. Meine Heimatgemeinde, der ich diesen Entschluß mitteilte, strich mir mein kleines Stipendium mit dem Hinweis, daß dieses nur an Studierende von Schweizer Schulen abgegeben werde. Das war ein schwerer Schlag für mich, der ich über nicht viel mehr als dieses Stipendium verfügte.

In Dessau begegnete ich im Sekretariat hinter einem Zeichentisch einem mächtigen Mann, ganz in den Rauch von Schweizer Stumpen eingehüllt, es war der Direktor, Mies van der Rohe. Als ich ihm meine Situation erläuterte, strich er auf meinem Formular die Rubrik Semestergeld durch; dann wünschte er mir viel Glück am Bauhaus, drückte mir die Hand – und übergab mir gleichzeitig einige Bons für die Kantine (Mittagstisch). Das Bauhaus-Gebäude von Walter Gropius beeindruckte mich natürlich sehr, vor allem der Werkstättentrakt.

Ende der zwanziger Jahre und schon früher hatten einige Bauhaus-Meister ihr Lehramt niedergelegt, um andernorts ihre Lehrtätigkeit wieder aufzunehmen. Es waren dies: Walter Gropius, Gründer und Leiter des Bauhauses, Paul Klee, Johannes Itten, Lyonel Feininger, Oskar Schlemmer, Marcel Breuer, Georg Muche, Laszlo Moholy-Nagy, Herbert Bayer u. a. m. Wir, die Neuankömmlinge und die letzte Bauhaus-Generation, haben das natürlich sehr bedauert. Wir hätten gerne mit diesen Meistern ebenfalls Arbeitskontakte aufgenommen. Im weiteren folgen einige Betrachtungen über drei Bauhaus-Meister und ihre Lehrmethoden, denen man dann besonders viel zu verdanken hatte.

Josef Albers

Auf einem langen Tisch in seinem Atelierschulraum waren die verschiedensten Materialien wie Kartons, Stoffreste, Lederreste, ein Teil eines Teppichs, Holz und Sperrholz, Draht, Nägel, Schrauben, Eisenstücke, Blech, flaches Glas, keramische Wand- und Bodenplatten, Backsteine usw. aufgehäuft.

»Sie können sich nach freier Wahl ein Material aussuchen, dann so bearbeiten, formen, wie es nur mit diesem Stück möglich ist, Sägen, Feilen usw. sind erlaubt, keineswegs aber Ansetzen, Anleimen usw. Ein anderes Material kann dazugenommen werden, ist aber für den Anfang nicht zu empfehlen. Die Komposition muß nur ›gut‹ sein.« –

Das war für die meisten der zwölf bis fünfzehn Studierenden ein richtiger Schock! Zwar hatte er uns einige Kompositionen früherer Studierender gezeigt, das half aber auch kaum weiter. Dieses materialgerechte Gestalten, so kann man es vielleicht auch nennen, war zugleich als eine Art von Gehirnwäsche gedacht, kamen doch viele Studierende von anderen Schulen mit sehr verschiedenen Anschauungen und Geistesrichtungen. Es mußte also eine allgemeine Richtung aufgezeigt werden, und dafür war der »Vorkurs Albers« bestens geeignet. Hatte jemand ein ›Projekt‹, oder glaubte er einen Weg gefunden zu haben, so war Albers immer bereit, dem Betreffenden weiter zu helfen oder die Sache ganz abzulehnen. Nach und nach fing man an zu verstehen, was Albers unter ›gut‹ verstand. Aufrichtiges Bemühen förderte dann doch interessante Leistungen zutage. Diese Arbeiten bei Albers stellten große Ansprüche an die geistig-schöpferischen Fähigkeiten, an das dreidimensionale Denken, ja auch an das handwerkliche Können der Studierenden.

»Genialische« (Albers), allzu momentane Ideen hatten oft zu wenig konstruktiven Gehalt, um bestehen zu können. Im gegenständlichen Zeichnen ließ er uns seine Flaschen zeichnen, von denen er eine ganze Sammlung besaß. Mit einem Strich (Tusche oder Tinte), gezeichnet ohne Schatten und Glanzlichter, war dies ein außergewöhnliches Training für Auge und Hand, denn die Proportionen waren natürlich zu respektieren. »Zeichnen Sie Ihre Flaschen drei-, vier-, fünfmal, wenn die sechste Fassung gut ist, haben Sie etwas gelernt.«

Ganz ähnlich wurde im Aktzeichnen vorgegangen, auch hier waren keine Korrekturen erlaubt (Füllfeder- oder Tintenstift). Wir zeichneten auf das Zwischenlagepapier einer Zeitungsdruckerei, und man war am Ende des Nachmittags umgeben von einem kleinen Wall rasch hingeworfener Skizzen. Aus diesen wurden dann die besten herausgesucht und zur Besprechung mit Albers an die Wand gepickt. Auch hier war das Lernen wichtiger als das Resultat.

Wassily Kandinsky

Das analytische Zeichnen begann bei ihm mit dem naturgetreuen Abbilden eines Stillebens, das sich jeder selbst aufbaute. Objekte aus der freien Natur waren durchaus nicht verpönt, wie man annehmen könnte, aber Gegenstände aus nächster Nähe die Regel, z. B. ein umgestürzter Tisch, ein Besen, ein überquellender Abfallbehälter, Elemente von Radiatoren usw. Er legte großen Wert darauf, daß die Proportionen vom »Sitzpunkt« des Zeichners aus stimmten. Expressionistische Über- oder Untertreibungen ließ er nicht gelten. »Sie sehen das genau wie ich, nämlich in den wahren Proportionen!« Dann kam »das Weglassen« an die Reihe. Man legte ein Transparentpapier auf die Zeichnung und ließ alles weg, das als »Detailkram« bezeichnet werden konnte. Auf diese Art und Weise kam man einer abstrakten Bildkomposition immer näher. Mit Hilfe seiner Farbtheorie wurde die Zeichnung in der freien Malklasse zu einem Bild gestaltet. Man verstand langsam auch, daß das Ungegenständliche, z. B. das Leere zwischen den Gegenständen, viel mehr beachtet werden sollte als der Gegenstand selbst. (Poetische Gegenstände gebe es nicht, die Poesie liege zwischen ihnen.)

Auszug aus dem Kolleg Kandinsky:

Im Mystischen ist der Punkt das Urzeichen. Der Punkt ist Mittel-glied zwischen Sprechen und Schweigen. Vom Standpunkt des Malers ist er die erste Berührung mit der Malfläche. Er hat Größe, Form, Farbe.

Die Linie ist ein gestoßener Punkt. Sie hat zwei Hauptspannun-gen und unzählige Nebenspannungen. Eine Vertikale (seelisch) und eine Horizontale (tragend) von gleicher Länge: Die Horizon-tale erscheint länger, der Schnittpunkt ist der Ort der Harmonie.

Freie Kunst erweckt ungegenständliche Gefühle. Es gibt keine rein zeichnerische oder rein malerische Kunst.(?)

Architektur ist nie Selbstzweck. Leerräume vor Kirchen und hohe Tempelstufen dienen der Konzentration der Gläubigen. Kein unchristlicher Mensch soll eine Kirche bauen.

Expressionismus gleich Befreiung des Gegenstandes von der Farbe.

Die Kubisten haben angefangen, nach Gesetzen zu forschen. Anstelle von Ästhetik ist das psychologische Erlebnis zu setzen (Rat an Maler von heute).

Die Grenze zwischen Kunst und Mathematik ist nicht feststell-bar. Kunstunterricht ist Affenarbeit (gemeint ist natürlich der damals im allgemeinen geübte Unterricht).

Ludwig Mies van der Rohe

Die Arbeit bei Mies begann mit dem Studium des Großraumes. Darunter ist Folgendes zu verstehen. Ein Wohnhaus, erdgeschos-sig, sollte für eine Person entworfen werden. Der Großraum, meist rechteckig oder quadratisch aus Backstein in Sichtmauerwerk ausgeführt, sollte optisch gesehen erhalten bleiben. Die subalter-nen Räume wie Küche, Bad, WC, eventuell auch ein Gästezimmer stellte man in den Großraum hinein. Sie wurden wie eingebaute Möbel behandelt d. h. wie diese vom Fußboden zur Decke rei-chend, auch wurden sie selbstverständlich mit hellen Verputzen versehen. Im verbleibenden Großraum schafften freie Wände frei-stehende festplazierte Möbel usw. für eine rhythmisch geordnete Gestaltung des Raumes. Die Möblierung an sich erhielt auch mehr oder weniger ihren festen Platz. Es war im Sinne der Gesamtkonzeption des Plans, daß dieser beinahe immer asymmetrisch ausfiel, dies wurde durchaus als Vorteil gewertet. Später kamen dann Entwürfe im Flachbau für ganze Familien dazu, die sogenannten Hofhäuser, mit zusätzlichen Räumen wie Bibliotheken, Spielräumen usw.

Die Stahlkonstruktion der Decke und die bekannte Kreuzstütze hatte Mies mit einer deutschen Stahlbauvereinigung ins Reine gebracht. Sie konnte also auch von uns Studierenden übernommen werden. Dies führte auch zu Kritik, denn es wurde behauptet, daß alle Schüler dasselbe Projekt auf ihren Brettern hätten. Nun schon im Mittelalter und bei den alten Griechen wurden gewisse konstruktive Maße fixiert und tauchten immer wieder auf, ganz einfach weil sie sich bewährt hatten. Wurden auf demselben Raster ganz verschiedene Lösungen möglich, so konnte diese Tatsache nur positiv bewertet werden. Mies war der Ansicht, daß der, welcher ein gutes Wohnhaus bauen könne, jeder andern Aufgabe im Hochbau auch gewachsen sei. Die Richtigkeit dieser Ansicht hat sich mir in vielen Jahren der praktischen Tätigkeit bestätigt. Die Beschäftigung mit dem Großraum und die dadurch aufgelockerte Raumkomposition wirkte sich auch gut auf den Siedlungsbau aus, der bei Architekt Hilbersheimer bearbeitet wurde. Die beschränkten Grundrißflächen wurden so besser bewältigt, als es damals im allgmeinen üblich war. Die einzige Siedlung in Europa von Mies an der Afrikanischen Straße in Berlin hat diese Ansicht, so scheint es mir, bestätigt. Man hat Miessche Architektur auch schon als Strukturarchitektur bezeichnet. Dieses wahrscheinlich deshalb, weil die Struktur, vor allem in seinen späteren Bauwerken, als erstes in Erscheinung tritt. Die Architektur, die Mies geschaffen hat, ist eine Einheit von Raum, Struktur und Material. Der Schwerpunkt liegt aber eindeutig auf ›Raum‹. Jede Architektur, die ihren Schwerpunkt anderswohin verlegt, wird früher oder später im Formalismus untergehen.

Im Jahre 1933
An einem Samstagmorgen wurde das Berliner Bauhaus-Gebäude schlagartig von Polizei und Gestapo besetzt. An diesem Tage wurde offiziell nicht gearbeitet. Trotzdem fielen den Besetzern ein

gutes Dutzend Studierende und auch Mies van der Rohe in die Hände. Wir wurden in der Vorhalle zusammengetrieben. In der Türe zu seinem Büro stand da auch Mies. Der wuchtige Mann füllte den Türrahmen völlig aus und schien nicht gewillt zu sein, die Passage freizugeben. Nicht weit von ihm stand ein Gestapomann, den Finger am Abzug seines Karabiners. Wie leicht konnte so ein Ding losgehen in der Hand eines Nazischergen (. . . auf der Flucht erschossen . . .), und die Welt wäre um einen bedeutenden Mann ärmer gewesen. Offenbar waren aber zuviel Zeugen vorhanden. Wir wurden auf einem LKW auf die Hauptwache der Polizei (Alex) verfrachtet und in eine Ecke des Vorraums für Verhaftete gedrängt. Eine lange Stunde mindestens geschah nichts. Dann erschien unter dem Eingang ein Major in amerikanischer Uniform und grüßte mit unwahrscheinlicher Lässigkeit den anwesenden Polizeioffizier. Ausgewiesen hat er sich nicht, aber alle Uniformierten im Saal fuhren in die Senkrechte. Er erklärte dann, vom amerikanischen Militärattaché beauftragt zu sein, die Ausländer unter uns mitzunehmen. In kaum verständlichem Deutsch verlas er eine Namensliste, auf der überraschenderweise mein eigener Name auch aufgeführt war. Wir glücklichen Ausländer folgten dem Offizier, ohne im geringsten aufgehalten zu werden. Draußen führte er uns an einen etwas gegen Sicht abgeschirmten Ort. »Sie sind noch nicht in Sicherheit, verlassen Sie Deutschland noch heute.« Dies gesagt, und zwar in unverfälschtem Berliner Dialekt, bestieg er ein wartendes Auto und verschwand. Ob es sich tatsächlich um einen Amerikaner oder um einen deutschen Schauspieler handelte, habe ich nie erfahren. Sicher war, daß der Respekt vor der Uniform, der in damaliger Zeit in Deutschland immer noch groß war, uns geholfen hatte. Eine Köpenickiade war geglückt . . .

. . . In meinem Zimmer angelangt, raffte ich das Notwendigste zusammen, verständigte meine Vermieter und fuhr zum Anhalter Bahnhof. Hier erwischte ich noch den Zug nach Zürich. Vor dem Grenzübertritt bei der Abgabe des Passes war ich dann doch noch etwas nervös, aber es geschah nichts weiter, und ich gelangte unbehelligt nach Zürich.

Eine andere Episode soll noch erwähnt werden, die die Situation in baulicher Hinsicht etwas beleuchtet. Ein Parteiideologe namens Schreiber wollte in Anwesenheit des Führers in der Kroll-Oper über Architektur im Dritten Reich sprechen. Natürlich gingen wir hin. – Auf der Bühne erschien der Vortragende in Parteiuniform, in der rechten Hand einen Speer, in der Linken ein Konzept und auf dem Kopf einen Helm mit Hörnern, der ihm wohl um einige Nummern zu groß war. Nach der Begrüßung stieß er den Speer in den hölzernen Fußboden der Bühne. Bei dieser heftigen Bewegung rutschte ihm der Helm über Augen und Nase. Unterdrücktes Kichern im Saal. Hitler saß da mit steinernem Gesicht – dieser Schreiber war wahrscheinlich bereits abgeschrieben in des Führers Geist. Als man seinen Kopf aus dem eisernen Gefängnis befreit hatte, erklärte er ungefähr folgendes: »Die alten Germanen hätten den schönen Brauch geübt, dort, wo sie ihr Haus zu bauen gedachten, ihren Speer in die Erde zu stoßen. Diesen schönen Brauch sollte man wieder aufleben lassen.« Unter anderem erklärte er dann auch, daß das deutsche Dach über dem deutschen Heim in Winkeln von 45 bis 60 Grad aufstreben müsse, daß das halbflache Dach sozialistischer und das flache Dach kommunistischer Herkunft seien.

Wochen nach der Schließung des dritten Bauhauses schrieb Mies an seine letzten Schüler, daß er gedenke, die Arbeit auf privater Basis wieder aufzunehmen. Natürlich fuhr ich so bald wie möglich nach Berlin und traf dort die andern Ehemaligen. Es wurde vereinbart, daß jeder auf seinem Zimmeratelier arbeiten würde und daß man sich pro Woche ein- bis zweimal bei Mies zu Kritik und Korrektur einfinden würde. Im übrigen hatten wir auch wieder Arbeitskontakte mit anderen ehemaligen Bauhaus-Meistern aufgenommen. Mein Zimmer, das ich so fluchtartig verlassen hatte, befand sich in einem chaotischen Zustand. Studienarbeiten die aus der Zeit mit Albers und Kandinsky stammten, lagen zerrissen und zerstampft überall herum. Einzig einige Pläne und Zeichnungen, gut versteckt hinter einem Schrank, waren diesem Schicksal entronnen. Der Hausherr tauchte bald darauf auf. Mit kaum verhohlener Schadenfreude brachte er einige Entschuldigungen vor, die ich mir nicht anhörte, trug er doch das Parteiabzeichen am Revers. Jedenfalls, die Handlanger eines verbrecherischen Systems hatten gründliche Arbeit geleistet.

Um eine neue Unterkunft bemüht, sprach ich mit Hinnerk Scheper, einem Bauhaus-Meister. In einem Haus, gebaut von Walter Gropius an der ›krummen Lanke‹ (ein Grunewaldsee), sei wahrscheinlich einiges frei, meinte er. Ein älterer Herr mit Prophetenbart empfing mich und stellte sich als Doktor B., Rechtsanwalt, vor. Auf mein vorgebrachtes Begehren machte er mich darauf aufmerksam, daß das Haus, weil von Gropius erbaut, unter den Begriff »Kulturbolschewismus« falle. Das berühre mich nicht, denn ich sei ja Ausländer, entgegnete ich. Das sei zwar richtig, meinte er, aber eben in diesen Zeiten wisse man nie ... Er selber als Jude, seine Frau und seine Tochter warteten hier sozusagen auf den Abtransport in ein Konzentrationslager. Eines Tages jedoch waren seine Frau und seine Tochter verschwunden. »Ich habe die beiden an einen sicheren Ort gebracht, wo sie von den Nazis nicht aufgespürt werden können«, sagte er. Dr. B. war ein sehr vielseitiger Mann und verfügte über ein reiches Wissen. Wir haben manchen Abend zusammen verbracht und über Politik usw. gesprochen. Wochen später, in der Nacht, begehrten einige SA-Männer mit Fußtritten gegen die Tür Einlaß in das Haus. Dr. B. öffnete ihnen. Bald darauf hörte ich Dr. B. schreien, er wurde wahrscheinlich geschlagen, weil die Nazis seine Frau und Tochter nicht mehr vorfanden. Einer dieser SA-Männer stieg in den ersten Stock hinauf, trat gegen sämtliche Türen, meine war nur angelehnt. Ich saß im Bett und konnte natürlich nicht schlafen. »Raus, Papiere«, schrie er mich an, den Schlagstock bereits in der Hand. Aber er kam nicht dazu, ihn zu gebrauchen, denn der Chauffeur des LKW, der unten wartete und schon eine Weile hupte, veranlaßte den SA-Mann eilends wieder ins Erdgeschoß hinunterzusteigen.

Einige Tage später erhielt ich von irgendeiner Amtsstelle die Aufforderung, das Haus in kürzester Frist zu verlassen, denn es falle unter den Begriff »Kulturbolschewismus« und dürfe deshalb nicht bewohnt werden. Wieder war ich ohne Bleibe.

Den ersten Sommer als Privatschüler von Mies verbrachten wir im Tessin (Pura). Wir fünf Schüler hatten ein Atelier-Wohnhaus gemietet, uns einige Reißbretter besorgt und gingen regelmäßig zu Kritik und Korrektur in das Ferienhaus, das Mies und Frau

Reich bewohnten. Sehr oft fand dieses Treffen auch im Freien unter einem Kakifruchtbaum statt. Mies beschränkte sich nie auf Worte in seinen Kritiken. Er legte ein halbtransparentes Schreibmaschinendurchschlagpapier auf die ihm vorgelegte Skizze und versuchte selber, die Probleme zu lösen. Seiner Meinung nach war der Bleistift für den Entwerfer ein sehr viel wichtigeres Ausdrucksmittel als die Sprache. »Zeichnen Sie es doch«, so hat er manchmal zu lange Reden unterbrochen. Natürlich kam der Sprechende damit vollkommen aus seinem Konzept. Es gab Arbeiten, die Mies vier- bis fünfmal korrigierte, ohne die Geduld zu verlieren. Jeder ernsthafte Versuch interessierte ihn. Dieses sehr anstrengende und in einem höheren Sinne disziplinierte Arbeiten war manchen Schülern ein Greuel, wohl deswegen auch die geringe Zahl von Studierenden in seinem Semester. Mehr als sechs Schüler gab es da wohl kaum jemals. Dies aber wirkte sich zum Vorteil der übrigen aus. Von Theorien hielt Mies nicht viel. Die Gefahr, daß diese schematisch und zu abstrakt angewandt würden, wäre zu groß, meinte er. Bei dieser engen Zusammenarbeit zwischen Meister und Schüler waren sie eher überflüssig. Howard Dearstyne, einer der fünf Privatschüler von Mies im Tessin, schreibt im Buch von Eckhard Neumann, Bauhaus und Bauhäusler, siehe S. 318: »Unsere heutigen Architekturstudenten am Illinois Institute of Technology, Chicago, die Mies als ihren großen Lehrer und Meister verehren, sind glücklich, wenn sie ihn während ihres ganzen fünfjährigen Studiums auch nur einmal zu Gesicht bekommen.« In so einem Fall sind Theorien unerläßlich, oder es muß ein Heer von Assistenten vorhanden sein, die den Meister schlecht und recht ersetzen. Hier am Bauhaus hat Mies nie irgendwelche Assistenten gehabt, es sei denn Frau Reich, die sich mit Kücheneinrichtungen und Textilentwurf befaßte.

Es wäre nun falsch, wenn man annähme, wir fünf Schüler hätten in jenen Wochen nur am Zeichenbrett gesessen und gearbeitet. Viele Ausflüge führten uns mit Mies und Frau Reich in die damals noch unberührten Dörfer des Centovalli und des Maggiatales. Hier nun endlich fing Mies an zu reden und machte uns aufmerksam auf die oft außerordentlich gut gelungenen Plätze und den »geschichteten Urbanismus«, der ein Dorf zu einem Ganzen zusammenfaßte. Wohl hätten hier wenig Architekten mitgewirkt, meinte er, aber das habe sich sicher zum Vorteil der Gesamtanlage ausgewirkt. Na ja, er schätzte seine Berufskollegen nicht besonders, Kritiken an den Arbeiten anderer Architekten konnten vernichtend sein, aber das beruhte meistens auf Gegenseitigkeit, wie ich später feststellen konnte. Dann besuchten wir auch die Triennale in Mailand, an der Mies einige Projekte ausgestellt hatte.

In kühleren Nächten nach heißen Tagen spielten wir mit den Einwohnern Boccia bis weit über Mitternacht hinaus. Mies spielte ganz ausgezeichnet, und die Dorfbewohner wunderten sich darüber, daß ein »Tedesco«, der kein Wort Italienisch sprach, ihr Nationalspiel so gut beherrschte. Auch heute erinnere ich mich noch gern und mit Freude und Dankbarkeit an jene ferne, aber schöne Zeit mit Gleichgesinnten im Tessin.

Pius E. Pahl

Geboren 1909 in Ludwigshafen. Nach der Tischlerlehre studiert er an einer Kunstgewerbeschule und erhält ein Diplom als Innenarchitekt. Fortsetzung des Studiums am Staatstechnikum Karlsruhe. Von 1930 bis 1933 am Bauhaus Dessau und Berlin, studiert er bei Ludwig Hilberseimer und Mies van der Rohe Architektur.

Nach Auslandsaufenthalten arbeitet er von 1934 bis 1942 als leitender Architekt verschiedener Büros in Zürich und Deutschland. Aus dem Krieg zurückgekehrt, eröffnet er in Ludwigshafen ein eigenes Architekturbüro und unterrichtet an der Staatsbauschule Mainz.

1952 geht Pahl nach Südafrika und errichtet in Stellenbosch bei Kapstadt ein neues eigenes Architekturbüro. Teilweise Lehrtätigkeit an der School of Architecture an der University of Cape Town, Kapstadt. Größere Studienreisen durch Europa, Nord- und Südafrika und in den USA. Pius Pahl lebt in Stellenbosch, Republik Südafrika.

Erfahrungen eines akademischen Architekturstudenten

Anläßlich einer Ausstellung des Bauhauses in der Mannheimer Kunstgalerie (1929) bekam ich zum erstenmal eine Übersicht über die Arbeiten dieses Instituts. Die Ausstellung beeindruckte mich außerordentlich. Bis zu diesem Zeitpunkt hatte ich während einer Ausbildung zum Innenarchitekten noch »Stilmöbel«, »moderne Zimmer mit Anlehnung an die italienische Renaissance« oder ähnliches entwerfen müssen, und an einem Staatstechnikum, an dem ich anschließend Hochbau studierte, wurde eine gute technische Ausbildung vermittelt, aber keine ›Architektur‹ gelehrt. Die modernen Entwürfe verschiedener Kunstakademien hatten mich bis dahin teilweise sehr beeindruckt, bei der Bauhaus-Ausstellung jedoch hatte ich zum erstenmal das Gefühl, daß die gezeigten Gegenstände und Entwürfe mehr waren als nur neue Formen. Sie bewirkte, daß ich mich umgehend zum Wintersemester 1930 anmeldete.

Am Bauhaus herrschte eine ganz andere Atmosphäre als in den Ausbildungsstätten, die ich bis dahin besucht hatte. Bauhäusler fühlten sich als Teil des Bauhauses, wie Mönche sich als Teil ihres Klosters fühlen mögen. Der Neuling hatte sich mit vielen neuen Ansichten auseinanderzusetzen, und manches, was bis dahin als richtig akzeptiert worden war, verlor sehr bald für ihn seine Gültigkeit. Die Zusammenhänge der industriellen Entwicklung, die Umschichtung der Produktion, die notwendige Veränderung der soziologischen Struktur, die geistige Assimilation dieser Faktoren, die Gefahr der Vermassung im Industriestaat und andere Fragen beschäftigten uns Bauhäusler sehr.

Über die Arbeit am Bauhaus und deren geistige Grundlage wurde von berufenerer Seite methodisch berichtet. Diese Zeilen, die sich im wesentlichen auf die »Ära Mies« beschränken, sollen vor allem die Atmosphäre dieser Zeitperiode beschreiben. Dazu einige Erlebnisse:

Erlebnis 1

Die Form des Unterrichts ist sehr frei. Auf Grund meiner bisherigen Ausbildung komme ich direkt in das dritte Semester. Ich versuche im vierten Semester, Städtebau bei Hilberseimer mitzubelegen. Ich gehe in den Raum, in dem der Unterricht gegeben wird, und setze mich etwas abseits. Einer nach dem andern kommt herein, man sitzt auf Tischen, Bänken, Hockern und Fensterbänken und diskutiert. Ich warte auf Hilbs (= Hilberseimer), doch vergebens. Nach einiger Zeit wird einer von den älteren auf dem Heizkörper Sitzenden mit Hilbs angesprochen. Welche Überraschung für den vormaligen Studenten des Höheren Staatlichen Technikums!

Erlebnis 2

Die Diskussionen sind oft ohne Ende, aber selbst in ihrer manchmal negativen Form durchaus anregend. Einladung von etwa zehn Studenten ins Haus des Bauhaus-Meisters Engelmann. Stundenlange Diskussion über Industrialisierung, neue Gesellschaftsformen, kulturelle Auswirkung der Mechanisierung usw. Meinungen prallen aufeinander. Ich liebe Granite und Marmor, von einigen anderen aber wird deren Verwendung im »Neuen Bauen« verworfen. Sie sollen nur als Zuschlagstoffe dienen, um damit Kunststeinplatten zu erzeugen, die schöner sein sollen als Natursteine.

Ein Bauhäusler legt sich auf das Sofa (in der ihm fremden Wohnung seines Lehrers!). Welche Sitten!

Erlebnis 3

Wettbewerb unter den Studierenden für Serienmöbel. In der den Entwürfen beizulegenden Beschreibung hatte ich geschrieben: »Die Entwürfe sind aus dem Zweck, dem Material, der Konstruktion, den verfügbaren Produktionsmitteln und aus der Ästhetik entwickelt.« Als Neuling wird mir die »Ästhetik« nachsichtig entschuldigt. Trotzdem, ich ereifere mich sehr.

Erlebnis 4

Während des Semesters wurden weder Arbeiten geschrieben noch Prüfungen gemacht. Erst am Ende des Semesters legte jeder Bauhäusler seine Arbeiten in der Zeichenmappe auf den Tisch. An die Wand dahinter wurden zwei oder drei Zeichnungen des ausstellenden Studenten zusammen mit seinem Foto geheftet.

Allgemeiner Protest wegen einer von mir entworfenen vorfabrizierten Skihütte. Aus verschiedenen Gründen hatte ich die Hütte aus einem Dreieck konstruiert, wobei die eine Seite den Fußboden bildete, die beiden anderen Seiten die Dachflächen. In der Mitte eingefügte Querbalken bildeten den Boden der im obersten Zwikkel angeordneten Schlafräume.

Das war wohl der erste Entwurf am Bauhaus mit Steildach.

Erlebnis 5
Im vierten Semester bekommen wir Mies. Die Seminarstunden sind immer sehr interessant. Mies geht von Tisch zu Tisch und hilft in seiner klaren und ruhigen Weise.

Erster Entwurf: Möblierung eines langen und schmalen Raumes mit alten Möbeln, die wir irgendwo aufmessen. Ein Student kommt zum Seminar mit einem Millimeterpapier DIN A 4, auf das er unter Benutzung der Millimeterlinien den Plan im Maßstab 1:100 aufgezeichnet hat. Ein anderer hat in einer Druckerei den verdrückten Rest einer Zeitungsrolle billig gekauft und zeigt in großen aneinandergereihten Freihandperspektiven den Raum von allen Seiten. Mies freut sich, als der Student die zehn Meter lange »Fahne« auf dem Boden auslegt. Was für Individualisten!

Zweiter Entwurf: Kleines erdgeschossiges Haus. Als Mies zum Tisch unseres Kollegen Selman Selmanagić kommt, stellt er nach einer ganzen Weile fest: »Selman, da müssen wir wohl nochmals ganz von vorne anfangen.« Selman ist sehr erstaunt und fängt an, mit großem Eifer zu erklären, wie gut der Grundriß funktioniert. Er zeichnet Gehlinien, Sitzflächen usw. (Es war kurz nach der Hannes Meyer-Ära, und die Überbewertung der Funktion war noch nicht überwunden.) Nach einer Pause fragt Mies: »Na, Selman, wenn Sie mal Zwillingsschwestern kennenlernen, die gleich gesund, intelligent und wohlhabend sind und Kinder kriegen können, aber die eine ist häßlich, die andere schön, welche werden Sie dann heiraten?« Allgemeines Gelächter!

Erlebnis 6

Die Bauhaus-Familie setzte sich teilweise aus den ausgesprochensten Individualisten zusammen. Kein Wunder, daß in den so widerspruchsvollen dreißiger Jahren Meinungen in schärfster Form aufeinanderprallten, vor allem im Anschluß an Vorträge und Vorführungen von Wissenschaftlern und Künstlern. So kam es im Anschluß an den Vortrag eines Schweizer Architekten im größeren Kreis zu einem Streitgespräch. Dabei unterstützten die »Funktionalisten« nachhaltig den Redner, wogegen ein großer Teil der Studenten mit nicht allzu großem Erfolg protestierte, bis Howard Dearstyne die wirklich gute Kleidung des Redners, einschließlich der eindrucksvollen roten Krawatte, lobend beschrieb und die Gegenseite um Aufklärung über die Funktion der Krawatte bat.

Bei Diskussionen und Erlebnissen dieser Art konnte man nicht erwarten, daß die verschiedenen Gruppen zu einer Übereinstimmung kamen. Dafür waren die politischen und weltanschaulichen Verhältnisse zu verschieden. Trotzdem, ohne die Bereitschaft zur Stellungnahme wäre das Bauhaus kein Bauhaus gewesen. Zerstörerisch wirkten jedoch die vor allem von außen an das Bauhaus herangetragenen und gelenkten politischen Kämpfe. Man konnte die Studentenschaft in zwei Teile teilen, in eine kleinere, jedoch sehr aktive Gruppe mit kommunistischen Tendenzen und in den größeren Rest, der eine starke soziale Grundeinstellung hatte, ohne daß man ihn einer Partei zurechnen konnte. Rechtsradikale Bestrebungen habe ich am Bauhaus nie erlebt.

Bei den verschiedensten Gelegenheiten gab es zwischen der radikalen Gruppe, die dank ihrer Geschlossenheit sehr wirksam auftrat, und den übrigen Studenten schwere Auseinandersetzungen, so zum Beispiel bei der Wahl der Studierenden-Vertreter, bei dem Ausschluß kommunistischer Studenten usw. Verschiedentlich kam es sogar zu Streiks, organisiert von der ›Linken‹. Die letzten internen Auseinandersetzungen entwickelten sich, als ein Komitee der NSDAP des Dessauer Stadtrates unter Leitung von Prof. Schultze-Naumburg die Semesterausstellung im Herbst 1932 besuchen sollte, um festzustellen, ob die gezeigten Arbeiten den weiteren finanziellen Zuschuß der Stadt Dessau rechtfertigen würden. Wir alle wußten, daß das Urteil des NSDAP-Komitees nur negativ ausfallen konnte. Trotzdem waren Meister und der größte Teil der Studenten sich darüber einig, daß die Ausstellung auf jeden Fall wie immer stattfinden müsse. Der ›linke Flügel‹ gab bekannt, daß er nicht ausstellen würde, und verstand es auch, einige unentschlossene Bauhäusler zum »Streik« zu bewegen. Die Ausstellung wurde daraufhin auf einige Räume konzentriert und war ein voller Erfolg. Trotzdem fällte das Komitee, das in einigen Minuten durch die ganze Ausstellung gegangen war, das erwartete negative Urteil, und der nationalsozialistische Stadtrat stimmte, zusammen mit den bürgerlichen Parteien, gegen die Bewilligung der erforderlichen Gelder, womit die Ära Dessau zu Ende ging.

Als ich zum Wintersemester nach Berlin kam, hatten die Umbauarbeiten in dem verlassenen alten Fabrikgebäude, das das neue Bauhaus aufnehmen sollte, gerade angefangen. Wir alle halfen, rissen Wände ein und bauten neue auf. Die finanzielle Lage des Bauhauses war wohl hoffnungslos, der Unterricht konnte nur durch große persönliche Opfer der Bauhaus-Meister aufrechterhalten werden. Niemand wußte, ob die politische Waage sich nach der extremen Rechten oder Linken neigen würde. Trotzdem wurde in diesem halben Jahr nochmals gut und ohne innere Störungen gearbeitet. Es gab ein sehr gelungenes Bauhaus-Fest, das von vielen Freunden besucht wurde. Auch die Semester-Abschlußausstellung war, angesichts der Tatsache, daß das Bauhaus nur in kleinerem Umfang in Berlin wieder aufgezogen werden konnte, ein Erfolg.

Am 11. April 1933, in den ersten Tagen des Sommersemesters, kam dann das Ende. Am frühen Morgen war die Polizei mit Lastwagen vorgefahren und hatte das Bauhaus geschlossen. Bauhäusler, die keinen Personalausweis bei sich hatten (wer hatte das schon!), wurden auf Lastwagen verfrachtet und mitgenommen. Am späteren Morgen trafen sich Herr Hilberseimer, Frau Reich und einige ältere Bauhäusler in sehr niedergeschlagener Stimmung außerhalb des Bauhauses, um zu überlegen, was zu retten sei. An einem der nächsten Tage kam dann eine kleine Gruppe in der Wohnung von Mies zusammen. Wir beschlossen, Eingaben an die zuständigen Stellen zu machen. Vor allem aber wurde beratschlagt, ob eine Verlegung des Bauhauses ins Ausland in Frage komme und wohin. Mies selbst war sehr gegen eine Emigration, er hoffte wohl, wie wir alle, daß sich die NSDAP nach der Machtübernahme in kulturellen Fragen einsichtiger zeigen werde. Und diese Hoffnung war sicher nicht ganz unbegründet, denn kurz danach wurde bekannt, daß der Reichskulturwart öffentlich kundgab, er erwarte, daß Mies einmal den Kulturpalast für Hitler bauen werde. Jahre später erklärte Baldur von Schirach als Reichsjugendführer öffentlich, daß die Bauten der Jugend als Zeugen unserer Zeit in Stahl, Beton und Glas errichtet werden sollten.

Als ich Mies im Herbst 1933 zufällig auf einer Ausstellung in Mailand traf, war bei uns allen die letzte Hoffnung auf eine vernünftige kulturpolitische Entwicklung in Deutschland geschwunden.

Kurt Kranz

Geboren 1910 in Emmerich am Rhein. Neben seiner Lithographenlehre von 1925 bis 1929 in Bielefeld besucht Kranz als Abendschüler die dortige Kunstgewerbeschule. Bereits mit 15 Jahren wendet sich Kurt Kranz ohne äußere Einflüsse der abstrakten Malerei zu und gestaltet 1925 eine Folge von ungegenständlichen Zeichnungen, Aquarellen und Collagen, die er unter dem Begriff ›Abstrakte Formen‹ 1928 bis 1931 in kinetisch geordneten Büchern und einem Leporello zusammenfaßt. Weitere Experimente dieser Art folgen und werden zur Grundlage der Grammatik seiner späteren künstlerischen Ikonographie.

In Kontakt mit dem Bauhaus und dessen Ideen kommt er durch einen Vortrag, den Laszlo Moholy-Nagy im Winter 1929/30 an einem Gymnasium in Bielefeld hält. Noch mehr wirkt auf den jungen Handwerker eine mit dem Vortrag verbundene provisorische Ausstellung von Arbeiten der Bauhaus-Meister, die in der Turnhalle der Schule stattfindet. Moholy-Nagy bestätigt ihm, daß seine abgeschlossene Lithographenlehre die beste Voraussetzung für die Aufnahme am Bauhaus ist. Wenige

337

Monate später, im April 1930, beginnt dann Kurt Kranz sein Studium am Bauhaus in Dessau, zunächst im Vorkurs von Josef Albers, dann in der Reklame-Werkstatt bei Joost Schmidt, dazu belegt er die Seminare bei Paul Klee, das analytische Zeichnen bei Wassily Kandinsky und die Foto-Klasse von Walter Peterhans.

Mit der erzwungenen Übersiedlung des Bauhauses geht Kranz 1932 auch nach Berlin, wo Ludwig Mies van der Rohe kurz vor dem endgültigen Exodus sein Bauhaus-Diplom unterzeichnet. In einer Art Praxissemester arbeitet Kurt Kranz bei dem ehemaligen Bauhaus-Meister Herbert Bayer im Studio der Werbeagentur Dorland am Kurfürstendamm. Statt um Kunst geht es nun um die Gestaltung der Werbung, die, zwar wenig geliebt, dennoch wegweisende Experimente und Resultate hervorbringt, wie z. B. die Titelseiten der Zeitschrift ›die neue linie‹.

Zwischenzeitlich, um 1937, sammelt Kranz erste pädagogische Erfahrungen im Unterricht an der von Hugo Häring geleiteten Reimann-Schule Berlin. Kranz bleibt bei Dorland, bis Herbert Bayer 1939 in die USA emigriert. Er eröffnet ein eigenes Atelier in der Hoffnung, dadurch mehr künstlerisch arbeiten zu können. Doch bald nach Kriegsbeginn wird er eingezogen und kommt 1946 wieder nach Berlin zurück. Hier arbeitet er als Maler und Grafiker, beteiligt sich an Ausstellungen, u. a. auch an der Ausstellung ›22 Berliner Bauhäusler stellen aus‹, 1949. Die Landeskunstschule Hamburg beruft ihn 1950 als Lehrer für die Grundlehre, 1955 wird er an der jetzt in die Hochschule für Bildende Künste umgewandelten Schule zum Professor für Malerei ernannt und tritt 1959 die Nachfolge von Alfred Mahlau an. 1972, nach seiner Emeritierung, widmet er sich verstärkt seinem malerischen Werk, in dem er seine frühen Bildkonzepte mit Reihungen, Strukturen, auch mit Assemblagen, Collagen und Animations-Filmen fortsetzt.

Kurt Kranz hat seit Ende der fünfziger Jahre mehrere Gastprofessuren an amerikanischen Hochschulen wahrgenommen, 1967–68 ist er Gastdozent an der Harvard University in Cambridge (Mass.). Auch an der Nihon-Universität in Tokio hat er als Gast unterrichtet. Nach zwei kleineren Ausstellungen, die noch vor 1933 stattfanden, ist sein Werk als Maler, Fotograf, Kinetiker und Pädagoge ab 1957 in den USA, Kanada, Japan, Frankreich und Deutschland in zunehmendem Maße durch Ausstellungen vorgestellt und publiziert worden. Die Präsentationen stellen überwiegend die Aktualität seines vom Bauhaus ausgehenden Form- und Farbkonzeptes in den Mittelpunkt.

Kurt Kranz lebt und arbeitet in Rosengarten bei Hamburg und in Südfrankreich.

Pädagogik am Bauhaus und danach

Meine Erfahrung mit der Pädagogik, sowohl im Bauhaus Dessau als auch in den Jahren eigener Grundlehre, umfaßt einen Zeitraum von etwa 60 Jahren. Es ist unmöglich, dieses Thema auf einigen Seiten erschöpfend abzuhandeln. So mag man mir Sprünge und Vereinfachungen nachsehen.

Mit 15 Jahren besuchte ich während meiner Lithographenlehre die Abendkurse der Kunstgewerbeschule in Bielefeld. Ich zeigte meinem Professor eine Reihe von aquarellierten Zeichnungen, die ihm den Ausruf entlockten: »Wie Kandinsky«. Dies liegt nun 60 Jahre zurück. Ich entdeckte damals in der Bibliothek die Schwarz-Weiß-Reproduktionen von ›Einige Kreise‹ und ›Akzent in Rosa‹, die mich nicht nur begeisterten, sondern in meiner Arbeit bestätigten.

1929, am Ende meiner Lehrzeit, hielt Moholy-Nagy in Bielefeld einen Lichtbildervortrag. Gleichzeitig waren damals in der Turnhalle des Lyzeums etwa 40 Ölbilder und Grafiken zu sehen. Man stelle sich vor, sie waren einfach an den Sportgeräten befestigt. Dennoch ging von den Originalen eine solche überwältigende Wirkung aus, daß ich mir wünschte, im Bauhaus studieren zu dürfen. Abends nach dem Vortrag sprach ich darüber mit Moholy-Nagy. Er ermunterte mich zu einer Bewerbung in Dessau. Die Professoren der Kunstgewerbeschule warnten mich jedoch: »Dort schüttet man das Kind mit dem Bade aus.«

Im April 1930 schrieb ich mich in Dessau ein. Es war die Ära Hannes Meyer. Inzwischen war ein Teil der Meister nach Berlin gegangen, so Walter Gropius, Herbert Bayer, Marcel Breuer und Moholy-Nagy. Oskar Schlemmer hatte eine Klasse in Breslau übernommen. Mit 20 Jahren saß ich nun begeistert in den Kursen von Josef Albers, Wassily Kandinsky und Paul Klee. Zu Beginn des Semesters hielt Hannes Meyer einen Vortrag, der die Kleinstwohnung und sonstige Weltverbesserungspläne propagierte. Utopische »Farbfilterfenster« und seine Idee vom »Parameter der Funktionen und Materialien« verwirrten mich sehr.

Unmittelbar danach sahen wir Studenten die Versuchshäuser in Dessau Törten völlig unvorbereitet. Vor allem mißfiel das Laubenganghaus, vielleicht mag es eine Vorahnung der späteren Blockwarte gewesen sein, wo jeder jeden kontrollierte. Die politischen Gegensätze spürte man täglich. Die Studentenschaft, etwa 150 Kommilitonen wurden von einer kleinen Kadergruppe ständig beunruhigt. Heilsame Unruhe? Damals empfand ich vor der Wirtschaftsmisere mit sechs Millionen Arbeitslosen und den aufkommenden Nationalsozialisten alles andere als Ruhe, sondern tiefgehende Angst, Pessimismus vor diesem hoffnungslosen Bild. Ich sah kein Entrinnen. Ich stürzte mich in das Studium bei Albers und in das analytische Zeichnen bei Kandinsky. Trotz der Warnungen der älteren Semester drängte es mich in die Seminare von Klee und Kandinsky. Hannes Meyer riet uns Vorkurslern, nicht in die Natur, die Elbauen auszuweichen, sondern die Tageszeitungen zu lesen. Dies nun ausgerechnet mir, dem »Wandervogel«.

Der »Wandervogel« war jene Jugendbewegung, die sich 1905 mit einer Flucht in die Wälder gegen die feste, bürgerliche Ordnung wehrte. Ich erlebte diese Bewegung als eine Art Waldmystik mit Lagerfeuern, mittelalterlichen und sozialistischen Kampfliedern, die in eine neue Naturgläubigkeit einmündete. Nach dem Ersten Weltkrieg bildeten die »Wandervögel« ein vielfach zersplittertes Spektrum, das sich vom Anarchismus bis zum biederen Volkstanz-Kreis auffächerte. Man war romantisch, sektiererisch, vegetarisch, rohkostessend, syndikalistisch, utopisch, pantheistisch und immer »dagegen, egal gegen was«.

In Dessau fand ich vieles davon wieder, verbrämt durch modische Wissenschaftsgläubigkeit und sozialistische Weltverbesserungsideen. Unter Hitler wurde die Wandervogel-Bewegung mit der Hitlerjugend gleichgeschaltet. Nur »Brausi« und »Bubo« (»Brauchtum und Sitte« und »Blut und Boden«) erinnerten entfernt an die alte Bewegung. Heute, nach 80 Jahren, ist eine ähnliche Naturgläubigkeit zu beobachten. Diesmal glauben die Grünen an den Wald. Offensichtlich wirkt Rousseaus »Zurück zur Natur« in Deutschland anders als in den romanischen und den angelsächsischen Ländern. Hannes Meyers Warnung erscheint mir heute noch als berechtigt.

Wir lebten in winzigen Dachstuben und bescheidenen Zimmern der Kleinstwohnungen, die die Junkers-Werke ihren Arbeitern gebaut hatten. Zumeist fehlten uns die Mittel, um satt essen zu können. In der Kantine des Bauhauses riß die Diskussion nicht ab. Dort lernte ich viele Ideologien kennen, vom Anarchosyndikalismus bis hin zur fernöstlichen Weisheit und der gängigen Parole der Diktatur des Proletariats. Wir standen auf Agitprop-Wagen, verspottet von der arbeitenden Bevölkerung, die uns in unserer funktionalen Haartracht zutiefst mißtraute. Man lernte rasch, die politische Propaganda einzuschätzen. Im Vergleich zur unergiebigen Diskussion über den deutschen Expressionismus und den Kubismus begeisterte uns das brandneue ›Surrealistische Manifest‹ von 1929. Die beiden Gegensätze, einerseits die abstrakte Malerei Kandinskys und Mondrians ›Neoplastizismus‹ und zum anderen die Malerei der Surrealisten, wurden durch Paul Klee überbrückt.

Überall gab es im Bauhaus etwas zu lernen. Die Korrekturen in den Klassen waren offen, man verglich Probleme der Architektur mit denen der Weberei oder der Werbepsychologie. Das war das Charakteristische der Bauhaus-Pädagogik, daß jeder Bauhäusler an den verschiedenen Fachrichtungen teilnehmen konnte, um mit anderen Problemen konfrontiert zu werden. D. h. jeder Student konnte in jedem Fach mitdenken. Die Kantine aber, wo die ›Weltbühne‹, der ›Minotaurus‹ und ›La femme 100 têtes‹ friedlich nebeneinander lagen, war der Platz, an dem in hitzigen Diskussionen die konträren Ideologien offen aufeinanderprallten. Ich empfand diese Debatten wie eine endlose Reihe von Wechselbädern.

Ich wollte im Bauhaus abstrakte Filme machen... es gab keine Filmklasse... Im Wintersemester 1930/31 erfuhr ich in einem Filmvortrag von Hans Richter, daß es den abstrakten Film bereits gab. 1924 hatte er seinen Film ›Rhythmus 21‹ und Viking Eggeling die ›Diagonal-Symphonie‹ gemacht. So begeistert ich mit 20 Jahren von der Idee des abstrakten Films war, so zutiefst erschütterte mich, daß meine naiven Vorstellungen, meine Utopien längst erfüllt waren oder zumindest, daß ich sie mit anderen teilen sollte.

Latent vorhandene Utopien, Strömungen oder Erfindungen können in etlichen Köpfen zu gleicher Zeit entstehen. Das lernte ich jetzt. Ich zeigte Hans Richter meine in Buchform geordneten Filmentwürfe von 1928–29 und erfuhr, daß die Animationsfilmtechnik noch im Experiment war. 1931 setzten sich nur wenige Künstler, wie z. B. Oskar Fischinger, Walther Ruttmann, Werner Graeff und Moholy-Nagy mit dem abstrakten Film auseinander. Bis heute ist dieses Gebiet ein offenes Feld geblieben. Warum? Die enormen Kosten bilden eine Schwelle und ›L'art pour l'art‹ die andere. Dies war für mich abermals ein tief einschneidender Lernprozeß.

Im zweiten Semester erlebte ich die Musiker des Leipziger Konservatoriums auf der Bauhaus-Bühne in Dessau. An vier Abenden gaben sie eine Einführung und Analyse zeitgenössischer Kompositionstechniken, z. B. von Bartok, Strawinsky und Schönberg, dessen Zwölftontechnik an einem einfachen, bekannten Liedbeispiel demonstriert wurde. Dort hörte ich auch zum erstenmal von der Freundschaft Kandinskys zu Schönberg. Kandinsky befand sich ebenfalls unter den Zuhörern.

Durch die lebhafte Diskussion der älteren Studenten erfuhr ich von den Lichtspielen Hirschfeld-Macks, den mechanischen Bühnen von Andreas Weininger und Kurt Schmidt sowie von der Bühnenkomposition Kandinskys zu Mussorgskis ›Bilder einer Ausstellung‹ in Dessau.

Nach dem Fortgang Oskar Schlemmers betreuten Joost Schmidt und der Student Emil Galandi die verwaiste Bühnenwerkstatt. Jene bizarre Welt mit den Negativ-Formen der Schlemmer-Masken und den geometrischen Durchdringungen Joost Schmidts, jene verzaubernde Atmosphäre und nicht zuletzt die Stille zogen mich an, um dort zu arbeiten. Ich modellierte einen Torso, den ich mit Hilfe von Galandi bis zum Gipsguß durchführte.

Viele namhafte Künstler besuchten 1931 das Bauhaus. So erinnere ich mich, daß Gret Palluca, eine Schülerin Mary Wigmans, uns junge Studenten während eines Gastspiels auf der Bauhaus-Bühne mit ihrem expressionistischen Ausdruckstanz, mit ihren hohen Tanzsprüngen außerordentlich begeisterte. Andererseits trauerten wir Schlemmers klassischer Ordnung nach. Zu den Besuchern gehörten auch der aus Paris kommende Amédée Ozenfant aus dem Umkreis von Le Corbusier und ›L' Esprit Nouveau‹, der Fotograf Alfred Eisenstein aus New York und der Komponist und Pianist Henry Caol aus den USA, der mit Ellenbogen und Fäusten seine »mechanic motion« wie eine Aktion darbot. Manchmal fragte ich mich nach dem Sinn der vielen Unruhe, die durch Exkursionen noch verstärkt wurde. Es war die Öffnung zur Welt des internationalen Geschehens. Die provinzielle Beschaulichkeit war am Bauhaus unerwünscht.

Die Liste des Lehrkörpers und der Studentenschaft weist mehr als ein Drittel Ausländer auf: Amerikaner, Dänen, Holländer, Jugoslawen, Rumänen, Russen, Schweden, Tschechen, Ungarn, um nur einige zu nennen. Die tägliche enge Berührung durch das Lehrer-Schüler-Verhältnis 1:15 setzte weitere Lernprozesse in Gang, so daß das Studium in ständiger Spannung eingebettet war.

Albers galt, wie die meisten Bauhäusler es bestätigen, als ein ruhender Pol. Sein Vorkurs führte uns in die Welt der Materialien, in Struktur, Textur und Faktur ein. Seine Anleitung zur Erfindung neuer Arbeitsprozesse mündete in einer Fähigkeit zu erfinden. Seine Gleichung von Aufwand und Wirkung ist heute noch gültig. Jeder Bauhaus-Meister wurde von uns vor seinem Werk gesehen. Albers' Œuvre zeigte, wie mit ästhetisch-ökonomischer Art ein Reichtum der Bezüge entstand. Seine Formumsprünge und die sich gegenseitig fördernden Farben in seinen Glasbildern sind dafür ein Beispiel. Den »Werklichen Formunterricht« hat Josef Albers selber programmatisch beschrieben (bauhaus, Jahrgang 2/1928).

Er regte neue Arbeitsmethoden an, deren Ziel die Erfindung war. Damals, 1930, erweiterte er mit neuen Materialien, z. B. mit fototechnischen, lichtempfindlichen Papieren den Kurs. Die Prinzipien, die Albers im Unterricht durchhielt, waren hart. So wurden alle Arbeiten einem strengen Vergleich ausgesetzt. Ein Katalog von Bewertungen, die uns schwer einleuchteten, ... provozierte uns. Albers lehrte härteste Konkurrenz. Eine Arbeit, die als abgeschlossen galt, ging an den über, der sie grundsätzlich verbesserte. Kein Zweifel, Albers hat mich sehr geprägt und ganz besonders meine spätere pädagogische Arbeit.

Das analytische Zeichnen und das Seminar bei Kandinsky genoß ich als mein eigentliches Anliegen. Heute noch sind einige

Studien der damaligen Zeit in meinem Besitz. Kandinsky suchte hinter den Dingen die Essenz, und wir fanden komplizierte geometrische Bezüge, die sich, auf das Äußerste reduziert, als Grundformen entpuppten. Die Einflüsterungen älterer Semester, um uns in der Sache irre zu machen, verfingen nicht. Das einzige, was ich damals vermißte, war eine strukturale Behandlung der Analyse.

Ich kam mit meinen Filmentwürfen zu Kandinsky. Er fand die in Buchform vorliegenden Entwürfe so gut, daß er sie veröffentlicht sehen wollte. Sein Plan, einen bestimmten Mäzen zu finden, zerschlug sich in jener Wirtschaftsdepression 1930/31. Kandinskys Seminar wich von den Berichten der älteren Semester völlig ab. Die systematischen Übungen und die reine Theorie fanden nicht mehr statt. Die Kenntnis seiner grundlegenden Werke, z. B. ›Punkt und Linie zur Fläche‹ setzte er voraus. Wir brachten unsere zu Haus angefertigten Arbeiten in den Seminar-Raum wie zu einer Korrektur. Kandinsky wählte einige Arbeiten aus und begann seine Analyse mit der Frage nach dem Gleichgewicht. Er beschrieb die Akzente und ihre Funktion und das Verhältnis der Spannungen einzelner Formgruppen zueinander. Sehr sachlich untersuchte er die Mittel, Farben und Formen, bis hin zur Maltechnik, ihn interessierte die Wirkung der Simultanfarben an den Rändern farbiger Akzente. Die äußerste Spannung sah er, wenn unter der kalten Schicht Heißes verborgen war oder umgekehrt. Nie hat mich sein Suchen nach kosmischer Ordnung und die Wirkung der Formen und Farben in ihrer inneren Notwendigkeit losgelassen. Seine reiche Erfahrung sah jede subtile Nuance, meldete Wünsche an, äußerte Kritik, ja Korrektur, die immer hilfreich und sachlich war. Seine Wünsche wurden zu Aufgaben, die man für sich selbst durchführte und prüfte. Unmittelbar fühlte man die Größe seiner Persönlichkeit. Gelegentlich steigerte er sich zu Voraussagen: »Sie, meine Damen und Herren, werden es erleben, daß abstrakte Skulptur und Malerei einen dauernden Einfluß haben werden. Sie werden abstrakte Bühnenbilder sehen, abstrakten Film, abstrakten Tanz, abstrakte Poesie.«

Das 1930 zu konstatieren, ist wahrhaft prophetisch. Kandinsky war damals 65 Jahre alt. Ich stand und stehe Kandinsky mit großer Achtung gegenüber. Die damaligen Querelen durchschaute ich nicht. Heute, nach 50 Jahren, ist das Wirken Kandinskys in Moskau am Institut für künstlerische Kultur aus der Literatur bekannt. Auch dort, im »Inchuk« gab es Kämpfe, die damit endeten, daß Kandinsky nach Deutschland auswich. Sollte sich das wiederholen? Eine böse Erfahrung für alle unpolitischen Menschen. Es hat sich wiederholt, sehr schnell sogar!

Klees Seminar im späten Bauhaus, kurz vor seinem Ruf nach Düsseldorf: Auch in diesem Seminar gab es keine Systematik mehr, aber vielfältige Theorie in seinen Analysen. Die fortschreitende Bildanalyse, die Schicht um Schicht der bildnerischen Mittel analysiert, ist ein bis heute noch nicht für die Pädagogik ausgenutztes Verfahren. Die Bildschichten, die Klee »abhob«, betrafen sowohl die Strukturen als auch die Formfamilien. Seinen berühmten Formentwicklungen fügte er die Farbräume und vieles andere hinzu, bis er schließlich mit mehreren Bedeutungsebenen endete. Für uns alle schien dies völlig neu. Es waren Erkenntnisse, die den Gestaltungsprozeß kontrollierbar machen, ohne die Intuition dabei zu verlieren. Soweit ich mich erinnere, stellte Klee kaum Aufgaben und wenn, dann überprüfte er sie nicht. Sein Verfahren, kleine und kleinste Flächen im Gitter als kontrollierbare Gestalten in die Malerei einzubringen, liefert uns eine neue ästhetische Dimension unserer in Bits aufgeteilten Welt.

1929 hatte ich mir Klees Pädagogisches Skizzenbuch gekauft. Jetzt aber ging mir innerhalb der Analysen der Sinn seines bildnerischen Denkens auf, so z. B. seine Regel von der Linie, die sich aktiv, medial und passiv verhält. Diese Regel stellte er in Form eines Unendlichkeitszeichens dar. Nur langsam begann das mystisch komplizierte Denken Klees dem Zwanzigjährigen einzuleuchten. Klees unendlich reiches Wissen ist kaum übertragbar, geschweige denn lehrbar.

Das erste Semester in Dessau war eine Öffnung ins Unendliche. Man verlor den Boden unter den Füßen und gewann ein neues Ziel, die Bauhaus-Idee. Kunst und Anwendung, eine Symbiose, endlich eine freie Arbeit, die in die Praxis einmündete.

Als Lithograph bot sich mir die Reklamewerkstatt von Joost Schmidt an. Es war ja keine Filmklasse vorhanden. Meine vierjährige Erfahrung in der Offset-Druckerei hatte mir die »Werbekunst«

suspekt gemacht. Ich haßte sie und war nun auf sie angewiesen. Das Angebot der Klasse Schmidts war außergewöhnlich. In Walter Peterhans hatten wir einen Fotolehrer der Avantgarde. Hinzu kam der Werbefachmann Meyer-Mark mit einer Serie von Vorlesungen, die als Information über die derzeitige Praxis gedacht war. Psychologie, besonders die Gestalt-Psychologie, wurde als Studium generale veranstaltet. Der Dozent war Karlfried Graf von Dürckheim. Das komplexe Angebot wurde durch Joost Schmidt mit seiner Klasse und der Druckwerkstatt zur Reklame verbunden.

Ich brachte ein starkes Interesse an der Systematik mit ans Bauhaus. Die Formreihen sind dafür ein Beispiel. So kam mir der systematische Kurs bei Joost Schmidt entgegen. Eine der vielen Übungen sind mir heute noch geläufig. Es ging darum, zu neun gegebenen gleichen Formen (Figuren) sich analog verhaltende Variationen zu finden, ein vernünftiges Training mit einer gebundenen Phantasie. Damals waren Schriftstudien eine wichtige Sache. Im Bauhaus hatte Herbert Bayer seine Schrift schon sehr weit entwickelt, Albers hatte gerade seine Schablonenschrift veröffentlicht. Joost Schmidt arbeitete an einer phonetischen Zeichenschrift. Aber auch außerhalb des Bauhauses war die Schrifterneuerung durch Jan Tschichold sehr weit getrieben. Diese Schriftversuche und alle anderen Schrifttypen gehören heute der Nostalgie an, sie sind von der funktionalen Computerschrift abgelöst.

Joost Schmidt arbeitete seinerzeit an Schautafeln und Ausstellungskojen. Er war Bildhauer. So entstanden räumlich-plastische, begehbare Reklamegebilde. Der Betrachter wurde optisch geführt. Neue Techniken, wie z. B. die Collage, das Großfoto, die transparente Projektion, das Neonlicht und die Schrift fanden ihre Verbindung im Gesamtkunstwerk. Joost Schmidt war nicht allein. Xanti Schawinsky, Laszlo Moholy-Nagy und Herbert Bayer arbeiteten auf dem gleichen Gebiet. Diese Arbeiten fußten sowohl auf dem Futurismus als auch auf dem Konstruktivismus. Für uns Studenten mit eigenen Entwürfen, mit utopischen Modellen, bedeutete dies ein Eindringen in ein neues Feld.

In der Druckwerkstatt war eine typographische Ausbildung vorgesehen. Ich aber begann damals mit dem Satzmaterial konstruktivistische Kompositionen zu bauen und zu drucken. Ich entfremdete die Abzugspresse und machte Natur-Selbstdrucke. Vielleicht ahnte ich das Absterben der Typographie, da ich ja erlebt hatte, wie die Lithographie durch die Foto-Reproduktion ersetzt wurde. Tatsächlich ist heute die Typographie durch die elektronische Technik abgelöst worden. Statt dessen verwendete ich meine Zeit und Kraft, um Fotomontagen und zwei Filmentwürfe zu machen, das ›Leporello‹ und den ›Heroischen Pfeil‹.

Der Kurs bei Peterhans erschien den meisten Studenten sehr technisch-mathematisch. Er widmete den chemischen Prozessen viel theoretisches Interesse. Wir folgten den Berechnungen der Objektive nur unvollkommen, da wir zumeist große Lücken in der Mathematik hatten. Daraufhin erteilte uns Walter Peterhans Nachhilfeunterricht in der Algebra.

Ich zog mich zurück auf mein Interessengebiet der Sequenzen und fertigte Reihenaufnahmen an, die ich zu Augen-, Münder- und Handgesten-Feldern montierte. Mein ›Selbstporträt in Abwehrgesten‹, der Höhepunkt dieser Serie, demonstriert meinen Seelenzustand als Zwanzigjähriger.

Im Bauhaus war Teamwork völlig natürlich. Wie sollte ich auch ohne Modell die Foto-Reihen machen?! Mit dem Kommilitonen Kurt Schmidt ahmte ich das Repro-Raster-Verfahren in sehr groben, von uns hergestellten Rastern nach. Diese Neugier erbrachte einen unerwarteten Erfolg. Ich setzte die endlos variierenden Punktgrößen in einer numerischen Skala fest und erfand ein System, das sich für Setzmaschinen und Großbilder eignete. Josef Albers nannte mir seinen Patentanwalt in Berlin. Nach einem Jahr, 1932, wurde mir das Reichspatent verliehen.

Die Pädagogik des Bauhauses zeigte ihre Wirkung. Aus dem freien Umgang mit den Mitteln entwickelte sich ein praktisch nutzbares System.

Die Vorlesungen des Werbefachmannes Meyer-Mark waren für uns außerordentlich aufschlußreich. Nicht nur, daß sie unsere Zweifel bestätigten, uns wurde klar, daß mit fortschreitender Entwicklung der Testverfahren, der Marktuntersuchungen, solche Einengung der Zielgruppen mit ihrem Niveau letztlich die grafische Darstellung bestimmen würde. Wir jugendlichen Weltverbesserer fanden dies als eine erniedrigende Anpassung. Unser Schlachtruf war: »Reklame verdirbt den Charakter.« Die sozialistische Utopie schien uns damals die Lösung.

Ein seltsamer Theoretiker, der Werbwart Weidenmüller (siehe: bauhaus 1/1928), mit seinen an Heidegger gemahnenden Wortschöpfungen wurde diskutiert. Seine Begriffe: »Anbietarbeit, der Empfer, die Bedarferschaft, die Wirkteile« etc. verwirrten zwar unseren Sinn, aber seine Vorstellung von einem utopischen System, in dem Produzent und Verbraucher alle Produkte in einem synchronlaufenden Verteilersystem austauschen, erschien uns einleuchtend.

Wir sahen vor uns ein konstruktivistisches, farbig geordnetes, organisatorisch gegliedertes Gebilde, ähnlich den heutigen Supermärkten, aber ohne jede Werbung. Viel Imponiergehabe und Sex waren auch damals schon in der Werbung. Max Bill sagte einmal treffend, daß die Werbung und das Design »Kosmetik für die Industrie« seien. Noch ahnte ich nicht, daß die Werbung mich einmal über Wasser halten würde.

Die Ganzheitstheorie und die Ganzheitspsychologie beschäftigen mich noch heute, jene Entdeckung von Ehrenfels, Katz und Koffka, die uns Graf von Dürckheim so eindringlich nahebrachte. Selbst die härteste Diskussion im Carpenter Center in Harvard konnte am Prinzip »das Ganze ist mehr als die Summe seiner Teile« nichts deuteln. Vieles in der heutigen Mikrobiologie bestätigt den Gestaltbegriff im ganzheitlichen Sinne. In Harvard als Gastdozent lernte ich das Problem der Grundformen neu zu durchdenken. Statt der platonischen Formen standen nun die »Pattern in nature« mit ihren Spiralen, Symmetrien, Verzweigungen usw. im Vordergrund. Die Morphologie d' Arsy W. Thompsons und Peter S. Stevens sei hier genannt. Seitdem sehe ich die gesamte künstlerische Arbeit parallel zu den Grundformen der Natur.

In Dessau hatten wir uns bis über beide Ohren in die Arbeit gestürzt, um die heraufziehende Katastrophe nicht zu sehen. 1932 war sie da! Das Studium mußte abgebrochen werden. Das Bauhaus wurde geschlossen. Das Hitler-Regime warf seine Schatten weit voraus. Als Privatschule sollte das Bauhaus in Berlin unter Mies van der Rohe in einer Telefon-Fabrik weiterarbeiten. Erst nach der zweiten Hausdurchsuchung durch die Sicherheitspolizei sah ich die Unmöglichkeit, sich gegen die Nazis durchzusetzen, ein. Mein Studium aber konnte weitergehen. Josef Albers empfahl mich Herbert Bayer, in dessen Studio ich zum Außensemester unterkam. 1933 löste sich das Bauhaus auf, und Mies van der Rohe unterschrieb mein Bauhaus-Diplom. Ich stand jetzt vor der Entscheidung, das Gelernte anzuwenden oder in der Praxis zu lernen. Es stellte sich heraus, daß ich für die Arbeit im Studio Dorland sehr gut vorbereitet war. Sechs Jahre lang blieb ich bei Herbert Bayer, ehe ich mich selbständig machte. Die Themen und Arbeiten dieser Zeit sind sehr ausführlich im Katalog des Bauhaus-Archivs ›Herbert Bayer – Das künstlerische Werk 1918–38‹ von Magdalena Droste dokumentiert (1984).

Was lernte ich in dieser Zeit? Reale Aufgaben zu lösen, Herbert Bayers Entwürfe auszuführen und in Serien zu variieren, die Technik der Reproduktionsvorlagen, die Führung der drei bis sieben Mitarbeiter, den Umgang mit den Kunden, Textern und Druckern. Das Studio Dorland war eine Oase in der kommerzbestimmten Berliner Werbelandschaft. Aus den Annoncenexpeditionen entstanden nach amerikanischem Muster die Werbeagenturen. Ihr Interesse galt der Markterweiterung und der Gewinnsteigerung. Dafür war jedes Mittel recht. Die Zielgruppen bestimmten das Maß aller Dinge. Künstlerisch-Grafisches störte nur noch. Die Gebrauchsgrafik sitzt seitdem zwischen zwei Stühlen, zwischen der Werbung und der Kunst. Die grafische Arbeit des Studios Dorland wirkte im Sinne des Bauhauses bildend, und hätte sie mehr Zeit gehabt, wäre es sehr interessant zu sehen, ob sie sich hätte durchsetzen können. Sowohl Herbert Bayer als auch ich suchten in der freien Malerei ihr Feld. Die intellektuellen Spötter des Kurfürstendamms sahen das anders: »Die Reklame schlachtet alle Ismen aus«, und »die Bayer-Wölkchen tuen es auch nicht«.

Herbert Bayer stand in unmittelbarem Kontakt zu den Surrealisten. Er machte mit Salvador Dali zusammen seinen Winterurlaub in Obergurgl. Inzwischen führte ich das Studio. Die große Surrealisten-Ausstellung 1937 in Paris färbte auch auf mich ab. Ich begann eine Suite ›Bandolina und der Harlekin‹ zu malen, die sich zu einer symbolistischen, cartoonartigen Reihe entwickelte. Im Studio Dorland begegneten mir viele Meister und Studenten des Bauhauses: Ise und Walter Gropius, Marcel Breuer, Moholy-Nagy und Xanti Schawinsky, der oft mit uns im Studio arbeitete. Von den älteren Bauhäuslern sind mir Marianne Brandt und Otti Berger im Gedächtnis geblieben. Oft halfen mir meine Kommilitonen Albrecht Heubner und Max Gebhardt.

Es gab damals in Berlin eine zweite Ebene, die der Assistenten der Bauhaus-Meister, die untereinander im Gespräch waren: Wils Ebert bei Gropius, Herbert Hirche bei Mies van der Rohe, die Brüder Hannes und Henny Neuner bei Moholy-Nagy, Gustav Hassenpflug bei Marcel Breuer und ich bei Herbert Bayer. Untereinander tauschten wir Informationen aus. Alle Assistenten blieben in Berlin zurück, als die Meister in die USA emigrierten. 1938 ging Herbert Bayer nach England, und ich machte mich im eigenen Atelier selbständig, um zu malen. Bereits ein Jahr später beerdigte der Krieg diese Hoffnung.

Kurz vor Ausbruch des Krieges, ich war schon selbständig, flakkerte für die Bauhaus-Pädagogik noch einmal Hoffnung auf. Hugo Häring hatte die Leitung der Reimann-Schule in Berlin übernommen und berief mich für eine Klasse, in der eine Art Mischung aus Grundlehre und Naturstudium betrieben werden sollte. Diese kurze Lehrtätigkeit bestätigte mir mein pädagogisches Talent und ermutigte mich später.

Was hatte ich nun in der Praxis gelernt? Eine winzige Funktion im Wirtschaftsablauf zu gestalten, gewissermaßen das glättende Kugellager zwischen Produktion und Verbrauch zu bilden. Die Nazis zeigten den Mißbrauch der Werbung und Propaganda täglich. Sie war der Grund für die Scheinblüte der Wirtschaft, die abrupt in die Kriegswirtschaft überging. Die Jahre 1940–45 waren eine verlorene Zeit, ein steter Kampf um die nackte Existenz im Griff des Militärs. Man mußte die darwinistische Lücke erwischen, um überleben zu können, um der Selektion zu entgehen. Es gelang. 1946–48 vegetierte man in Berlin unter dem Motto: »Wir sind noch einmal davongekommen.« Das künstlerische Leben begann mit der Gründung eines Künstleraktivs und einer anschließenden Ausstellung mit den Werken von 22 Bauhäuslern. Trotz

Hunger und Schwierigkeiten, z. B. der unwürdigen Kontrollen in der S-Bahn, arbeitete ich mit Hans Szym an einer Farbpraxis, die ich im Bauhaus vermißt hatte. Die Arbeit an der Suite ›Bandolina‹ stagnierte und blieb schließlich Torso.

Inzwischen, 1937, war »The New Bauhaus« von Moholy-Nagy in Chicago gegründet worden. Nur spärlich erreichten Nachrichten die Berliner Bauhäusler über diesen Versuch. Erst mit dem Buch ›Vision in Motion‹, 1947, wurde die Arbeit Moholys bekannt. Heute gibt der Katalog der Bauhaus-Archiv-Sammlung einen guten Überblick über die Arbeiten des New Bauhaus. Neues Material, wie z. B. Plexiglas und die Verwendung von Lichtmodulatoren, zusammen mit dem Studium neuer Arbeitsprozesse der seriellen Konstruktion, öffneten seitdem ein neues Feld. In ›Vision in Motion‹ tauchen auch Textanalysen auf, die eine notwendige Erweiterung der Grundlehre sind. Mit dem Tode Moholy-Nagys entstand eine große Lücke, bis dann 1949 die Schule als Institute of Design unter der Leitung von Mies van der Rohe angegliedert wurde. »Visual training« hieß dort die Grundlehre. Mies van der Rohe baute 1965 die Crown Hall, eine Architektur von großer Schönheit. Während des Bauhaus-Symposiums in Chicago besuchte ich 1970 den Bauhäusler Howard Dearstyne in der Crown Hall. Vom Geiste des Bauhauses war hier wenig zu spüren, sie wirkte wie ein großes Architektenbüro.

1949. Aus dem Lernen wurde Lehren. Gustav Hassenpflug, der Direktor der Landeskunstschule, berief mich für die Grundklasse nach Hamburg. Mir wurde klar, daß der »Werkliche Formunterricht« mein Anknüpfungspunkt sein würde, den es Schritt für Schritt zu erweitern galt. Im Bauhaus war der Vorkurs eine Vorstufe, die, war sie einmal bestanden, den Studenten nahtlos in die Werkstätten und Klassen führte. 1949 wurde mir auch klar, daß es schwer sein würde, hier in der Landeskunstschule Hamburg mit ihrem heterogenen Lehrkörper und ihrem Klassensystem die Grundlagen für alle zu vermitteln.

Nach dem ersten Semester fand die Ausstellung der Grundklasse denn auch bei den Bauhäuslern im Lehrkörper, Gustav Hassenpflug, Else Mögelin, Otto Lindig, Fritz Schleifer und Wolfgang Tümpel – alle zumeist Weimarer Bauhäusler – eine sehr gute Resonanz. Ich faßte meine pädagogische Aufgabe als eine Grundlagenforschung der Gestaltung auf. Auch machte ich vor meiner eigenen künstlerischen Arbeit keinen Halt, meine Probleme waren gleichzeitig die Aufgaben der Studenten. Wir arbeiteten gemeinsam, denn es gab und gibt im »Basic Design« keinen ›Lehrstoff‹.

Der Idealfall des Lehrens und Lernens scheint mir dann erreicht, wenn eine unbändige Neugier und eine umfassende Liebe sich ergänzen. Neugier als Motor, Liebe als ethische Haltung und das Talent als eine besondere Gerichtetheit der Person. Natürlich fußte ich auf Albers, Klee und Kandinsky. Mir war klar, daß neue technische Entwicklungen mit ihren neuen Materialien andere Ziele, neues funktionales Gestalten erfordern würden. So stellte ich erweiternde Aufgaben, die der Verwandlung unseres Zivilisationsbildes, dem Wandel entgegenkamen. Ich begann mit der Transformation von Naturformen. Die sich ergebenden Formen bilden die Basis für neue Formverwandlungen (Variationen) unter Berücksichtigung der Reihentechnik; Übungen in allen Verfahren, in flächiger, illusionärer, räumlicher und plastischer Darstellung, das Übersetzen materialer Formen in andere Materialien und das Verformen durch Licht rundeten die transformatorischen Aufgaben ab.

Weitere Aufgaben waren: Verwandlung durch Kombinatorik, Struktur und Gitter, Gestaltbildung mit Elementen im Netz, Faltobjekte kombinatorischer Art, virtuelle Volumen mit fotografischen Mitteln darzustellen sowie die im Bauhaus vermißte Farbpraxis. Wichtig war mir, daß sich meine Studenten im gesamten Kunstraum orientierten. Bazon Brock gab ihnen 1951/52 eine Übersicht der poetischen Verfahren, der konkreten Poesie und stochastischer Texte etc. Der Komponist G. Maas stellte die neuen statistischen und elektronischen Verfahren vor, zu den Notationen von Stockhausen und Haubenstock-Ramati mit ihren grafischen Darstellungen erfolgte eine anschauliche Einführung. Durch Max Bense und seine Informationsästhetik hatten die Studenten engen Kontakt zu zeitgenössischen, wissenschaftlichen Hypothesen. Mein damaliges Programm ist in ›Kurt Kranz‹, 1960, Museum für

Kunst und Gewerbe, Hamburg (Hans Christians-Verlag) abgebildet und kommentiert.

1960 entwickelte ich eine Idee der permanenten Grundlagenforschung. Im Lehrbetrieb der Kunsthochschule sollte eine Abteilung eingerichtet werden, die für alle Fächer zugänglich wäre (für alle Semester). Hier sollten die Grundprobleme der Gestaltung untersucht werden, ein Studiengang, der eher einem freien Experimentierraum als einer Lehrveranstaltung gleichen sollte. Dieser utopische Plan wurde während der Auflösungszeit der Grundklassen häufig diskutiert.

An Plänen zur Erneuerung der Bauhaus-Pädagogik hat es nicht gefehlt. 1953 ist in Ulm die Hochschule für Gestaltung gegründet worden. Sie sollte über das Bauhaus hinausführen. Über den Werkbund und Max Bill kam ich 1954 mit dieser Schule in Kontakt. Sie war noch im Aufbau begriffen. Visuelle Kommunikation, Informationstheorie, Produktform waren neue Begriffe, die sich noch mit Inhalten füllen mußten. Der Parameter von Hannes Meyer fand eine notwendige Erweiterung um soziologische und andere Daten. Sehr erfolgreich waren die Produktgestalter, die in sehr kleinen Gruppen auch außerhalb der Schule arbeiteten. Studenten meiner Grundlehre in Hamburg, die mir geeignet schienen, schickte ich damals zu Max Bill. Sie sollten sich in einem Bauhausähnlichen Klima entwickeln.

Das Echo auf meine Arbeit an dem inzwischen zur Hochschule gewordenen Institut hatte sich verbreitet, so daß ich 1956/57 als Gastdozent nach Amerika berufen wurde. Die Zusammenarbeit mit dem Faculty Staff in New Orleans unter George Rickey war herzlich und begeistert. Mit vier Assistenten und 120 Studenten war ich gezwungen, mein Programm den amerikanischen Verhältnissen, sprich dem dortigen Pragmatismus, anzupassen. Der Erfolg gab mir recht. Meine Lehrtätigkeit ist u. a. von David Farmer in The Art Gallery, Oktober 1973 gewürdigt worden.

1956 besuchte ich Josef Albers an der Yale University. Er war dort Head of the Art Department. Seine Schüler und er entwickelten Beispiele für die »Interaction of Color«. Als der letzte Schrei in New York galten damals Action Painting, Happening und Abstract Expressionism. Josef Albers arbeitete mit seiner ›Hommage to the

Square‹ gegen den Strom. Seine unverändert heftige Aversion gegen das Genialisch-Zufällige beeindruckte mich sehr.

Weitere Gastdozenturen nahm ich in Amerika und Japan an, zuletzt 1966/67 in Harvard, Cambridge, Mass. Das ›Basic Design‹ hatte damals seinen großen Ruf. Aber fast immer fehlte die Weiterführung in einem gleichgesinnten Kollegium. Eine Bauhaus-Pädagogik an sich gibt es gar nicht. Sie ist nur dann wirksam, wenn sie auf die zielgerichtete Tendenz einer Gruppe trifft. Für Albers war der Weg, der Lernprozeß, die entscheidende Leistung und die übriggebliebene Draht- oder Papierplastik sekundär. Fast in allen Schulen, in denen Grundlehre praktiziert wurde, standen jetzt diese reizvollen Ergebnisse wie einstmals die Gipse in den Akademien herum.

In Dessau berichteten mir ältere Semester von der Grundlehre Moholy-Nagys in seiner Metallwerkstatt und vom Vorkurs Ittens in Weimar. Diese Kurse lagen noch nicht sechs Jahre zurück und waren im späten Bauhaus bereits durch Albers verdrängt. Über eine Erneuerung der Bauhaus-Pädagogik habe ich mich auf dem Bauhaus-Symposium in Bottrop 1983 geäußert, nachzulesen in ›Werk und Zeit‹, 3, 4/1983.

Viele Ismen sind seitdem ins Land gegangen und verbraucht worden. Ihre zunehmende Auflösungstendenz, ihr Verflüchtigungsgrad in Gesten, im ›Conceptual‹, das erklärte Desinteresse der Antikunst schließen das Lernen weitgehend aus. Seit der Studentenrevolte schrumpfen die Grundklassen ohne Ziel. Für die Generation des ›no future‹ sind Lernprozesse überflüssig.

Der Funktionsbegriff ist angegriffen und nicht einmal begriffen. Zumeist wird er mit Nützlichkeit verwechselt. Der Funktionsbegriff des Bauhauses ist immer offen, immer im Prozeß. Das gleiche gilt für den relativen Fortschritt, der in einer Welt von Mutationen und Invarianz einen neuen Stellenwert bekommt. Postmoderne und Nostalgie sind ein Aufweichen der Vernunft und ein Rückwärts-in-die-Zukunft-Schreiten.

Wozu noch im Zeitalter der Elektronik den »Werklichen Formunterricht«? Sollte man nicht mit Robotern, Mikroprozessoren, mit Zufallsgeneratoren, Algorithmen experimentieren? Wer erkennt aus den Tausenden von Zeichnungen, die der Ploter variiert ausgibt, die einzig richtige? Nach welchen Kriterien wird hier gewählt? Würde eine Pädagogik aus bildnerischem Denken und Intuition nützlich sein?

Meine Welt ist bewegt und offen.

Mein Anagramm:

Sehen	verstehen	lieben
verstehen	lieben	sehen
lieben	sehen	verstehen

Alfred Hoppe

Geboren 1891 in Lennep/Rheinland. Studiert an den Universitäten Tübingen, Bonn, Freiburg und Zürich Germanistik. 1921 Abbruch des Studiums und Tätigkeit als Lektor in Berlin. Später Übergang zu freiberuflicher Werbeberatung.

1925 tritt Alfred Hoppe als Werbeleiter in die Junkers-Werke in Dessau ein und kommt hier in engen Kontakt zum Bauhaus. Unter seiner Leitung beauftragen die Junkers-Werke 1928 das Bauhaus mit der Gestaltung und Ausführung ihres Informationsstandes auf der Ausstellung ›Gas und Wasser‹ in Berlin. 1938 geht Alfred Hoppe als Mitarbeiter zur Robert Bosch AG nach Stuttgart, für die er 1938 von Gustav Hassenpflug und Herbert Bayer einen Ausstellungsstand für die Leipziger Messe entwerfen läßt.

Ab 1939 wendet er sich wieder anderen Aufgaben zu und wird 1945 Hauptgeschäftsführer der Industrie- und Handelskammer Dessau. 1949 geht Alfred Hoppe als Werbeleiter der Robert Bosch AG nach Stuttgart und läßt sich 1956 privatisierend in München nieder. Alfred Hoppe ist am 28. November 1966 in München gestorben.

ALFRED HOPPE

Ein Beispiel

Als im Jahre 1928 die große Ausstellung ›Gas und Wasser‹ am Berliner Funkturm veranstaltet wurde, erreichte ich bei meiner Firmenleitung, daß der umfangreiche Ausstellungsstand der Junkers-Werke nach einem von mir ausgearbeiteten Konzept für den Aufbau nach werblichen, vertrieblichen und technischen Gesichtspunkten vom Bauhaus im einzelnen geplant und ausgeführt werden sollte. Dieser Ausstellungsstand brachte den Bauhaus-Stil auch auf diesem Gebiet vorzüglich zur Geltung und war in seiner Art epochemachend.

Eine Beschreibung kann die Wirkung des Ausstellungsstandes auf die Besucher und den Erfolg, den er für den Vertrieb der Geräte im In- und Ausland hatte, nicht vermitteln.

Die Gas-Wasserheizer waren in einigen im Bauhaus-Stil gehaltenen Kojen, die Badezimmer, Küchen oder betriebliche Räume zeigten, betriebsfertig aufgehängt. Sie hatten geriffelte oder gehämmerte Kupfermäntel. Als Professor Junkers die Geräte in dieser Umgebung sah, sagte er: »Mit den Geräten muß etwas geschehen. Sie passen nicht mehr hierher!« Er hatte sofort erkannt, daß die Geräte auch im technischen Sinne formal nicht mehr modern waren. Zuerst verschwand das Kupfer, die Außenmäntel wurden emailliert, später folgte die Entwicklung der eigentlichen Geräteform. Sie wurde nicht einem ›Designer‹ übertragen, wie das heute manchmal geschieht, sondern dem technischen Konstruktionsbüro der Firma.

Vielleicht interessieren noch einige andere Einzelheiten. Der Ausstellungsstand war 50 Meter lang, aber nur vier Meter tief. Am Anfang des Standes wurde der Besucher durch bewegte und unbewegte Bilder angesprochen, die ihn veranlassen sollten, den Stand zu betreten und ihn in seiner beträchtlichen Länge auch zu durchwandern. Das wurde weitgehend erreicht. Das Entree erläuterte die Bedeutung heißen Wassers für Hygiene und Haus. In einem Durchgang waren auf eine Art, die heute noch modern und wirksam wäre, zwischen chromgefaßtem farbigem Glas kleine Gasgeräte für gewerbliche Zwecke aufgehängt. Dieser Durch-

gang führte rechtwinklig zu den schon erwähnten Ausstellungskojen. Dann kamen, auch von außen zugänglich, Besprechungs-
räume. An sie schloß sich ein Raum an, in dem die Grundlagen der
Junkers-Forschungsarbeit, technische Forschung, Materialfor-
schung, technische Entwicklung, Fertigung, demonstriert wurden.
Die Darstellung dieser Forschungsarbeit im einzelnen war in
räumlicher Gestaltung und grafischer Ausarbeitung von den
Werkstätten des Bauhauses hervorragend gelöst worden. Dabei
wurden alle Werkstätten des Bauhauses tätig.

Die Tischlerei entwarf neue Stühle und fertigte sie. Die Weberei
webte den Bezug. Die Metallwerkstätten führten die Metallarbei-
ten aus, auch die mechanisch bewegten. Die Reklamewerkstatt
stellte alle Schrifttafeln her und die Prospekte. Bei der Ausarbeitung und Ausführung des Standes wirkte sich damals schon die
kollegiale und dennoch eigen-schöpferische Zusammenarbeit
aus, heute gern Teamwork genannt.

Die Ausarbeitung der nur schriftlich fixierten Planung lag ganz in
den Werkstätten, also bei den Schülern selbst. Für die Architektur
und Konstruktion des Standes war Johann Niegeman verantwortlich, und bei der werblichen Ausarbeitung stand mir Xanti Schawinsky zur Seite. Die Gesamtleitung lag in den Händen von Joost
Schmidt, der seinerzeit die Werbewerkstatt des Bauhauses leitete.

Richard Koppe

Geboren 1916 in St. Paul, Minne-
sota. Von 1933 bis 1937 Studium
der Malerei an der St. Paul Kunsthochschule. Durch Cameron Booth
wird er mit den jüngsten Strömungen der Kunst in Europa bekannt,
u. a. mit den Ideen von Gleizes,
Hoffmann, Kandinsky, Klee und
dem Bauhaus. Angeregt durch diese theoretischen Auseinandersetzungen mit der neuen Kunst, geht
er 1937 bis 1938 an das neu gegründete ›New Bauhaus‹ in Chicago, wo Laszlo Moholy-Nagy, Gyor-
gy Kepes, Alexander Archipenko
und Hinrich Bredendieck seine
Lehrer sind.

1939 tritt er als einer der ersten abstrakten Maler dem Federal Art Project bei. Später wird er Produktionsleiter bei der Air Force. 1944/45 beginnt er seine akademische Laufbahn als Dozent an der University of Texas. 1946 kehrt er nach Chicago zurück und wird an Moholy-Nagys Institute of Design berufen, wo er im Grundkurs unterrichtet. 1949 wird Richard Koppe von Serge Chermayeff zum Direktor des Visual Design Department berufen. Von 1961 bis 1963 ist er Direktor des Fine Arts Department. 1963 geht er an die University of Illinois in Chicago, wo er 1965 zum Professor of Art ernannt wird und am College of Architecture and Art Malerei lehrt.

Seit 1936 ist das Werk von Richard Koppe als Maler und Bildhauer in vielen Einzel- und Gruppenausstellungen in den USA und Europa gezeigt worden. 1961 veranstaltet das Institute of Design an der Technischen Hochschule von Illinois eine umfangreiche Retrospektive seiner Arbeiten. Er wird mit zahlreichen Preisen ausgezeichnet, und seine Bilder befinden sich in den Sammlungen bedeutender amerikanischer Museen wie Whitney Museum of American Art, Art Institute of Chicago, Brooklyn Museum, St. Paul Art Center sowie in vielen Privatsammlungen.

Die Syracuse University, Syracuse, N. Y., begründet ein Richard-Koppe-Archiv, das Bilder, Zeichnungen und Dokumente enthält. Richard Koppe ist 1973 in Chicago gestorben.

Das neue Bauhaus Chicago

Vor mehr als 30 Jahren öffnete das New Bauhaus, die amerikanische School of Design (das spätere Institute of Design) unter der Leitung von Moholy-Nagy und unter der Schirmherrschaft der Association of Arts and Industries (Gesellschaft für Kunst und Industrie) für die Studenten in den Marshall Field Gebäuden in Chicago seine Tore. Das war im Herbst 1937, und eben diese Tore schlossen sich Ende des darauffolgenden Sommers, also 1938, schon wieder.

Ich war unter den ersten, die an der Schule aufgenommen wurden, und kam in eine Klasse mit 35 Studenten. Um mit den Worten von Walter Gropius zu sprechen – er gebrauchte sie in einer Rede

1950 in Chicago: »Als echter Stützpfeiler der kulturellen Fortentwicklung hat das Institute (of Design) nach einem stürmischen Anfang begonnen, Wurzeln zu schlagen.« Für das New Bauhaus traf der Ausdruck »stürmischer Anfang« tatsächlich zu. Der finanzielle Ruin der Schule bewirkte die Annullierung des Vertrages für den Direktor sowie die Entlassung des gesamten Lehrkörpers; der Protest der Studenten gegen das Lehrprogramm und gegen den ideologischen Gehalt und das Ende der ›Association of Arts and Industries‹ waren Teil dieses Sturms. Sehr viel ernster zu nehmen war jedoch die von 60 Studenten initiierte Festlegung eines Ausbildungsprogramms. Außerdem ließ man die übrigen Studenten wissen, daß der Begriff »Bauhaus« niemals mehr Bestandteil des Namens irgendeiner Schule sein dürfe. Würde man jenen Ereignissen überhaupt keine oder nur sehr geringe Bedeutung beimessen, dann erwiese man jeder ernsthaften historischen Bewertung dieser so bedeutsamen Bewegung einen sehr schlechten Dienst. Moholys ganz besonderer Begabung und seinem Durchhaltevermögen ist es zu verdanken, daß es ihm letztlich gelungen ist, seiner School of Design noch einmal neue und längere Lebensdauer zu verschaffen.

Die ›Association of Arts and Industries‹ hatte schon einmal den Versuch unternommen, im Rahmen des ›Art Institute‹ von Chicago eine Kunstgewerbeschule zu gründen, und hatte dafür 360 000 Dollar aufgebracht. Diese Summe für solch einen Verwendungszweck aus privater Hand in Chicago aufzubringen und zudem noch in einer Zeit wirtschaftlichen Tiefstandes, erforderte herkulische Kräfte. Die Association trennte sich vom ›Art Institute‹ und beschloß, eine eigene, unabhängige Schule aufzumachen. Nach langer Suche und auf die Empfehlung von Gropius hin wurde Moholy-Nagy zum Direktor ernannt. Riesige Summen waren ausgegeben worden, um die Marshall Field Gebäude wieder in Stand zu setzen, und es hieß, die Association verfüge noch über weitere 110 000 Dollar, als Moholy seinen Vertrag unterzeichnete. Dennoch mußten zusätzliche Beträge aufgebracht werden, wenn die Association zahlungsfähig bleiben sollte. Einige Zeit später hieß es, die ›Association of Arts and Industries‹ habe außergewöhnlich hoch in Obligationen investiert, und das ausgerechnet in einer

Zeit, in der die Kurse der Stammaktien sehr stark fielen und fast zu einem Zusammenbruch des gesamten Wertpapiermarktes geführt hatten. Es gab offensichtlich keine Aussicht auf Stabilisierung der Verhältnisse. Ich möchte hier nicht die vielen Dinge wiederholen, die in jener Zeit passierten. Sibyl Moholy-Nagy hat sie in ihrer Biografie über Moholy ausgezeichnet wiedergegeben. Wie sollte aus diesem Tohuwabohu überhaupt jemals wieder irgend etwas Konstruktives entstehen? Zum Glück tobte der Sturm außerhalb der Schule und hatte – wenn überhaupt – nur sehr geringen Einfluß auf den Lehrprozeß. Moholys Buch ›New Vision‹ das 1938 veröffentlicht wurde, sowie die Zeitschrift ›More Business‹ vom November 1938 bescheinigen den Studenten dieses Jahrgangs, gut und viel gearbeitet zu haben, und belegen dies zum Teil auch mit Beispielen. Der Unterricht des »New Bauhaus« hatte, trotz aller Anfeindungen, in jedem Falle zur Folge, daß an fast allen Lehranstalten in den Vereinigten Staaten in der einen oder anderen Form Schulen für Kunst, Architektur, Gestaltung und Kunsterziehung gegründet wurden.

Gewiß hatte das Bauhaus in Deutschland die Denkweise in den Vereinigten Staaten schon seit einiger Zeit beeinflußt, doch dies geschah im wesentlichen auf indirekte Weise, und die Interpretation dieser Gedanken blieb dem einzelnen überlassen. Fast parallel liefen die Bemühungen von Gropius und Breuer am Lehrstuhl für Architektur in Harvard; von Albers und Schawinsky am Black Mountain College; später von Albers in Yale; auch Mies van der Rohe, Hilberseimer und Peterhans am Lehrstuhl für Architektur am Institute of Technology in Illinois waren Beispiele für den unmittelbaren Kontakt; ihr Einfluß war jedoch wesentlich geringer.

Aber Moholy hatte den ungeheuer schweren Versuch unternommen, das Bauhaus in seiner erzieherischen Gesamtfunktion auf die Vereinigten Staaten zu übertragen und gleichzeitig eine neue Schule aufzubauen. Dazu umgab er sich soweit möglich mit den fähigsten und hervorragendsten Männern der Vereinigten Staaten und Europas. Dieser Traum konnte aber in den Folgejahren nicht ganz verwirklicht werden. Gropius war Professor für Architektur in Harvard und gleichzeitig Berater für alle Belange der Schule.

Die Möglichkeiten für eine hervorragende Ausbildung waren unbegrenzt, und es herrschte große Begeisterung. Von überall her aus den Vereinigten Staaten kamen die Studenten, und sie waren von Moholy-Nagy und der Bauhaus-Idee fasziniert. Diese Gruppe ging – besonders im ersten Semester – mit großer Gründlichkeit an die Dinge heran. Sie kamen aus allen möglichen Lebensbereichen, und die meisten von ihnen hatten eine lange Schulausbildung und ein Studium an der Universität oder einer Kunsthochschule hinter sich. Sie waren nicht nur sehr gut informiert und äußerst beschlagen – selbst in den fortschrittlichsten Denkkategorien jener Zeit –, sie waren auch geistig außerordentlich wach und vielseitig von ihrer geographischen und ausbildungsmäßigen Herkunft her. Fast alle hatten über das Bauhaus und mit ihm verwandte Strömungen gelesen, so viel sie nur bekommen konnten – Moholys ›New Vision‹, Kandinskys ›Punkt und Linie zur Fläche‹ sowie ›Das Geistige in der Kunst‹ –, und sie kannten Bücher über das Bauhaus. Viele von uns waren begeistert von der Vorstellung, mit neuen Materialien, nach neuen Methoden und Theorien zu arbeiten und direkte Verbindung mit den Leuten in Europa aufnehmen zu können, die an dieser Bewegung aktiv mitarbeiteten. Und hinzu kommt, glaube ich, die Tatsache, daß wir uns alle für eine Ausbildungsidee interessierten. Einige kamen an das ›New Bauhaus Chicago‹ in dem Bewußtsein, ausstudiert zu haben, und so wurde das New Bauhaus ein Gradmesser für unsere bisherige Ausbildung, während es für andere lediglich ein Anfang war.

Es wäre sehr schwer, wenn nicht gar unmöglich, die Schule von der Person Moholys zu trennen. Er war äußerst aktiv und arbeitete mit allen im Lehrkörper auf jedem Gebiet sehr eng zusammen.

Er gab allgemeinbildenden Unterricht über die gesamte zeitgenössische Kunst und hielt regelmäßig Vorlesungen zu diesem Thema. Zum besseren Verständnis zeigte er Dias und riesige, vergrößerte Fotografien aus seiner eigenen Sammlung von Bauhaus-Arbeiten. Ich kann mich noch an eine Situation erinnern, wo er mit seinen Studenten auf dem Fußboden kniend, sich mit den Händen aufstützend, durch einen Wald von Tisch- und Stuhlbeinen hindurchguckte, um eine Aussage zu verdeutlichen, die er gerade zum Raumproblem gemacht hatte. Er zeigte sehr viele

Filme – auch seinen eigenen Film: ›Schwarz-Weiß-Grau‹, den er anhand eines speziell für diesen Film gebauten Mobiles gedreht hatte. In England hatte er viele Filme produziert, und er war auch verantwortlich für die ganz besonderen Effekte in dem H. G. Wells Film ›Things to Come‹. Er hat oft von der Arbeit in einem großen Filmstudio gesprochen und schien so fasziniert davon, daß man ihn um fast alles hätte bitten können, er hätte es gebaut, oder andere hätten es für ihn getan. Im Unterricht zeigte er uns, wie man Fotogramme, Fotomontagen, Handplastiken, plastische Schaubilder, Raummodulatoren (wir nannten sie »space cakes«), Lichtmodulatoren anfertigt, was man mit Papier alles anfangen kann, wie man Mechanismen erforscht und Fotografie – und das alles in sehr künstlerischer Form. Parallel dazu unterrichtete er Farblehre, Zeichnen, Beschriften, äußere Aufmachung usw., aber ganz anders als auf den meisten konventionellen Kunstschulen. Die Arbeit lief in allen Klassen reibungslos. Alle haben ausgesprochen hart gearbeitet, und es gab sehr viel begeisterte Reaktion auf all diese Anregungen. Ich habe in dieser Hinsicht noch niemals so viele und so verschiedenartige Ergebnisse gesehen, die eine Klasse im Rahmen eines Lehrplans hervorgebracht hat. Vielleicht ist auf Kreativität größerer Wert gelegt worden als auf ästhetische Betrachtung, obwohl Ästhetik dazugehörte und gleichrangig bewertet wurde. Dies war offensichtlich auch im Bauhaus in Deutschland ein sehr wichtiger Faktor und trug zur Verbreitung des Grundsatzes der Einheit von Form und Funktion bei. Allzu häufig sind Äußeres und Form nur als schöne nachträgliche Idee angebracht worden.

Die Studenten wurden häufig in Moholys völlig weiß gestrichene Apartmentwohnung in der Astor Street eingeladen. Hier hatte er im Foyer eine Galerie für seine im konstruktivistischen Stil gemalten Bilder und für seine Lichtmodulatoren. Er arbeitete auch mit Plastik und anderen Kunststoffen. Ich erinnere mich noch gut an ein Bild aus Emaille, dessen Proportionen per Telefon durchgesagt werden konnten. Wir sahen auch die von Marcel Breuer entworfenen Möbel und Marcel Duchamps Roto-Reliefs und hörten auf Schallplatte Kurt Schwitters' Gedichte, die dieser selbst rezitierte. Leute aus der ganzen Welt besuchten regelmäßig die Schule und wurden zu Moholy nach Hause geladen.

Moholy gehörte zu den dynamischsten Menschen, denen ich je begegnet bin. Er besaß die Energie für zwölf. Er beschäftigte sich mit Fotografie, Film, Typographie, Werbung, Bühnengestaltung, Ausstellungsbau, Display, Malerei und Plastik. Er war ein ausgezeichneter Lehrer und Schriftsteller. Diese ungeheure Vielseitigkeit erlaubte oder bedingte vielleicht sogar Integration als Ausbildungsgrundsatz. Seinen einmaligen und größten Beitrag leistete er als Lehrer. Das Interessante an Moholy war, daß er das Wesentliche des Konstruktivismus und des Dadaismus repräsentierte. Seine Fotomontagestudien und sein Manuskript für ›Once a Chicken – Always a Chicken‹ (Dumm bleibt dumm) deuteten mit Sicherheit auf den Einfluß des Dadaismus hin; außerdem gehörte zu seinen engen Freunden in Deutschland Kurt Schwitters. Moholy hatte außergewöhnlich großes Interesse am Licht. Während sich die Impressionisten im naturwissenschaftlichen Sinne für das Licht interessierten – grundsätzlich im Freien und unter allen Wetterbedingungen – lag Moholys Interesse am Licht im naturwissenschaftlichen, künstlerischen und abstrakten Bereich. Einige seiner konstruktivistischen Bilder in Öl und Wasserfarbe vermittelten den Eindruck, als habe man Wege von einander überschneidendem Licht und Ebenen im Raum und das daraus entstehende Gewirr oder deren Transparenz vor sich.

Das war damals Moholys »Brave New World« (deutsch: »Schöne neue Welt‹). Die Verbreitung von Aldous Huxleys gleichnamigem Buch unter den Studenten verlieh dem »New Bauhaus« eine fast satirische Atmosphäre. Moholys Fähigkeit, Geschäftsleuten, Wissenschaftlern, Technikern, Verlegern und Erziehern Anregungen zu geben, war legendär. Alle waren fasziniert von seinen Ideen.

Was hatte dann eigentlich unter den Studenten ideologische Auseinandersetzungen über Ausbildungsfragen hervorgerufen? Man könnte sehr leicht zu dem Schluß kommen, daß ideologische Auseinandersetzungen ein Hinweis auf eine Art Widerstand gegen die neuen Ausbildungsideen waren. Schwierigkeiten von viel größerer Tragweite waren ganz offensichtlich wirkliche Miß-

verständnisse und möglicherweise eine Überbewertung der ganzen Bauhaus-Idee seitens der zukünftigen Studenten. Dies führte
entgegen der tatsächlichen Unterrichtspraxis, offensichtlich zu
zahlreichen Konflikten. Ich glaube, Moholy und einige andere
haben auch die amerikanischen Studenten falsch beurteilt, die nur
selten einen großen Menschen verehren, besonders wenn er Lehrer und Künstler ist, weil ein großer Name ihnen wenig imponiert,
solange dieser das nicht ganz unmittelbar bewiesen hat.

Der Lehrplan des »New Bauhaus« schien der amerikanischen
Gesellschaft ebenfalls fremd. Das spezielle System Lehrling –
Geselle – Meister, in Deutschland weit verbreitet, gab es praktisch
in den Vereinigten Staaten überhaupt noch nicht. Die Studenten
hatten Oberschulbildung, ehe sie an ein College kamen, nur
wenige hatten eine gründliche Handwerks- oder Maschinen-
Fachausbildung, und sie waren sicher nicht hochqualifiziert. Das
trug zur schlechten Beurteilung der Aussichten in den Spezial-
werkstätten Holz-, Metall- und Kunststoffbearbeitung bei. Wenn
man in den Vereinigten Staaten zum Beispiel Industrie-Designer
war, dann erwartete man Materialkenntnisse und Kenntnis der
Verarbeitungsmöglichkeiten; aber leider war nicht einmal das
immer vorhanden. Es schien also nach dem amerikanischen
System von Hochschulbildung undenkbar, vier Jahre lang ein Studium, wie es der Bauhaus-Lehrplan vorsah, zu absolvieren, um
dann nach zwei weiteren Jahren Architekt zu werden. Moholy
schien aber festgelegt und unnachgiebig in diesen Punkten zu
sein. Er fühlte zweifellos, daß dieses Gefüge, ohne die gesamte
Bauhaus-Konzeption abzuwandeln, nicht geändert werden
konnte. Späterhin modifizierte er seine Vorstellungen auf vielen
Gebieten, ohne dabei seine grundsätzliche Überzeugung aufzugeben.

Für viele Studenten war die Bauhaus-Vorstellung von Malern
und Bildhauern ein weiteres großes und ungelöstes Problem. Am
»New Bauhaus« wurde ganz einfach darauf hingewiesen, daß
dies Privatangelegenheit der Studenten sei, die sie außerhalb der
Schule verfolgen könnten, es sei denn, man brauche die Kenntnisse für interne Diskussionen. Für uns als Studenten verdunkelte
all das unsere Vorstellung von der Verbundenheit Kandinskys,

Klees, Feiningers und Schlemmers mit dem deutschen Bauhaus und ebenso von den zahlreichen Illustrationen und Hinweisen, die Moholy in seinem Buch ›The New Vision‹ benutzt hatte und die das Bauhaus mit so vielen modernen Kunstrichtungen zu verbinden schienen. Dieser Konflikt ist auch heute noch in vielen Schulen weitgehend ungelöst.

Der Grundkurs am neuen Bauhaus machte die Grundsätze neuer Ausbildung in reinster Form deutlich: weitgehend frei von sichtbarer praktischer Anwendungsmöglichkeit außerhalb der Ausbildung. Die Grundkurse für Gestaltung befaßten sich ausschließlich mit Erkundungen der taktilen Oberflächen- und Formwahrnehmungen, die für Auge und Verstand gleichermaßen überzeugend waren. Die Untersuchungen an Maschinen waren abgestellt auf den rein schöpferischen, erfinderischen Umgang mit Werkzeugen und Materialien ohne Rücksicht auf technische und ästhetische Vorabwägungen, wie auch das knifflige Papierfalten auf dem Gebrauch des Bogenmaterials beruhte, ohne Verschwendung oder künstliches Zusammenfügen und ohne die dimensions- und strukturbedingte Eigenart zu verändern. Glas und Draht waren in genialer Handwerksarbeit zu Organismen zusammengefügt, wobei sich wiederholende Einheiten gegenüber freien skulpturartigen Entwürfen vorherrschten. Räumliche Gesichtspunkte – sowohl zwei- wie dreidimensional – wurden voneinander getrennt erforscht durch Spiegelung unter Zuhilfenahme komplizierter Linienelemente, nach Oberflächenaussehen, durch Nebeneinanderstellen, Bewegung und räumliche Drehung; das alles war in vielerlei Hinsicht eine Vorwegnahme dessen, was wir heute als Op-Art kennen. Diese Übungen und der Licht- und Fotokurs eröffneten neue Einblicke, die sich Kunststudenten gewöhnlich nicht bieten, und führten zu manchen neuen Methoden: durch das Fotogramm (Vergrößerung ohne Film), Lichtübertragung und durch spezielle Lichtmodulatoren zum Einfangen und Verändern von Licht. In der Fotografie – es war die Zeit der Lochkamera – wurden Frosch- und Vogelperspektive, Über- und Doppelbelichtung, Kamerabewegung, Raster und Farbentrennung erforscht. Zweidimensionale Arbeiten mit Farbe in vielen Medien beruhten auf einer Untersuchung von Farblehren (Goethe, Munsell,

Oswald), von Mischung, Transparenz und naturwissenschaftlichen Grundsätzen, kombiniert mit einfachem Zeichnen und Fotomontage.

Obwohl das Experimentieren gefördert wurde, deutete es auf eine Richtung, auf ein Ergebnis hin, oder es wurde zu einem Mittel, herkömmliche Methoden durch schöpferische Eingebungen zu verändern. Viele Probleme waren so genial in ihren Vorstellungen wie die Ergebnisse, zu denen sie erwartungsgemäß geführt werden sollten. Wenn auch das ursprüngliche Vorhaben des Bauhauses die Wiedervereinigung von Künstler und Gesellschaft und das Aufnehmen neuer technischer Entwicklungen war, glaube ich, daß es als Ausbildungsprinzip große Tragweite hatte, die noch heute weitgehend unabsehbar ist.

Moholy hat sicher eine engere Verbindung zwischen der Gestaltung und den Naturwissenschaften, der Philosophie, der Psychologie und der Soziologie hergestellt; daran haben auch weitgehend die drei Professoren von der Universität von Chicago mitgewirkt. Semantik und Ganzheitslehre bildeten die Brücke zwischen den Naturwissenschaften und den anderen Fächern im Lehrplan. Moholy und Bredendieck waren beide strikt gegen jeden äußeren politischen Einfluß in der Schule auf Grund der Erfahrung, die sie in Deutschland gemacht hatten. Politik und politische Diskussionen waren im Rahmen des Lehrplans der Schule praktisch tabu. Die vielseitigen Anregungen des Grundkurses zusammen mit der naturwissenschaftlichen Geisteshaltung und deren Grundlagen konnte man am leichtesten industriell oder kommerziell nutzen; man konnte sie aber auch in der Malerei, der Bildhauerei oder der Pädagogik selbst anwenden.

An dieser Stelle fügte sich die Bauhaus-Idee in den Rahmen der Hochschulbildung ein, und, abgesehen von der stark technischen Ausrichtung, auch in den Rahmen der Handelsschulen, der kommerziellen Kunstschulen und den der Akademien der Schönen Künste. Mit seinen Grundvorstellungen und seiner erweiterten Ausgangsbasis hatte der Grundkurs weitreichende Einwirkung, über die Kunst hinaus, auf Ausbildungsmöglichkeiten in zahlreichen Gebieten. Daran kann man sehr gut erkennen, wie die Idee einer bestimmten Grundvorstellung weitgehend auf völlig unterschiedlichen, der Kunst und der Gestaltung verwandten Gebieten oder auch darüber hinaus Anwendung finden kann. Diese Grundvorstellungen bilden die Verbindung zu sehr vielen Spezialgebieten. Auf welch breiter Basis und wie wirksam das funktionieren kann, bleibt offen, denn man muß diese Grundsätze in den einzelnen Spezialgebieten auch vertikal anwenden. Ohne diese Anwendungsmöglichkeit wäre die Bauhaus-Idee lediglich ein weiteres Werkzeug für eine liberale Ausbildung und vielleicht seiner wahren Funktion beraubt, nämlich die zur Integration aller fortschrittlichen Richtungen spezialisierten Ausbildungsprogramme zu verwirklichen.

Man ist vielleicht beeindruckt von der Tatsache, daß jeder, der im Rahmen einer solchen Ausbildungsidee unterrichtet, einen gewissen Teil seines Spezialgebietes zum Nutzen des Ganzen aufgibt. Manche haben das fälschlicherweise Team-Unterricht genannt. Grundsatz ist, daß jeder das Grundwissen seines Spezialgebietes vermittelt, aber die Interdependenz mit einer Vielzahl anderer, gleich wichtiger Gebiete erkennt. Die Gefahr ist natürlich, daß man von bestimmten Grundsätzen zu stark gefesselt wird und dabei nicht erkennt, daß gerade diese Grundsätze geändert werden müssen. Viele dieser Ideen waren am »New Bauhaus« sichtbar, und sie waren wesentlicher Bestandteil der Erfahrung jenes Jahres.

Moholy-Nagy hat, glaube ich, versucht, die Bauhaus-Idee über die alte Lehre der Massenproduktionsmethode hinaus auf eine Ebene zu übertragen, auf der sie tatsächlich Teil der allgemeinen naturwissenschaftlichen und soziologischen Fortentwicklung ist; das wollte er durch seine Ausbildung erreichen. Nachdem das »New Bauhaus Chicago« 1938 schloß, hatte ich keinen engen Kontakt mehr zu Moholy, bis ich 1946, nach dem Zweiten Weltkrieg und kurz vor seinem Tode, Lehrer am Institute of Design wurde.

Hubert Hoffmann

Geboren 1904 in Berlin. Stammt aus einer alten Architektenfamilie. Studiert von 1926 bis 1930 am Bauhaus Dessau, zunächst in der Tischlerei, später in der Bauabteilung.

Anschließend ist Hubert Hoffmann Hauptassistent an der Technischen Universität Berlin, um sich am Lehrstuhl für Städtebau und Kraftverkehr speziell städtebaulichen Fragen zu widmen. Erste praktische Arbeit im Büro Fred Forbat in Berlin. Danach selbständige Tätigkeit als Architekt, Städteplaner, Designer. Gemeinsam mit seiner Frau Irene Hoffmann werbegrafische Arbeiten. 1932 wird Hoffmann Mitglied des CIAM, wo er an der ›Charta von Athen‹ mitwirkt.

Unmittelbar nach dem Krieg, 1945, wird Hoffmann von Oberbürgermeister Fritz Hesse zur Wiedererrichtung des Bauhauses nach Dessau berufen, dessen Realisierung jedoch durch die politischen Tendenzen in Ostdeutschland verhindert wird. Im Herbst 1946 versucht er als Vorsitzender der ›Planungsgemeinschaft Bauhaus‹ eine internationale Bauhaus-Ausstellung zu veranstalten. Die Übersiedlung von Oberbürgermeister Hesse 1948 in den Westen und die Haltung der Sowjets vereitelt alle weiteren Bauhaus-Pläne in Dessau. Wieder in Berlin, organisiert Hubert Hoffmann die Ausstellung ›22 Berliner Bauhäusler‹, die die versprengten Kräfte des Bauhauses in Berlin sammelt und die Öffentlichkeit erstmals nach dem Krieg wieder mit dem Bauhaus bekanntmacht.

In Berlin gehört Hoffmann zu den Initiatoren der Internationalen Bauausstellung ›Interbau‹ 1957 im Hansaviertel, wo er mit Wassily Luckhardt einen Wohnblock baut und die Ausstellung ›die stadt von morgen‹ einrichtet. Seit 1950 ist Hoffmann Delegierter des CIAM für Berlin und seit 1958 Sekretär der Architektenvereinigung ›der ring‹.

1959 wird Hubert Hoffmann als ordentlicher Professor für Städtebau und Entwerfen an die Technische Hochschule in Graz berufen, gleichzeitig ist er Leiter des Instituts für Städtebau und Landesplanung. Eine Gastprofessur führt ihn 1965 an die Auburn-Universität in Ala (USA). Zu seinem 60., 70., 75. und 80. Geburtstag sind jeweils Ausstellungen seines Gesamtwerkes in Graz im ›Forum Stadtpark‹ und in der ›Neuen Galerie‹, sowie im ›Bauhaus-Archiv/Museum für Gestaltung‹ und in der Hochschule der Künste Berlin vorgestellt worden.

Neben seiner Tätigkeit im Städtebau und seinen Lehraufträgen hat Hoffmann z. T. polemische Schriften veröffentlicht, in denen er sich dafür einsetzt, »unsere gesamte Umwelt aus den geänderten

Voraussetzungen unserer Zeit zu gestalten«. Zu seinen Büchern zählen unter anderem: ›Neue Deutsche Architektur‹, Stuttgart 1956, ›Wohnen oder Hausen‹, Graz 1964, ›Urbaner Flachbau‹, Stuttgart 1966, ›Die gegliederte und aufgelockerte Stadt‹ (mit Rainer), Tübingen 1957 und ›Umweltmanifest 70‹, Graz 1970.

Nach seiner Emeritierung betreut Hoffmann eine Reihe von Gemeinden als Ortsplaner und übt eine beratende Tätigkeit für Bürgerinitiativen im Rahmen des Um-

weltschutzes aus. Hoffmann ist Mitglied der Akademie der Künste in Berlin, der Deutschen Akademie für Städtebau und Landesplanung sowie Ehrenmitglied der Vereinigung griechischer Architekten.

1978 hat Hubert Hoffmann mit Hannes Pirker in der Galerie Kul in Bruck eine umfangreiche Ausstellung zum Jubiläum ›60 jahre bauhaus‹ gestaltet, in der auch gegenwärtige Arbeiten und Projekte von Bauhäuslern gezeigt worden sind. Hubert Hoffmann lebt in St. Veit bei Graz.

die wiederbelebung des bauhauses nach 1945

durch oberbürgermeister hesse wurde ich 1945 nach dessau berufen, um das »bauhaus« wieder zu beleben. dieses vorhaben erschien abenteuerlich angesichts des zerstörungsgrades der stadt, die einem ausgebrannten krater glich. die innenstadt war total zerstört, und es gab auch an den stadträndern nur wenige bauten, die keine kriegsschäden aufwiesen. dessaus lebensgrundlage – die großen industriewerke – waren von den russen demontiert (und wurden nach ihrem aufbau ein zweitesmal demontiert, wobei 5000 ingenieure, laboranten und werkmeister verpflichtet wurden). hungersnot und seuchen herrschten, und die bevölkerung lebte zum großen teil in kellern und baracken. das bauhaus war ausgebrannt und die meistersiedlung durch bomben teilzerstört.

hesse hatte die fähigkeit, latenten optimismus mit einem nüchternen blick für die realität zu verbinden. er sah immer das ganze und ließ mir experimentierfreiheit auch dann, wenn er nicht meiner meinung war. ich übernahm zunächst das stadtplanungsamt, später auch das planungsamt der bezirksregierung, wurde mitglied des stadtparlaments und vorsitzender des bundes zur demokratischen erneuerung deutschlands. dies alles, um, von konkreten machtpositionen ausgehend, eine verwirklichung der bauhausidee, »kunst und leben wieder zu vereinigen«, im raum von dessau als beispiel zu demonstrieren, das heißt, ich wollte nicht das schicksal des alten bauhauses erleben, das (mit ausnahmen) darin bestand, ein paar möbel, häuser und geräte für snobs zu kreieren. es war vielmehr mein bestreben, das neue bauhaus zu einer zentrale der gestaltung unserer umwelt zu machen, zu einer institution, die, angefangen bei der landesplanung über den aufbau von stadt und landschaft bis zum massenbedarf an möbeln, geräten und textilien, eine neue zeit im räumlichen und in den gegenständen, die uns umgeben, dokumentieren sollte. wegen der wirtschaftlichen lenkung der zone erschien mir dieses ziel bei dem damaligen ungeheuren bedarf an wohnungen, möbeln und geräten realisierbar. die chance war außerordentlich, denn bekanntlich nimmt der verbraucher hochwertige erzeugnisse ebenso kritiklos an wie minderwertige, wenn ihm nichts anderes geboten wird.

wir hatten in einem kreis in berlin, der sich jede woche in meiner wohnung traf und dem scharoun, taut, luckhardt, rossow, rainer, hassenpflug und das spätere »berliner kollektiv« angehörten, immer wieder die frage diskutiert, welche möglichkeiten sich nach dem ende des dritten reiches eröffnen würden. wir waren voller optimismus und von der fülle der ideen und besonders von der tatsache, nun beginnen zu können, so begeistert, daß wir widerstände kaum ahnten oder sahen – später hielten wir sie noch für ausnahmen.

als erste maßnahme ließ ich den einzigen erhalten gebliebenen saal in ein theater umbauen; helfer kamen: georg a. neidenberger aus weimar, der bühnenbilder zauberte, industriebauten entwarf und der städtischen grafik ein gesicht gab. hinnerk und lou scheper halfen bei der farbgebung öffentlicher bauten. fieger und pfeil arbeiteten für das stadtbauamt mit engemann und dr. kiesel; stamm und hess übernahmen die dorfplanung.

bald waren ein dutzend ehemaliger und einige neue bauhäusler in dessau versammelt, um an der wiederherstellung des bauhauses mitzuwirken – darunter der spätere senator für schulwesen in berlin, karl-heinz evers, und seine frau mechtild. ich ließ die bauhaus-gebäude mit hilfe des landeskonservators schubert unter denkmalschutz stellen und provisorisch herrichten, so daß sie benutzt werden konnten. fünf schulen, im schichtwechsel, profitierten zunächst davon. dann gelang es, die einrichtungen der junkers-lehrwerkstätten für das geplante bauhaus zu sichern. nach den angaben unseres früheren webmeisters ließ ich handwebstühle bauen.

rausch begann in seiner werkstatt mit der herstellung von seriengeschirr, stolp bereitete ein institut für bildstatistik vor, während ursinn in der orangerie des »luisiums« eine tischler- und drechsler-werkstatt und radack und marx in den meisterhäusern ateliers für werbegrafik und fotografie einrichteten.

da die bauhaus-bauten vorläufig nicht geräumt werden konnten, stellte uns oberbürgermeister hesse zwei schloßanlagen zur verfügung. das luisium, das später die bühnenwerkstatt, die darstellende kunst und ein gästehaus aufnehmen sollte, wurde ausgebaut. schloß kühnau eignete sich besonders für die abteilungen gartenbau und grünplanung, stadt- und landesplanung, während die bauhaus-bauten später für die aufnahme der bauplanungen und aller übrigen werkstätten vorbereitet wurden.

das provisorische theater wurde mit ›iphigenie‹ eröffnet. es folgten konzerte mit werken von mahler, schönberg, hindemith, schostakowitsch und prokofjew. jede woche gab es öffentliche diskussionen über kulturelle, städtebauliche und politische fragen. wir veranstalteten ausstellungen und wettbewerbe, um die dessauer bevölkerung für unsere vorhaben zu gewinnen. scharoun und mächler, mertens, mattern und funke, bruno paul, kurt lahs und andere kamen nach dessau, um die frage der wiederbelebung und weiterführung des bauhauses zu besprechen. ich nahm fühlung auf mit will grohmann in dresden, henselmann in weimar und hopp in halle, die gewisse grundsätze der bauhaus-erziehung in ihren schulen einführen wollten.

inzwischen war ein gliederungs- und bebauungsplan für den aufbau der stadt gegen starke politische widerstände durchgesetzt worden. der aufbau von wohnungen begann planmäßig nach dem grad der schäden zunächst mit leicht wiederherstellbaren objekten. 62 dorfplanungen wurden im zuge der bodenreform von meiner planungsabteilung bei der regierung aufgestellt. gemeinsam mit dem landeskonservator dr. schubert konnte ich den abbruch wertvoller schlösser und die vernichtung von parks verhindern, indem wir sie zu altersheimen oder für kulturelle oder parteizwecke als geeignet erklärten. eine liste der zu berufenden lehrkräfte für das neue bauhaus wurde in beratung mit hesse, scheper, schmied, dem kulturreferenten in halle und den bauhausangehörigen vorbereitet. wir bemühten uns, aus den erfahrungen vor 1933 ein gremium sehr unterschiedlicher persönlichkeiten zu gewinnen, eine skala der verschiedensten richtungen und temperamente, die eine atmosphäre fruchtbarer spannungen versprachen. nach dem ehemaligen aufbau des instituts war die dreiteilung in vorlehre, werkstattausbildung und planungsabteilungen vorgesehen. neu waren die gartenbauwerkstatt und die grünplanung sowie eine bauwerkstatt. die beiden landschaftsabteilungen waren nicht nur als ein loses anhängsel an das bauhaus gedacht, vielmehr sollte jeder hörer der vorlehre biologische vorgänge in der natur bzw. im gewächshaus studieren können. eine ausdehnung der werkstatt auf kunststoff war geplant, wobei eine zusammenarbeit mit den örtlichen industrien in bitterfeld aussichtsreich erschien.

die wissenschaftlichen disziplinen sollten einen eigenen abteilungsleiter erhalten. ferner war an einen kaufmännischen direktor gedacht, der die beziehungen mit der industrie herstellen sollte, diesbezügliche verträge zu regeln und für den ablauf der produktion von modellen zu sorgen hätte. bau sowie stadt- und landesplanungsarbeiten ließen sich auf der behördlichen ebene regeln, ebenso die geplante einschaltung bei wohnungsbaugesellschaften.

einen etat von fast 300 000 reichsmark konnte ich durchsetzen, wovon die stadt ein drittel und das land zwei drittel zu tragen beabsichtigten. auch die endgültige einrichtung der bauhaus-bauten und der dazugekommenen schlösser wollte die stadt übernehmen, dazu eine einmalige ausgabe für die »bauhaus-schau«. mit der »bauhaus-schau« war ein auftakt beabsichtigt, der die eröffnung des instituts einleiten sollte. die bereits eingerichteten werkstätten waren ein erster teil der geplanten ausstellung, verbunden mit der übersicht einer wandlung der pädagogik, insbesondere auf dem gebiete der gestaltung, die abweichung der bauhaus-lehre von anderen hochschulreformen (akademien, werkkunstschulen, technischen hochschulen und universitäten) gedacht.

der zweite teil sollte eine übersicht über die auswirkungen des bauhauses, insbesondere durch die emigration der bauhäusler in alle welt, und den einfluß auf andere schulen in verschiedenen ländern geben.

im dritten teil war geplant, erzeugnisse und ergebnisse der bauhaus-werkstätten und -ateliers darzustellen: möbel, geräte, bauten, stadtplanungen und die möglichkeit, diese produktion aufzubauen und für den aufbau der zerstörten städte und haushalte nutzbar zu machen. ein großer teil der bauhaus-angehörigen vieler länder hatte seine beteiligung zugesagt. gropius und hesse übernahmen das protektorat der »bauhaus-schau«. dann kamen die wahlen. die sep ›siegte‹ mit 0,5 prozent mehrheit. hesse sollte unter der bedingung, daß er sich den direktiven der sep unterstellte, die stadtverwaltung weiterhin leiten dürfen. er lehnte diese zumutung ab. ein neuer oberbürgermeister trat auf: adolfs, siebenjahresprecher des »freiheitssenders moskau«. »säuberungsaktionen« begannen. spitzel tauchten auf. der haß der kleinbürger gegen das bauhaus feierte »wiederauferstehung«, die abneigung der ›einheimischen‹ gegen die ›fremden‹ wurde politisch hochgespielt. wir mißverstanden uns sofort und gründlich: »ich höre dieses Wort ›bauhaus‹ zum erstenmal«, meinte adolfs, »aber eines kann ich ihnen gleich sagen, ihre ›auslese‹ kommt nicht in frage! – massenausbildung wollen wir! 2000 lehrlinge könnten da ausgebildet werden! – und wenn sie von ›attraktion‹ sprechen, bei der bauhaus-schau bin ich einverstanden – ein karussell muß auf das freigelände!« ich schwieg betroffen ob dieser aktivität und dachte, daß der erfinder es eigentlich anders gemeint hatte. als ich ihm den sinn des bauhauses ›schonend‹ klarzumachen versuchte, erklärte er mich für »völlig reaktionär«!

stadtrat dr. klumpp aus quedlinburg, ein bauhäusler mit der größten feininger-sammlung in deutschland, erklärte sofort, daß er die gesamte geplante institution in quedlinburg aufzunehmen in der lage sei, falls die realisierung in dessau unmöglich würde. ein positiver beschluß wurde auch im dortigen stadtrat durchgesetzt. verhandlungen und reisen zwischen dessau und der unzerstörten harzstadt folgten. baulichkeiten auf dem domfelsen waren verfügbar. inzwischen wurde adolfs von der regierung in halle und seiner eigenen partei zurechtgewiesen, daraufhin kam die revanche.

zunächst wurden mir die lebensmittelkarten entzogen, dann drohten auf eine denunziation hin die verhaftung und der abtransport durch die russen (angeblich hatte ich meine planungstätigkeit im baltikum während des krieges verschwiegen). ich tauchte 14 tage unter, um den fortgang zu beobachten – hesse konnte nicht mehr helfen –, man riet mir zur flucht nach westdeutschland.

als ich nach einem vierteljahr in dessau illegal wieder auftauchte, hatte der ›sozialistische realismus‹ als ausdruck einer parteihörigen clique begonnen, das feld zu beherrschen. ich ging nach berlin, sprach mit becher, strauß und abusch. man bedauerte persönlich – zweifellos, das bauhaus sei eine wertvolle einrichtung ... aber politik first! man bewegte sich in den vorstellungen stalins von bildender und darstellender kunst, die denen des dritten reiches überraschend ähnelten. wir waren vom regen in die traufe geraten! hesse und der größte teil unserer dessauer freunde kamen ein jahr später nach berlin. will grohmann, hassenpflug, dr. hanna und ott hoffmann, lindig, arndt, lahs – die führenden bildenden künstler verließen im laufe der nächsten zwei jahre die ddr. adolfs war längst abgelöst, seine nachfolgerin – eine warenhausverkäuferin – bemühte sich, die parteilinie noch genauer einzuhalten. die stadtplanung wurde umgeworfen, und maßstablose ungetüme von elfgeschossigen mietskasernen häuften sich im stadtkern auf einer aufgeräumten »steppe«. unsere dorfplanung wurde im ersten drittel der realisierung abrupt abgebrochen zugunsten einer direktiv industriellen schwerpunktsbildung.

wir haben dies alles zunächst für einen irrtum, für einen schrecklichen traum gehalten, bis langsam die erkenntnis aufdämmerte, daß jenes überspannen des idealismus in der ns-zeit, die unendlichen opfer für falsche ideale als reaktion krassen materialismus als ideologie im osten wie im westen zur folge hatten. als unsere versuche im osten gescheitert waren, begannen bemühungen im westen: hassenpflug in hamburg, mattern in kassel, die berliner bauhäusler an der hfbk, max bill und inge scholl in ulm. sie bemühten sich, traditionelle schulen in ein institut nach den grundsätzen des bauhauses umzuwandeln bzw. eine solche neu aufzubauen. alle haben zahlreiche kompromisse eingehen müssen oder nur teilerfolge erreicht. daraus die folgerung zu ziehen, die bauhausidee sei überlebt, ist allerdings ein irrtum, der nur auf oberflächliche beobachtung zurückgeführt werden kann. der rahmen, den die meister gesteckt haben, scheint mir für längere zeit gültigkeit zu besitzen.

um 1950 habe ich noch einmal in der ausstellung ›22 bauhäusler‹ arbeiten des größten teils der mitarbeiter und freunde in berlin gezeigt. eine erste demonstration nach 1945, in der architektur, städtebau, möbel, geräte und textil mit werbegrafik, plastik und malerei als ein zusammenhängendes gezeigt wurden.

Teo Otto

Geboren 1904 in Remscheid. Nach einer Ausbildung als Techniker studiert er von 1923 bis 1926 als Werkstudent an der Kunstakademie in Kassel. Nach einem Studienaufenthalt in Paris wird er 1926 für kurze Zeit Assistent an der Bauhochschule Weimar.

Bereits mit 21 Jahren kann er am Staatstheater Kassel sein erstes Bühnenbild gestalten. Durch Victor Klemperer kommt er 1927 als Bühnenbildner an die Kroll-Oper in Berlin, 1931 wird er Ausstattungschef der Preußischen Staatstheater und zugleich Mitarbeiter der Staatsoper. 1933 muß Teo Otto emigrieren.

In Zürich wird er zunächst Bühnenbildner am Schauspielhaus, von 1938 bis 1960 leitet er dort die Ausstattungsabteilung. Das internationale Ansehen, das die Züricher Bühne seit jener Zeit gewonnen hat, ist auch den von Teo Otto gestalteten Inszenierungen zu verdanken. Zu seinen bekanntesten Entwürfen zählen die Ausstattungen vieler Brecht-Stücke zum Beispiel die Uraufführungen von ›Mutter Courage‹, 1941, ›Der gute Mensch von Sezuan‹, 1942, und ›Das Leben des Galileo Galilei‹, 1942. In seinen Züricher Jahren gestaltet Teo Otto zahllose Aufführungen und wirkt nach dem Kriege als Gastbühnenbildner u. a. in Berlin, Frankfurt am Main, Hamburg, Köln, London, New York, Mailand, Wien und Tel Aviv.

Von 1952 bis 1957 ist er außerdem Leiter einer Klasse für Bühnenbildnerei an der Werkakademie in Kassel. 1957 wird Otto als Professor für Bühnenkunst an die Düsseldorfer Kunstakademie berufen und als Mitglied in die Deutsche Akademie der Künste in Berlin gewählt.

Für die ›göppinger galerie‹, eine private Ausstellungsgesellschaft für Beziehungen zwischen Wirtschaft und Kultur, übernimmt er 1964 in Zusammenarbeit mit Eckhard Neumann und Wolfgang Schmidt die konzeptionelle Gestaltung der Ausstellung ›Bauhaus – Idee, Form, Zweck, Zeit‹. Sie ist die erste deutsche Nachkriegsausstellung mit Originalen aus allen Arbeitsbereichen des Bauhauses. Teo Otto bemüht sich hier besonders darum, aus eigener Anschauung und eigenem Erleben das Bauhaus vor dem zeitgeschichtlichen Hintergrund und in seinem kulturellen Umfeld zu präsentieren.

Ottos Werk als Bühnenbildner ist durch viele Preise und Auszeichnungen gewürdigt worden. Seit 1927 sind seine Arbeiten vielfach in Gruppen- und Einzelausstellungen gezeigt worden. Wenige Tage vor seinem Tod beginnt im Frankfurter Theater eine Ausstellung seiner freien künstlerischen Arbeiten.

Teo Otto ist am 7. Juni 1968 in Frankfurt gestorben.

Idee – Form – Zweck – Zeit

Die Geschichte des Bauhauses ist nicht zu trennen von der Zeit der industriellen Revolution, der sozialen Umschichtung, der Kriege und Revolutionen. Die bürgerliche Welt der Sicherheit, der rationalen Gewißheit war zerstört. Das Gewohnte, Vertraute lag in Trümmern. Bürgerliche Kultur und Ästhetik waren verkommen. Der Wille, neue künstlerische Formulierungen, neue Ausdrucksmittel zu finden für die Bldende Kunst, war an allen Ecken und

Enden spürbar. Mit dem Vorsatz, auf neuen Wegen neuen Zielen zuzustreben, fanden sich Verwandte, Gleichgesinnte im Osten wie im Westen. Es lag in der Luft. Das Desaster des Krieges, das Elend der Massen taten das Ihre, den Prozeß zu beschleunigen. Sekten, Reformer, Weltverbesserer, Anthroposophen, Heilslehrer, Gesundbeter, Apostel, Theosophen, Tippelschicksen, Nationalbolschewisten zogen mit. Das alles strebte neuen Ufern zu, predigte Gemeinschaft, Solidarität. Das alles bekämpfte sich, sang Landsknechtsweisen und verlangte Gleichheit, bis dann die ausgestreckte brüderliche Hand Parteibuch und Uniform faßte. Das alles legte sich hochmütiges Kasten-Gruppen-Denken zu, sprach von »Kreis – Gemeinschaft – Geist«, um unduldsam den Eigenwilligen, Eigensinnigen, Nichtsnutzigen zu vernichten, pochte auf Wimpeldenken und Abzeichentreue und sang gemeinsam im Kommiß-Belkanto von rechts bis links: »... und mit uns zieht die neue Zeit«. Arbeitslose standen Schlange, Volksküchen versorgten Kulturträger, Lebensmittelmarken waren Kostbarkeiten. Kohlenmangel überall. Geheimbündler übten nachts Krieg mit Spazierstöcken. Aufstände im Ruhrgebiet, in Sachsen und Thüringen. Inflation und Fememord. Das war der Hintergrund, vor dem jene vielen günstigen Faktoren zusammentrafen, die das Bauhaus ermöglichten und es zum Kristallisationspunkt eines gleichgearteten Denkens machten, das – verstreut in der Welt – in Europa aufbrach.

So wurde das Bauhaus Stätte der Realisation der zukunftsweisenden schönsten Impulse des damaligen verletzten Europas, des geschlagenen Deutschlands. Das Bauhaus war eine über lokale Bedingtheit hinausreichende Idee. Seine bedeutenden, weltweiten Auswirkungen waren nicht zu trennen von seiner Weltoffenheit. Arbeit und schöpferischer Prozeß wurden täglich durchzogen von politischen Sorgen. Existenzsorgen. Der Alltag mit seiner Härte war gleich einem Prüfstand für jenen Höhenflug menschlichen Geistes und schöpferischer Kraft.

Daß die Gefahr des Gruppendenkens sektiererischer Borniertheit, kunstpriesterlicher Unduldsamkeit bewältigt wurde, gehört zu den Wundern. Wer wollte damals die Welt nicht verbessern! Wer wollte nicht irgendwann, irgendwo, irgendwen für seine Sache gewinnen! Wenn die Situation des Bauhauses besonders glücklich war, dann deshalb, weil Glanz und Elend, Großkram und Kleinkram, Individuum und Kollektiv sich die Waage hielten. Diese Polarität schuf das Ferment der weit über die Zeit wirkenden Lebendigkeit, schuf die Voraussetzung der steten Erneuerung einer Idee. Lebendige Neugier, gezieltes Infragestellen hielten eine Präsenz wach, die sich Tag um Tag zu bewähren hatte und den harten Schlägen einer rüden Politik, einem brutalen Machtstreben ausgesetzt war.

So ist zum Beispiel Itten nur zu verstehen vor einer von den Kommandorufen der Ordner durchhallten, zerstörten Welt, vor dem aufbrechenden Suchen des Gemüts nach neuen Bezügen, neuen Quellen des Menschlich-Menschenmöglichen. Was sollte man tun, als die Ordnung, mißbraucht, zum Terror führte, zum Tode der Freiheit wurde? Sie alle brachen auf unter dem Schock der Zerstörung. Was hatte noch Gültigkeit? Auf den Hochschulen trug man die letzten Reste der Militärklamotten auf.

Die Besten fragten sich: Wie kann ich helfen, dienen? Andere: Wo liegen die Fehler in unserer Gesellschaft? Itten und Gropius waren verschieden in ihren Auffassungen, verschieden in ihrer Fragestellung: Beide aber waren auf ihre Weise bemüht, die Stunde Null nach dem Chaos des Ersten Weltkrieges sinnvoll zu bewältigen.

Das Bauhaus hatte Genies der Vorwegnahme, hatte Kreateure von Weltrang, jeder mit seinem Weltbild, jeder anders als der andere. Es war eine ungeheure Konzentration von Namen, darunter Feininger, Klee, Kandinsky – Namen von Weltgeltung. Moholy, der versuchte, Geschmack, Ästhetik, Schönheit neu zu formulieren. Schlemmer, der in seiner künstlerischen Breite Bild, Plastik, Bühne nach neuen Aussagemöglichkeiten anging. Persönlichkeiten wie Albers, Muche, Hirschfeld usw. mit ihren bleibenden Impulsen. Hannes Meyer, dessen Ausgerichtetsein auf Funktionalismus und Zweckgebundenheit nicht zuletzt diktiert war von der Tatsache, daß es in Deutschland sieben Millionen Erwerbslose gab und in Amerika zehn Millionen.

Das Leben des Bauhauses, seiner Repräsentanten und seiner Studierenden war begleitet von einem politischen Drama, das in seiner Wucht den Alltag und jede Form des Daseins beeinflußte. Wen konnte es wundern, daß Hannes Meyer aus Verantwortung heraus, angesichts des wirtschaftlichen Elends der damaligen Zeit, dem Notwendigen, dem Nützlichen, dem Zweckmäßigen den Vorrang gab vor dem formal Geschmacklichen, dem Schönen, dem Ästhetischen. Die Größe der künstlerischen Handlung und die Lauterkeit eines Anliegens werden verständlich am Zustand der Umwelt. Damals begann das Verbrechen, sich die Sturmriemen fester zu schnallen, und der Pöbel zog sich die Parteiuniform an. Der große Mies van der Rohe stand in der Endphase dem Bauhaus vor. Ich betrachte es nicht als Zufall, daß das Schicksal ihm diese Aufgabe zuteilte angesichts des brennenden Reichstages und einer heraufkommenden apokalyptischen Zeit.

Es gab im Laufe der Geschichte des Bauhauses alles – wie hätte es anders sein können bei der Vielfalt der Persönlichkeiten, die dort versammelt waren! Die Arbeiten reichten vom Absurden über das Visionäre bis zum Konkreten. Die Dinge schienen unglaublich, sehr gegenständlich, waren in ihrer Mannigfaltigkeit oft verwirrend. Aber waren sie nicht verschieden spiegelnde Facetten ein und derselben Sache? Das aufzuzeigen, bleibt der Zukunft vorbehalten.

Das Bauhaus wurde zu einem Begriff durch die Summierung menschlich und künstlerisch erfüllter Vielfalt. War das Bauhaus eine Idee, dann konnte diese Idee nicht zeit- und lokalgebunden sein. Dann gehörte sie der Welt. Wäre sie jedoch eine lokalgebundene Sache und somit Gegenstand der Eingeweihten, der Berufenen gewesen, dann könnten Gralshüter im Gefolge diese Idee zu Grabe tragen. Der Sinn dieser Ausstellung ist es, ein Forum zu sein, die gewohnte Sicht in Frage zu stellen, auf die bewundernswerte Vielfalt hinzuweisen und Zusammenhänge aufzuzeigen. Die Bauhaus-Idee ist nicht zu identifizieren mit Verzweckung, Quadratur und Geometrisierung der Welt und nicht mit industrieller Vernutzung. Anzuzweifeln ist ein Funktionalismus, der sich im Mechanisch-Oberflächlichen erschöpft. Es ist aber auch jene Simplizität anzugreifen, die in Blau, Rot und Gelb, in Waagerechte und Senkrechte den farbigen Abglanz des Lebens sieht. Die Polarität machte das Bauhaus aus. Schwarz und Weiß, Punkt und Linie, Ja und Nein, Ordnung und Freiheit sind Positionen des Unendlichen, sind Blinklichter göttlichen Reichtums, sind Positionen nicht zu fassender Vielfalt. Das bleibende Verdienst des Bauhauses besteht darin, inmitten der Verwirrung auf das ewige Spiel zwischen diesen Polen hingewiesen zu haben.

Quellennachweis

Literatur

Bauhaus Idee/Form/Zweck/Zeit

Ausstellungskatalog der göppinger galerie, Frankfurt am Main 1964

Idee und Realisierung: Teo Otto mit Eckhard Neumann und Wolfgang Schmidt. Bearbeitung des Kataloges: Eckhard Neumann

Erste zusammenfassende Veröffentlichung von 40 Textbeiträgen ehemaliger Bauhäusler und deren Zeitgenossen zur Bauhaus-Geschichte. Gefördert durch Dr. Emil Rasch. (Im folgenden abgekürzt: B-I/64)

Bauhaus and Bauhaus People

Personal opinions and recollections of former Bauhaus members and their contemporaries, edited by Eckhard Neumann

Van Nostrand Reinhold Company, New York 1970

Erweiterter Text- und Bildteil des Frankfurter Ausstellungskataloges B-I/64, ergänzt durch Biografien der Autoren. (Im folgenden abgekürzt: B-II/70)

Bauhaus und Bauhäusler

Bekenntnisse und Erinnerungen, herausgegeben von Eckhard Neumann

Hallwag Verlag, Bern und Stuttgart 1971

Veränderte und ergänzte deutsche Ausgabe des amerikanischen Buches B-II/70. (Im folgenden abgekürzt: B-III/71)

Beiträge

Adler, Bruno:
  B-I/64 Seite 22, B-II/70 Seite 22, B-III/71 Seite 15
Albers, Josef:
  B-II/70 Seite 169, vom Autor genehmigte Zusammenfassung eines Beitrages in: Die Zeit ohne Eigenschaften / eine Bilanz der zwanziger Jahre, herausgegeben von Leonhard Reinisch, Stuttgart 1961
Arndt, Alfred:
  B-I/64 Seite 38, B-II/70 Seite 53, B-III/71 Seite 37, Manuskript in kleinen Buchstaben. Dieser Beitrag ist in einer kürzeren Fassung erschienen in: Alfred Arndt, Ausstellungskatalog zum 70. Geburtstag, Bauhaus-Archiv Darmstadt, 1968
  Ansprache zur Eröffnung des Bauhaus-Gebäudes, im Dezember 1926, nach einem Typoskript des Autors, keine bisherigen Veröffentlichungen bekannt. Schreibweise des Autors

Bayer, Herbert:
B-I/64 Seite 98, B-II/70 Seite 131, B-III/71 Seite 107, Gedicht, vorgetragen von Wolfgang von Eckhart in Colombia und New York 1961, Übersetzer unbekannt

Beckmann, Hannes:
B-II/70 Seite 195, B-III/71 Seite 158. Deutsche Übersetzung von Hannelore Wuttke

Bill, Max:
B-I/64 Seite 120, B-II/70 Seite 208, B-III/71 Seite 167, Manuskript in kleinen Buchstaben, vom Autor für diese Ausgabe überarbeitet

Bortnyik, Alexander:
B-II/70 Seite 79, B-III/71 Seite 68. Originalmanuskript vom Herausgeber redigiert

Brandt, Marianne:
B-II/70 Seite 97, B-III/71 Seite 77. Brief an den Herausgeber vom 13. Mai 1966, redigiert

Buchholz, Erich:
B-II/70 Seite 109, B-III/71 Seite 88

Citroen, Paul:
B-I/64 Seite 29, B-II/70 Seite 44, B-III/71 Seite 28

Dearstyne, Howard:
B-II/70 Seite 212, B-III/71 Seite 185. Vorabdruck in Ausstellungskatalog ›50 Years of Bauhaus‹, Chicago 1969; ›Inland Architect‹, Chicago 1969. Deutsche Übersetzung von Hannelore Wuttke

Dexel Walter:
B-I/64 Seite 62, B-II/70 Seite 104, B-III/71 Seite 84

Feininger, T. Lux:
B-II/70 Seite 172, B-III/71 Seite 143. Verkürzte Fassung eines Beitrages in ›Criticism‹, Wayne State University, 1960, Jahrgang II, Heft 3, Seite 260 ff. Deutsche Übersetzung von Hannelore Wuttke

Gebhard, Max:
Erstveröffentlichung in ›form + zweck‹, 2. Bauhausheft, Jahrgang 11, Heft 3, 1979, Seite 72–74. Genehmigung zum Wiederabdruck: ›Büro für Urheberrechte‹ der DDR Nr. VB-2032-85

Giedion, Sigfried:
B-I/64 Seite 51 und 80, Zusammenfassung aus ›Die Zeit ohne Eigenschaften / Eine Bilanz der zwanziger Jahre‹, herausgegeben von Leonhard Reinisch, Stuttgart 1961, Seite 22 ff. B-II/70 Seite 76 und 199, B-III/71 Seite 61 und 113

Graeff, Werner:
B-I/64 Seite 59, B-II/70 Seite 73, B-III/71 Seite 58

Grohmann, Will:
B-II/70 Seite 163. Verkürzte Fassung eines Beitrages in ›Universitas‹, Stuttgart 1957, Heft 12, Seite 1239 ff., B-III/71 Seite 135

Gropius, Walter:
B-II/70 Seite 15. Überarbeiteter Vortrag aus Anlaß der Verleihung des Titels ›Ehrensenator‹ der Hochschule für bildende Künste in Berlin, 3. November 1962. Erstveröffentlichung in ›Schriftenreihe der Hochschule

für bildende Künste in Berlin‹, 1963, Heft 7. B-III/71 Seite 9

Grote, Ludwig:
B-I/64 Seite 123, B-II/70 Seite 205, B-III/71 Seite 162

Haffenrichter, Hans:
B-II/70 Seite 67, B-III/71 Seite 49

Hassenpflug, Gustav:
B-I/64 Seite 96, B-II/70 Seite 211, B-III/71 Seite 184

Hesse, Fritz:
B-I/64 Seite 74, B-II/70 Seite 143, B-III/71 Seite 110

Hoffmann, Hubert:
B-I/64 Seite 127. Manuskript in kleinen Buchstaben. B-II/70 Seite 242, B-III/71 Seite 205. Für diese Ausgabe vom Verfasser redigiert

Hoppe, Alfred:
B-I/64 Seite 113, B-II/70 Seite 232, B-III/71 Seite 196

Itten, Johannes:
B-I/64 Seite 20, B-II/70 Seite 20, B-III/71 Seite 13

Kandinsky, Nina:
B-III/71 Seite 128. Interview mit dem Herausgeber am 24. April 1971 in Paris

Klee, Felix:
B-II/70 Seite 37, B-III/71 Seite 21

König, Heinrich:
B-I/64 Seite 70, B-II/70 Seite 118, vom Autor redigiert, B-III/71 Seite 95

Koppe, Richard:
B-II/70 Seite 234, B-III/71 Seite 196. Deutsche Übersetzung von Hannelore Wuttke

Kramer, Ferdinand:
B-III/71 Seite 62. Für diese Ausgabe vom Autor redigiert

Kranz, Kurt:
Erstveröffentlichung, Manuskript 1984

Lissner, Erich:
B-I/64 Seite 65. Nachdruck in ›Frankfurter Rundschau‹, 1. Februar 1964, B-II/72 Seite 101, B-III/71 Seite 81

Marcks, Gerhard:
B-I/64 Seite 27, B-II/70 Seite 27, B-III/71 Seite 20

Marx, Carl:
Erstveröffentlichung. Schreibweise des Autors. Manuskript vom 8. Dezember 1977

Michel, Robert:
B-I/64 Seite 45, B-II/70 Seite 59, B-III/71 Seite 42

Moholy, Lucia:
B-III/71 Seite 169. Manuskriptabschluß: August 1971

Molzahn, Johannes:
B-I/64 Seite 26, Auszug aus einem Brief an den Herausgeber vom 21. Oktober 1963 (München), redigiert. B-II/70 Seite 26, B-III/71 Seite 19

Muche, Georg:
B-I/64 Seite 53, Erstveröffentlichung einer Festrede zum 75. Geburtstag von Johannes Itten am 11. November 1975 in Zürich. B-II/70 Seite 83, B-III/71 Seite 72

Bauhaus-Epitaph: B-II/70 Seite 201, überarbeitete Fassung eines Beitrages in ›Die Zeit ohne Eigenschaften / Eine Bilanz der zwanziger Jahre‹, herausgegeben von Leonhard Reinisch, Stuttgart 1961, Seite 139 ff., B-III/71 Seite 165

Otto, Teo:
B-I/64 Seite 8, als Einleitung, B-II/70 Seite 252 und B-III/71 Seite 210, als Nachwort

Pahl, Pius, E.:
B-II/70 Seite 227, B-III/71 Seite 191

Pap, Giula:
B-II/70 Seite 77, B-III/71 Seite 66

Rasch, Emil:
B-I/64 Seite 107, B-II/70 Seite 209, B-III/71 Seite 182

Röhl, Karl-Peter:
B-I/64 Seite 28, B-II/70 Seite 51, B-III/71 Seite 35

Scheper, Lou:
B-I/64 Seite 95, B-II/70 Seite 112, überarbeitete Fassung, B-III/71 Seite 91

Schawinsky, Xanti:
B-I/64 Seite 83. Manuskript in kleinen Buchstaben, B-II/70 Seite 145, B-III/71 Seite 114

Schmidt, Kurt:
B-III/71 Seite 54.

Schmidt-Nonne, Helene:
B-II/70 Seite 121. Interview mit Basil Gilbert in Darmstadt 1966 in Englisch, Übersetzung von Helene Schmidt-Nonne. B-III/71 Seite 99

Schlemmer, Tut:
B-II/70 Seite 152. Überarbeitete Fassung eines Vortrages am 8. Juli 1961 an der Kunstgewerbeschule Zürich. Veröffentlicht in der Originalfassung als Privatdruck der Kunstgewerbeschule Zürich 1962. B-III/71 Seite 121

Schreyer, Lothar:
B-I/64 Seite 48, B-II/70 Seite 71, B-III/71 Seite 53. Frühere Veröffentlichungen vorhanden, bibliografische Angaben unbekannt

Schuh, Ursula:
B-I/64 Seite 76, B-II/70 Seite 160, B-III/71 Seite 133

Stadler-Stölzl, Gunta:
B-I/64 Seite 110, B-II/70 Seite 128, überarbeitete Fassung, B-III/71 Seite 105

Sutnar, Ladislav:
B-III/71 Seite 178. Deutsche Übersetzung von Hannelore Wuttke

Trudel, Frank:
Erstveröffentlichung, Manuskript, um 1980

Wescher, Herta:
B-I/64 Seite 47, B-II/70 Seite 63, erweiterte Fassung, B-III/71 Seite 45

Alle in der amerikanischen Ausgabe ›Bauhaus and Bauhaus People‹ (= B-II/70) veröffentlichten deutschen Textbeiträge und Biografien wurden von Eva Richter und Alba Lorman übersetzt.

Die Biografien wurden von den Autoren, bzw. deren Erben und Nachlaßverwaltern überprüft und in Zusammenarbeit mit dem Herausgeber auf den heutigen Stand ergänzt.

Fotonachweis

Walter Allner (New York) 28; Bauhaus-Archiv/Museum für Gestaltung (Berlin) 8–9, 20–21, 23–26, 29–34, 41–43, 45–49, 51–52, 56–60; Dr. Wolfgang Hesse (Bonn) 27; Eckhard Neumann (Frankfurt) 1–7, 10–19, 22, 37–40, 44, 50, 53–55, 61–69; Dr. Dirk Scheper (Berlin) 35–36.

Personenregister

Bauhaus Pädagogik

Von Rainer Wick. 336 Seiten mit 215 einfarbigen Abbildungen und Zeichnungen, ausführlichen Literaturhinweisen, Register, kartoniert (DuMont Dokumente)

»Wick ist es in seinem Buch gelungen, die Arbeit der Bauhaus-Pädagogen in Konsens und Konflikt verständlich zu machen. Dabei spiegelt sich in der genauen Darstellung seines Buches, den vielen gut ausgewählten Fotos, der deutlichen Gliederung (einschließlich vieler hilfreicher Zusammenfassungen, Überleitungen, Wiederholungen, Akzentuierungen und Gegenüberstellungen) jene Klarheit, die aus den gelungensten Arbeiten des Bauhauses spricht.« *betrifft erziehung*

»Rainer Wick hat mit seinem Buch eine Lücke in der Bauhaus-Literatur geschlossen. Das ist an sich schon ein Verdienst. Zusätzlich muß lobend angemerkt werden, daß Wick die umfangreiche und zugleich schwierige Materie in einer gut gegliederten und sprachlich klaren Darstellung bewältigt hat.« *Bonner Generalanzeiger*

»Dieses Buch legt eine zusammenfassende Darstellung aller pädagogischen Konzepte des Bauhauses vor. Dabei wird deutlich, daß viele heutige Konzeptionen des Kunstunterrichts und der Künstlerausbildung wesentliche Anregungen aus dem Bauhaus bezogen haben.« *Badisches Tagblatt*

Das Bauhaus

1919–1933

Weimar, Dessau, Berlin und die Nachfolge in Chicago seit 1937
Von Hans M. Wingler. 588 Seiten mit 10 Farbtafeln und 753 einfarbigen Abbildungen, Namensverzeichnis, Bibliographie, Index, Leinen mit Schutzumschlag

»In chronologischer Folge setzt sich aus Briefen, Aufsätzen, Zeitungsnotizen, Protokollen, Programmen, Faksimiles, Fotos und Plänen das Bild einer geistigen Landschaft zusammen, aus der sich Geschichte, Atmosphäre und Arbeitsweise des Bauhaus ablesen lassen. Das bestechendste an dieser Dokumentation ist jedoch vor allem die Fülle der Arbeiten von Bauhausmeistern, die hier nicht nur im Bild, sondern auch in Wiedergaben von Zeitungsartikeln aus jener Zeit dargestellt werden.« *Stuttgarter Nachrichten*

»Winglers Buch ist schon äußerlich ein ›gewichtiger Band‹. An den Abbildungen wird deutlich, wie vielfältig die Tätigkeit der Bauhäusler war – wie viel von ihnen geplant, erfunden und ausgeführt wurde, wovon manches längst in das allgemeine Bewußtsein eingegangen ist, soweit es sich um Gegenstände des täglichen Gebrauchs handelt. Stahlrohrsessel, metallene Geräte, die allseits bekannten ›Bauhaus-Tapeten‹ sind darunter; denn eins der Hauptanliegen von Gropius und seinen Mitarbeitern war das Entwerfen praktisch-brauchbarer, industriell verwertbarer Formen, wie sie das heraufkommende Massenzeitalter verlangte.

Winglers Bauhaus-Dokumentation dürfte eine der wichtigsten Veröffentlichungen zur Zeit- und Kulturgeschichte im 20sten Jahrhundert sein. Nicht nur Architekten und Künstler, sondern alle, die unsere Gegenwart mit wachem Auge erleben, werden an dieser Veröffentlichung Belehrung, Bestätigung und nicht zuletzt Freude finden.« *Norddeutscher Rundfunk*

DuMont Taschenbücher